BEST-SELLERS
Collection dirigée par Jean Rosenthal

GERALD GREEN

HOLOCAUSTE

roman

traduit de l'américain par Yvonne Baudry

ÉDITIONS ROBERT LAFFONT
PARIS

Titre original : HOLOCAUST
© Gerald Green et Titus Productions, Inc., 1978
Traduction française : Éditions Robert Laffont, S.A., Paris, 1978

ISBN 2-221-00128-1
(édition originale :
ISBN 0-553-11877-3 Bantam Books, Inc., New York).

Si vous désirez être tenu au courant
des publications de l'éditeur de cet ouvrage,
il vous suffit d'adresser votre carte de visite aux Éditions Robert Laffont,
Service « Bulletin », 6, place Saint-Sulpice, 75279 Paris Cedex 06.
Vous recevrez régulièrement, et sans engagement de votre part,
leur bulletin illustré, où, chaque mois, vous sont présentées
toutes les nouveautés que vous trouverez chez votre libraire.

*A la mémoire
des Six Millions de victimes,
des Survivants
et de Ceux
qui avaient choisi de se défendre.*

PROLOGUE

Kibboutz Agam
Israël
Novembre 1952

En contrebas de notre petite maison, sur le terrain de football, Ari et Hanan, mes fils, sont en train de jouer au ballon. Ils se débrouillent assez bien, surtout Hanan, qui a cinq ans. Ari a un an de moins. Plus fluet et timide, il semble moins apprécier l'engagement physique.

Il faudra que je travaille avec eux, que je leur apprenne les mouvements et leur montre comment effectuer les passes et les feintes, comment contrôler le ballon de la tête.

A les regarder, je me souviens de la façon dont mon frère Karl et moi jouions habituellement dans le petit jardin public en face de notre maison à Berlin. Mon père y avait son cabinet au rez-de-chaussée, et ses clients s'arrêtaient parfois à l'ombre des arbres pour suivre notre jeu.

J'entends encore leur voix, comme celle de M. Lowy qui, aussi loin que je me souvienne, avait toujours été client de mon père : « Les enfants du Dr Weiss ! Voyez-vous le petit ? Il sera professionnel un jour ! »

Karl avait trois ans de plus que moi. Mince, de nature posée, ce n'était pas un fervent du sport. Il se fatiguait vite. Il avait envie de lire, ou bien de mettre la dernière touche à l'un de ses tableaux. J'ai le sentiment que nous décevions l'un et l'autre notre père, le Dr Joseph Weiss. Mais c'était un homme plein d'égards pour autrui, et qui nous aimait trop pour nous le faire sentir.

Tout est fini. A jamais. Karl, mes parents, et toute ma famille ont péri dans ce qu'on nomme à présent l'*holocauste*. Euphémisme pour des meurtres en masse. J'ai survécu. Et aujourd'hui, assis dans ce bungalow en parpaings de caillasse, qui domine le lac de Tibériade dont je vois au loin l'eau d'un bleu sombre, derrière les champs et les vergers de pêchers, j'achève cette chronique de la famille Weiss. D'une certaine manière, c'est la chronique de ce qu'il advint à des millions de Juifs en Europe : les six millions de victimes, la poignée de survivants, et ceux qui ont riposté.

Ma femme, Tamar, une sabra née en Israël, m'a aidé à préparer ce document. Elle est beaucoup plus instruite que moi. J'ai tout juste terminé mes études secondaires à Berlin, occupé comme je l'étais à jouer au football ou au tennis, et à flâner dans les rues avec mes copains.

Tamar a fréquenté l'université du Michigan aux Etats-Unis. Elle est psychologue pour enfants et parle couramment cinq langues. Quant à moi, j'ai encore du mal avec l'hébreu. Mais je ne suis plus un Européen. Israël est ma patrie. J'ai lutté pour sa liberté en 1947, et lutterai encore et toujours, chaque fois qu'on me demandera de le faire. Du temps où j'étais un partisan en Ukraine, j'ai appris qu'il vaut mieux mourir un fusil à la main que se soumettre aux meurtriers. Cela, je l'ai enseigné à Hanan et Ari, et, aussi jeunes qu'ils soient, ils l'ont compris. Pourquoi pas ? Plusieurs fois par semaine, de l'autre côté du Jourdain, l'artillerie syrienne envoie des obus sur le kibboutz Agam ou sur l'un de ses voisins de Galilée. A cinquante mètres de notre petite maison se trouve un abri souterrain entièrement aménagé, avec de l'eau, des vivres, des lits et des toilettes. Au moins une fois par mois, les bombardements deviennent assez intenses pour nous forcer à y passer la nuit.

Mes fils, Tamar et moi, regardons parfois nos soldats se déplacer avec nos canons sur les routes poussiéreuses en contrebas, afin de rendre la pareille aux Syriens. Plus d'une fois, ma propre unité a été rappelée en renfort pour « neutraliser » l'artillerie ennemie. Je ne tire aucun plaisir de ces obligations, mais les assume volontiers. Et je ne me réjouis pas non plus d'avoir à enseigner à de petits enfants la nécessité de se battre pour survivre. Mais j'ai beaucoup appris à ce sujet, et faillirais à mon devoir de père si je ne leur communiquais pas de bonne heure ces notions. Déjà, ils savent ne pas céder, ne pas baisser la tête.

Les informations que j'ai recueillies pour cette chronique de ma famille proviennent de sources multiples. A deux reprises, j'ai parcouru l'Europe au cours de mes vacances d'été. (Je suis directeur sportif au lycée local, et comme tous les membres de la communauté Agam, je suis tenu de verser l'intégralité de mon salaire au kibboutz ; cependant, on accorde parfois des fonds spéciaux, et les parents de Tamar m'ont aidé.) J'ai correspondu avec beaucoup de personnes qui ont connu mes parents, mon frère

Karl et mon oncle Moïse. J'ai rencontré des dizaines de survivants des camps de concentration ; ici, en Israël, des gens du ghetto de Varsovie. Tamar m'a aidé à traduire la plupart des documents et à rédiger une grande partie du récit.

Une source majeure de renseignements sur mon frère Karl m'a été assurée par sa veuve, une Allemande catholique du nom d'Inga Helms Weiss, qui vit actuellement en Angleterre.

Voici environ un an, un Allemand appelé Kurf Dorf, entendant parler des recherches que je faisais sur ma famille, m'a écrit. Pendant la guerre, il avait été attaché à l'armée allemande, en tant qu'ingénieur civil, et fut un remarquable témoin de l'accusation lors du procès de Nuremberg. Ayant retrouvé les journaux intimes de son neveu, un officier SS nommé Erik Dorf, il eut la bonté de m'envoyer une copie de ces documents nombreux et détaillés. Ce sont des journaux d'une nature fragmentaire et, en outre, Erik Dorf ne précisait pas toujours quel jour il écrivait, mais il indiquait heureusement assez de lieux et de dates dans son récit décousu pour m'avoir permis de déterminer au moins le mois de chaque compte rendu. Il y a un trou entre 1935 et 1938. Les documents de cette période ont apparemment été perdus ou détruits.

J'ai intercalé des fragments de ces journaux dans le récit de la destruction de ma famille. Il me semble (et c'est également l'opinion de Tamar) que les motifs des meurtriers sont d'une aussi grande importance pour nous que le destin des victimes.

Je n'ai pas connu le commandant Erik Dorf, mais par l'un de ces étonnants caprices du destin qui ont abondé au cours de ces années terribles, il s'est trouvé que lui et sa femme furent, pour un temps, *les clients de mon père* à Berlin. Trois ans après que mon père l'eut soigné, lui et sa famille, ce même Erik Dorf signait des ordres et entamait des procédures qui devaient entraîner le meurtre de Karl, de mes parents, de mon oncle Moïse... et de six millions d'autres innocents.

Il semble incroyable que sept ans seulement se soient écoulés depuis la fin du cauchemar, depuis notre délivrance de l'enfer de l'Europe nazie. Tamar dit qu'en fait, nous ne serons jamais libérés de cette tragédie. Nos enfants et les enfants de nos enfants devront en être informés. Ainsi que tous les enfants de la terre.

Pardonnez, a dit un jour Ben Gourion, *mais n'oubliez jamais.* Je ne suis pas encore tout à fait disposé au pardon. Peut-être ne le serai-je jamais.

PREMIÈRE PARTIE

LA FAMILLE WEISS

Récit de Rudi Weiss

Le 8 août 1935, on célébra le mariage de mon frère aîné Karl avec une jeune fille catholique nommée Inga Helms. Ils avaient tous deux vingt et un ans.

Je me souviens parfaitement du chaud soleil d'été sur Berlin. Pas un souffle d'air ne venait agiter les feuilles des peupliers et des chênes du magnifique jardin du Cerf Doré. Ce restaurant était célèbre pour ses banquets en plein air, avec ses treillages blancs couverts de vigne, ses statues, ses bassins, et sa pelouse moelleuse. On avait réservé pour notre réception de mariage un coin privé entouré de hautes haies d'un vert foncé.

J'avais alors dix-sept ans et ma sœur Anna, la benjamine de la famille, treize ans. Je me rappelle vaguement qu'elle me taquinait et qu'en la poursuivant, j'avais failli la précipiter dans un bassin. Nous revînmes à la longue table couverte d'une nappe blanche avec ses coupes de fruits et de crèmes glacées, des bouteilles de champagne et le gâteau de mariage, pour y être doucement réprimandés par ma mère.

— Un peu de tenue, les enfants, dit-elle. Rudi, où est passée ta cravate ?

— Il fait trop chaud, maman.

— Tu dois la mettre. C'est une occasion solennelle.

Je la mis, naturellement, mais avec un peu de réticence. Ma mère avait un ton sans réplique. Elle nous faisait toujours obéir. Lorsque nous étions petits, elle nous administrait parfois des fessées. Mon père, de son côté, était si bienveillant et si préoccupé par ses clients que jamais, autant que je me souvienne, il ne nous gronda, ni leva la main sur nous.

Il y avait un accordéoniste, et je me rappelle qu'il jouait des valses de Strauss, des airs joyeux du *Chevalier à la rose* et de *La*

Chauve-Souris. Mais personne ne dansait, et je savais bien pourquoi.

Nous étions des Juifs, un peuple déjà condamné. Des milliers de Juifs avaient déjà quitté l'Allemagne, leurs affaires et leurs propriétés volées par les nazis. Il y avait des bastonnades dans la rue, des humiliations, des manifestations contre nous. Ma mère persistait à voir en Hitler « un politicien comme un autre », un parvenu qui serait assez rapidement remis à sa place. Elle était sûre que les choses s'arrangeraient. Depuis des siècles, sa famille avait vécu dans ce pays, et elle se sentait plus allemande que ces brutes qui brandissaient des drapeaux dans la rue.

Pourtant, le malaise qui planait sur la noce avait d'autres raisons que notre appartenance à la race juive. Les deux familles, les Helms et les Weiss, ne se connaissaient pratiquement pas. Les Helms étaient des gens assez modestes. Le père d'Inga, au visage timide et las, était mécanicien. Un brave homme, je suppose. Son épouse était une femme simple, assez jolie, avec le même charme qu'Inga : un visage allongé, aux yeux bleu clair, encadré de cheveux blonds. Inga avait un frère cadet, à peu près de mon âge, Hans Helms, que je connaissais parce qu'il jouait comme moi au football. C'était un de ces sportifs qui font un grand cas de leurs victoires, mais ne tiennent pas le coup dans une passe difficile. Nous avions joué plusieurs fois dans des équipes adverses, et je m'étais montré plus fort que lui. Lorsque je fis allusion à ces rencontres, il affirma n'en avoir gardé aucun souvenir. A présent, il était simple soldat dans l'armée allemande, et, ce jour-là, portait son uniforme.

Inga embrassa soudain mon frère sur les lèvres, peut-être pour rompre le morne silence qui s'était abattu sur l'assistance. Karl eut l'air embarrassé. C'était un grand jeune homme brun et mince, aux yeux rêveurs. Il avait rencontré Inga à l'école d'art commercial, où elle était secrétaire du directeur, et, lui, étudiant apprécié en dessin et en peinture.

Ma mère avait la conviction que Karl faisait un mariage au-dessous de sa condition. La modeste famille de travailleurs, qui était assise en face de nous, confirma son point de vue en cette chaude journée d'août.

Mais Berta Weiss avait dû s'incliner devant la volonté inébranlable d'Inga. (Celle de ma mère était assez forte. Pourtant l'amour de Karl pour Inga refusa de s'y plier.) Et ils étaient profondément épris l'un de l'autre. Je pense que Karl voyait en Inga la force, la détermination, une jeune fille solide et pleine de vitalité, le type de femme dont il avait besoin. Karl était en effet un jeune homme inquiet et pessimiste, très différent d'Anna et de moi.

— Embrasse-moi encore une fois, fit Inga.

— Cela me gêne encore... en public, dit Karl

Elle rejeta alors son voile en arrière, passa ses bras autour du cou de mon frère, et l'embrassa. Elle était ravissante dans sa longue robe de soie et de dentelle, avec une petite couronne de marguerites sur les cheveux.

Anna et moi battîmes des mains, et je sifflai dans mes doigts. Cela parut détendre un peu la famille Helms. Ils esquissèrent un sourire. Hans Helms me fit un clin d'œil. D'homme à homme.

De notre côté de la table se trouvaient mes parents, Moïse, le frère cadet de mon père, qui était venu de Varsovie pour la circonstance, et les parents de ma mère, mes grands-parents, M. et Mme Heinrich Palitz. Mon grand-père avait beaucoup de prestance avec ses cheveux blancs, son dos bien droit, et sa décoration que lui avait décernée le Kaiser pour son héroïsme au cours de la guerre de 1914-1918. Il tenait une librairie. Il disait toujours qu'il ne redoutait pas les nazis, que l'Allemagne était sa patrie à lui aussi.

Ma mère était de loin la personne la plus élégante de la noce : mince dans une longue robe bleu clair, avec des gants blancs et un grand chapeau blanc. Elle posa sa main sur le bras de mon père.

— Joseph, dit-elle, la tradition veut que le père du marié porte un toast.

— Oh! oui... bien sûr.

Papa se leva lentement. Son esprit semblait ailleurs, comme absorbé par un cas à l'hôpital, ou par le souvenir d'une femme morte d'un cancer quelques semaines auparavant. Petit à petit, sa clientèle s'était réduite aux malades et aux pauvres gens, uniquement de race juive, ceux qui n'avaient pas eu assez d'argent, ou assez de prévoyance pour quitter le pays. Il les traitait tous avec la même considération qu'il aurait témoignée à un Rothschild. Mon père leva sa coupe de champagne. Tout le monde se mit debout autour de la table. Anna me poussa du coude.

— Je vais être saoule, Rudi. Pour la première fois.

— Tu commenceras plutôt par avoir mal au cœur !

— Les enfants ! fit ma mère à mi-voix. Papa va faire un petit discours.

— Oui, oui, dit mon père. Au bonheur des jeunes mariés. A ma nouvelle fille, Inga Helms Weiss, et à mon fils Karl. Que Dieu leur accorde une vie longue et heureuse !

J'applaudis joyeusement, mais ne fus pas suivi en cela par la famille Helms qui ne manifestait toujours pas d'entrain. L'accordéoniste attaqua un autre air. On remplit les coupes de champagne. Inga obligea Karl à l'embrasser de nouveau, à pleine bouche, les yeux clos sur leur passion.

Mon père porta un toast à notre nouvelle belle-famille, puis présenta les parents de ma mère, les Palitz, et mon oncle Moïse.

— Assez de présentations comme ça, Joseph, et davantage de champagne ! fit mon grand-père. On se croirait à une conférence de médecine !

Il y eut quelques rires.

Un homme corpulent, assis à côté de M. Helms, ne se déridait pas. Je vis un svastika sur le revers de son costume. C'était Heinz Muller, qui travaillait avec le père d'Inga à l'usine. Lorsque mon oncle Moïse, un homme timide au physique ordinaire, fut présenté, je surpris ce Muller à murmurer au père d'Inga :

— Tu entends ça, Helms ? *Moïse.*

Je fis semblant de discuter avec Anna, mais prêtai l'oreille aux propos de cet individu. Il demanda à Hans :

— A-t-on essayé de faire changer Inga d'avis là-dessus ?

— Naturellement, dit Hans Helms, mais vous savez comment elle est quand elle a décidé quelque chose.

Le frère connaissait bien sa sœur. Inga avait fixé son choix sur Karl, et maintenant il était son mari. Pour cela, elle avait surmonté l'opposition de sa propre famille, celle de la nôtre, l'atmosphère peu propice de l'époque, et s'était mariée civilement avec Karl, de façon à ne pas heurter les sensibilités de qui que ce soit, de part et d'autre. Malgré toute sa force de caractère, je sentais en elle de la tendresse et un cœur compatissant. Ainsi, par exemple, elle était très proche d'Anna et de moi, et s'intéressait à notre travail en classe comme à nos loisirs. Elle avait appris à Anna les rudiments de la dentelle à l'aiguille, et avait assisté à certaines de mes rencontres de football. Elle traitait toujours mes parents avec le plus grand respect. (Ma mère la tenait à distance, je dois le reconnaître, et persista plusieurs années dans cette attitude.)

C'était maintenant au tour de M. Helms de prendre la parole. Il se leva, silhouette massive dans un costume sans forme, et remercia toute l'assistance en terminant par un hommage à son fils Hans, au service de la « glorieuse patrie ».

Cela suscita l'intérêt de mon grand-père, M. Palitz, dont le regard s'éclaira. Il sourit à Hans.

— Dans quelle arme, jeune homme ?

— L'infanterie.

— J'étais dans l'infanterie, moi aussi. Capitaine dans le 2e régiment. Croix de fer, première classe.

Il passa le doigt sur la décoration qu'il arborait toujours. Ce fut comme s'il avait déclaré à tous : « Veuillez remarquer que je suis à la fois un Juif et un bon Allemand, aussi patriote que quiconque autour de cette table. »

J'entendis Muller marmonner à Hans :

— Aujourd'hui, il ne serait même pas autorisé à nettoyer les chiottes de l'armée.

Grandpa n'entendit pas, mais il y eut un moment de tension. Inga nous suggéra de danser sur l'air de *Dans la forêt viennoise.*

Nous nous levâmes pour valser.

Anna me tira par le coude.

— Viens, Rudi, dansons.

— Je ne supporte pas ton parfum.

— Je n'en mets pas. Je sens bon naturellement !

Elle me tira la langue, et se tourna vers oncle Moïse. Je m'étirai pour me dégourdir et surpris mon père disant à son frère sur un ton d'excuse :

— Je sais bien ce que tu penses, Moïse. Pas de cérémonie religieuse. Pas de verre cassé. Ne nous juge pas mal. Nous avons célébré la bar-mitzva des garçons. Berta et moi fréquentons toujours la synagogue les jours de fête.

— Joseph, tu n'as pas à t'excuser.

Anna insistait.

— Oncle Moïse, venez danser avec moi !

Elle l'entraîna jusqu'à la pelouse, sous les arbres. Je me souviens encore des taches mouvantes que l'alternance de soleil et d'ombre faisait apparaître sur les danseurs.

— Es-tu heureuse ? demanda mon père à ma mère.

— Si Karl est heureux, oui.

— Ce n'est pas vraiment une réponse à ma question.

— J'ai dit ce que je pouvais dire de mieux.

— Ce sont des gens comme il faut, dit mon père. Et Karl l'aime tant. Elle lui fera du bien. C'est une femme solide.

— Je l'ai remarqué, Joseph.

Faisant semblant d'être un peu ivre, je me déplaçai autour de la table et surpris des bribes de conversation. Muller pérorait encore à mi-voix, à l'adresse de M. Helms, de Hans, et de certains membres de leur famille :

— Dommage que vous n'ayez pas pu faire patienter Inga quelques mois de plus. Les grands pontes du parti m'ont dit que de nouvelles lois sont en préparation. Plus de mariages mixtes. Cela vous aurait épargné des chagrins.

— Oh ! ils ne sont pas comme les *autres,* répondit M. Helms. Vous savez... un médecin... un vieux héros de la guerre...

Soudain Hans Helms fut pris d'une quinte de toux. Il avait tiré des bouffées d'un cigare et paraissait maintenant étouffer. Mon père, qui était en train de valser avec ma mère, la laissa pour se précipiter vers Hans en courant. Vite, il le força à avaler une tasse de thé. La toux cessa, comme par enchantement.

— C'est un vieux remède, expliqua mon père. Le thé contrebalance l'effet de la nicotine. J'ai appris cela lorsque j'étais étudiant.

La famille Helms regardait bizarrement mon père. Je pouvais presque lire dans leurs pensées. *Juif. Docteur. Intelligent. Poli.*

— Quel genre de médecin êtes-vous exactement, docteur Weiss ? demanda Muller avec arrogance.

— Un bon ! lançai-je.

Je voulais ajouter « et puis cela ne vous regarde pas ! », mais ma mère intervint.

— Rudi ! Et la politesse !

— Je suis un généraliste, répondit mon père. J'ai un cabinet privé dans la Groningstrasse.

Hans s'effondra sur une chaise, les yeux larmoyants, le col de chemise grand ouvert. Sa mère vint caresser sa tête blonde.

— Pauvre Hans ! J'espère que tu es bien traité dans l'armée.

Mon père tenta de plaisanter un peu.

— S'il ne l'est pas, vous avez désormais un médecin dans la famille. Je me dérange même la nuit.

Inga et Karl dansaient toujours, légers et joyeux. Quelques autres couples aussi. Mon grand-père s'assit en face du jeune Helms, de l'autre côté de la table.

— Cela a dû changer depuis mon temps !

— Certainement, dit Hans. Vous avez combattu ?

— Si j'ai combattu ! Comment croyez-vous donc que j'ai gagné ma Croix de fer ? Verdun, le Chemin des Dames, Metz. J'ai traversé tout ça.

Mme Helms paraissait mal à l'aise.

— Espérons qu'il n'y aura plus de guerre ! fit-elle.

— Je bois à cette intention, madame, dit Grandpa.

Muller s'assit auprès de Hans et contempla, un vague sourire aux lèvres, le visage de mon grand-père auréolé de cheveux blancs. Brusquement, il déclara :

— A ce que je comprends, votre beau-fils est né à Varsovie. C'est logiquement un citoyen polonais.

— Que voulez-vous dire ?

— Je me demande simplement de quel côté vont les sympathies de votre famille, vu la situation internationale.

— Je n'ai jamais fait de politique, dit Grandpa Palitz.

Ma mère, qui l'entendit en dansant, revint à la table. La musique marqua une pause. Inga et Karl, ainsi que mon père, s'approchèrent également.

20

— Nous ne nous intéressons pas à la politique, dit ma mère d'un ton ferme. Mon mari s'estime aussi allemand que moi-même. Il a fait ses études de médecine ici, et a toujours exercé ici.

— Je ne voulais pas vous offenser, madame, répondit Muller.

De nouveau, un sourire vague et froid élargit sa bouche. C'était un sourire que je devais retrouver sur bien des gens de son espèce au cours des années qui suivirent. Regardez les photos des derniers moments du ghetto de Varsovie. Et vous verrez ce sourire flotter sur les lèvres des vainqueurs, de ces meurtriers de femmes et d'enfants. Prenez les photographies des femmes nues qu'on alignait devant les chambres à gaz d'Auschwitz, et examinez les visages de leurs gardiens en arme. Ils sourient. Quelque chose d'étrange les pousse toujours à sourire. Pourquoi ? Est-ce un sourire né de la honte ? Cachent-ils leur culpabilité derrière le rire ? Je ne crois pas. Peut-être s'agit-il là de la racine même du mal : l'essence de tout ce qu'il y a de vil et de destructeur chez l'homme. Tamar, ma femme, qui est une psychologue, hausse habituellement les épaules quand j'aborde ce sujet.

— Ils sourient parce qu'ils sourient, dit-elle avec un cynisme de sabra. Cela les amuse de voir les autres souffrir et mourir.

Mon père soutenait à présent la position de ma mère, peu désireux d'entamer un débat d'ordre politique avec Muller ou un autre membre de la famille Helms. Avec sa politesse coutumière, il dit qu'il n'était expert qu'en matière de grippes et d'os brisés. La politique n'était pas de son ressort.

Mais Grandpa Palitz n'était pas homme à se résigner au silence. Il se pencha au-dessus de la table où bourdonnaient maintenant des guêpes et des abeilles autour des fruits d'été et des crèmes fondantes, et pointa sa pipe sur Helms et Muller.

— Hindenburg, c'était un homme comme il vous en faudrait, dit-il.

— Oui, c'était un patriote, fit Muller, mais il est bien dépassé de nos jours.

— Bah, dit mon grand-père, il nous en faudrait quelques-uns comme lui aujourd'hui. Quelques généraux honnêtes. Et l'armée aurait tôt fait de déloger cette bande.

Les yeux de Muller n'étaient plus que deux fentes.

— Quelle bande ?

— Vous savez de qui je parle. Quelques bons soldats pourraient les réduire à l'impuissance en un après-midi.

De nouveau un silence embarrassé plana sur l'assistance. Mes parents hochèrent la tête. Maman posa sa main sur le bras de son père.

— Pas aujourd'hui, papa, s'il te plaît.

Inga vint à la rescousse. De sa voix mélodieuse, elle lança :

— Incroyable, Karl ! Je n'aurais jamais pensé que c'est dans ta famille que se trouvent les militaristes.

Les rires fusèrent. Mon père plaisanta sur mon grand-père qui semblait vouloir reprendre du service. M. et Mme Helms, ainsi que leurs fils, gardaient le silence. Muller commença à glisser quelque chose à l'oreille de Helms, puis s'arrêta.

Inga tenta d'égayer la noce.

— Pourquoi ne chantons-nous pas tous en chœur ? Quel air aimeriez-vous ?

Elle fit signe à l'accordéoniste de se joindre à nous, et réussit bientôt à nous rassembler tous en un cercle.

Inga avait ce pouvoir, ce don, d'entraîner les gens, non de façon cruelle ou en jouant à la femme dominatrice, mais par la gaieté et l'allant de sa personnalité. Elle semblait jouir de tous les instants de sa vie, et avait le don de communiquer aux autres cette joie de vivre. Une fois, elle nous avait emmenés, Anna et moi, passer la journée au zoo, et jamais je ne pris autant de plaisir à observer les animaux, en marchant jusqu'à en avoir mal aux pieds, mais tout heureux d'être avec elle et avec Karl. Chose curieuse pour une jeune fille peu instruite (elle sortait d'une école de commerce), elle n'avait absolument rien de tapageur ni de vulgaire. Elle était tout simplement pleine de vitalité, aimait l'existence, et nous faisait sentir les choses comme elle les percevait elle-même.

— Connaissez-vous *La Lorelei* ? demanda ma mère.

L'accordéoniste baissa la tête.

— Je regrette, madame, mais Heine...

— Heine est interdit ? fit ma mère, incrédule.

— Vous savez, le service musical du parti dit...

— S'il vous plaît, insista ma mère.

— Allons, fit Inga, qui embrassa le musicien sur le front, vous devez jouer cet air pour la mariée. Je l'adore !

Il se mit à jouer. Karl passa son bras autour d'Inga, qui passa le sien autour de mon père, et ainsi de suite. Mais la famille Helms, tout en participant au chant, semblait un peu distante. La vieille mélodie flotta lentement dans l'air chaud de l'été.

> *Je ne sais ce que signifie*
> *cette tristesse qui m'accable ;*
> *il est un conte du vieux temps,*
> *qui m'occupe l'esprit sans cesse.*

Oncle Moïse me donna un coup de coude comme je passai auprès de lui.

22

— J'aurais préféré entendre *Les Raisins et les Amandes.*

Je n'avais pas la moindre idée de ce qu'il voulait dire par là. C'était un homme bon et dévoué, mais il était... différent. Les Juifs polonais, répétait souvent ma mère (sans le moindre accent de critique), étaient tout bonnement différents de nous.

— C'est ennuyeux de chanter, dit Anna. Regarde ce que j'ai apporté.

Elle avait un ballon de football pour enfants, qu'elle me lança à la tête. J'eus tôt fait de la poursuivre, et nous allâmes jouer au ballon sur la pelouse qui était derrière le restaurant. Je taquinai ma sœur, en envoyant le ballon plus loin qu'elle et en faisant des feintes, mais la laissai avoir le dessus de temps à autre. Une fois, elle glissa sur l'herbe et tomba.

— Tu l'as fait exprès, cria-t-elle.

— Mais non, c'est le hasard !

— Tu vas voir, espèce de vache !

Et elle envoya le ballon, par-dessus ma tête, sur un groupe d'hommes qui dînaient dans un coin retiré du jardin. Je courus derrière, puis m'arrêtai. L'un des hommes avait ramassé le ballon et le tendait.

— C'est à toi ?

— Oui, dis-je.

Ils étaient trois. Des jeunes, dans le genre costaud, qui portaient les chemises brunes, les larges pantalons bruns, et les bottes noires des Sections d'Assaut. Chacun avait un brassard de tissu rouge avec le svastika, la croix gammée noire dans un cercle blanc. Je regardai leurs visages. Des Berlinois ordinaires, des hommes que vous pourriez voir dans n'importe quelle cour de taverne, n'importe quel dimanche, à boire de la bière et à fumer. A part leurs uniformes.

Je savais ce qu'ils étaient, ce qu'ils pensaient de nous, et ce qu'ils nous faisaient. Voilà tout juste un an, j'avais été pris dans un combat de rue avec certains d'entre eux. J'en avais mis un K.O., j'avais eu les yeux pochés, et je m'étais enfui à toutes jambes par-dessus les palissades et à travers les jardins pour leur échapper.

— Qu'est-ce que tu regardes ? demanda l'homme qui tenait le ballon.

— Rien.

Anna était à quelques mètres derrière moi. Elle les vit également et se mit à reculer. Je voulais lui dire *non, ne leur montre pas que tu as peur, ils ne savent pas que nous sommes Juifs.* Son visage avait pâli et elle continuait à reculer. Elle semblait comprendre, peut-être mieux que moi, que ces hommes étaient nos ennemis, que rien de ce que nous faisions, ou disions, ou donnions l'impression d'être, ne pourrait nous sauver de cette haine aveugle, irraisonnée. Néanmoins, pour l'heure, les trois hommes paraissaient indifférents à notre endroit.

D'un coup de botte le ballon me fut renvoyé. Je le contrôlai de la tête, puis shootai en direction d'Anna. Mon jeu avait été superbe, mais je n'y songeai guère. J'avais l'impression de l'avoir échappé belle, sans bien savoir quel danger j'avais frôlé.

Anna et moi nous arrêtâmes à l'ombre d'un laurier. Nous regardâmes à nouveau les trois membres des Sections d'Assaut.

— Ils ont gâché la noce, dit-elle.

— Mais non, ils ne sont rien pour nous.

De l'autre côté des haies, nous pouvions entendre notre famille et les Helms qui chantaient.

— Viens, dis-je. Je serai le gardien de but et tu essaieras de marquer des points.

— Non. Je n'ai plus envie de jouer au football, et je ne suis plus d'humeur à chanter.

Elle s'éloigna en courant. J'envoyai le ballon sur elle en douceur et il l'atteignit dans le dos. En temps normal, Anna, toujours prompte à la riposte, se serait retournée pour essayer de me rendre la pareille. Mais elle poursuivit sa course. Je regardai une fois de plus les hommes aux chemises brunes, et me demandai en moi-même si nous ne devrions pas tous nous mettre à courir.

Journal d'Erik Dorf

Berlin
Septembre 1935

Marta s'est encore plainte de fatigue aujourd'hui. Elle ne va pas bien depuis la naissance de Laura. J'ai insisté pour qu'elle voie un médecin.

Je viens juste d'emménager dans un petit appartement du quartier où j'ai passé mon enfance (voilà des années), et je me suis souvenu d'un certain Dr Joseph Weiss de la Groningstrasse. Mes parents l'avaient consulté, et il doit encore avoir son cabinet dans la maison en pierre de quatre étages. Lui et sa famille vivent toujours en haut, et il reçoit ses clients au rez-de-chaussée.

Le Dr Weiss, un homme à la voix douce, à l'air assez fatigué, examina Marta à fond, puis déclara avec le plus de ménagements possible, qu'il soupçonnait chez elle un léger souffle systolique. Marta et moi dûmes paraître inquiets, et il nous assura que ce n'était pas là quelque chose de grave, que c'était en rapport avec son anémie. Il prescrivit un fortifiant, en lui conseillant de ne pas se surmener.

Pendant qu'il conversait avec elle, j'ai jeté un coup d'œil sur les murs de son bureau, aux boiseries foncées. Des diplômes, des certificats, des photographies de sa femme et de ses enfants, y compris celle d'un couple de jeunes mariés. Cela ne change rien pour moi, mais je me rappelle que mes parents disaient qu'il était un Juif, mais un Juif très bien.

Le Dr Weiss, apprenant que nous avons deux enfants en bas âge, nous suggéra de prendre une femme de ménage quelques jours par semaine, et Marta n'eut pas honte de dire que nous n'avions pas les moyens d'en payer une. Il répondit qu'elle n'avait pas besoin d'astiquer la maison du matin au soir, en bonne ménagère berlinoise, mais qu'une activité modérée lui ferait du bien.

Comme nous allions le quitter, il me retint à la porte de sa salle d'attente pour me faire remarquer qu'il avait déjà eu des clients du nom de Dorf. Etais-je un parent ? Je confirmai que mon père avait effectivement été son client, lorsque j'étais enfant, voilà une douzaine d'années.

Le Dr Weiss parut touché. Il se souvenait bien de mes parents. Mme Weiss achetait du pain et des gâteaux à la boulangerie de Klaus Dorf. Il témoigna de la joie à me revoir et s'étonna de ce que je ne me sois pas présenté immédiatement.

Marta leva alors le menton et, avec cet orgueil particulier aux gens du nord de l'Allemagne qui la caractérise, fit remarquer que son époux Erik Dorf, juriste, n'aimait pas quémander de faveurs spéciales de quiconque. Elle ne dit pas cela par méchanceté, ni dans l'intention de remettre le docteur à sa place, mais simplement en guise d'explication.

De toute façon, le Dr Weiss ne s'en offusqua certainement pas, puisqu'il continua à bavarder : comment il m'avait guéri de la varicelle quand j'avais six ans, comment il avait tiré ma mère d'une grave pneumonie. Et à présent, que devenaient-ils ? Je lui dis que mon père était mort, qu'il avait perdu la boutique pendant la crise, et que ma mère vivait désormais chez des parents, à Munich.

Ces nouvelles l'émurent, je le vis bien. Il dit combien c'était triste que tant de braves gens aient souffert durant ces années. Il ajouta soudain : « Et ce délicieux pain brioché aux amandes du jeudi ? »

Je ne pus retenir un sourire.

— Du mercredi. C'est moi qui le livrais.

Il sembla nous laisser partir à regret, comme si les souvenirs de la modeste boulangerie de mes parents et de mon activité de livreur lui étaient agréables. Marta tint à dire quel chemin j'avais fait en sortant de l'université avec mon diplôme de juriste. Le docteur en convint. Et nous prîmes congé. En traversant la salle d'attente, je notai qu'il semblait surtout avoir une clientèle de gens pauvres.

Ensuite, nous allâmes nous asseoir dans un petit jardin public, et je parcourus les offres d'emploi du journal, comme je le fais depuis longtemps. Veilleur de nuit. Magasinier. Employé de bureau. Pratiquement rien pour un jeune et brillant juriste, surtout nanti d'une épouse et de deux petits enfants. Marta a bien parlé de chercher du travail de son côté, mais je ne veux pas de ça. Nous n'avons pas de parents à même de garder les enfants, et à vrai dire, elle n'a aucune formation. Sa famille de Brême, attachée aux traditions, estimait que les femmes ne devaient pas travailler, et l'a élevée dans la perspective de se marier, d'avoir des enfants, de faire la cuisine, et d'aller à l'église.

Je fis remarquer que je pourrais avoir du mal à payer les honoraires du médecin, et elle répondit que si le Dr Weiss était à ce point heureux de me revoir, et se rappelait même les pains briochés aux amandes de mon père, il pourrait certainement me faire confiance jusqu'à ce que j'aie trouvé du travail. Marta est toujours la même optimiste. Une femme pleine de ressources, tournée vers l'avenir.

Moi pas. Depuis que j'ai vu mon père perdre son commerce, sa confiance en soi, et finalement sa vie, je me suis toujours efforcé de cacher ma nature sombre derrière une façade enjouée. La sveltesse et la blondeur de mon physique m'y ont aidé. Et nous formons un couple sympathique avec Marta qui est petite et blonde, avec beaucoup d'allure et des mains gracieuses.

Bien que ce fût une extravagance, avec nos factures qui s'accumulaient, j'achetai des cornets de glace à la vanille pour nous deux, et nous traversâmes le petit jardin public en flânant. Marta entreprit alors de me sermonner, d'abord gentiment, puis durement. Je suis trop timide, trop effacé. Je ne sais pas me vanter d'être sorti dans les dix premiers de ma promotion. Pourquoi?

Comment pourrais-je lui expliquer que dans la honte de la faillite de mon père, qui a rejailli sur moi, j'éprouve des difficultés à me mettre en avant?

Lançant son cornet de glace à moitié rempli dans une corbeille à papiers, elle me lança un regard peiné.

— Tu rejettes toujours mes suggestions. Erik, si tu te donnais la peine...

Je compris où elle voulait en venir. Je lui ai pourtant répété au moins dix fois que je ne veux pas être un flic. Un oncle à elle connaît le général Reinhart Heydrich, qui est, dit-on, l'un des plus puissants de tous les nouveaux dirigeants politiques. Marta n'a jamais hésité à dire qu'elle estime que je devrais au moins parler une fois à cet homme influent. Des milliers de jeunes Allemands, des universitaires, donneraient dix ans de leur vie pour un tel entretien. Mais je ne suis même pas membre du parti. Et Marta non plus. Nous sommes plutôt apolitiques. Oh ! bien sûr, nous voyons les choses s'améliorer de jour en jour, avec davantage d'emplois, une monnaie qui se stabilise, des usines qui marchent mieux. Mais je ne fais pas de politique.

Je lui ai confié un jour que mon père a pu être socialiste à une certaine époque. Les nazis le découvriraient certainement. Et alors ?

Mais cette fois-ci, au jardin public, elle se montra inflexible. Elle dit que je blessais son pauvre cœur, que je devais songer à nos enfants, que ce qui me manquait peut-être, c'était une confiance réelle dans l'Allemagne nouvelle. Je lui rappelai la poursuite acharnée de mes études de droit toutes ces dernières années, avec un travail à temps partiel dans une compagnie d'assurances, au détriment de ma santé physique et morale, ce qui m'avait laissé peu de temps pour les politiciens, les défilés, et les grands rassemblements politiques.

A la fin, elle l'emporta. J'acceptai de demander à son oncle de prendre pour moi un rendez-vous avec Heydrich. Après tout, j'aime et respecte Marta ; peut-être est-elle plus perspicace que moi devant les perspectives offertes par le nouveau gouvernement.

Sur ce, comme de jeunes amoureux, nous descendîmes bras dessus, bras dessous la rue bordée d'arbres. A un kiosque à journaux, je jetai un coup d'œil sur les affiches : Hitler dans une armure de chevalier, des incitations à ne pas acheter aux Juifs, et des exhortations à travailler plus dur. Peut-être a-t-il raison.

Aujourd'hui, 20 septembre, je fus introduit dans le bureau de Reinhart Heydrich pour un entretien.

C'est un grand et bel homme, qui impressionne. Personne n'est mieux fait que lui pour porter l'uniforme noir des SS. Il assume plusieurs fonctions : chef de la Gestapo, chef du Service de Sécurité. Il relève directement de l'autorité du Reichsführer Himmler, le chef des SS, de « l'armée dans l'armée », cette loyale légion d'hommes qui ont juré de soutenir la doctrine nazie, la pureté raciale, et d'assurer la sécurité de l'Allemagne.

Pendant que Heydrich lisait mon *curriculum vitae,* j'étudiai sa personne. J'ai entendu dire qu'il a été un excellent sportif (c'est encore un très bel homme), et un violoniste virtuose. De fait, il y avait là un violon, devant la partition ouverte d'une cantate de Mozart. Je possède quelques renseignements sur lui : ancien officier de marine, organisateur du parti, brillant théoricien, fermement convaincu de la nécessité de l'ordre et de la sécurité, ainsi que de la puissance sans limite de la force policière.

Une attitude courtoise. Je ne vis rien en lui qui justifiât les rumeurs que j'avais entendues auprès de jeunes gens de gauche qui suivaient les cours de droit en même temps que moi, et d'après lesquelles il passe dans le parti pour être « le jeune dieu maléfique de la mort ». Comme on peut se tromper ! Je vis un homme intelligent et raffiné, âgé de trente et un ans.

Tout d'un coup, il leva les yeux, et me demanda ce qui me donnait à penser que j'étais fait pour travailler dans les branches SS spéciales qu'il commandait, telles que le Service de Sécurité ou la Gestapo.

Franchement, je ne sus que dire, et adoptant la solution de facilité, je choisis de lui avouer la vérité.

— Monsieur, je cherche du travail.

Cela l'amusa. Sur-le-champ, il montra sa clairvoyance, son aptitude à pénétrer les caractères, à pressentir les mobiles des gens, en psychologue-né. Il dit que je lui avais donné une réponse franche et rafraîchissante. Toutes sortes de simulateurs et d'imposteurs venaient lui proposer leurs services, et j'arrivais, jeune et brillant juriste, sans longs discours sur mon amour de la patrie et du Führer, simplement à la recherche d'un emploi.

Se moquait-il de moi ? Non, il était sincère. Il y avait cependant une lueur sarcastique dans ses yeux d'un bleu métallique, et lorsqu'il tourna un peu plus la tête vers moi, j'eus l'impression de regarder quelqu'un d'autre. Les deux côtés de son visage, d'un beau visage, semblaient disparates, mal assortis. S'amusait-il intérieurement de quelque plaisanterie qu'il faisait à mes dépens ? Je ne saurais le dire.

Heydrich parla du parti, du nouveau gouvernement, de la fin de la corruption et du Parlement inefficace. Il me dit que le pouvoir de la police, proprement exercé, est le vrai pouvoir de l'Etat. Je suppose que j'aurais dû discuter. J'ai découvert d'autres notions en faisant mon droit. Et les tribunaux ? La procédure légale ? Les droits de l'homme ? Mais j'étais trop impressionné par lui pour répondre.

— Etant donné les connaissances techniques modernes, et le

patriotisme du peuple allemand, il n'y a pas de limite à ce que nous pouvons faire ; aucun ennemi n'est en mesure de nous vaincre.

Je dus avoir l'air ébahi, parce qu'il se mit à rire et me demanda si j'étais capable de faire la distinction entre les SS, le SD, la Gestapo, et le R.S.H.A. Lorsque je confessai mon ignorance, il éclata d'un grand rire, et frappa la table du plat de la main.

— Excellente réponse, Dorf ! Nous avons parfois du mal, nous-mêmes, à les différencier nettement les uns des autres. Peu importe. Ils relèvent tous de moi, et naturellement de notre Reichsführer bien-aimé, Herr Himmler.

Il me questionna ensuite sur mes sentiments à l'égard des Juifs, et je répondis que je n'avais jamais beaucoup réfléchi à ce problème. De nouveau, il tourna vers moi le vilain côté de son visage, et je m'empressai de déclarer que les Juifs exercent une influence hors de proportion avec leur importance numérique dans des domaines tels que le journalisme, le commerce, la banque, et les professions libérales, et que c'est peut-être néfaste, tant pour l'Allemagne que pour les Juifs eux-mêmes.

Heydrich m'approuva d'un hochement de la tête. Il se lança alors sur un thème majeur qui lui est propre : une extrapolation des termes mêmes du Führer dans *Mein Kampf*. Difficile à suivre, parfois, mais cela se ramenait à ceci : de même que le bolchevisme, pour réussir en Russie, a eu besoin d'un ennemi de classe, de même le mouvement nazi, pour réussir en Allemagne, a besoin d'un ennemi de race. D'où les Juifs.

— Assurément, ce *sont* nos ennemis, dis-je.

Heydrich m'avait habilement conduit au point où il voulait en venir, et où il escomptait, en définitive, attirer tous les Allemands de tous rangs, de toutes conditions, et de toutes croyances. Les Juifs sont non seulement un instrument de domination, mais, de fait, et historiquement parlant, des *ennemis.*

Il s'enflamma alors sur son sujet. Il cita *Mein Kampf,* l'engagement des Juifs dans toutes les formes de la corruption humaine, la façon dont ils avaient trahi l'Allemagne au cours de la Guerre mondiale, leur contrôle des banques et des capitaux étrangers, leur domination du mouvement bolchevique.

Je ne parvenais plus à le suivre, mais j'ai toujours eu le chic d'opiner d'un sourire, d'un hochement de tête, ou d'une exclamation pour avoir l'air intéressé. Il prenait plaisir à discourir, et je n'osai pas l'interrompre. A un certain moment, je fus tenté de lui demander comment les Juifs pouvaient être à la fois des bolcheviques et des capitalistes. Mais je me retins prudemment.

— Notez bien ce que je vous dis, Dorf, poursuivait-il. Nous résoudrons une quantité de problèmes d'ordre politique, social, économique, militaire, et surtout racial, en nous attaquant au peuple élu.

Je confessai que tout cela était nouveau pour moi. Mais, me rappelant les exhortations de Marta, je déclarai que je me sentais intéressé.

Cela lui fit plaisir. Même lorsque j'avouai ne pas être membre du parti, et ne pas avoir porté d'uniforme depuis le temps où j'étais scout, il parut indifférent, répondant que n'importe quel imbécile pouvait porter un uniforme, alors qu'il avait besoin autour de lui de bons cerveaux, de bons organisateurs. Il dit que le parti et les SS avaient fait leur plein de voyous, d'hommes de main, et d'excentriques. Il essayait de mettre sur pied une organisation efficace.

— Puis-je en déduire, monsieur, que je suis engagé?

Il eut un hochement de tête affirmatif, et je me sentis pris d'une excitation soudaine, comme si j'avais franchi un obstacle, ou escaladé un sommet.

Il m'expliqua ensuite que je serais installé dans ma charge, et que je prêterais serment dès que le contrôle de sécurité de routine aurait examiné mon cas. Sa voix avait pris un ton glacial, qui me fit peur l'espace d'un instant. Il rit alors, et dit :

— Je suppose que vous n'auriez pas osé venir ici si vous n'étiez pas blanc comme neige!

— Je crois l'être, monsieur.

— C'est bon. Descendez au service du personnel pour remplir les formulaires d'usage.

Comme je partais, il me rappela.

— Vous savez, Dorf, je prends un risque en vous acceptant. Hitler a dit un jour qu'il n'aurait pas de répit tant que ce ne sera pas devenu une honte pour tout Allemand d'être un juriste.

Il me vit frémir, et ajouta :

— Je plaisante. Heil Hitler, Dorf.

Presque tout naturellement, je répondis *Heil Hitler.*

Hier 26 septembre, en fin d'après-midi, j'ai endossé pour la première fois l'uniforme noir des SS. Dans la soirée, j'ai prêté le serment d'allégeance à Hitler :

Je prête devant Dieu ce serment sacré d'obéir sans condition à Adolf Hitler, Führer du Reich et du peuple allemand, Commandant Suprême des Forces Armées, et d'être prêt en brave soldat à risquer à tout moment ma vie pour respecter ce serment.

On m'a donné le grade de lieutenant, et attribué un poste mineur au quartier général de Heydrich. A vrai dire, je suis bien plus qu'un employé de bas étage auprès de Reinhart Tristan Eugen Heydrich. Je passe une grande partie de mon temps à démêler les liens entre la Gestapo, le SD, le R.S.H.A. et autres branches des SS. Heydrich, moqueur, me dit qu'il préfère conserver cette imbrication, aussi longtemps que tout le monde le reconnaît pour chef.

Marta m'a aidé à enfiler ma tunique noire, mon pantalon noir, et mes bottes noires. J'ai coincé mon Lüger en l'introduisant dans mon étui de cuir, et me suis senti ridicule. Marta est allée chercher les enfants dans leur chambre pour qu'ils admirent leur père. Peter a maintenant cinq ans, et Laura trois. Marta, qui a toujours eu un faible pour Peter, l'a soulevé dans ses bras. Il n'avait pas plutôt vu ma haute casquette noire qu'il a fondu en larmes !

J'ai soudain été pris d'une étrange inquiétude. Ai-je bien agi ? Naturellement, on ne peut attacher aucune importance au fait qu'un enfant braille à la vue de son père dans un nouveau costume. C'est tout à fait naturel. Mais Marta eut du mal avec lui, car il s'était remis à hurler avant de s'enfuir. Lui et sa petite sœur se sont retranchés, les yeux pleins de larmes, derrière la porte de leur chambre qui était entrebâillée, afin de m'observer de loin.

J'ai dit à Marta que j'espérais bien ne pas être obligé de porter tout le temps cet uniforme. Nous ne sommes pas en guerre. Pourquoi toujours parader en bottes de cavalier ?

— Mais c'est ton *devoir,* affirma-t-elle. Les gens te respecteront. Les commerçants du quartier sauront qui tu es. Et j'aurai les meilleurs morceaux de viande, les fruits et les légumes les plus beaux. Si tu as du pouvoir, tu dois t'en servir.

Je ne répondis pas. Il ne m'était jamais venu à l'idée qu'un des avantages du port d'une tenue SS serait d'obtenir des melons plus mûrs et de manger des côtelettes plus épaisses. Mais Marta a toujours vu loin. Sa faiblesse cardiaque n'a jamais affecté sa perspicacité, ni son intelligence.

Une fois de plus, j'ai essayé de prendre Peter dans mes bras pour lui donner le baiser du soir. Mais il s'est échappé. En embrassant Marta, avant de partir pour la cérémonie d'installation à mon poste, je n'ai pas pu m'empêcher de penser à la scène de l'*Iliade* où Hector met son casque en bronze orné d'un panache en crin de cheval. Sa femme, Andromaque, soulève leur fils dans ses bras pour qu'il l'admire, et l'enfant pousse des cris de terreur à la vue de son propre père.

La réaction de Peter m'inquiète. Je ne me vois pas en père qui fait fuir ses enfants.

Récit de Rudi Weiss

Les années 1935 à 1938 virent se poursuivre le lent étranglement de la vie juive en Allemagne. Nous ne partîmes pas. Ma mère répétait sans cesse que les choses allaient s'améliorer ; mon père lui donnait raison.

Anna avait été obligée de quitter le lycée, et suivait maintenant des cours dans une école privée juive. C'était une excellente élève, beaucoup plus brillante (à mon avis) que Karl et moi-même. Karl continuait à peindre, en gagnant difficilement sa vie, car il se trouvait exclu de presque tous les emplois commerciaux. Inga, qui lui était toujours aussi dévouée, travaillait comme secrétaire, et constituait le principal soutien du ménage. Et moi ? J'aidais un peu dans la maison, et jouais au football dans un club semi-professionnel. Nous arrivions tant bien que mal à survivre.

Les clients de mon père, c'était clair à présent, étaient des gens qui, comme nous, n'avaient pas eu assez de prévoyance pour quitter le pays.

Journal d'Erik Dorf

Berlin
Novembre 1938

Quelques dossiers de routine, des rapports de nos informateurs du voisinage, sont arrivés aujourd'hui sur mon bureau, et j'ai vu un nom familier : Dr Joseph Weiss.

A vrai dire, ce fut une détente pour moi, au milieu des tâches assez ennuyeuses qui m'ont été assignées. J'assiste bien aux réunions avec Heydrich, de temps à autre, mais je suis rarement dans le secret des décisions de la direction. J'essaie de ne pas me plaindre. Pourtant, je suis efficace, bien organisé, et Heydrich sait qu'il peut me faire confiance pour l'exécution de ses ordres. « Donnez cela à Dorf », dit-il souvent quand il veut qu'un mémorandum soit simplifié, ou rédigé correctement.

A vrai dire, je n'ai vraiment pas à me plaindre. L'état cardiaque de Marta semble stabilisé. Les enfants sont en bonne santé. Nous mangeons bien.

C'est de voir le nom du Dr Weiss, aujourd'hui 6 novembre, qui m'a rappelé que Marta va mieux, et que nous l'avions consulté, il y a trois ans. J'ai lu le document, un rapport d'un petit fonctionnaire habitant la maison qui est en face du cabinet Weiss.

Le Dr Joseph Weiss, un Juif exerçant la profession de médecin au 19 Groningstrasse, soigne au moins un client de race aryenne. C'est une violation des lois de Nuremberg qui devrait faire l'objet d'une enquête. La femme en question est une certaine demoiselle Gutmann, qui a été vue alors qu'elle entrait dans son cabinet.

C'est une affaire insignifiante. Normalement, je l'aurais transmise à un fonctionnaire local du R.S.H.A., le département chargé de la question juive.

Je m'attardai un moment sur le rapport. Cette affaire me concernait-elle ? Oh ! je suis engagé dans notre programme, et j'accepte les vues de Heydrich sur le problème juif. J'ai relu *Mein Kampf* et l'ai de nouveau digéré, acceptant dans l'ensemble ses arguments sur le danger éternel que les Juifs constituent pour l'Allemagne, et je suppose que je ne devrais pas laisser s'interposer ici une vieille loyauté envers un médecin de famille. Vraiment, j'ignore pourquoi j'ai agi de la sorte aujourd'hui. Peut-être, me suis-je dit, en ôtant mon uniforme pour revêtir un complet gris ordinaire, le Dr Weiss mérite-t-il une faveur.

La salle d'attente de son cabinet me sembla plus défraîchie que dans mon souvenir. La peinture du plafond et des murs s'écaillait. Un vieux Juif orthodoxe était assis là, ainsi qu'un jeune couple. J'allai frapper à la porte de verre dépoli. Le Dr Weiss ouvrit. Il portait une courte blouse blanche, et paraissait vieilli. Son visage était sillonné de rides et ses cheveux étaient devenus tout gris. Il me demanda d'attendre un instant. Il était en train d'examiner quelqu'un. Puis il me reconnut.

— Mon Dieu, fit-il ! Monsieur Dorf ! Entrez donc.

Il pria son client d'attendre à l'extérieur.

De nouveau, mon regard se posa sur les photographies accrochées au mur : sa femme, ses enfants, les jeunes mariés. Je regardai avec attention les enfants. Le garçon avait l'air robuste et dur. Il portait le maillot d'un club de football.

— Mon fils cadet, Rudi, précisa le docteur. Un grand sportif.

Demi-centre dans l'équipe de Tempelhof. Peut-être en avez-vous entendu parler ?

Je fis non de la tête, et tentai de me défaire d'une certaine tristesse. Le docteur vantait son fils, sa robustesse, ses qualités sportives, ce que nous, Allemands, respectons tout spécialement. Au fur et à mesure qu'il parlait, il donnait presque l'impression de vouloir le faire passer pour quelqu'un d'autre que ce qu'il était en réalité.

Il me demanda des nouvelles de Marta. Etais-je venu pour parler d'elle ? Je dus l'interrompre, ne pouvant pas me permettre, pour l'heure, de laisser évoquer le passé. Je lui montrai mon insigne de lieutenant SS au quartier général de Berlin.

Son visage prit une couleur terreuse, son sourire disparut et il demanda s'il avait fait quelque chose de mal. Un sentiment de culpabilité m'envahit alors, l'espace d'un instant. Pourquoi devrait-on le persécuter ? A ma connaissance, cet homme est la correction même. (Heydrich répondrait ici qu'on ne peut jamais savoir avec les Juifs, qu'ils excellent à dissimuler leurs projets diaboliques derrière une façade de bonnes œuvres et de charité.)

Je lui parlai du rapport selon lequel il soignait une cliente de race aryenne. Il le reconnut. C'était une ancienne domestique de sa famille, Mlle Gutmann, et il ne la faisait pas payer. Je lui dis que cela ne changeait rien à l'affaire, qu'il devait cesser. Il s'inclina. Après quoi, essayant de me désarmer, il me rappela qu'il avait autrefois soigné de nombreux chrétiens, y compris ma famille.

Je compris alors ce que voulait dire Heydrich lorsqu'il parlait de la nécessité de s'endurcir. Les temps ont changé, dis-je. Les anciennes habitudes ont disparu. Pour son bien autant que pour le nôtre, je lui fis comprendre que je n'étais pas coutumier de ce genre de démarches pour mettre les Juifs en garde, que j'étais un cadre de l'administration.

Il eut un sourire contraint.

— Je vois, vous êtes un spécialiste. Vous ne faites pas de visites.

Je me levai.

— Ne soignez plus cette femme désormais. Limitez votre pratique aux Juifs.

Il me suivit jusqu'à la porte vitrée. Avant de l'ouvrir, il dit :

— Tout cela me dépasse. J'étais votre médecin de famille. Je m'intéressais à la santé de votre femme.

Je l'arrêtai.

— Pourquoi n'avez-vous pas quitté l'Allemagne ? Vous avez de la fortune. Allez-vous-en.

Il entrebâilla la porte et je pus voir les gens qui étaient assis dans la salle d'attente.

— Les Juifs tombent malades et ont besoin d'être soignés, dit-il. Si tous les médecins partent, que deviendront-ils ? Ce sont les pauvres et les vieux qui demeurent ici.

— Les choses ne vont pas s'arranger pour vous.

— Comment pourraient-elles encore empirer beaucoup ? Nous n'avons plus la qualité de citoyen. Nous n'avons pas de droits légaux. Nos biens sont confisqués. Dans la rue, nous sommes à la merci des brutes. J'ai été exclu des hôpitaux. Je ne peux pas me procurer de produits pharmaceutiques. Au nom de l'humanité, que pouvez-vous nous faire d'autre ?

Heydrich a raison en ce qui concerne les dangers qu'on court à trop s'approcher des Juifs. Ils ont l'habitude de faire des doléances, de plaider leur cause, de capter la confiance des autres. Je dois pourtant reconnaître que le Dr Weiss se comporta avec dignité.

— Il ne faudra pas venir me demander de l'aide, fis-je. Vous voilà prévenu.

— Pas même sur la base de nos vieilles relations ? Je considérais vos parents comme des gens de bien. J'ai des raisons de croire qu'ils me respectaient.

Je secouai la tête.

— Je n'ai personnellement rien contre vous. Suivez mon conseil, je vous en prie, et quittez le pays.

En partant, j'entendis jouer du piano, quelque part dans la maison. Je crois que mon père a dit un jour que la femme du docteur était une virtuose du piano. Elle jouait du Mozart.

Récit de Rudi Weiss

Novembre 1938, et nous étions encore à Berlin. Quand je me penche sur le passé, j'ai du mal à blâmer ma mère. Ou n'importe quel membre de ma famille. Nous étions restés. Nous en souffrions. Mais qui, à part une petite minorité, avait conscience des horreurs qu'on nous réservait ?

Je me souviens de nos discussions interminables. Rester. Partir. Cela ira mieux. Nous avons un ami ici. Une certaine influence là.

Ma mère et ma sœur jouaient, un jour, un morceau à quatre

mains de Mozart lorsque mon père monta pesamment l'escalier. Je connaissais bien son pas. Ce n'était pas un homme corpulent, mais il était fort. Il laissa ma mère et Anna aller jusqu'au bout de la mélodie sur le Bechstein, puis applaudit. Anna fit semblant d'être en colère. Il s'agissait d'un nouveau morceau qu'elle venait d'apprendre, pour faire une surprise à mon père le jour de son anniversaire.

J'étais assis dans un coin de la salle de séjour, à lire les pages sportives. Depuis mon enfance, c'était la seule partie du journal qui m'intéressait. Mes parents, chagrinés par mes piètres résultats scolaires, disaient souvent que j'avais appris à lire dans le seul but de connaître les résultats des matches de football et les scores des meilleurs joueurs.

— C'était beau, dit mon père.

Il embrassa Anna.

— Je l'aimerai encore davantage le jour de mon anniversaire. Anna, tu seras un jour une meilleure pianiste encore que ta mère.

Il caressa sa chevelure.

— Ma chérie, je dois parler avec maman. Veux-tu nous laisser, s'il te plaît ?

Anna fit la moue.

— Je sais bien ce que vous allez dire entre vous, répliqua-t-elle. Et elle ajouta en chantonnant : Est-ce qu'on reste, ou est-ce qu'on s'en va ?

Je ne fus pas invité à quitter la pièce. Peut-être mes parents sentaient-ils que j'étais en âge d'écouter ? Mon père s'assit sur le coin du Bechstein, et tira une bouffée de sa pipe.

— Te rappelles-tu la famille Dorf ? demanda-t-il à ma mère.

— Le boulanger ? Celui qui nous devait tant d'argent, et qui a déménagé un beau jour sans nous avoir réglés !

— Leur fils sort d'ici.

— Il est venu payer ces vieilles dettes ?

— D'une certaine manière. Le jeune Dorf est un officier du Service de Sécurité. Il m'a enjoint de ne pas soigner d'aryens, et m'a conseillé de quitter le pays.

Je fis semblant d'être absorbé dans ma lecture, mais j'écoutai. Mon père semblait troublé, et jamais je ne l'avais vu aussi inquiet.

— Nous aurions dû partir il y a trois ans, dit-il. Tout de suite après le mariage de Karl. Quand nous en avions encore la possibilité.

Ma mère eut un geste qui repoussa ses cheveux en arrière.

— Veux-tu dire que nous sommes restés à cause de moi, Joseph ?

36

— Non, ma chérie. Nous... nous avons pris cette décision à deux.

— C'est moi qui t'ai persuadé de rester, n'est-ce pas ? J'ai dit que l'Allemagne était mon pays autant que le leur. Je le crois encore. Nous survivrons à ces barbares.

Mon père tenta de prendre à son compte une partie de la responsabilité. Il avait une tâche à accomplir ici. Les Juifs qui restaient avaient besoin d'une surveillance médicale. Mais maman et moi savions qu'il jouait la comédie, et pas très bien. C'était sa volonté de fer à elle qui nous avait fait rester.

— Peut-être le moment est-il venu, dit mon père. Inga connaît quelqu'un dans les chemins de fer qui pourrait combiner quelque chose pour notre départ.

Ma mère sourit.

— Oui, peut-être pourrions-nous demander à nouveau. Mais la dernière fois, il exigeait une fortune en pot-de-vin.

— Si ce n'est pour nous, au moins pour les enfants. Karl, Rudi, Anna. Qu'ils aient la possibilité de prendre un nouveau départ ailleurs. Ce Dorf m'a bouleversé.

Ma mère se leva du tabouret de piano. Elle caressa de la main la surface polie du Bechstein. Le sien. Celui de sa famille.

— Nous survivrons, Joseph, dit-elle. Après tout, nous sommes dans le pays de Beethoven, de Mozart, et de Schiller.

Mon père poussa un soupir.

— Malheureusement, aucun d'eux n'est plus en fonction à présent.

Je quittai la pièce, sans mot dire. Mon père avait raison. J'avais le sentiment que nous avions attendu trop longtemps.

Cet après-midi-là, j'en acquis la certitude.

Avec mon équipement vert et blanc, et mes chaussures de football, j'allai au terrain de sport local où notre équipe, les *Vikings,* devait rencontrer celle des *Aventuriers.* J'étais l'un des joueurs les plus jeunes de notre équipe, et aussi l'un des meilleurs. Je jouais demi-centre ou gauche et, l'année précédente, j'avais mené le club à la victoire. Il y avait eu quelques autres joueurs juifs au club, mais ils l'avaient quitté. Je crois qu'on m'avait autorisé à rester parce que j'étais trop bon pour qu'ils se passent de moi. De plus, je ne me faisais jamais rudoyer par personne. Une fois seulement, on m'avait appelé *youpin.* Non seulement je pouvais conserver le ballon sur toute la longueur du terrain, et traverser la moitié de la défense adverse, mais je savais faire usage de mes poings quand il le fallait. Et puis mes coéquipiers me soutenaient. Du moins en général.

Ce jour-là, un grand joueur des *Aventuriers,* un arrière nommé

Ulrich, me crocheta délibérément, sans aucun motif. Je l'avais emporté sur lui à plusieurs reprises, et cela ne lui avait pas plu. A peine m'étais-je relevé qu'il m'envoya un coup de poing. Il fallut bientôt nous séparer, mais j'étais parvenu à le frapper à l'estomac, et je lui avais fait mal.

Le frère cadet de ma belle-sœur Inga, Hans Helms, jouait dans l'équipe des *Aventuriers* au poste d'ailier droit. Il s'efforça de convaincre Ulrich de laisser tomber et de revenir au ballon. Mais je pus voir que l'incident n'était pas clos.

Il y eut une remise en touche. Ulrich et Helms descendirent alors le terrain avec le ballon. Je le leur repris et repartais dans l'autre sens quand Ulrich me frappa par-derrière. Cette fois, je me relevai en faisant volte-face, et il fallut nous séparer de nouveau.

— Il y a eu faute sur moi, criai-je à l'arbitre. Pourquoi ne la sifflez-vous pas ?

Ulrich saignait du nez. J'avais eu le temps de lui assener un coup du droit avant que nous soyons séparés.

— Sale youpin, ricana-t-il avec mépris. C'est bien d'un youpin de ne pas jouer franc-jeu !

Je tentai de me libérer. Hans Helms était de ceux qui me retenaient.

— Weiss, vous feriez peut-être mieux de sortir du terrain, dit l'arbitre.

Je regardai mes coéquipiers, attendant que l'un d'eux (au moins *un !*) prenne ma défense. Mais tous se cantonnèrent dans le silence. Notre capitaine donna un coup de pied dans la poussière. Il lui fut impossible de lever la tête et d'affronter mon regard.

— J'ai été de toutes les rencontres, cette saison, dis-je. Pourquoi devrais-je quitter le terrain ?

— Nous n'avons pas besoin de Juifs, répondit Ulrich. Nous ne jouons pas contre eux.

— Viens me dire ça en bordure du terrain, Ulrich. Rien que nous deux !

Je bouillais de rage. Pourquoi ma propre équipe ne me soutenait-elle pas ? Pourquoi me retrouvais-je seul ?

L'arbitre avança vers moi. Je luttais toujours pour me libérer des mains qui me retenaient prisonnier.

— Weiss, vous êtes suspendu pour cause de bagarre. Rentrez chez vous.

Une fois de plus, je tentai d'en appeler à mes coéquipiers, ces camarades avec lesquels je jouais depuis deux ans. Ils me respectaient. Ils savaient que j'étais un bon joueur, l'un des meilleurs. Un journaliste sportif avait dit un jour que je passerais professionnel. Mais rien. Pas une seule parole.

Hans Helms voulut se montrer gentil, mais rendit ma situation plus pénible encore.

— Rudi, le club voulait qu'on te renvoie l'année dernière... On a fait une exception pour toi.

— Les salauds! fis-je en m'éloignant.

J'entendis le coup de sifflet de l'arbitre, des cris, des corps tomber au sol avec un bruit sourd. Le jeu reprenait sans moi. Je compris que je ne jouerais jamais plus.

Je revins à la maison avec l'œil droit au beurre noir, et une coupure sous l'oreille droite, comme traces de ma bagarre.

— Que s'est-il passé? interrogea mon père.

Il était en train de stériliser des instruments, après le départ de son dernier client de la journée. Une forte odeur de produits médicaux flottait dans l'air.

— Je me suis fait attaquer par un type, répondis-je.

Je ne lui parlai pas de mon renvoi de l'équipe, ni de la manière dont j'avais mis le nez d'Ulrich en sang. Je ne pouvais certes pas lui raconter que le frère de sa belle-fille était dans l'équipe adverse. Il y avait en moi une rage sourde. Mon père ainsi que les autres membres de ma famille étaient incapables de ressentir une chose pareille. Assez étrangement, je me sentais aussi en colère contre eux pour leur attitude soumise, conciliante, et leur refus de lutter.

— Tu sais que ta mère n'aime pas que tu te battes, dit-il.

— Je sais qu'elle n'aime pas ça. Mais si quelqu'un m'attaque, je riposte.

Il secoua la tête. Papa avait toujours été un bel homme, avec sa grande taille et ses traits réguliers. Maintenant, il semblait se tasser un peu plus chaque jour, et les rides de son visage se creusaient.

— Tu ferais bien de te préparer. Inga et Karl viennent dîner.

Il prit mon bras. L'odeur pharmaceutique me sembla plus forte. Lorsque j'étais blessé, il savait à merveille me bander la cheville et panser mes plaies. Nous avions coutume de dire, en guise de plaisanterie, que, s'il échouait un jour dans sa profession de médecin, il ferait un fameux soigneur dans une équipe de football.

— Veux-tu que je te mette un peu d'alcool iodé là-dessus? Il désignait ma coupure.

— Non. J'ai l'habitude de ce genre de choses. Ça ira. Merci, papa.

Ce soir-là, le dîner fut un des plus tristes dont j'aie le souvenir. Toujours la même conversation. Les mêmes discussions. Pourquoi n'étions-nous pas partis en 1933? Ou, du moins, sitôt après le mariage de Karl? Mon pauvre père! Il était en admiration devant ma mère. Elle était belle, c'était une grande dame. *Hochdeutsch* comme il se plaisait à dire. Sa famille comptait des ancêtres qui avaient été des Juifs de cour et avaient eu pour amis des princes et des cardinaux. Et Joseph Weiss de Varsovie? Ses parents possédaient une petite pharmacie que tenait à présent mon oncle Moïse. Ils avaient économisé sou à sou et emprunté de l'argent, afin que mon père puisse faire ses études de médecine. C'étaient les parents de ma mère, les Palitz, qui, malgré leurs objections à ce que leur fille épousât un Juif polonais, l'avaient aidé à installer son cabinet de praticien.

Inga et Karl étaient arrivés pour le dîner. Ils étaient en train de parler de cet homme dans les chemins de fer qui pouvait nous aider à partir.

Karl, toujours un peu sombre (et maintenant plus calme, mais aussi plus mince), secoua la tête :

— Mais nous ne pouvons plus aller nulle part !

— En France, peut-être, dit mon père. Ou en Suisse.

— Ils n'acceptent plus les Juifs, répondit Karl.

— Personne ne veut de nous, fis-je.

Karl eut un sourire amer.

— L'autre jour, au consulat des Etats-Unis, on m'a dit que les Américains ne vont même pas accueillir autant de Juifs allemands que leur contingentement le leur permet. Ils n'en veulent plus.

La voix d'Anna s'éleva. Comme toujours, elle était courageuse et dynamique.

— Et puis après ? Nous pouvons tous compter les uns sur les autres dans la famille, n'est-ce pas, maman ? Et c'est cela qui importe.

Ma mère eut un hochement de tête approbateur.

— Absolument.

— Ce groupe qui emmenait des enfants en Angleterre, dit mon père. Peut-être, si nous lui demandions...

Il baissa le ton et se tut.

— C'est fini, dit Karl. Inga et moi nous sommes renseignés.

— Nous pourrions fuir dans les bois, et nous y cacher, lança Anna.

Ma mère nous demanda, à Anna et à moi, de débarrasser la table. Nous nous levâmes, et commençâmes à emporter les plats. Personne n'avait eu beaucoup d'appétit.

— Je ne suis plus sûr de rien, dit mon père. La Pologne peut-être. Légalement, je suis toujours citoyen polonais.

— Je ne veux pas en entendre parler, répondit ma mère. Les choses ne vont guère mieux là-bas.

Dans la cuisine, je dis à Anna :

— Maman l'emporte toujours.

— Peut-être parce qu'elle a toujours raison.

A notre retour, ma mère avait pris la situation en main. Elle était convaincue qu'Hitler s'adoucirait à notre égard. Il avait l'Autriche, la Tchécoslovaquie. Que lui fallait-il de plus ? C'était un politicien comme un autre, et il s'était servi des Juifs pour refaire l'union du pays. A présent, il pouvait nous oublier. Karl secoua la tête, mais ne tenta pas de discuter avec elle. Mon père faisait de son mieux pour conserver une attitude courageuse. Jamais, à ma connaissance, il n'avait cherché à heurter les sentiments de maman. La bonté qu'il témoignait à ses malades, jusqu'aux plus humbles et aux plus déshérités d'entre eux, se reflétait dans son comportement vis-à-vis de la famille. Jamais, autant que je me souvienne, il n'avait levé la main sur l'un de ses enfants. Et Dieu sait si moi, au moins, je l'aurais mérité plus d'une fois.

Ma mère me demanda de mettre la T.S.F.

Un speaker relatait un acte de violence qui s'était produit à Paris. Il précisa : Vom Rath, un diplomate allemand, avait été tué par un Juif. Nous nous figeâmes sur place. Un certain Grynszpan, âgé de dix-sept ans, avait tiré sur lui. C'était le fils de Juifs polonais, récemment expulsés d'Allemagne. La voix poursuivait : « Cet acte sanglant, criminel, de la conspiration juive internationale, sera vengé. Les Juifs devront payer ce lâche attentat contre un patriote allemand. Un tel agissement illustre bien le complot meurtrier de la Juiverie internationale contre l'Allemagne, en fait contre tout le monde civilisé. »

— Plus fort, Rudi, demanda mon père.

J'augmentai le volume. Personne se souffla mot.

« Déjà, des mesures de représailles spontanées sont prises par le peuple allemand contre les conspirateurs juifs. »

— Ferme la T.S.F., dit ma mère.

Karl fit une grimace :

— Pour l'amour du ciel, maman, cesse donc de te boucher les yeux et les oreilles devant la réalité !

Inga prit la main de son mari.

— J'ai dit : Ferme la T.S.F. !

Le speaker continuait : « Herr vom Rath est dans un état critique. Qu'il survive ou non, le gouvernement déclare que les Juifs devront payer cet acte indigne. »

— Bravo, Greenspan, ou Grinspan, ou qui que tu sois, criai-je. Tu aurais dû le tuer, ce salopard !

— Rudi, lança ma mère, j'ai dit : Ferme la T.S.F. !

— Fais ce que demande ta mère, ordonna mon père.

A l'instant même où je fermais le poste, il y eut un grand bruit de verre brisé. Cela venait d'en bas, de la salle d'attente de mon père, qui donnait sur la Groningstrasse. Je descendis l'escalier comme une flèche, Anna sur mes talons.

La salle était jonchée d'éclats de verre, avec une brique au beau milieu du tapis. Je me précipitai à la fenêtre, et criai à travers la vitre brisée :

— Salauds de lâches, montrez-vous !

Mais ils étaient partis.

Derrière moi, se tenait ma famille, effrayée, pâle, silencieuse.

Journal d'Erik Dorf

Berlin
Novembre 1938

Vom Rath est mort la nuit dernière. Le bureau d'Heydrich m'a prévenu au milieu de la nuit, et, sur-le-champ, j'ai endossé mon uniforme et appelé un taxi.

Alors que nous l'attendions, les enfants se sont éveillés et nous ont rejoints dans la cuisine où Marta m'avait préparé du café chaud. Ils se frottaient les yeux, et semblaient effrayés. Il y avait des cris dans la rue, et des bruits de carreaux cassés.

J'essayai d'expliquer à Peter, qui n'a que huit ans, que des gens méchants venaient de tuer un bon Allemand en France.

— Pourquoi l'ont-ils tué, papa ? demanda-t-il.

— Oh... ce sont des gens dangereux. Des fous.

Marta serra Peter contre elle, pressant sa petite tête blonde contre sa poitrine.

— C'étaient des Juifs, Peter. Des gens méchants qui veulent nous faire du mal.

J'ajoutai :

— Mais ils seront punis.

Laura demanda :

— Tous les Juifs sont méchants, papa ?

— La plupart d'entre eux le sont.

— Papa va punir les méchants, déclara Peter. Pour ça, il a son revolver.

Laura se mit à pleurer. La petite n'a que six ans.

— J'ai peur, maman. Je ne veux pas que papa s'en aille.

Marta, toujours à la hauteur des circonstances, calma les

enfants et les renvoya au lit. Elle vint ensuite m'aider à enfiler mes bottes.

— Que va-t-il se passer, maintenant ? demanda-t-elle.

— Cela a déjà commencé. Des représailles. Nous ne pouvons pas tolérer qu'un Juif cinglé se mette en tête l'idée de tuer un diplomate allemand.

— Mais qu'attend-on de toi ?

— De moi ? Marta, le lieutenant Dorf rédige les mémorandums d'Heydrich. Et puis cette agitation m'a bien l'air de venir de Goebbels. Il est jaloux de la Police de Sécurité.

Des bruits de pas, les accents d'un orchestre, et des voix d'hommes qui chantaient le *Horst Wessel* montèrent de la rue. Dans le lointain, j'entendis un fracas de carreaux cassés. Marta se redressa de toute sa hauteur.

— Qu'est-ce que tout cela peut signifier pour toi ? Et pour ta carrière ?

Je lui dis que je n'avais pas l'intention de lancer des briques dans les vitrines des commerçants juifs pour avoir de l'avancement. Je ne suis pas un voyou.

— Mais qui es-tu donc ? demanda-t-elle.

— Un employé, répondis-je.

Nous allions nous quereller, et je n'y tenais pas du tout au moment de partir pour le bureau ; mais Marta insista. Elle m'exhorta à faire des suggestions, à donner des idées à Heydrich. Si je n'étais pas un voyou de quartier, il fallait que je me creuse la cervelle. On m'avait engagé pour mon intelligence. C'était pour moi l'occasion ou jamais de m'en servir, dit-elle fermement.

Elle avait raison. Je sentais que des mesures capitales étaient en préparation contre les Juifs, et que je serais impliqué là-dedans. Les programmes de routine, je le savais, étaient trop insignifiants. Boycotts. Expulsions. Expropriations. J'avais signé des papiers, donné des ordres, mais ne m'étais jamais trouvé au cœur de l'action. Je m'en étais approché, pourtant, en rendant cette courte visite au Dr Weiss. Tout cela ne me dit rien. J'ai beau comprendre l'intérêt de Heydrich pour le problème juif, je reste perplexe, indécis. Oui, il faut faire quelque chose. Mais quoi ? Et comment ? Je partis à l'aube pour le bureau, en retournant ces idées dans ma tête.

Heydrich passa toute la journée à convoquer puis à renvoyer ses gens, furieux de la manière dont les hommes de main de Goebbels s'étaient lancés dans les représailles. Ses commandos de SA avaient fracassé les vitrines des boutiques juives, battu des

Juifs, brûlé des synagogues. Tout cela sans informer Himmler, ni Heydrich.

Je déjeune souvent dans mon bureau, à midi. Il est rare que je sois convié aux repas fins qui sont servis dans la salle à manger privée d'Heydrich. Ce jour-là, il n'était pas en forme et, me voyant déjeuner seul en buvant mon café, il parut s'intéresser à moi. Il me donna l'impression de chercher quelqu'un à qui parler, comme si ses subordonnés immédiats l'avaient déçu.

— Dorf, quand vous aurez fini, venez-donc me trouver.

Il est bien rare que je sois invité, tout seul, dans son bureau. Je compris qu'il s'agissait là de l'occasion dont Marta m'avait dit de profiter. J'avalai mon café à la hâte, et me rendis chez Heydrich. Il se mit sur-le-champ à fulminer contre Goebbels. Il n'éprouvait que du mépris pour celui qu'il appelait « ce maudit infirme ».

Je pris la parole pour souligner qu'une certaine forme de représailles s'imposait après l'attentat contre vom Rath. Il sembla surpris de me voir exprimer une opinion.

— Oui. Mais *nous* devrions déjà être en action à l'heure qu'il est, dit Heydrich. En tant que bras droit de la police. Aucun étranger, même s'il est juif, ne doit être molesté. Aucun bien non juif ne doit être incendié. Nous devrions prendre des Juifs fortunés comme otages en vue d'une réparation. Et les garder afin d'exercer sur eux une surveillance protectrice.

Quel homme brillant ! Goebbels, en dépit de ses éclats de voix et de sa grandiloquence, n'est qu'un écrivain raté. Heydrich, lui, est d'une intelligence remarquable.

— Supposons, dis-je, que nous laissions nos hommes prendre la suite des opérations.

— En uniforme de SS ?

— Non, monsieur. En civil. Sans drapeaux ni insignes. Sans orchestre ni chants. Punir les Juifs, arrêter ceux sur lesquels pèsent des soupçons, mais faire bien sentir qu'il s'agit là de la juste colère du peuple allemand, réagissant spontanément au complot des Juifs bolcheviques.

— Ce n'est pas une mauvaise idée, Dorf. Poursuivez.

Je devins volubile. J'expliquai que nous devrions envoyer des ordres par télex aux forces de police locales pour qu'elles n'interviennent pas dans l'action. Elles pourraient observer discrètement, à distance. Avoir pour consigne d'agir *en conséquence,* ce qui, bien sûr, veut dire qu'elles ne devront pas inquiéter les manifestants, nos propres SS.

Heydrich me souriait.

— J'apprécie votre sens de la légalité, Dorf. Mettez cet ordre à exécution. Nous en finirons ainsi et nous battrons Goebbels à son propre jeu.

— Merci, Monsieur.

— Costumes civils et pardessus, j'aime ça. La colère légitime des braves gens. Pourquoi pas ? Nous avons tout le pays derrière nous. Les Allemands comprennent la puissance de la police. Ils aiment l'autorité que nous leur imposons.

Comme notre entrevue se terminait, il me dit que mes papiers de promotion du grade de premier lieutenant à celui de capitaine allaient immédiatement être transmis.

10 novembre 1938 : ce jour est gravé dans ma mémoire. Aujourd'hui, en effet, je suis enfin sorti de ma coquille, comme Marta le désirait. Heydrich attendait en quelque sorte que je fasse mes preuves. En pleine crise, j'ai su recourir à mon intelligence.

Marta et moi fîmes l'amour avec passion cette nuit-là, comme pour fêter mon importance nouvelle dans cette carrière où nous nous trouvons l'un et l'autre impliqués. Marta avait toujours été un peu hésitante en amour. Cela provenait de cette éducation particulière au nord de l'Allemagne. Un père sévère, une mère timide. (Elle m'a avoué, cette nuit, qu'à l'âge de seize ans, elle ne savait toujours pas comment les enfants venaient au monde).

Ma hardiesse toute nouvelle, la manière dont, grâce à mon cerveau, j'avais renforcé ma position auprès d'un des hommes les plus puissants et les plus redoutés d'Allemagne, éveilla en nous deux une frénésie sexuelle inusitée. Sans plus rien nous cacher, sans rien nous interdire, nous explorâmes nos corps en des rapports nouveaux qui semblaient faire partie de mon nouveau statut.

Récit de Rudi Weiss

Cette nuit est connue dans le monde sous le nom de *Kristall-nacht*, la nuit des « carreaux cassés » ou la nuit de Cristal. Elle marqua le vrai début de la destruction de la race juive. Je la vis. Je la vécus. Et si, à ce moment-là, je ne comprenais pas encore très bien les buts et les méthodes des nazis, je possède à présent tous les éléments d'appréciation.

Les brutes lâches descendirent la rue dans laquelle Grandpa avait sa librairie. Fracassèrent les vitrines des commerçants. Incendièrent les marchandises. Battirent tous les Juifs qui leur tombaient sous la main. Deux hommes qui tentaient de riposter furent laissés pour morts sur le terrain : Monsieur Cohen, fourreur, et Monsieur Seligman, qui tenait un magasin de nouveautés.

Ils brisèrent la vitrine qui portait en lettres d'or *LIBRAIRIE H. PALITZ.* Grandpa était un dur à cuire. Comme ma mère, il était convaincu (ce jour-là encore !) d'être un meilleur Allemand que ces vauriens. Il croyait que sa Croix de fer le protégerait, qu'un miracle du ciel les pousserait à déguerpir.

Il sortit donc de sa boutique en brandissant sa canne, après que la première brique eut fracassé la vitrine, et leur cria de partir. Les canailles répondirent en lançant ses livres à la rue. Des éditions rares, des cartes anciennes, tout ce qu'il possédait. Ils y mirent le feu. Ils l'appelèrent « vieux youpin », le jetèrent au sol et le frappèrent dans le dos à coups de canne.

Il continuait à protester. Il était le capitaine Heinrich Palitz, et avait servi dans le 2e régiment d'infanterie. Cela les rendit plus furieux encore. Ma grand-mère suivait la scène de sa fenêtre et criait pour appeler la police à son secours. Il y avait trois agents au bout de la rue, qui virent le groupe de sept ou huit hommes assener une grêle de coups à Grandpa, lui arracher sa veste, et lui mettre la tête en sang.

L'un des assaillants l'obligea à marcher à quatre pattes, et s'assit à califourchon sur son dos, comme s'il était un cheval.

Grandpa vit alors Heinz Muller, l'ami de la famille Helms. L'ouvrier d'usine, ex-syndicaliste, avait maintenant une fonction mineure dans le parti nazi local. Il était en civil, et dirigeait une poignée d'hommes qui chantaient, comme d'habitude, le *Horst Wessel,* cette chanson sur un voyou devenu chef de section SA, qui avait trouvé la mort dans une échauffourée. Tous avaient soif de sang juif.

Ils remirent mon grand-père sur ses jambes, sous le regard des agents qui souriaient, de ces sourires vagues et froids, et Muller lui tendit un tambour d'enfant.

— Tiens, Palitz, mène la parade, sacré héros de guerre ! Bats donc du tambour, vieux menteur de Juif !

Derrière Grandpa, se trouvaient une demi-douzaine d'autres propriétaires de magasins juifs. Leurs locaux avaient été saccagés, pillés, et incendiés. La rue était en flammes.

Ce salaud de Muller ! Ma grand-mère terrifiée, en larmes, vit Grandpa se mettre à battre le tambour d'enfant, et les nazis pousser derrière lui les commerçants juifs qui portaient, accrochées à leurs cous, des pancartes sur lesquelles on pouvait lire le mot JUIF.

Personne dans la rue n'avait osé lever le petit doigt.

Ma grand-mère nous téléphona pour nous mettre au courant.

Nous savions. Nous entendions des bris de verre dans tout le voisinage.

Mes parents n'avaient pas bougé de la salle de séjour.

— Je vais appeler la police, dit mon père. C'est intolérable. Certes, il y a des lois contre nous, mais ce genre de violence...

La conviction pathétique de mon père qu'il subsistait encore en Allemagne une certaine forme de justice me donna presque envie de pleurer. Etant un homme juste, il lui était impossible de supposer qu'il puisse exister des êtres d'une autre nature.

— Nous devons attendre... attendre et prier, dit ma mère. Cela ne durera pas éternellement. A quoi cela peut-il leur servir ?

— Attends si tu veux, fis-je. Moi, je sors chercher Grandpa.

Ma mère me saisit par la manche, et tenta de me retenir. Elle était habituée à l'emporter, à plier les autres à sa volonté.

— Je te l'interdis, Rudi. Tu ne peux pas te battre contre eux tous !

— Oui, dit mon père. Ils cherchent des prétextes pour nous tuer. Nous ne devons pas riposter.

— Ils ont tous les prétextes qu'il leur faut ! lançai-je.

Je me libérai de la main de ma mère, et descendis l'escalier en courant. Comme j'enfilai mon chandail, Anna se précipita à ma suite.

La rue était jonchée de décombres. Toutes les boutiques avaient été saccagées. La plupart d'entre elles étaient en feu. M. Goldbaum, un bijoutier, promenait un tuyau d'incendie sur les restes de sa boutique. Tout ce qu'il possédait avait été volé. Ces patriotes allemands, ces citoyens vertueusement indignés par la mort de vom Rath, n'étaient que de vulgaires voyous, et des assassins.

Un camion passa dans un bruit de ferraille. Je saisis vivement Anna par le bras, et nous nous cachâmes dans une ruelle latérale. C'était un camion à plateau découvert. Quelques hommes portaient des portraits d'Hitler, des drapeaux avec le svastika. D'autres brandissaient des pancartes dénonçant les Juifs. Monsieur Seligman, à qui ma mère achetait des draps et des tissus, gisait le visage contre le sol, dans une mare de sang, au milieu des morceaux de verre.

Le camion s'arrêta, et les canailles sautèrent sur la chaussée.

— Regarde qui est avec eux, dis-je à Anna. Ce salopard de Hans !

— C'est une ordure, je l'ai toujours détesté.

— Le frère d'Inga. Comme j'aimerais me trouver seul avec lui, l'espace de cinq minutes !

Nous vîmes alors la parade. Grandpa, la tête ensanglantée, un œil fermé, était forcé de la conduire, en agitant les baguettes d'un tambour d'enfant. Tous les cinq ou six pas, des coups de canne et de chaîne s'abattaient sur lui et les autres commerçants. Hans était un imbécile. Une vraie poule mouillée. Un type comme Muller pouvait le mener par le bout du nez.

Je fis quelques pas hors de la ruelle. Au-delà de la rue, le ciel virait à l'orange, embrasé par les incendies. J'entendis des femmes qui gémissaient. Et encore des vitrines qu'on brisait, comme s'ils voulaient éventrer toutes les boutiques de Berlin qui appartenaient à des Juifs.

Les brutes donnaient maintenant l'impression de se fatiguer de leur jeu. Le groupe de Muller s'éloigna un peu. Grandpa se tenait toujours très droit, refusant de pleurer, de supplier, de plaider sa cause.

Je vins jusqu'à lui, et m'emparai de son bras.

A l'arrière de la colonne formée par les Juifs, un jeune homme ivre leur faisait les poches, volant les portefeuilles, les stylos et les montres. Muller l'interpella :

— Hé, toi ! Le parti ne veut pas de ça. C'est une manifestation patriotique, pas du vol à la tire !

— Ça, c'est toi qui le dis, fit le voleur.

— Obéis aux ordres, cria Muller.

Ce fut alors qu'il m'aperçut dans la pénombre, et qu'il se dirigea vers moi. Une lueur presque humaine passa dans ses yeux, et je me demande maintenant s'il pouvait y avoir en lui quelque chose de bon, mais qui aurait été étouffé. Après tout, contrairement à certains SS, il n'était pas un voyou, ni un fauteur de troubles. Il avait un métier ; il fréquentait des gens respectables. Qu'est-ce qui l'avait donc poussé à devenir une brute ? Je ne suis pas sûr de le savoir aujourd'hui. Mais je ne suis pas sûr non plus que cela ait encore de l'importance. Un honnête homme qui devient un criminel, surtout s'il trouve de bonnes raisons pour justifier sa conduite, est peut-être plus haïssable qu'un vaurien ou qu'un assassin professionnel.

Tamar se moque de moi quand je philosophe de la sorte. Elle déclare qu'ils s'étaient préparés durant deux mille ans à ce qu'ils ont perpétré alors. Et qu'ils y ont tous participé, ou presque tous. Que les hommes qui s'occupaient de la bonne marche des chambres à gaz et des fours crématoires allaient à l'église, aimaient leurs enfants et étaient bons envers les animaux.

Muller demanda s'il me connaissait, et Grandpa répondit que j'étais son petit-fils, Rudi Weiss. En retour, Muller le gifla en disant :

— Ferme-la, vieux youpin !

— C'est un homme âgé, fis-je. Si vous voulez vous battre, battez-vous avec moi. Sans les autres. Juste vous et moi, Muller.

Cinq ou six hommes firent cercle autour de nous. Anna serra Grandpa contre elle. Hans Helms faisait partie des spectateurs. Il me regardait. Evidemment, il me connaissait bien à présent. Je le vis murmurer à l'oreille de Muller.

— Weiss... le parent juif d'Inga.

Muller se frotta le menton, me fixant des yeux à travers la fumée des incendies. Des gens toussaient, pliés en deux.

— C'est bon, Weiss. Emmène cette vieille ordure avec toi. Débarrasse la rue.

Je suppose que j'aurais dû éprouver de la reconnaissance pour lui et pour Hans. Mais quelque chose naissait en moi, et je savais quoi. C'était l'esprit de vengeance. J'espérais que j'aurais un jour le plaisir profond de leur casser la figure, de leur faire honte, de leur signifier qu'ils ne pouvaient pas se permettre d'agir ainsi envers nous.

Nous aidâmes Grandpa à regagner son domicile. Lui et ma grand-mère occupaient un appartement au-dessus de la librairie. Il s'arrêta pour ramasser une première édition du dictionnaire de Johnson, puis une des premières éditions de *Faust*. Il tournait avec tristesse les pages à demi carbonisées.

— Heinrich, Heinrich, pleurait ma grand-mère. Comment ont-ils pu faire ça à un homme de ton âge ?

Il essuya le sang de son front, redressa son dos bien droit.

— Je survivrai...

Il regarda de nouveau les livres brûlés.

— ... mais mes livres...

— Anna et moi allons nettoyer, fis-je.

Mais je vis que c'était sans espoir. Jamais plus il ne vendrait de livres, ni de cartes.

Le journal d'Erik Dorf

Berlin
Novembre 1938

Deux jours ont passé depuis cette nuit que la presse appelle désormais *Kristallnacht,* la nuit de Cristal. J'ai décidé de ma propre initiative, à présent que je suis capitaine, et que j'ai monté dans l'estime de Heydrich, de réunir toutes les informations sur les événements de cette nuit historique.

Le chef était détendu. Il buvait du cognac à petites gorgées en écoutant *Siegfried*.

— Wagner est un vrai magicien, dit-il. Ecoutez, Dorf, ce qu'une âme aryenne pure est capable de produire.

J'écoutai un moment, peu désireux d'interrompre sa rêverie.

— Quels accords, dit-il, quels accords sublimes !

— Voici les rapports sur l'opération, Monsieur. Sur la *Kristallnacht*.

La musique envoûtante de Wagner (je crois qu'il s'agissait du *Voyage de Siegfried sur le Rhin*) paraissait servir d'accompagnement à mon rapport qui était d'une nature assez grave. Il y avait eu trente-six morts. Généralement dues à la résistance des Juifs. La presse étrangère aurait du mal à monter cette affaire en épingle. Soixante-dix synagogues avaient été incendiées, et plus de huit cents commerces juifs avaient été détruits. C'est en matière d'arrestations que nos gens semblaient avoir eu la main lourde. Plus de trente mille Juifs se trouvaient sous les verrous.

Heydrich leva la tête vers moi.

— Trente mille ? Les imbéciles ! Ils rempliraient Buchenwald en une seule nuit !

Il arrêta le tourne-disque.

— Après tout, peu importe. De toute façon, nous remplirons Buchenwald. Et il nous faudra encore beaucoup d'autres Buchenwald. Pour nos ennemis. Tous. Les Juifs, les Communistes, les Socialistes, les Francs-Maçons, les Slaves. Il faudra bien les enfermer s'ils résistent.

— Il pourrait y avoir des protestations, mon Général. Des boycotts. Des actes de représailles.

Heydrich rit. Quel homme maître de lui ! Le bruit court qu'une nuit, dans un accès de colère, alors qu'il était pris de boisson, il a vidé le chargeur de son Lüger sur son propre reflet dans un miroir (mais je refuse de croire à cette fable).

— Des représailles ? demanda-t-il. Parce que quelques Juifs ont reçu des coups ? Dorf, les Juifs sont toujours le gibier à la mode !

— C'est mon avis. Nous avons, pour ainsi dire, un précédent moral pour les châtier. Après deux mille ans...

— Un précédent moral !

Heydrich se remit à rire.

— Vous êtes merveilleux, Dorf !

— Si j'ai dit quelque chose de stupide, j'en suis désolé.

— Pas du tout, capitaine. Bien sûr, un précédent moral. Et un précédent religieux. Et un précédent racial. Et surtout, les valeurs concrètes. Sinon, comment réaliser l'unité de notre peuple ?

Il mit un autre disque. Je laissai mes rapports relatifs à la *Kristallnacht* sur son bureau, et me dirigeai vers la porte.

— Toujours neutre sur la question des Juifs, Dorf ?

— Non. Je comprends parfaitement leur importance pour nous, fis-je.

— Et la menace qu'ils constituent. Vous connaissez la théorie du Führer. Les Juifs sont une sous-humanité, créée par quelque autre divinité. Son intention, et il l'a exposée en toutes lettres, est d'opposer l'Aryen au Juif, jusqu'à l'anéantissement du Juif.

Attentif, je hochai la tête.

— Et si, un jour, — c'est une confidence que m'a faite le Führer —, des millions d'Allemands doivent trouver la mort dans une autre guerre pour que nous accomplissions notre destinée, il n'hésitera pas à anéantir des millions de Juifs et autre vermine.

Ecouter sa voix calme, au son de la musique divine de Wagner qui montait dans la vaste pièce, était une sensation étrange. Ses propos semblaient logiques, marqués du sceau de la fatalité, comme l'accomplissement de quelque impératif historique.

Le récit de Rudi Weiss

Le 14 novembre 1938, quelques jours après la nuit de Cristal, on arrêta mon frère Karl.

Beaucoup de Juifs se cachaient et s'évertuaient à fuir le pays à la dernière minute, en distribuant des pots-de-vin à droite et à gauche. Mais il leur était désormais presque impossible de réussir.

L'arrestation de Karl est à porter au crédit du parfait fonctionnement du Service de Sécurité. Le ménage occupait un petit studio voisin de l'appartement des parents d'Inga, dans un quartier chrétien. Mais les nazis avaient des informateurs partout. Inga était persuadée que quelqu'un de l'immeuble avait parlé.

Karl était doué pour son travail. Mais il n'arrivait pratiquement plus à contribuer aux frais du ménage. Les éditeurs et les publicitaires de confession chrétienne ne voulaient plus entendre parler de lui. Pendant un certain temps, Inga était parvenue à vendre le travail de son mari, en prétendant l'avoir exécuté elle-même ; mais la plupart des clients n'avaient pas été dupes. Et, de toute façon, Karl n'était guère partisan de cette formule. Il avait ses principes. L'intégrité de l'artiste, la vérité inhérente à l'art. (De nobles idées, mais de peu de secours en face de salauds armés de matraques et de fusils.)

Le jour où ils vinrent chercher Karl, il était en train de faire le portrait d'Inga. Il la taquinait en l'appelant sa « Saskia ». Elle n'avait aucune idée de ce qu'il entendait par là, et Karl lui expliqua que Saskia était la femme de Rembrandt, et que le peintre, trop pauvre pour se payer des modèles, avait fait d'elle d'innombrables tableaux. Et de lui-même des centaines d'autoportraits.

— Mais je ne suis pas Rembrandt, ajouta Karl. Seulement un illustrateur sans travail.

Il abandonna ses pinceaux pour aller s'asseoir sur le lit. Le couple vivait très simplement. Presque pas de meubles, plusieurs plantes, et quelques dessins de Picasso sur les murs.

— Tu es un merveilleux artiste, fit Inga. Tu auras ta chance, un jour ou l'autre.

— Dieu que je t'aime, dit-il soudain, et il l'embrassa.

— Pas plus que je ne t'aime.

— Tu vas souffrir à cause de moi, Inga. Je suis condamné. Et les nazis estiment que tu souilles la race aryenne.

— Peu m'importe ce qu'ils pensent et disent de moi, répondit-elle en posant ses mains sur les épaules de Karl. Regarde-moi. Nous nous sortirons de là. Oh, cette mère que tu as, toujours si bien mise, si bien parfumée, si parfaite ! Et qui dirige tout. Elle t'a ôté ta combativité. J'ai dit « regarde-moi ».

— Je vois la plus belle fille de Berlin.

— Et elle sait ce qu'elle veut. Nous achèterons de faux papiers d'identité. Nous irons à Brême, ou à Hambourg. On ne saura pas qui tu es, là-bas.

— Tu rêves, Inga. Je suis au bout du rouleau.

Il abandonna sa peinture, et sembla perdre tout intérêt pour son travail ce jour-là. Il passa son temps à lire et relire les articles du journal sur la *Kristallnacht*. Des Allemands patriotes indignés de la « domination juive » qui pesait sur les banques, la presse, et le monde des affaires, sillonnaient toujours la ville. Inga finit par lui arracher le journal des mains, et le déchira. Après quoi, elle entreprit de le tirer de sa torpeur.

— Embrasse-moi, lui demanda-t-elle.

— Cela ne changera pas la face du monde.

— On peut toujours essayer.

Ils restèrent étroitement enlacés. Ce fut alors que la mère d'Inga, essuyant nerveusement ses mains à son tablier, entra sans frapper. Elle resta dans l'embrasure de la porte, manifestement au bord des larmes, et en même temps irritée contre sa fille.

— La police, dit-elle. Ils cherchent ton mari.

— La police ? Pour Karl ?

Inga se leva et courut à la porte.

— Qui... Pourquoi ne nous as-tu pas avertis ?

Madame Helms fit un geste d'impuissance de la main.

— Non ! cria Inga. Il n'a rien fait. Dis-leur n'importe quoi... Dis qu'il est parti...

— Ça ne sert à rien. Il y en a dans tout le quartier. Ils arrêtent tous les Juifs.

Les yeux d'Inga brillèrent de colère.

— Et tu t'en réjouis, n'est-ce pas ? Tu aurais pu mentir pour nous sauver. Dire que tu es ma mère, et que tu...

Inga, dans sa rage et sa douleur, prit sa mère aux épaules, et se mit à la secouer.

— Je suis ton enfant, et tu laisses faire ça !

Karl dut la séparer de sa mère. Inga pleurait maintenant. Des larmes de colère plus que de peur. Il ne lui était jamais venu à l'esprit que Karl, oublié de ses anciens clients, et isolé dans le studio, risquait d'être découvert.

Deux hommes en civil entrèrent. Ils montrèrent leur insigne : Gestapo. Ils étaient polis, diligents. Karl avait cinq minutes pour préparer un sac avant de les suivre.

— Non, dit Inga. Vous devez avoir une raison... des papiers...

— Interrogatoire de routine, fit l'un d'eux.

— De quoi le soupçonne-t-on ? cria Inga.

— Il sera de retour sous peu, déclara l'autre inspecteur. Ce n'est pas une affaire grave.

Obéissant, Karl jeta dans un sac ses objets de toilette, et quelques vêtements. Il savait ce qui l'attendait, mais Inga ne voulait pas l'admettre.

— Je pars avec lui, dit-elle. Je lui trouverai un avocat.

— Eh bien, bonne chance, Madame, dit l'homme de la Gestapo. Dépêchez-vous, Weiss.

Soudain, Inga se précipita entre les policiers et Karl qu'elle serra contre elle. De ses bras vigoureux, elle tenta d'empêcher son départ.

— Non, non. Ils doivent te fournir une explication. Tu n'as rien fait. Ils ne peuvent pas t'emmener.

Elle se tourna vers eux.

— Il ne fait pas de politique. C'est un artiste.

— Allons, allons, Inga, fit Karl. Je vais revenir.

Ils savaient tous les deux qu'il mentait. Trop de choses se

passaient depuis six mois : des arrestations inopinées, des gens qui disparaissaient dans la nuit.

Les hommes eurent du mal à dégager Karl des bras d'Inga.

— Je l'accompagne, dit-elle.

Sa mère tremblait.

— Non. Non. Tu nous attirerais des ennuis.

— Sois tranquille, cria Inga. Si je trouve celui qui l'a dénoncé...

— Inga, ta mère a raison. Tu dois rester ici, dit Karl.

Il l'embrassa. Elle le serra de nouveau contre elle, têtue, sachant qu'elle constituait un bouclier pour Karl. Sa protection.

Les deux hommes durent l'arracher à ses bras.

— Ne nous suivez pas, fit l'un d'eux.

— Cet ami de papa, Muller, cria Inga. C'est lui qui l'a dénoncé !

— Ça fait des mois que Muller n'est pas venu nous voir, dit sa mère.

— Peut-être, mais il va toujours au café avec papa, et aussi avec Hans, quand il est en permission.

De nouveau, elle s'accrocha à Karl.

— Mon chéri, je te ferai libérer. Ils ne vont pas te faire de mal, je te promets. Dis-moi où tu es, je viendrai.

De nouveau, les deux hommes durent lui arracher mon frère des bras. Ils escortèrent Karl au-dehors, et jusqu'aux portes de l'enfer. Le jour même de l'arrestation de Karl, mes grands-parents, dont l'appartement avait brûlé, vinrent s'installer chez nous, dans la Groningstrasse.

Je me rappelle que, ce jour-là, mon père examinait un de ses clients de très longue date, un imprimeur nommé Max Lowy.

Mon père refaisait ses pansements. Max Lowy avait été malmené au cours des horreurs de la *Kristallnacht*. C'était un petit homme fluet, et très volubile dans son argot berlinois. Un artisan expérimenté, quoique sans grande éducation ; un homme simple et direct, extrêmement attaché à mon père, comme tant de ses clients.

— Doucement, toubib ! fit Lowy.

— Ils vous ont mis dans un bel état, Lowy.

— Six costauds, avec des chaînes et des gourdins. Les salopards ont aussi saccagé mon imprimerie. Cassé tous les caractères. Qu'est-ce qu'ils en avaient à foutre, pourtant ?

— C'est dans leurs habitudes. La librairie de mon père a également été dévastée.

Lowy avait une verve irrésistible. Même aux pires moments de la fin, il conserva son optimisme d'homme qui ne se laisse pas écraser.

54

— J'ai entendu dire que le pire était passé, toubib, fit-il. Goering en veut à Goebbels à cause des émeutes. Il ne veut plus de remous sous la galère nazie depuis Munich. Vous croyez ça, vous ?

— Je ne sais plus que croire.

— Pourquoi continuerait-on à s'en prendre à nous, éternellement ? L'affaire de la mort du Christ, ça ne date pas d'hier ! Pourquoi ne nous fiche-t-on pas la paix à présent ?

— Nous sommes précieux, mon ami. Nous leur servons à faire l'unité des Allemands. Je crains que les nazis ne se soucient guère du Christ et des dogmes religieux.

— Oui, sauf quand ils peuvent s'en servir !

Mon père acheva les pansements, qu'il avait l'art de faire à la perfection, et dit :

— Vous voici remis à neuf, Lowy.

Ma mère frappa à la porte. Elle demanda à mon père de la rejoindre dans le vestibule.

Je venais d'arriver. J'étais allé chercher mes grands-parents dans leur appartement dévasté. Anna, qui ne connaissait pas la peur, ou du moins n'en laissait jamais rien paraître, m'avait accompagné afin de m'aider à porter les bagages.

— Vous serez ici chez vous, dit mon père au vieux couple.

Grandpa montra du doigt leurs maigres bagages.

— C'est tout ce qui nous reste. Ils ont tout volé. Mes livres... disparus...

Ma mère lui caressa la main.

— Vous serez en sécurité, ici. Nous avons beaucoup de place. Maman et papa, vous prendrez l'ancienne chambre de Karl.

Grandpa Palitz secoua la tête.

— Nous n'avons pas le droit de vous rendre la vie plus dure.

Mon père répondit :

— Ne dites pas de bêtises. C'est un honneur pour nous de vous accueillir. Je viens d'apprendre de bonnes nouvelles. L'un de mes clients, toujours au courant des bruits qui circulent, dit que nous arrivons au bout de nos peines. La fièvre est retombée.

Anna et moi nous emparâmes des bagages, et commençâmes à monter l'escalier. Comme ils étaient aveugles, tous ! Ou bien est-ce moi qui d'ici, en Israël, avec un recul de quatorze ans, ai une vision des choses cruelle et injuste envers leur mémoire ? Ils ne furent pas les seuls à être trompés, bercés d'illusions, rassurés un jour, et massacrés le lendemain.

— Oui. J'incline à le croire, disait mon grand-père.

Quand je pense qu'il portait encore sa Croix de fer !

Il poursuivait :

— Economiquement, c'est insensé. Schacht doit bien le comprendre. Anéantir des affaires prospères, nous chasser de l'économie, cela ne rime à rien du tout.

Je descendis l'escalier, désespéré par le don qu'ils avaient de se dissimuler la réalité des faits.

— Ils n'apprendront jamais rien, fis-je, ajoutant à l'intention de ma mère, surprise de ma hardiesse, et toi non plus !

Mon père, qui était en train de répondre à un appel téléphonique, pâlit soudain et prit un air bouleversé.

— Inga, oui, oui. Je vous entends... mais comment ?... Pourquoi ? Karl. Je comprends. Mais qu'ont-ils dit ? Voulez-vous que l'un de nous vienne vous rejoindre ? Oui. Oui. Nous allons essayer de donner quelques coups de fil autour de nous.

Il raccrocha. Je le revois, essayant de cacher la mauvaise nouvelle à ma mère. L'effort qu'il faisait pour contenir son émotion tassait son grand corps sur lui-même.

— On a arrêté Karl. Sans donner de raison. Il est au commissariat central. Avec des milliers d'autres.

Ma mère se mit à pleurer. Pas à gros sanglots, je m'en souviens. Des larmes discrètes.

— Oh, mon fils, mon Karl !

— Inga est au commissariat. Elle ne le quittera pas tant qu'on ne l'aura pas renseignée. Elle rappellera bientôt.

Devant Anna et moi, qui la regardions avec inquiétude, ma mère perdit alors sa maîtrise de soi, cette qualité qui faisait sa fierté. Elle éclata en sanglots, et se jeta dans les bras de mon père.

— Ça ira, maman, fis-je, Karl s'en sortira. Il n'a jamais rien fait. On ne peut rien lui reprocher.

Je mentais afin de la réconforter. Il y avait longtemps que les nazis ne se croyaient plus obligés de justifier leurs agissements !

— Rudi a raison, dit mon père. Tu verras. On le relâchera. On ne peut pas garder les prisons pleines d'innocents.

Maman contempla le visage affligé de mon père, et déclara :

— Nous sommes punis. Pour mon orgueil. Pour mon entêtement. Oh, Joseph, nous aurions dû fuir voilà des années.

— Mais non, pas du tout. Ce n'est pas ta faute, ni celle de qui que ce soit.

Stupéfiante, ma mère. Elle recouvra en un instant le contrôle de ses émotions, essuya ses larmes, et se redressa, ajustant sa robe.

— Je dois monter pour m'occuper de l'installation de mes parents. Rudi, tu feras les courses pour le dîner.

— Si je trouve une boutique ouverte.

Mon père me caressa l'épaule de sa main.

— Tu es plein de ressources, mon garçon. Tu en trouveras bien une.

Ma mère, qui avait gravi quelques marches, chancela soudain dans l'escalier. Mon père se précipita et la prit dans ses bras.

— Ça va, Joseph, fit-elle.

— Tu as besoin de te reposer. Je vais te donner un calmant.

— Non, ce n'est pas la peine. Cela va aller. Je me sens bien. Tu as un client qui t'attend.

— Ah oui, dit mon père. J'y vais.

Il fit les quelques pas qui le séparaient de la porte vitrée, le visage livide, s'efforçant de dissimuler ses craintes à ma mère, et à nous tous.

Anna et moi observions sans rien dire. Je me maudissais d'être si jeune, si inexpérimenté, et, ce qui était le pire, si totalement incapable de les aider.

Je sortis, le sac à provisions sous le bras, pour m'arrêter sur le perron.

Deux salauds de gaillards en uniforme brun étaient en train de badigeonner le mot JUIF sur le muret de briques, devant notre maison. Ils firent semblant de ne pas me voir. Je serrai les poings et descendis les marches.

Ils portaient de petites matraques de bois à leur ceinture, des poignards dans leur fourreau. A quoi cela m'avancerait-il de me battre contre eux ? Et pourtant, quelle envie j'avais de leur rentrer dedans !

— Qu'est-ce que tu regardes, toi ? fit l'un d'eux.

Je ne répondis pas.

— Ton vieux est un Juif, pas vrai ? dit l'autre. Pourquoi pas le faire savoir à tout le monde ?

Et ils continuèrent à peindre : une étoile à six branches à la suite des quatre lettres.

Le journal d'Erik Dorf

Berlin
Novembre 1938

Marta s'émerveille de ma promotion rapide. Je suis devenu l'un des favoris d'Heydrich. Il aime ce qu'il appelle « ma subtile interprétation de la légalité ».

En ce début de soirée, comme elle était assise sur mes genoux, plus belle que jamais, et plus heureuse que depuis des années, je lui ai appris qu'Heydrich nous invite à l'accompagner à l'Opéra dans les soirs qui viennent. Nous sommes en pleine ascension sociale. Il va falloir que nous sortions et recevions davantage.

— Erik, toutes ces femmes riches qu'il y aura ! Je me sentirai gênée auprès d'elles.

— Tu seras la plus belle.

Marta rougit.

— Oh, tu connais mes goûts ! Je me sens bien à la maison, avec les enfants.

— Une maison qui va être beaucoup mieux. J'ai un nouvel appartement en vue. Dans un quartier plus chic.

Marta m'embrassa et noua ses bras autour de mon cou.

— Oh, Erik, je suis si heureuse pour nous. Dire qu'au début, tu renâclais devant... comment disais-tu ?... un travail de flic. Regarde comme tu as réussi !

A présent que je suis assis devant mon journal intime, avec mon verre de cognac (j'ai eu une journée de travail longue et fatigante), j'ai tout de même plus de facilité à m'exprimer. Naturellement, Marta est enchantée de ce capitaine Dorf nouvelle manière. Je lui ai raconté (et elle m'écoutait, toute souriante) comment s'est finalement résolu un problème épineux par les récents événements.

Beaucoup de compagnies d'assurances allemandes se sont trouvées au bord de la faillite en raison des demandes de dommages que leur ont adressées les commerçants juifs. Après avoir bien ruminé mon projet, j'ai conseillé à Heydrich de laisser les compagnies payer les dégâts mais, avant que les Juifs puissent en bénéficier, de faire *confisquer* ces sommes par le gouvernement en vertu du principe que les Juifs ont été les instigateurs des troubles, et qu'ils ne sont par conséquent pas en droit d'être remboursés. L'argent pourra donc être renvoyé à toutes les compagnies d'assurances qui en feront la demande, mais pas aux compagnies juives. Elles seront exclues de ce genre de remboursement.

Marta a reconnu qu'elle avait de la peine à suivre mon raisonnement légal, mais elle estime qu'il s'agit là d'une solution équitable. Les Juifs, comme elle dit, ont tout suscité eux-mêmes.

Mes vues sur les Juifs ont indubitablement changé depuis trois ans. Maintenant que je ne suis plus un naïf, je vois nettement de quelle façon ils ont su s'insinuer dans notre vie, étaler leurs tentacules et empêcher l'Allemagne d'accomplir son destin. Je comprends ce que veut dire le Führer quand il parle d'une Europe « libérée des Juifs ». Cela va dans le sens de l'intérêt général, y compris de celui des Juifs. De temps à autre, je me trouve encore embarrassé par quelque vieux concept de loi, mais je n'ai pas trop de mal à m'en défaire, sous l'autorité légère d'Heydrich. Il avait raison, bien sûr, le jour de notre première rencontre. Je dois faire table rase des notions de justice démodées. Il y a des périodes et des cas où elles ne s'appliquent plus. Tout simplement.

Lorsque Peter et Laura sont sortis de leur bain, tout à l'heure, ils sont venus me dire bonsoir dans leur peignoir neuf. Je les ai embrassés tous les deux.

— Les enfants, vous sentez aussi bon que les fleurs au printemps, leur ai-je dit.

Pierre a fait la moue.

— Je ne suis pas une fleur. Elle, peut-être.

Il a presque neuf ans. Il est grand et robuste, avec les traits délicats de sa mère et sa forte volonté.

Laura, qui est de nature rêveuse et d'humeur changeante (elle ressemble beaucoup à l'enfant que j'étais), s'est alors appuyée de tout son poids contre mon genou, comme le font les petits quand ils veulent attirer l'attention de leurs parents. Ses yeux innocents ont cherché mon regard, et elle a demandé :

— Papa, pourquoi tout le monde déteste-t-il les Juifs ?

Peter, me gagnant de vitesse, lui répondit :

— Parce qu'ils ont tué le Christ. Tu ne l'as pas encore appris ?

— Oh, il y a d'autres raisons à cela, dit Marta. Des choses que vous comprendrez quand vous serez plus grands.

Et elle les a menés au lit.

Je me suis attardé à réfléchir sur la réponse ingénue, et si vraie, de Peter à la question de Laura. Oui, ils ont tué le Christ. Et bien que le parti, notre mouvement et les écrits du Führer sur ce sujet en fassent peu de cas, nous sommes assurément les bénéficiaires d'une longue tradition. Mon bagage historique n'est pas suffisant, et je ne suis pas non plus un philosophe, mais il me semble qu'il existe un enchaînement pratiquement ininterrompu depuis la condamnation des Juifs pour le plus grand crime jamais commis contre le Seigneur, jusqu'à ce que nous projetons pour eux. Après tout, nous n'avons pas inventé l'antisémitisme.

J'en étais là de mes réflexions, lorsque le timbre de la porte d'entrée vint me ramener à la réalité. Il fit sursauta Marta. Je lui conseillai d'aller auprès des enfants et d'y rester pendant que je répondrais.

C'était le Dr Joseph Weiss qui se tenait sur le palier. Il me parut plus vieux, et comme tassé sur lui-même.

— Capitaine Dorf, dit-il. J'ai le regret de vous déranger à cette heure, mais j'ai eu peur que vous ne refusiez de me recevoir si je vous téléphonais.

Il me dérangeait. Il aurait dû le savoir.

— Je vous avais dit de ne pas venir me trouver.

— Je n'ai personne à qui m'adresser. Mon fils, Karl, qui est un peu plus jeune que vous, et que vous avez certainement dû connaître, vient d'être arrêté. Pas un mot ne nous a été envoyé. Rien. Aucune explication. Il n'a jamais fait de politique de sa vie. C'est un artiste peintre. Il...

Sa voix faiblit et il se tut.

Je ne pouvais rien pour lui, et le lui déclarai.

— Quel crime avons-nous commis ? Qu'avons-nous bien pu vous faire ? Mon beau-père était un héros de l'armée allemande. Sa boutique et son appartement ont été pillés par des vauriens. Mes fils... ils se sont toujours sentis aussi allemands que vous.

— Ces mesures ne sont pas dirigées contre vous personnellement, ni contre votre famille, dis-je.

— Cela ne nous rend pas les choses plus faciles.

— Docteur, il s'agit d'une politique à long terme. Pour votre bien et celui de l'Allemagne.

— Mais des vies sont brisées, des gens sont tués. Pourquoi ?

Il commençait à m'énerver. Il n'avait pas le droit de venir jusque chez moi.

— Je ne peux pas discuter de cela avec vous.

— Capitaine Dorf, je vous en prie. Vous avez de l'influence. Vous êtes un officier SS. Venez au secours de mon fils.

Marta vint alors me rejoindre dans l'entrée.

— Erik ? Un ennui ?

— Non, ma chérie.

Weiss salua Marta.

— Madame Dorf, peut-être comprendrez-vous. Mettez-vous à ma place. Supposez que ce soit votre fils qui ait été arrêté, et non le mien. Vous deux m'avez un jour confié votre santé... je demande seulement...

— Erik, les enfants, fit Marta d'un ton ferme, feignant de ne pas voir le vieil homme.

Le Docteur Weiss ne paraissait pas décidé à s'en aller. Je m'écartai de lui, et vins auprès de Marta.

Elle me dit à voix basse :

— Renvoie-le. Il menace ta carrière. Explique-lui que tu ne peux rien faire du tout. Ce n'est pas toi qui as arrêté son fils.

— C'est ce que je lui ai dit.

— Redis-le-lui. Sois poli, mais ferme.

Je revins à la porte.

— Docteur Weiss, je regrette de ne pas pouvoir vous aider. Ces affaires ne sont pas de mon ressort.

— Mais un simple mot à vos supérieurs... que nous sachions au moins où est mon fils... ce dont on l'accuse...

— Je ne peux pas, je suis désolé.

Son visage prit un air abattu.

— Je comprends. Bonsoir, Capitaine.

La porte se referma. Sur le moment, cette visite me troubla un peu. Le docteur m'avait toujours donné l'impression d'être un homme correct. Ses fils l'étaient aussi, à ma connaissance. Mais j'avais franchi mon Rubicon, et ne pouvais plus revenir en arrière. Heydrich et Himmler nous mettent fréquemment en garde contre le « bon Juif », celui qu'en Allemand charitable, vous avez envie d'épargner. Notre programme est un programme complexe, et à long terme. Il porte sur des populations entières, et implique de vastes changements. Nous ne pouvons pas nous permettre de laisser le sentiment, de prétendues sympathies, venir en travers de notre projet.

— Seuls nous, les SS, l'élite des SS, dit Heydrich, avons l'énergie d'accomplir cette tâche.

Je sais maintenant, pour avoir entendu les pas lents du médecin s'éloigner sur le palier, ce qu'il veut dire par là.

Le récit de Rudi Weiss

Quelques jours après la visite que fit mon père à Erik Dorf (je n'avais aucune idée de ce qu'était cet homme, ni de son importance, sachant seulement qu'il avait refusé de nous aider), papa reçut l'ordre d'être déporté vers la Pologne.

Mon père qui voit toujours le bon côté des gens, ou qui refuse toujours de croire au pire, était persuadé que Dorf n'était pour rien là-dedans. Peut-être avait-il raison. C'était la politique générale du moment. Tous les Juifs étrangers, résidant en Allemagne, (et il y avait des milliers de Juifs polonais) furent contraints de partir.

En réalité, lorsqu'il vit entrer l'homme à la serviette dans son cabinet, où il soignait la cheville foulée d'un petit garçon, mon père s'attendait même à une bonne nouvelle de la part de Dorf. Peut-être quelques éclaircissements sur le sort de Karl.

Mais l'homme venait du service d'immigration. Il dit à mon père :

— Vous êtes le docteur Joseph Weiss, né à Varsovie, Pologne, et, en vertu des lois nouvelles, votre présence dans ce pays est illégale. Vous avez l'ordre d'être déporté vers la Pologne. Soyez à la gare centrale demain, à six heures du matin, avec de quoi manger pour une journée, et un sac de voyage.

J'écoutais derrière la porte du cabinet, navré par ce nouveau coup qui frappait ma famille, et pris d'un furieux désir de venir en aide à mon père. Comme je haïssais ces hommes qui étaient venus le trouver ! Comme je brûlais d'envie de les frapper, de les obliger à sentir quel effet cela fait de souffrir.

— Mais ma femme et mes enfants... et les gens que je soigne...

— L'ordre ne s'applique qu'à vous seul. Vous remettrez ces documents demain, à l'officier du convoi.

Ce dont je me souviens avec la plus grande netteté, c'est qu'au lieu de monter confier l'affaire à ma mère, ou de rester abasourdi sous ce choc inopiné, au point de ne plus pouvoir travailler, mon père retourna auprès du petit garçon, et poursuivit le traitement de sa cheville, comme si de rien n'était.

Mon frère Karl avait été envoyé à Buchenwald. Le récit de son internement dans ce camp de concentration, je le dois à un homme appelé Hirsch Weinberg qu'on avait arrêté quelques jours avant Karl. Weinberg était originaire de Brême, où il exerçait le métier de tailleur. Il se souvenait bien de Karl Weiss, l'artiste.

Buchenwald est proche de Weimar. Les Allemands ont construit là un immense camp pour y enfermer toute personne considérée comme ennemie du Reich. Après la nuit de Cristal, il devint un enfer, où les gens entassés les uns sur les autres dans des conditions d'hygiène épouvantables, mouraient chaque jour, par centaines, sous les coups, ou faute de soins médicaux, quand ils n'étaient pas sommairement exécutés sous un prétexte fantaisiste par leurs gardiens.

Les tourments commençaient dès l'instant où les prisonniers franchissaient la porte surmontée de la légende *ARBEIT MACHT FREI*, le travail rend libre.

Karl et un groupe d'autres prisonniers reçurent l'ordre d'entrer dans la salle d'arrivée qui grouillait de dactylos, de gardiens, de chefs de bureau, tous membres des SS. Les questions préliminaires, après le nom, l'adresse, et la profession, étaient du genre :

> *Nom de la putain qui t'a chié ?*
> *Du maquereau qui l'a baisée pour te faire ?*
> *Pour quel crime t'a-t-on arrêté ?*

Comme Karl attendait son tour, tremblant, craintif, un jeune Juif solidement bâti, qui avait l'air d'être camionneur, refusa de répondre aux insultes. Il protestait. Sa mère n'était pas une putain, son père n'était pas un maquereau, et il n'avait commis aucun crime. Il fut immédiatement traîné dans une pièce contiguë. Il y eut des cris, des bruits sourds.

Quelques minutes plus tard, battu et dompté, il fut ramené dans la salle, la tête en sang, un œil fermé, et il répondit sur un ton plaintif à toutes les questions.

Karl venait juste après lui.

Il donna son nom, son adresse, et sa profession : peintre-dessinateur.

Un sergent SS fit quelques pas dans sa direction. Il portait un petit fouet dont il enfonça le bout du manche dans les côtes de mon frère.

— Un de ces Juifs bolcheviques, n'est-ce pas, Weiss ? Tu fais des dessins mensongers pour un de ces torchons de journaux communistes ?

— Je travaille dans la publicité, dit Karl. Je ne suis affilié à aucun parti. Je...

Le fouet lui claqua à travers la figure.

Lorsque Weinberg me raconta cela, je revis Karl, le petit garçon chétif que les autres choisissaient toujours pour cible, pour victime. J'avais quatre ans de moins que lui, mais j'ai toujours été fort et agile, et mon principe était : si tu m'attaques, je riposte.

J'eus envie de pleurer en parlant à Weinberg, mais ma femme, Tamar, était présente, et elle ne croit pas à la valeur des larmes.

— La putain qui t'a chié ?

— Non... ma mère...

Crac. Le fouet le cingla de nouveau.

— Berta Palitz Weiss, dit Karl.

— Le maquereau qui l'a violée ?

— Joseph Weiss. Le docteur Joseph Weiss.

— Quel crime as-tu commis pour être envoyé à Buchenwald ?

— Je... je n'ai rien fait.

— Essaie de te souvenir. Quel crime as-tu commis ?

— Aucun. Franchement. J'étais chez moi, occupé à peindre. Des hommes sont venus me chercher. Il n'y a pas de chef d'inculpation.

— Tu es juif. C'est une raison suffisante.

— Mais... ce n'est pas un crime.

Cela les fit rire. Le sergent et deux autres brutes entraînèrent Karl dans la pièce contiguë, et le battirent jusqu'à lui faire perdre connaissance. Il revint à lui dans un baraquement obscur, où il rencontra Hirsch Weinberg qui s'efforça de lui inculquer quelques trucs pour survivre.

Toujours sans nouvelle de Karl, et dans l'ignorance de son lieu de détention, nous allâmes tous accompagner mon père pour son départ vers la Pologne. C'était le dernier jour du mois de novembre 1938.

Je revois le spectacle de désolation qu'offrait la gare. Environ un millier de Juifs, dont la plupart étaient plus âgés et plus pauvres que mon père, avec leur misérable baluchon et leur sac de nourriture. Le bruit courait que les Polonais les refouleraient à la frontière. Que les Juifs seraient abandonnés dans un no man's land indéterminé, entre l'Allemagne et la Pologne.

Mais mon père s'efforçait de faire bonne figure.

— Si tu pleures, Berta, dit-il à ma mère, je vais me mettre en colère.

Elle se tamponna les yeux avec son mouchoir. Non, elle se maîtriserait. Autour d'elle, d'autres familles ne dissimulaient pas leur chagrin. Elles pleuraient, imploraient, tâchaient d'épargner à leurs êtres chers l'embarquement dans le train pour la frontière polonaise.

— Et pourtant... c'est peut-être ce qu'il y a de mieux pour nous ! dit mon père.

C'était un acteur de talent. Et puis, qui sait ? Peut-être avait-il raison.

— Mon frère Moïse a dit qu'il viendra me chercher. Nous irons directement à Varsovie. Moïse a des relations. Je suis sûr que je pourrai trouver du travail à l'hôpital juif.

Nous l'écoutions, silencieux, attentifs, préoccupés. Et pourtant, le choc de son départ ne nous avait pas encore touchés. Karl parti, mon père obligé de s'en aller. Les coups pleuvaient sur nous.

— J'irai avec toi, dit ma mère. Ils me laisseront te rejoindre. J'aurai mes papiers demain.

— Non, non, fit mon père. Les enfants ont besoin de toi. On m'a dit que les Polonais font déjà des difficultés aux Juifs qui rentrent au pays, alors toi qui es allemande !

Il prit la main d'Inga.

— Surtout, restons optimistes. Inga va retrouver Karl, elle le fera libérer, et nous serons de nouveau réunis.

En écrivant cela, je reste consterné devant la façon dont tant de Juifs, y compris mes parents, ont pu s'aveugler pendant si longtemps sur la réalité. Tamar estime qu'il s'agissait d'une certaine forme d'hystérie collective ; une propension à se nourrir d'illusions qui se répandit alors chez les Juifs. Je réplique que beaucoup d'entre eux étaient sans ressources, sans argent, et ne savaient pas du tout où trouver refuge. Peu de pays les auraient accueillis. Riposter n'était pas dans leurs habitudes. Le peuple juif s'était toujours plié aux circonstances. Il cédait, cherchait des compromis, et espérait des jours meilleurs. A présent, à l'est de notre kibboutz, les canons syriens tirent encore. Mais cette fois, nous ripostons. Nous tirons aussi sur eux. La morale est certes une belle chose ; mais je n'ai jamais entendu dire qu'une attitude vertueuse ait réussi à détourner une bombe ou une balle de sa cible.

Anna éclata en sanglots. Elle se pendit au cou de mon père en gémissant :

— Papa, papa, ne nous laisse pas. Sans toi, j'aurai peur. Je t'en supplie, papa, reste avec nous.

Inga réussit à l'entraîner à l'écart ; elle lui caressa les cheveux, et l'embrassa.

— Ton papa sera très bien, ma chérie. Il reviendra.

Anna sanglotait de plus belle.

— Ferme-la, lui intimai-je. Tu gâches tout.

Ma mère demanda :

— Joseph, comment avons-nous pu en arriver là ?

— Nous n'y sommes pour rien, Berta. Nous n'avons aucun contrôle de ces événements.

Il sourit, et poursuivit :

— Mais tu dois me faire confiance. Je me sens optimiste. Cela va nous ouvrir les yeux. J'ai le sentiment que nous nous retrouverons tous en Pologne. Ou peut-être ailleurs... en Angleterre.

— C'est moi qui t'ai forcé à rester, fit ma mère, d'une voix faible.

— Ne parlons plus de cela, dit papa d'un ton enjoué.

Il se donnait l'apparence dynamique d'un homme d'affaires ; et pourtant jamais aucun médecin ne fut plus mauvais homme d'affaires que lui !

— Berta, il va falloir que tu vendes mon cabinet et que tu prennes un appartement plus petit.

Maman se moucha, puis esquissa un sourire.

— Et toi, de ton côté, tu ne devras pas répondre aux appels de nuit. N'oublie pas de mettre tes caoutchoucs quand il pleut. La Pologne est un pays très humide.

— Oui, je te le promets, à condition que tu ne vendes pas le piano. Anna doit continuer à jouer, quoi qu'il advienne.

Deux agents de police berlinois s'approchèrent. Maintenant, les gens étaient poussés en troupeau vers le train.

— Allez, allez, circulez. Le train part dans cinq minutes.

Maman se tourna vers nous :

— Les enfants, Rudi, Anna, Inga. Dites au revoir à papa.

Anna était impossible à calmer.

— Papa, papa, nous irons vivre avec toi. Oncle Moïse peut nous trouver un logement.

— Bien sûr, Anna, ma chérie. Mais en attendant, tu devras veiller sur Grandpa et Grandma, et il faudra que nous retrouvions Karl. Travaille bien ton piano, Anna.

Il me serra sur sa poitrine, me regardant dans les yeux, et dit :

— Rudi, tu ferais peut-être bien de retourner en classe.

— Si je peux, papa.

— Il n'y a pas que le football dans la vie, tu sais. Tu dois te préparer à une carrière.

Que pouvais-je lui dire ? Une *carrière* ! Mais j'entrai dans son jeu.

— J'essaierai, papa. Je pourrais peut-être devenir professeur d'éducation physique. C'est ce que tu m'as conseillé un jour.

— Excellente idée.

Une vague de gens fut portée en avant. Parmi eux, je reconnus Max Lowy, l'imprimeur. C'était un Juif polonais ; lui aussi se trouvait déporté. Il ne semblait pas ébranlé du tout. Il était apparemment prêt à accepter tous les coups du destin.

— Hé, Doc ! cria-t-il. Vous aussi ? Je croyais qu'ils n'expulsaient que les types comme moi. Vous connaissez ma femme ?

Une toute petite femme brune le salua de la tête. Mon père, toujours aussi courtois, souleva son chapeau. Puis, se tournant vers ma mère, qui pleurait, il lui dit d'une voix enjouée :

— Vois-tu, Berta, je suis le seul médecin qu'on déporte avec sa clientèle !

Ils s'étreignirent une dernière fois. Je l'entendis murmurer :

— Ils ne peuvent pas nous abattre le moral. Tant que nous nous aimerons.

— Joseph...

— Rappelle-toi ton latin, ma chère. *Amor vincit omnia.* L'amour surmonte tout.

La foule l'entraîna, et mes parents furent séparés. A une barrière, un policier et un garde SS examinèrent les papiers de mon père. Un haut-parleur hurlait des instructions :

— Suivez les gardes jusqu'au train. C'est un train spécial. Pour la frontière seulement...

Ma mère courut jusqu'à la grille, et nous la suivîmes. Elle agitait la main, et criait :

— Au revoir, Joseph. Au revoir. Tiens-nous au courant. Nous te rejoindrons...

Je me détournai afin de cacher mes larmes. A vrai dire, ce que j'avais envie de faire, c'était de frapper quelqu'un, l'un des policiers berlinois, les gardes qui dirigeaient les gens vers le train. De quel droit agissaient-ils ainsi envers nous ? Que leur avions-nous jamais fait ? J'étais plein d'une rage étouffée. J'aurais pu les tuer, ces membres du parti qui souriaient, toute cette racaille de fiers-à-bras, de menteurs, et de brutes, en bottes et en uniformes.

— Tiens, me fit Anna, sarcastique, toi qui es si brave, tu pleures aussi ?

Ses joues ruisselaient de larmes, ses yeux étaient gonflés.

— Mais non, je ne pleure pas.

Elle me prit le bras, s'appuya contre moi, et nous pleurâmes tous les deux. Mais je fis l'effort de me reprendre.

— Ils ne me traiteront jamais comme cela, dis-je. Jamais de la vie !

— Tu es sûr ?

— Oui. Je ne me laisserai pas faire comme Papa et Karl... et Monsieur Lowy.

Je me vantais, afin de ranimer mon courage. Mais quand je repense à ce moment-là, je me rends compte aujourd'hui que je venais de faire une promesse qui engageait mon avenir. Ils ne m'humilieraient pas, ne me forceraient pas à obéir à leurs ordres, comme ils en avaient forcé tant d'autres. On attendait toujours des Juifs qu'ils soient d'accord, qu'ils restent polis, qu'ils obéissent, qu'ils écoutent, qu'ils acceptent. Jamais je n'avais compris cela. Je ne cherchais pas les bagarres dans la rue, mais je ne m'y dérobais jamais. Et quand je jouais au football, je jouais pour gagner. Si un adversaire m'attaquait sournoisement, je savais le bousculer et le crocheter, et au besoin, lui balancer un coup de poing.

— Que feras-tu ? demanda Anna qui pleurait toujours.

— Je lutterai.

Nous vîmes mon père monter dans le train et nous faire un dernier signe de la main. Ma mère nous entoura de ses bras. Inga se tenait légèrement en retrait de notre groupe, et secouait la tête dans son chagrin. Je lus de la honte sur son visage, de la honte pour ce que faisaient les gens de sa race.

— Rentrons à la maison, mes enfants, dit maman.

Sa voix avait repris son assurance.

Tous les prisonniers de Buchenwald devaient travailler. Karl était un artiste. On le supposa habile de ses mains, et on l'envoya à l'atelier de couture, grâce à l'influence de Weinberg.

Weinberg lui exposa combien il était préférable de se trouver ainsi à l'intérieur. Il ne faisait pas trop froid, et le travail n'était pas exténuant. Au-dehors, des prisonniers mouraient chaque jour dans les carrières, dans les équipes qui étaient affectées à la construction des routes, ou à la corvée dite du « jardinage », et qui consistait à creuser des fosses.

Cet homme, d'âge mur, tailleur de son métier, lui expliqua que les morts par bastonnade et torture pour infraction au règlement étaient à l'ordre du jour. Un retard à l'appel, une réplique trop vive, le fait de parler en dehors de son tour, et l'on était battu. Tout ce qui était jugé plus grave, comme des voies de fait contre un gardien, ou un vol, valait au coupable une mort rapide, généralement dans une pièce spéciale où le prisonnier devait se tenir debout dans un coin déterminé. Derrière sa tête, par un trou dans le mur, un exécuteur invisible le tuait d'une seule balle.

— Peut-on s'échapper ? demanda Karl.

— On parle bien de quelques richards qui ont payé le prix pour cela. Des *goyim,* pour la plupart. Mais peut-être aussi quelques Juifs. Les SS dirigent ce camp comme une entreprise de gangsters. Ils raflent les objets de valeur, l'or, pour se partager le tout. Alors, il est possible que ces salauds acceptent un pot-de-vin d'un Juif fortuné, et le laissent filer.

Le kapo, à la fois prisonnier et gardien de ses codétenus, s'approcha et intima à Weinberg l'ordre de se taire. Weinberg s'excusa. Il expliquait simplement à Karl la manière de travailler. (Ce kapo, du nom de Melnik, un grand gaillard, était un ancien pickpocket. Les nazis prenaient souvent des criminels de droit commun — Juifs ou Gentils — pour les mettre en position d'autorité. Cela contribuait à faire régner la terreur sur les autres prisonniers.)

Quand Melnik se fut suffisamment éloigné, Weinberg prit une boîte pleine de pièces d'étoffe, et entreprit d'exposer leur signification à Karl.

— Tu vas pouvoir reconnaître tes compagnons de captivité, dit-il, en sortant des triangles de couleurs variées. Le rouge pour tous les détenus politiques, du trotskiste au royaliste. Vert, un droit commun. Violet, un témoin de Jéhovah. Le noir pour ceux qu'ils appellent les marginaux : les clochards, et les vagabonds. Le rose pour les homosexuels. Le marron pour les Tziganes.

— Les Tziganes ?

— Buchenwald en est rempli. Ils donnent beaucoup de fil à retordre aux gardiens, parce qu'ils ne veulent pas travailler. Les SS en ont pris deux, hier, qu'ils ont fait enterrer vivants. Quand on les a sortis du trou, on a vu qu'ils étaient morts en tirant la langue aux nazis.

Weinberg montra alors à Karl l'étoile de David.

— Ça, je connais, dit mon frère. Mais que signifie ceci ? ajouta-t-il en soulevant un morceau de tissu qui portait les quatre lettres *BLOD.*

— C'est pour les idiots, les anormaux, les faibles d'esprit, expliqua Weinberg.

— Mais... quel crime peuvent-ils avoir commis ?

— L'Etat les juge inutiles. Il faudrait que tu voies ce que les gardiens leur font les jours de revue ! Ils se moquent d'eux, ils les déguisent. Certains prennent les femmes débiles et leur font de ces choses...

— Je n'arrive pas à le croire.

— Vraiment ? Eh bien, écoute-moi. J'ai entendu raconter qu'il y a une maison, pas loin d'ici, où ils emmènent les idiots, les demeurés, les crétins, et les infirmes. Et là, ils les gazent.

— Ils les gazent ?

— C'est un type de corvée sur les camions qui le raconte. Il jure que c'est la vérité.

Melnik s'approcha, et leur imposa de nouveau le silence, en menaçant Karl de sa matraque. Les kapos portaient des vestes noires, et des calots noirs sur la tête, tenue qui contrastait avec les costumes rayés des prisonniers. Tout le monde les haïssait. Tout à coup, le haut-parleur diffusa un air. Ce n'était pas de la musique enregistrée, mais de la vraie musique ; l'orchestre de Buchenwald jouait en direct. Weinberg lança un clin d'œil à Karl :

— La moitié du Philharmonique de Berlin est ici. Les gardiens aiment la grande musique. L'Allemagne ira en enfer aux accents de *L'Or du Rhin.*

Un matin de mars 1939, ma mère et moi entendîmes des voix d'hommes au rez-de-chaussée. Le cabinet de mon père était fermé depuis des mois, naturellement. Nous n'avions aucune idée de ce que ce pouvait être.

Je suivis maman en bas, jusqu'à l'ancien bureau de mon père, qu'elle continuait à épousseter chaque jour, dans le vain espoir que le docteur Joseph Weiss y reprendrait son activité, et nous ouvrîmes les portes.

Un homme de haute taille, au crâne rasé, portant des lunettes sans monture, faisait, en compagnie de deux manœuvres, l'inventaire du laboratoire, et déplaçait les objets.

Le type chauve fit claquer ses talons et s'inclina devant ma mère.

— Ah ! Madame Weiss. Je suis le docteur Heinzen. On m'a désigné pour reprendre le cabinet de votre mari. Veuillez m'en remettre les clés.

Maman m'envoya les chercher en haut. Je pouvais entendre Heinzen passant en revue l'équipement de mon père : « Rayons X... Métabolisme basal... Diathermie... Autoclave... »

Je revins avec le trousseau de clés, et le tendis à ma mère qui le remit au Dr Heinzen.

— Elles y sont toutes, docteur. Le bureau, l'entrée de devant, l'entrée de derrière, le garage, le sous-sol.

— Vous êtes très aimable.

— Je ne peux pas en dire autant de vous autres.

— Je regrette d'avoir dû faire intrusion de la sorte... mais il était dommage de laisser ce cabinet et tout son matériel à l'abandon. Je connaissais votre mari sur le plan professionnel, et je suis personnellement désolé.

— Vous le connaissiez avant qu'on l'ait chassé de l'hôpital central de Berlin.

— Autres temps, autres mœurs, Madame. Je suis membre du parti, et c'est le parti qui m'a donné l'ordre de reprendre le cabinet et la maison.

Les yeux de ma mère brillèrent de colère.

— Et notre dédommagement pour cette confiscation ?

— La commission médicale du parti est en train d'examiner votre cas.

Maman lui tendit un morceau de papier, avec une adresse et un numéro de téléphone inscrits dessus. Ils correspondaient à l'ancien studio de Karl, au logement d'Inga.

— Pour le cas où vous auriez quelque chose pour nous, docteur Heinzen.

Il s'inclina.

— Vous en serez la première informée, Madame.

C'en était trop pour moi. Je ne me contins plus.

— Ils volent tout, maman, fis-je en avançant d'un pas vers Heinzen. Des escrocs. Voilà ce qu'ils sont !

Heinzen me regarda, interloqué, comme si j'avais perdu la raison. Les deux hommes qui déplaçaient le bureau de mon père s'arrêtèrent et levèrent les yeux.

— Rudi, je t'en prie, dit ma mère. Prends le diplôme de ton père.

Je passai derrière Heinzen, décrochai du mur le diplôme de papa, et quittai la pièce.

Ils continuaient leur inventaire de tout ce qui avait appartenu à mon père, avant de le voler. La voix de Heinzen me poursuivit : « Fluoroscope... Centrifugeur... Lampe à ultra-violets... »

Nous passâmes la journée à faire nos paquets. Il n'y avait pas beaucoup de place dans le logement d'Inga, et nous n'emballâmes que le strict nécessaire. Ensuite, Anna, maman et moi, retournâmes dans le salon. Je savais que nous ne reviendrions plus vivre dans cette maison de la Groningstrasse. Il me sembla que je pouvais encore entendre la voix de mon frère Karl, comme au temps de notre enfance, le jour où je lui avais joué un bien mauvais tour. *Dis, Rudi, c'est toi qui a caché ma boîte de peinture ? J'en ai besoin...*

— Nous ne pouvons pas emporter le piano, maman? demanda Anna.

— Peut-être le prendrons-nous par la suite, Anna. Inga a si peu de place.

— Alors, jouons notre dernier quatre mains.

Ma mère et ma sœur s'assirent au piano. Elles se mirent à jouer *La Lorelei*. J'entendis Anna qui disait :

— Oh, maman ! Te rappelles-tu comme nous l'avons tous chanté en chœur au mariage de Karl?

La musique du piano s'amplifia jusqu'à emplir la maison. J'en étais venu à la détester, à présent : le Bechstein, et tout ce qu'il symbolisait, nous avait, en quelque sorte, tenus rivés à Berlin. Nous étions des gens prospères, les propriétaires d'un piano. Nous n'avions rien à craindre ; qui viendrait s'attaquer à nous ? (Aujourd'hui que je suis un *kibboutznik,* un homme qui ne possède pratiquement rien, et qui remet son maigre salaire à la communauté, je me rends compte qu'il suffit de peu de choses pour vivre, et je comprends à quel point tous les biens matériels peuvent être destructeurs. Je ne veux pas dire par là que la pauvreté ennoblisse les gens ; loin de là. Mais à quel point cela rime-t-il d'être esclave des *choses* ? De définir son existence en fonction de pianos et de manteaux de fourrure ? Cela expliquerait peut-être, du moins en partie, pourquoi nous avions si longtemps fermé les yeux sur la réalité.)

Nous avions dit à nos grands-parents de s'habiller et de préparer leurs bagages, de façon à partir à quatre heures cet après-midi-là. Je connaissais Grandpa. L'ancien militaire. Il serait prêt.

Je frappai à leur porte, mais n'eus pas de réponse.

J'entrai dans la chambre. Elle était dans la pénombre, les rideaux avaient été tirés.

— Grandpa, il est temps de partir, dis-je.

Pendant un moment, je crus qu'ils dormaient. Mais ils étaient tout habillés. Grandpa portait son costume sombre, sa chemise de cérémonie, une cravate noire. Grandma était étendue dans une robe de velours noir. Chacun d'eux avait passé un bras autour du cou de l'autre. Ils reposaient en paix sur le lit.

Je fis quelques pas jusqu'à la table de chevet et vis un flacon brun foncé qui était débouché. Je le portai à mon nez. Il dégageait une odeur douceâtre, bizarre ; on aurait dit des pêches pourries. Je pris alors un miroir sur la coiffeuse, et l'appliquai contre leur bouche. Pas de buée. Ils étaient morts.

Je jurai contre la maudite musique, le maudit piano, et j'eus même envie de haïr ma mère, et aussi de haïr mon père, pour s'être abusés si longtemps. Je me penchai au-dessus de mes grands-parents, et les embrassai sur les joues, me demandant comment je ferais pour annoncer la nouvelle à ma mère. Peut-être, me dis-je, ont-ils choisi la seule issue possible ? Ils n'avaient pas été les seuls. Cet hiver-là qui suivit la *Kristallnacht,* des milliers de Juifs choisirent le suicide. Pour eux, tout espoir s'était évanoui.

Le journal d'Erik Dorf

Vienne
Juillet 1939

Merveilleuse journée. Heydrich m'a envoyé à Vienne pour conférer avec Adolf Eichmann qui dirige le programme de « ré-installation » des Juifs en Autriche, et dans les nouveaux territoires de Bohême et de Moravie, autrement dit le « protectorat » de ce qui était auparavant la Tchécoslovaquie.

C'est un homme charmant. Mince, brun, aux manières courtoises, mais au regard un peu exalté. Il prétend en savoir long sur le problème juif. Il m'a raconté avoir vécu un certain temps en Palestine comme chargé de mission, et parler assez couramment le yiddish et l'hébreu.

— Je les comprends, m'a-t-il dit. Ils ont été conditionnés de façon à obéir, à s'adapter, à plier. Nous les ferons donc plier.

Il m'expliqua, non sans un brin d'humour, qu'il dirigeait les Juifs d'Autriche (et s'apprêtait maintenant à diriger les Juifs de Tchécoslovaquie) comme s'il dirigeait une usine.

— Imaginez une gigantesque usine, Dorf. Un Juif entre d'un côté, avec tous ses biens, ses objets de valeur, son patrimoine. Nous le traitons comme s'il s'agissait d'un poulet ou d'un porc, et il ressort de l'autre côté, plumé, dépouillé, sans rien d'autre que l'ordre de quitter l'Autriche, ou d'accepter un billet pour l'un de nos camps.

Cette conversation eut lieu dans le merveilleux Prater, ce grand et beau parc fleuri de Vienne. Heydrich a eu la bonté de me laisser venir ici avec Marta et les enfants pour les vacances d'été, et nous jouissons tous de l'atmosphère féerique qui règne en ce lieu. (Eichmann, qui ne se départit jamais de sa prudence, ne fit aucune allusion à la question juive en présence de ma famille.)

— Encore une glace, les enfants ? demanda-t-il à Peter et à Laura.

Marta ordonna aux enfants de répondre « Non, merci » au commandant Eichmann. Elle ne transige pas sur les bonnes manières.

Laura, dont le petit visage était rouge d'excitation, demanda :

— Maman, est-ce qu'on peut faire un tour de manège, maintenant ?

Autour de nous, des marchands de fleurs, de ballons, de petites flûtes et autres jouets, et des nourrices qui poussaient des voitures d'enfants, formaient une foule riche en couleurs. C'était d'un charme indescriptible. Je compris pourquoi le Führer avait voulu l'Autriche. Elle est allemande. Elle nous appartient.

— Laura, j'ai bien peur que ton gâteau et ta crème glacée ne se retournent dans ton petit ventre, dit Marta.

Peter et Laura se mirent alors à réclamer à cor et à cri un tour de manège. D'ordinaire, nous sommes stricts envers eux, mais aujourd'hui était un jour spécial.

— Allez, fis-je. Nous sommes au paradis des enfants.

Eichmann sourit.

— Et s'ils sont malades, Madame Dorf, je vous procurerai des soins médicaux gratuits.

Lorsque Marta et les enfants se furent éloignés (Marta déclarant qu'elle aurait besoin de se reposer après que les enfants se seraient ébattus tout leur saoul), Eichmann me lança un regard empreint de bienveillance et de compréhension.

— Votre épouse serait-elle souffrante ?

— Légèrement cardiaque, un petit souffle systolique. Elle se fatigue vite, mais à part cela, elle se porte bien.

Je me demandai comment il pouvait savoir qu'elle était souffrante.

— Une femme charmante, poursuivit-il. Je suis enchanté qu'Heydrich vous ait envoyé ici. Berlin apprécie mon organisation. Horaires des trains. Système d'entrepôts. Il faudra que vous voyiez nos piles de porcelaine ancienne et d'argenterie, et nos antiquités. Une salle pleine de Steinway et de Bechstein. Tout cela est, bien entendu, propriété de l'Etat.

— Je n'avais aucune idée...

— Oh, Himmler est très strict en matière de pillage, de gains privés. Sauf pour un petit nombre d'entre nous qui bénéficions des privilèges de notre haut rang.

Assez énigmatique, cet Eichmann. Pense-t-il vraiment que la saisie des biens juifs est le privilège de ceux d'entre nous qui se trouvent aux échelons supérieurs des SS ? Je n'en suis pas sûr. Il a des yeux brillants, exaltés, et j'ai du mal à discerner parfois s'il est sarcastique et railleur, ou si l'intensité de son regard ne traduit que de la ferveur et de la dévotion envers sa tâche.

La flatterie, je l'ai appris, est un instrument souvent utile à manier avec mes supérieurs ; aussi le complimentai-je à plusieurs reprises sur ses rapports que nous recevons à Berlin. Son traitement des Juifs est exemplaire. A présent, avec l'annexion de la Tchécoslovaquie, il va être responsable de près de 250 000 Juifs de plus. Eichmann est aussi sensible à la flatterie qu'Heydrich. Il me parla ouvertement de l'habileté de ses méthodes pour attirer les Juifs, et les recenser. Ils ne se sentent pas menacés, puisqu'on leur promet une réinstallation, un juste traitement. Comme le fit remarquer Eichmann, on n'attrape pas les mouches, ni les Juifs, avec du vinaigre.

Mais comment, demandai-je, expliquait-il la dépossession de leurs biens ? Il rit. Oh, c'était simple. Ceux-ci étaient tout bonnement mis « en dépôt » pour eux, en attendant un apaisement de la situation internationale. Mais les Juifs croyaient-ils à cette explication ? De nouveau, ses yeux étincelèrent. Ils le croient, parce qu'ils n'ont pas le choix, dit-il. Ils ne possèdent ni armes, ni moyens de résister, ni presse, ni avocats dans le gouvernement pour plaider leur cause. Mais alors, étais-je sur le point de répliquer, tout cela se ramène à un rapport de *force*. En dépit de toute la « psychologie » d'Eichmann, et de sa connaissance supposée de l'hébreu, du yiddish, et des mœurs juives, le fait majeur était que nous avions le pouvoir de vie et de mort sur eux. Mais je gardai mes réflexions pour moi.

— Et pour ma part, dit-il, j'exécute simplement les ordres. *En bon soldat,* ajouta-t-il en français. Vous parlez le français, n'est-ce pas, Dorf ?

— Comment le savez-vous ?

— J'ai vu votre dossier. Je m'arrange pour jeter un coup d'œil sur le dossier de chacun. C'est utile.

Durant un bref instant, je me sentis mal à l'aise. Pourquoi devrait-il regarder mon dossier ?

Il lut ma gêne sur mon visage.

— Père : Klaus Dorf, enchaîna-t-il. Boulanger à Berlin. Se tua en 1933 avec son Lüger de la Grande Guerre, après avoir fait faillite. Fut apparemment socialiste à une certaine période de sa vie.

— Ça, alors !

— Vous avez fait votre droit. Excellent étudiant, quoiqu'un peu effacé. Votre épouse, Marta Schaum de son nom de jeune fille, sort d'une famille de Brême. Des gens dévots.

Je dus blêmir. Il en savait long sur mon compte, peut-être plus encore qu'il ne voulait bien le dire. Non que j'eusse quelque chose à cacher. Mais je me sentais un peu démonté à l'idée qu'Eichmann, mon hôte si aimable et si généreux, avait appris tant de choses sur moi. A vrai dire, j'étais même vaguement effrayé, comme si une frange de cauchemar entourait cette heureuse journée au Prater.

Eichmann dut remarquer l'altération de mon expression. Il donna de la main une petite tape sur ma botte et m'assura qu'il ne me voulait absolument aucun mal. Les SS, du fait qu'ils étaient une Organisation de Police et de Sécurité, devaient évidemment bien connaître leurs membres. La Gestapo, les SS, le SD, le R.S.H.A., chacune des branches spécialisées, avait un œil sur les autres.

— C'est ainsi que nous survivrons, Dorf, dit-il.

Je répondis qu'il n'était pas dans mes intentions de survivre de la sorte, mais d'obéir scrupuleusement aux ordres d'Heydrich, l'homme le plus brillant qu'il m'avait été donné de rencontrer. Sur cette remarque de ma part, Eichmann se renversa sur son siège, et poussa un bâillement. Ses traits minces prirent une expression ironique.

— Bien sûr, Dorf. Bien sûr. Brillant, inventif, inaccessible à la peur. Mais, comme chacun d'entre nous, Heydrich a son talon d'Achille !

Je dus avoir l'air choqué.

— Se pourrait-il que vous ne soyez pas au courant des rumeurs qui circulent sur son compte ? Heydrich doit avoir un Juif dans son arbre généalogique.

— Je ne le crois pas.

— Il est passé devant un tribunal, voilà des années. Dans sa frénésie, il a soudoyé des gens, fait brûler des archives... C'est la raison pour laquelle il tient tellement à mettre en application la politique raciale du Führer. Pour tuer le Juif en lui. C'est du moins ce qu'on dit.

Je mis plusieurs secondes à digérer cette information choquante... dont la véracité n'était d'ailleurs pas prouvée.

— Et que dit-on de moi ? demandai-je.

— Oh, que vous êtes un assistant loyal et zélé du chef de la Gestapo et du Service de Sécurité. Une sorte d'intellectuel maison. Je dois vous confier, Dorf, que les mémorandums d'Heydrich sont infiniment plus lisibles depuis que vous en êtes chargé.

— Vous plaisantez, mon Commandant.

— Pas du tout. J'aime les synonymes, les euphémismes, que

vous avez mis au point pour nous. On dirait des mots de code. « Réinstallation », « traitement spécial », fit-il en détachant les syllabes avec délectation. Voilà de belles expressions pour nous débarrasser des Juifs.

— Je suis content d'avoir pu amuser un collègue.

Eichmann fit claquer ses doigts, commanda une autre bouteille de vin. Les garçons se bousculaient, se disputant l'honneur de le servir. Les gens le connaissaient bien. Ils avaient compris le pouvoir de l'uniforme noir et des bottes de cavalier.

— Inutile de vous inquiéter, dit Eichmann. Les rapports qui vous concernent sont bons. En outre, Heydrich a constitué des dossiers sur chacun de nous. Pour se couvrir au cas où l'histoire de son origine juive referait surface. Il en a sur Himmler, sur Gœring, sur Goebbels. Parfois, j'ai même l'impression qu'il en a aussi un sur le Führer.

Je restai abasourdi, tellement troublé qu'il me fût impossible, sur le moment, de réfléchir clairement à tout cela.

Marta revint avec nos enfants.

— C'est trop d'excitation, dit-elle. Pour eux comme pour moi.

Je proposai de rentrer à l'hôtel Sacher, où Eichmann nous avait retenu une suite superbe et fort coûteuse, aux frais du parti. Nous pourrions nous y reposer.

Peter ne voulait pas en entendre parler. Il avait envie de monter sur la roue géante. Laura aussi. Et ils se mirent à pousser de ces glapissements qui sont le propre des enfants surexcités.

— C'est bon, fis-je. Je vous y emmène. Marta, tu tiendras compagnie au commandant Eichmann.

Marta s'assit à la table. Eichmann s'inclina devant elle, et la complimenta de nouveau sur sa beauté et son charme. Ils parlèrent de nos enfants, de la valeur qu'ils représentent pour l'avenir du pays, de l'Allemagne nouvelle, revivifiée, qui était en train de refaire l'Europe.

De loin, je les regardai trinquer et vider leurs verres en l'honneur de la patrie et à la santé de la famille. En soulevant les enfants pour les installer dans la roue, je parvins enfin à chasser de mon esprit les révélations assez surprenantes d'Eichmann selon lesquelles notre organisation était peut-être un nid d'espions à usage interne.

Cette journée a vraiment été heureuse et fructueuse. Peut-être n'ai-je pas su faire avancer ma carrière en montrant trop de naïveté en face d'Eichmann. Mais Marta, avec son charme simple, a largement compensé mes faiblesses.

Plus tard, dans la nuit, à l'hôtel Sacher, nous fîmes l'amour avec une ferveur, un abandon sans réserve à nos... comment dirais-je... transports nouveaux, qui nous stupéfièrent l'un et l'autre, et nous laissèrent épuisés et pantelants. D'une certaine manière, les pouvoirs récents que me confère mon travail, et l'invulnérabilité que je ressens à être membre de l'organisation, ont un effet positif sur notre comportement sexuel.

Le récit de Rudi Weiss

Mon père faisait partie d'un des derniers convois de Juifs qui furent admis en Pologne. Avec ses compagnons de déportation, il passa une semaine à faire la navette d'Ouest en Est, et d'Est en Ouest, dans des trains bondés, et repoussants de saleté, avant que les Polonais n'acceptent leur retour avec bien des réticences. Une femme mourut d'une crise cardiaque dans le train, et mon père l'assista jusqu'à la fin.

Un survivant m'a raconté ce qui s'était passé.

Tout d'abord, les Juifs furent mis en rang du côté allemand de la frontière, après leur descente du train.

On les promena par des routes enneigées sur près de dix kilomètres, jusqu'à la frontière proprement dite. Quelques vieillards s'effondrèrent. Ceux qui protestaient furent battus et matraqués.

Mon père, par bonheur, était en assez bonne condition physique. Il fit le chemin en compagnie de Max Lowy, l'imprimeur, et de sa femme Chana.

Quand la barrière aux rayures blanches et rouges fut en vue, les gardes arrêtèrent la colonne. Chacun dut vider ses poches. Les Juifs furent seulement autorisés à conserver dix marks en tout et pour tout.

— Vous avez volé cet argent au peuple allemand, vous allez maintenant nous le rendre. Nous récupérons cet argent au nom du peuple allemand.

Les Juifs furent ensuite dépouillés de leurs montres et de leurs bijoux. Mon père dut abandonner son stylo, sa montre, et sa serviette de cuir. Le garde SS regarda, interloqué, le caducée que mon père portait sur le revers de son manteau.

— Qu'est-ce que c'est que ce truc-là ? demanda-t-il.

— Je suis médecin. C'est le cadeau que m'a offert ma femme à la fin de mes études.

Le SS l'arracha de son revers.

— Les Polacks se fichent pas mal des médecins. Ce sont de vraies bêtes, à peine au-dessus des youpins.

Mon père joua en quelque sorte le rôle de chef. La plupart de ces Juifs polonais étaient des gens pauvres et sans instruction, qui se tournèrent naturellement vers lui dans l'épreuve. Il leur fit traverser les derniers champs couverts de neige, par un froid glacial, pour atteindre la frontière. Les douaniers, assistés par des officiers de l'armée polonaise qui portaient de curieux casques à pointe, inspectèrent leurs papiers.

Un capitaine cria :

— Préparez les papiers qui prouvent votre citoyenneté polonaise... Comme si nous avions besoin de maudits Juifs de plus !

Quand je pense à cet incident, significatif du mépris et de la haine des Polonais, et à des incidents ultérieurs, beaucoup plus violents, je me trouve dans l'incapacité totale de les comprendre. Les Polonais étaient haïs par les Allemands, presque autant que nous. Hitler ne faisait pas mystère de ses projets à leur égard. Dans le système d'organisation nazie, ils allaient être des *esclaves,* un tant soit peu au-dessus des Juifs. On aurait pu penser qu'il se créerait une communauté d'intérêts en face de l'oppression. Mais non. Aucune pitié. Aucune compréhension.

Lorsque, pour finir, tout le poids de l'armée allemande, accompagnée des SS, les assassins et les bourreaux officiels, s'abattit sur leur pays, les Polonais trouvèrent encore le temps et la force de haïr les Juifs, de nous trahir, et d'assister, indifférents, à notre destruction systématique. (Cela, je ne peux toujours pas me l'expliquer aujourd'hui. Ce fut comme si, au milieu d'un match de football acharné, certains joueurs du camp perdant se retournaient contre les plus fatigués de leurs coéquipiers, et se mettaient à les accabler de coups.)

Après des heures d'attente, des inspections et des interrogatoires, le dernier groupe de Juifs fut autorisé à fouler le sol polonais. A un croisement de routes, les parents et les amis des personnes expulsées d'Allemagne attendaient depuis des jours dans le froid, avec l'angoisse de ne pas les voir venir.

Lowy et sa femme s'attachèrent aux pas de mon père.

— Vous avez de la famille ici, Doc ? Chana et moi n'avons personne.

— J'ai un frère.

Moïse attendait mon père. C'était un célibataire. Un homme paisible, de nature contemplative, qui avait autrefois songé à étudier pour devenir rabbin, mais que les circonstances économiques contraignirent à reprendre la pharmacie de mon grand-père, dans le quartier juif de Varsovie.

Les deux frères se regardèrent, mais sans verser une larme. A vivre auprès de ma mère, mon père avait acquis un peu de sa réserve, son calme et sa dignité absolus. Aussi les deux hommes, qui ne s'étaient pas revus depuis le mariage de Karl en 1935, s'étudièrent-ils du regard. Leurs souffles faisaient naître de petits nuages dans l'air glacé. Autour d'eux, des gens pleuraient, s'étreignaient, se remerciaient, et maudissaient nos ennemis.

— Te voici donc ! dit Moïse.

— Oui. C'est en quelque sorte le retour au pays natal.

— Voyage agréable, Joseph ?

— Ça ne vaut pas l'Orient-Express. On nous a trimbalés pendant huit jours. J'ai compris que nous sommes les derniers à être acceptés en Pologne.

Soudain, ils renoncèrent à ces civilités et tombèrent dans les bras l'un de l'autre. Ils pleuraient. Moïse, embarrassé (ma mère disait toujours qu'il portait la timidité jusqu'au point de l'effacement total), se tamponna les yeux avec son mouchoir.

— Ah, cette poussière ! C'est la plaie de la Pologne.

— En décembre, Moïse ? plaisanta mon père. N'ayons pas honte de pleurer.

— Je n'ai pas honte. Mais les larmes ne servent à rien. Nous ferions mieux de nous mettre en marche. L'armée polonaise a refusé de nous laisser venir jusqu'ici par un moyen de transport quelconque. Il y a plus d'un kilomètre à parcourir pour arriver à la gare.

Les gens ramassèrent alors leur baluchon et leur sac et se mirent à suivre mon père et mon oncle, en une longue colonne. Mon père fit le récit de nos tragédies. Karl en prison. Le cabinet fermé. Il demanda si sa femme avait pu le joindre au téléphone à Varsovie.

Le visage de Moïse s'éclaira.

Oui, tout allait bien là-bas. Mon père poussa un profond soupir. Il se faisait du souci au sujet de ma mère, d'Anna, et de moi, confia-t-il plus tard à Moïse. Et le doute commençait à le ronger intérieurement : peut-être des événements beaucoup plus graves se préparaient-ils à fondre sur la famille qu'il avait laissée à Berlin.

L'expulsion des Juifs polonais pouvait être un signe avant-coureur de mauvais augure.

Ils cheminaient péniblement à travers les champs enneigés, et sur les routes gelées. Quelques paysans polonais sortirent de chez eux pour les regarder. Un vieillard s'écroula. Mon père alla le secourir, et discuta avec un fermier polonais pour qu'il puisse passer la nuit au chaud. Le fermier refusa de l'accueillir. Il fallut le porter jusqu'à la gare.

Moïse essayait d'être optimiste. La situation s'arrangerait. A Varsovie, il avait pris des dispositions pour que mon père travaille à l'hôpital juif. Il possédait même un petit appartement qu'ils pouvaient partager tous les deux, si mon père ne voyait pas d'inconvénient à vivre au-dessus d'une pharmacie.

— Tu sais, j'ai bien vécu au-dessus d'une pharmacie jusqu'à l'âge de dix-neuf ans ! fit mon père.

Moïse avait apporté du pain, des saucisses, et du fromage, qu'ils mangèrent sur le chemin de la gare, en partageant ces maigres provisions avec Lowy et sa femme.

Lorsque mon père présenta Lowy à Moïse, Lowy plaisanta.

— Quelle drôle de façon de faire connaissance sur une mauvaise route de Pologne ! Ici, ils n'indiquent pas le chemin avec des bornes kilométriques, mais avec des antisémites.

Il demanda ensuite s'il pouvait venir à Varsovie avec eux. Lui et sa femme n'avaient plus personne dans le pays. Ils étaient originaires de Cracovie, mais leurs familles s'étaient éteintes depuis longtemps.

— Voyez-vous, dit Lowy. Je suis imprimeur de mon métier. Regardez les ongles que j'ai, avec quarante années d'encre d'imprimerie ! Ce serait bien si je pouvais me retrouver avec des gens que j'ai connus.

— Varsovie n'est pas le paradis, fit remarquer Moïse.

— Il y a belle lurette que j'ai renoncé au paradis, répondit Lowy. Tout ce que je souhaite à présent, c'est un lit et une tasse de thé. Et peut-être des textes à composer, une presse à faire marcher.

Il plut aussitôt à Moïse.

— Naturellement, monsieur Lowy. Vous allez venir avec mon frère et moi.

Et ils poursuivirent péniblement leur route, indésirables, fatigués, glacés jusqu'à la moelle des os, jusqu'au train pour Varsovie. En août 1939, cela faisait déjà plusieurs mois que ma mère, Anna, et moi, vivions dans le studio de Karl. Inga, toujours généreuse et attentionnée, était retournée vivre à côté, dans l'appartement de ses parents. Elle dormait dans le lit de Hans qui était en manœuvre, quelque part dans l'Est.

Dans un coin du studio, nous avions rangé le chevalet de Karl et sa planche à dessin, et entassé ses toiles et ses croquis derrière l'armoire. Ma mère et Anna partageaient le lit. J'avais retrouvé un vieux sac de couchage qui m'avait servi du temps où je faisais du camping, et je dormais à présent sur le plancher.

De la maison de la Groningstrasse, ma mère avait sauvé une batterie de cuisine plus que suffisante, et des objets tels que lampes et tapis, afin de rendre le studio confortable, même s'il se trouvait trop encombré. Elle avait aussi pris la prudente habitude de retirer régulièrement de l'argent sur les divers comptes en banque de la famille, depuis plusieurs années, et avant que mon père ne parte, il lui avait révélé qu'il conservait une grande partie de son revenu en liquide. Aussi, pour le moment, avions-nous de quoi vivre.

Comme nous étions dans un quartier populaire chrétien, nous nous appliquions à nous montrer le moins possible dans les rues. Inga se chargeait volontiers de faire nos courses. Le plus difficile à supporter pour nous, c'était l'ennui. Un ennui terrible.

De temps à autre, j'allais jouer au ballon tout seul, dans le jardin public du voisinage ; ou bien je faisais plusieurs kilomètres de course à pied pour entretenir ma forme, mais j'étais nerveux, impatient, et pour être franc, j'avais un peu peur. Je me chargeais d'une bonne partie du ménage et de la cuisine dans le petit studio. J'avais fréquenté une fille, auparavant. Une fille que j'avais connue au lycée. Un jour, j'entrepris de la retrouver. Sa famille avait disparu, et personne ne voulut me dire où ils étaient partis.

Ce n'était pas une vie facile que nous menions, mais nous savions que beaucoup de Juifs avaient un sort bien pire, et notamment mon frère Karl. Il semblait qu'il n'y eût plus d'avenir pour nous, plus d'issue possible. C'était cela qui me faisait peur, bien que ma mère affichât toujours le même calme. Je la revois clairement, nouant les cordons de son tablier, repoussant une mèche de cheveux gris, avant de se mettre à couper menu les légumes de notre repas du soir : une soupe avec quelques os. Le temps de nos soupers fins, dans l'ancienne maison, était bien révolu.

Si ma mère avait peur, ou débordait de chagrin, elle s'arrangeait en général pour le dissimuler. Elle n'était pas du genre à se lamenter, ni à battre sa coulpe. Mais je voyais Anna changer. Autrefois primesautière et d'une vitalité agressive, elle tombait à présent dans de longs silences, boudait, et ne réagissait plus à mes taquineries. « Comme je déteste vivre ici ! » me disait-elle presque chaque matin, lorsque nous nous levions pour aller à tour de rôle dans la petite salle d'eau, en cherchant comment nous pourrions occuper cette journée nouvelle.

Heinz Muller rendit un jour visite à la famille Helms. Il était maintenant sergent dans les SS, mais j'ignorais dans quelle branche. Inga nous avait raconté qu'il avait autrefois espéré l'épouser, et qu'il avait demandé sa main à son père. Elle le détestait. Muller était ravi qu'on ait arrêté mon frère, son rival, mais devait rester prudent en présence d'Inga.

C'était une chaude journée d'été, et la porte d'entrée de l'appartement des Helms était ouverte. La nôtre aussi. J'étais allongé sur le lit, et relisais pour la dixième fois les pages sportives du journal quand des voix me parvinrent de l'appartement voisin.

Inga insistait auprès de Muller pour qu'il trouvât où l'on avait bien pu emmener Karl. Nous savions qu'un grand nombre de Juifs arrêtés après la *Kristallnacht* avaient purement et simplement disparu. Certains avaient été assassinés, exécutés sur des accusations fallacieuses.

— Je ne suis qu'un sergent, dit Muller. Je ne peux pas mettre le nez dans les dossiers.

— Mais pour trouver où il est...

Son père l'interrompit.

— Inga, Muller ne peut pas prendre de risques pour...

— Dis-le, papa. Pour mon mari juif.

Muller toussota, comme pour s'éclaircir la voix, et reprit :

— Je suppose qu'il est à Buchenwald, c'est une prison pour civils. Ils y envoient la plupart des gens qu'ils arrêtent à Berlin.

— Puis-je lui écrire ? Lui rendre visite ?

— Je ne crois pas. Ils sont très durs là-dessus. Une lettre, peut-être. Mais si vous voulez mon avis, votre père a raison. Il ne sortira rien de bon de tout cela.

— Bon conseil ! fit Helms.

Sa mère enchaîna :

— Muller a raison, ma chérie. Cela vaut peut-être mieux.

— Quand je pense à cette mère qu'il a, aux airs qu'elle se donne, et à ce docteur, un sale Juif polonais, voilà tout ce qu'il était ! ajouta Helms.

— Assez, s'écria Inga. Vous n'avez pas honte ? Je ne vous laisserai pas parler comme cela de mon mari !

Il y eut alors un moment de silence, qui se trouva rompu par une exclamation plaintive de sa mère, et par un grommellement de son père.

Inga possédait une force morale et un sens de la justice hors du commun. Cela, combiné à son amour pour Karl, en faisait une femme d'une trempe extraordinaire. Un mot sur la façon dont ils s'étaient connus pourrait expliquer bien des choses. Karl suivait les cours d'une école d'art commercial dans laquelle Inga, une jolie fille typiquement « aryenne », travaillait en qualité de secrétaire du directeur. Lorsque tout le personnel de l'école, les employés et les professeurs, demandèrent une augmentation de salaire qui fut repoussée, Inga prit l'initiative de faire signer une pétition, et de tenir une assemblée pour discuter de l'opportunité d'une grève.

Karl se rappelait l'avoir vue se lever au cours de cette assemblée, pour exiger qu'on envisageât de fermer l'école si cela se révélait nécessaire. Non, disait-elle, elle n'était pas une rouge, ni une socialiste, et elle s'intéressait peu à la politique. Mais elle savait ce qui était juste. Les professeurs, qui étaient des gens assez proches du parti, l'écoutèrent. (La grève fut interdite, mais les salaires furent augmentés.)

Elle avait cette qualité rare qu'on trouve chez une petite minorité d'individus : un sens inné de la justice. A la sortie de cette assemblée générale où l'opportunité de la grève avait été discutée, Karl, timide, souvent gêné pour s'exprimer, la vit partir seule. Il en conclut qu'elle n'avait pas de fiancé, et l'invita sur-le-champ à prendre un café. Ils tombèrent presque tout de suite amoureux l'un de l'autre. Karl m'expliqua qu'en dépit de ses origines modestes, elle avait une très grande compréhension des gens et de leurs motivations, et qu'elle s'exprimait bien.

Elle protesta qu'elle n'était que secrétaire, qu'elle ignorait tout de l'art, et qu'elle ne pouvait pas discuter avec lui de Renoir ou de Picasso. Karl avait ri. Il s'était enhardi au point de lui prendre la main lorsqu'il la raccompagna chez elle. « Il suffit que vous vous rappeliez une chose, lui confia-t-il, c'est Berenson, un critique anglais, qui l'a dit : le but de l'art, c'est d'embellir la vie. » Impulsivement elle lui posa un baiser sur la joue. Ils se marieraient un jour ou l'autre, cela ne faisait aucun doute. Je songeais ainsi à Inga lorsque son père reprit d'une voix forte :

— C'est nous qui avons le droit d'être en colère ! Tu épouses un Juif, et tu nous amènes sa maudite famille ici, comme voisins de palier !

— Tais-toi ! cria Inga.

— C'est une sale affaire de cacher des Juifs. Cela peut vous attirer des ennuis, fit Muller d'un ton tranquille, en ami de la famille qui prodigue les bons conseils.

— Muller, je vous en prie, insista Inga. Puis-je lui envoyer une lettre ? Peut-il acheter sa mise en liberté ? Pouvez-vous faire cela pour moi ?

— Acheter sa mise en liberté ? J'ai bien entendu parler de quelques Juifs très riches qui l'ont fait... Pour une rançon de roi ! Mais un pauvre artiste comme votre mari, jamais.

— Aidez-moi, s'il vous plaît. Faites quelque chose pour moi.

Son père intervint.

— Muller, ne va pas t'attirer des ennuis à cause d'elle et de ce

Juif qu'elle a épousé. C'est déjà assez moche que nous les ayons pour voisins.

— Vous me dégoutez tous ! s'écria Inga.

Son père était maintenant furieux. Comme tous les êtres faibles, il perdait facilement son calme, et prenait plaisir à élever la voix contre ses enfants.

— Je veux que cette chienne de Juive foute le camp, et avec ses gosses ! fit-il.

— Non ! Ils font partie de ma famille. Et quelquefois, j'ai même l'impression qu'ils sont plus proches de moi que vous autres !

J'entendis une porte claquer.

Muller tâchait à présent de calmer le père d'Inga.

— Eh bien ! Elle ne pourra pas dire que nous ne l'avons pas prévenue. Une belle fille aryenne, frayer avec ces gens-là. Ah, si seulement vous l'aviez forcée à reculer la date de ses noces ! Avec les lois de Nuremberg qui sont passées depuis, ce mariage n'aurait pas pu avoir lieu.

— Muller, vous qui êtes un vieil ami, dit la mère d'Inga, vous ne direz rien sur...

— Votre belle-famille juive ? Pas un mot.

Dans le studio, j'étais en train d'écouter la T.S.F. Anna faisait un devoir. Maintenant qu'elle n'était plus admise au lycée, et que toutes les écoles juives avaient été fermées, ma mère lui donnait des leçons particulières, et lui conseillait la lecture de certains livres. J'aurais pu chercher à compléter mes connaissances, moi aussi ; mais j'étais trop furieux, et trop bouleversé, pour apprendre quoi que ce fût. En outre, je n'avais jamais eu beaucoup de goût pour l'étude.

A la T.S.F., un journaliste faisait un compte rendu du dernier discours d'Hitler. La patience du Führer envers les Polonais était mise à rude épreuve. Les Polonais étaient arrogants, querelleurs, et ils devraient en répondre devant lui. Il conseillait à la France et à l'Angleterre de rester en dehors de cette affaire.

— Cela va être au tour de la Pologne, à présent, dit Anna.

J'en convins :

— C'est insensé. Personne ne le croit quand il dit qu'il va faire ces choses-là. J'ai jeté un coup d'œil sur son *Mein Kampf*. Pourquoi n'a-t-on pas pris au sérieux ce qu'il disait sur les Juifs et sur les Slaves ?

Ma mère écrivait une lettre, avec l'espoir qu'elle arriverait jusqu'à mon père, à Varsovie. La journée était assez chaude, mais elle portait un châle. Elle paraissait avoir perdu ses couleurs.

— Les gens aiment bien mieux fermer les yeux quand ils ont peur, Rudi, fit-elle.

— Comme nous, dit Anna. Nous ne valons pas mieux que ces stupides politiciens qui ont toujours cédé devant les exigences d'Hitler.

Inga se montra sur le seuil, et me fit signe de la rejoindre. J'abandonnai mon siège auprès de la fenêtre pour aller discuter avec elle dans le vestibule.

— Cette vache de Muller pense que Karl est à Buchenwald. Je vais y aller.

— On ne te permettra pas de l'approcher.

— J'essaierai. C'est mon mari, Rudi. Il a besoin de moi.

— Muller a-t-il dit s'il avait une chance d'être libéré ?

— Non. Mais j'y vais tout de même.

Je regardai son joli visage ovale. Quelle femme admirable, cette Inga ! Dire qu'elle aurait pu divorcer, laisser tomber Karl, et s'en tenir à son statut d'Aryenne pour s'épargner tout ce chagrin.

— Je vais m'en aller, moi aussi.

— Avec moi ?

— Non, je pars seul.

Je lui expliquai alors que je ne pourrais rien faire pour ma mère et Anna en restant caché dans le studio. Qu'aurais-je pu faire ? Bien sûr, j'étais l'homme de la famille, à présent. Mais je fis part à Inga de ma conviction que nous serions tous arrêtés et déportés. Il y avait encore un prétendu Conseil juif à Berlin, mais il était de jour en jour plus inopérant. Nous nous trouvions isolés, en état de siège. Je dis que je ne me laisserais jamais prendre. Du moins, qu'on ne me prendrait pas vivant.

Elle me regarda droit dans les yeux, comme pour dire : « Tu penses à la façon dont on a pris Karl ? », mais elle ne prononça pas ces mots, et je regrettai ma sotte vantardise. Comment pouvais-je savoir ce que je ferais ? Je n'allais pas me targuer devant elle d'un courage qui n'avait pas subi l'épreuve de la réalité. Devant elle qui avait défié sa famille, épousé un Juif, et soutenu sa cause ! Je lui demandai pourquoi elle agissait de la sorte.

— Je l'aime, dit-elle.

— Il doit bien y avoir autre chose.

— Du respect, de l'affection. Karl est la bonté même. Il ne ferait pas de mal à une mouche. J'ai vu trop de combats de rue sanglants, ici, dans le quartier. Des rouges, des nazis. Et mon père qui rentrait à la maison couvert de sang, et les locataires de l'immeuble qui poussaient des cris et qui se battaient. Karl fut une révélation pour moi. Je ne savais pas qu'il existait des gens dépourvus de cruauté, et non violents. Alors, que m'importait qu'il fût juif ? J'avais toujours mené ma vie à ma façon.

Elle sourit alors, et me confia :

— Rudi, j'ai l'expérience des fugues ! Je me suis sauvée deux fois quand j'étais petite... pour fuir cet horrible endroit. Mais je ne suis pas allée très loin.

Je lui demandai si elle me jugerait lâche de quitter à présent ma mère et Anna. Elle réfléchit un moment, puis me dit que non. Elle veillerait sur elles deux, et exercerait une meilleure protection que moi. J'étais condamné. Tôt ou tard, on viendrait me chercher.

En évoquant aujourd'hui cette conversation, je me demande si je n'aurais pas mieux fait de rester. Tamar dit que ce jour-là, j'ai pris la décision la plus sage de toute mon existence. Je n'aurais pas sauvé maman et Anna de ce qui leur est arrivé par la suite. Je n'aurais pu que devenir une victime de plus.

Inga et moi rentrâmes dans le studio.

— De quoi parliez-vous, tous les deux ? demanda ma mère. Vous ai-je entendus faire allusion à Karl ?

— Non, maman, fit Inga.

Anna leva les yeux de son livre.

— Je voudrais que Karl soit ici. Et papa aussi. Ce serait moins dur si nous étions tous ensemble.

— Papa va bien, fit ma mère. Sa dernière lettre disait que les choses n'allaient pas si mal que cela à Varsovie.

J'eus de la peine à maîtriser ma colère devant son aveuglement. Les choses allaient terriblement mal en Pologne. Maman poursuivait :

— Il a beaucoup de travail à l'hôpital. Il est maintenant l'adjoint du médecin-chef. Et il jouit d'un grand respect dans la communauté juive.

— Rudi, veux-tu contrôler mes connaissances en histoire ? demanda Anna.

Je m'assis en face d'elle, et pris son cahier dont les pages étaient couvertes de sa petite écriture nette.

Tout en lisant les dates historiques, je pensais en moi-même : Ah, ces Juifs ! Toujours à se préoccuper d'histoire, d'études, de leçons, de lectures, alors que leur univers est en train de s'écrouler. Je me dis aujourd'hui que j'étais peut-être trop dur envers mon propre peuple. Que savions-nous faire d'autre qu'étudier, vaquer à nos occupations, prier et espérer que les mauvais jours auraient un terme ?

Comme je commençais à feuilleter le cahier, le journaliste de la T.S.F. entreprit d'énumérer les nouvelles lois qui régissaient désormais le sort des Juifs. Le port de l'étoile jaune devenait obligatoire. Nous n'avions plus le droit d'utiliser les transports en commun. Aucun Juif ne pouvait plus bénéficier de la Sécurité sociale ou autre avantage du gouvernement. Les synagogues devaient être fermées.

Je me tournai vers le poste de T.S.F. :

— Qu'il aille au diable, ce salaud de journaliste !

— Cela n'arrangerait pas les choses, Rudi, fit ma mère avec son calme habituel qui me mettait parfois en fureur.

— Alors, ces questions, tu me les poses ? demanda Anna.

Combien j'avais pitié de ma sœur et de ma mère ! Elles croyaient que la vie pourrait continuer ainsi. L'école, la culture, la famille.

— Oui, naturellement. 1521 ?

— C'est la Diète de Worms.

La voix de la T.S.F. poursuivait : « Tous les documents et passeports juifs devront porter un J majuscule... »

— 1618 ?

— C'est le début de la guerre de Trente Ans, lança Anna.

Oui. Nous connaissions bien l'histoire du passé. Mais nous ne comprenions pas l'histoire qui se faisait sous nos yeux, en Allemagne. La T.S.F. continuait : « La possession d'une arme quelconque par les Juifs sera considérée comme un crime capital et passible de... »

— 1776 ?

— La révolution américaine !

« ... En ce qui concerne l'étoile jaune, elle devra être portée en toutes circonstances. Son absence sur un Juif constituera une offense envers l'Etat... »

— 1814, dis-je, avec une grande envie de supprimer la voix qui sortait du poste de T.S.F.

— La défaite de Napoléon !

« ... Les boutiques appartenant à des Juifs devront être recensées, et leurs propriétaires devront... »

Je me précipitai sur le poste et le fermai.

Ma mère semblait perdue dans ses pensées. Mais qui sait ? C'était peut-être là sa façon de tenter de ranimer notre courage. Continuer à jouer sa petite comédie de mère de famille sûre de soi, comme si de rien n'était, avec la conviction que tout se terminerait bien à condition que nous attendions calmement que l'orage passât. Elle cessa d'écrire, et leva la tête. Son visage autrefois lisse et frais s'était creusé. Elle mangeait peu. Ses yeux étaient cernés. Je savais qu'elle réservait à Anna et à moi les meilleurs morceaux qu'elle pouvait obtenir en graissant la patte des commerçants, qu'elle gardait un œil vigilant sur les économies de la famille, et qu'elle se faisait du souci pour notre santé.

— Anna, dit-elle, il est important pour toi de continuer à t'instruire. Demain, nous ferons de l'algèbre. Malgré tous ces événements, tu dois te préparer pour la vie que tu mèneras plus tard. Et je t'assure que tu auras une belle existence. Rudi, cela ne te ferait pas de mal de lire un livre de temps en temps.

Je vis qu'Anna avait les yeux pleins de larmes. Je posai ma main sur la sienne, mais sans rien dire du tout.

Cette nuit-là, quand ma mère et ma sœur furent endormies, je remplis un havresac de mes affaires de toilette, de sous-vêtements, et de quelques menus objets. J'avais fait beaucoup de camping, lorsque j'étais gamin, et j'aimais la vie en plein air. Karl, lui, ne l'avait jamais appréciée. C'était toujours lui qui se faisait dévorer par les moustiques, et qui tombait dans les ronces. Je possédais un vieux couteau de trappeur que mon grand-père m'avait offert, et le mis également dans le sac.

Naturellement, je n'avais fait aucune confidence à ma mère, ni à Anna, mais, la semaine précédente, j'étais allé trouver un ancien compagnon de travail de Lowy, l'imprimeur. C'était un graveur, un homme du nom de Steinmann, qui avait réussi à me confectionner une fausse carte d'identité. La photographie était bien la mienne, mais tout le reste était inventé : j'étais censé être un étudiant exempté du service militaire pour cause d'ulcère à l'estomac. Il était deux heures du matin lorsque j'embrassai ma mère et ma sœur dans leur sommeil, passai mon havresac sur une épaule, et me glissai jusqu'au vestibule, aussi discrètement que me le permettaient mes grosses chaussures de marche.

Inga savait que je m'en allais. Elle sortit de l'appartement de ses parents en peignoir de bain.

— Ainsi, ta décision est prise.

— Je ne peux plus rester. C'est plus fort que moi. Peut-être sauverai-je ma peau, et reviendrai-je les chercher toutes les deux... je n'en sais rien.

— Où iras-tu ?

— N'importe où, pourvu qu'on ne puisse pas me trouver.

— De quoi vivras-tu, Rudi ?

— De ce que je pourrai voler... Je mentirai, j'arriverai à me débrouiller.

Elle me glissa une liasse de billets de banque.

— Prends ces quelques marks. Cela t'aidera dans les premiers temps.

Je la remerciai. Nous hésitâmes un moment, en nous contemplant l'un l'autre avec curiosité. Nous avions pas mal de points communs, je m'en rends compte aujourd'hui. Tous deux obstinés, supportant mal de nous faire bousculer, prêts à résister, à refuser d'accepter patiemment ce qui nous était imposé de l'extérieur. Mes parents ne m'avaient jamais vraiment bien compris. « Tu es un mutant, avait coutume de dire mon père, une sorte d'intrus dans cette famille de lettrés et d'artistes. » (Il disait cela en plaisantant, parce qu'il éprouvait autant d'affection pour moi que pour Karl et Anna.) De son côté, Inga, qui, dans son enfance, avait été témoin de scènes d'une brutalité sanglante, du fait que son quartier avait été l'un des principaux foyers des terribles combats de rue dans les années vingt et trente, avait cultivé en elle le dégoût de la violence et de ceux qui s'y adonnaient.

Cela n'avait pas pour autant restreint son aptitude à la bienveillance et à la compassion. Alors que je la contemplais, je me demandai soudain, avec une douloureuse appréhension, comment Karl arriverait à supporter sa captivité sans la force de sa femme pour le soutenir.

— Rudi, il faudra que tu nous écrives, dit-elle. Cela va être un choc pour ta mère, mais j'essaierai de lui expliquer pourquoi tu es parti. A elle et à Anna.

— Je n'écrirai pas avant un certain temps. Dis à maman de ne pas s'inquiéter à mon sujet. Jamais. Prends soin d'elle. Sois gentille avec Anna. Elle est encore terriblement gamine parfois. Mais elle a tant d'affection pour toi. Autant que nous tous.

Nous nous embrassâmes comme un frère et une sœur.

— Si tu vois Karl, dis-lui que je vais bien. Dis-lui que les frères Weiss se trouveront réunis un jour... bientôt. Peut-être maman a-t-elle raison ? Peut-être tout cela va-t-il cesser. Ils vont se rendre compte qu'ils nous ont assez malmenés et volés, et ils nous laisseront en paix. Au revoir.

Elle m'embrassa de nouveau, et je l'entendis murmurer : « Au revoir, petit frère. »

Je descendis l'escalier, traversai la cour, et me retrouvai dans la rue sombre. J'avais préparé toute une série de mensonges pour le cas où je serais arrêté. Mon projet était de gagner le sud du pays en passant d'un train de marchandises à un autre, afin de quitter l'Allemagne.

DEUXIÈME PARTIE

LA MONTÉE DES TÉNÈBRES

Le Journal d'Erik Dorf

Berlin
Septembre 1939

En vingt jours, la Pologne est tombée.

Mais le succès militaire n'est pas notre seul objectif. La sécurité des territoires conquis, la pureté raciale de cette partie de la Pologne qui va être rattachée à l'Allemagne, les politiques définies contre les Juifs, les Slaves, et autres, dans le « Gouvernement général », tout cela reste dans un état assez confus.

Notre bureau ne cesse de recevoir des rapports contradictoires sur les actions menées contre les Juifs en Pologne.

Ce n'est pas que ces actions aillent à l'encontre de notre politique (Heydrich dit que nous soutenons une double lutte, l'une contre les armées étrangères, et l'autre contre la conspiration juive), mais elles sont menées dans le plus grand désordre, de façon ponctuelle et inorganisée.

On dirait que les barbes et les cadenettes de ces curieux Juifs orthodoxes de l'Est excitent nos hommes qui les coupent, les arrachent, les brûlent.

Les Juifs sont parqués en grand nombre dans les synagogues, et les édifices sont incendiés.

A Bielsko, des Juifs ont été pendus dans la cour d'une école juive, on leur a fourré des tuyaux en caoutchouc dans la bouche, et on a laissé ouverts les robinets d'eau jusqu'à ce que leur ventre ait éclaté.

Les viols sont fréquents, bien que le soldat qui se laisse aller à ce genre d'excès coure le risque d'être accusé de crime contre la pureté de la race aryenne.

Des femmes juives sont dépouillées de leurs vêtements, et

forcées de danser nues dans les rues, au grand amusement des Polonais comme de nos SS.

Dans une ville, les Juifs ont été conduits, nus, de l'établissement de bains publics à un abattoir, puis brûlés vifs.

Un rapport relate (j'ai demandé qu'il soit vérifié, mais je ne vois pas de raison pour ne pas y ajouter foi) que dans un village polonais, trois rabbins ont été décapités, et que leurs têtes ont été exposées dans la vitrine de l'unique magasin du lieu, dont le propriétaire était, bien entendu, un Juif.

Et ainsi de suite... Ce ne sont que des actions isolées, sans plan d'ensemble, dues à la fantaisie de certains chefs de commandos SS locaux.

— L'armée est un peu contrariée, dis-je à Heydrich après avoir lu les rapports de Pologne qui nous sont arrivés dans le courant de la matinée.

— Pourquoi le serait-elle ? Keitel, lui-même, cette salope, a proclamé dans un ordre du jour à sa glorieuse armée que les Juifs sont des parasites pernicieux et qu'ils constituent un fléau pour le monde entier. Je me souviens des termes précis du maréchal : « La lutte contre la juiverie est un combat moral pour la pureté et la santé de l'humanité que Dieu a créée. »

— Ne vous méprenez pas sur mes paroles, Monsieur, m'empressai-je d'ajouter. Ce ne sont pas les actions contre les Juifs qui gênent l'armée. C'est l'atteinte portée à son autorité dans les zones occupées. Nos hommes prennent l'avantage, réquisitionnent le matériel, donnent des ordres.

— Eh bien, l'armée devra s'y faire. A elle de conquérir et d'occuper les pays. A nous de traiter les Juifs et autre vermine.

Mais je vis bien que cela le préoccupait.

Dans les heures qui suivirent, Heydrich, avec cet esprit inventif et brillant qui le caractérise, élabora une formule nouvelle pour le traitement des Juifs de Pologne. Ils seront évacués des territoires que nous prenons, et dirigés sur des lieux tels que Lublin et Varsovie, où ils pourront, comme il dit, « croupir » dans leurs propres communautés. Les Juifs eux-mêmes se chargeront de cette opération de regroupement, et de l'organisation de leurs vastes ghettos. Les Conseils juifs, constitués par les membres les plus âgés et les plus influents de leur communauté, feront le travail pour nous.

— S'ils refusent ?

— Les Juifs ne refusent pas. Ils coopèrent. Ils sont terrorisés, désarmés, sans alliés.

La Pologne, comme il ressort du projet d'Heydrich, deviendra un immense dépotoir pour les Juifs d'Europe, non seulement les

Juifs polonais, mais aussi tous ceux qui restent encore en Allemagne, en Autriche et en Tchécoslovaquie.

Il m'a demandé de convoquer tous ses collaborateurs pour une importante réunion qui aura lieu demain, 21 septembre, afin de dresser des plans précis pour apporter une solution au problème juif. Des fusillades ou des pendaisons isolées ne constituent en aucune façon un moyen de mener une campagne globale contre un ennemi subtil.

Au fil des années, je suis parvenu à une assez bonne connaissance de la mentalité du chef, et, de temps à autre, j'essaie de percer ses intentions.

— Mon général, notre problème réside peut-être dans le fait que très peu d'entre nous ont une idée claire de l'objectif final concernant les Juifs.

— Et quel est-il, Dorf ?

— Oh... l'élimination de leur influence en Europe. Et dans le monde entier par la même occasion.

— Et que signifie cette « élimination » ? La stérilisation ? L'exil ? La confiscation de tous leurs biens ?

Il marqua une petite pause, puis ajouta :

— L'extermination ?

— Je ne sais pas. La dernière solution, je crois. Mais elle n'a jamais été indiquée qu'à mots couverts.

— Revoyez les œuvres du Führer, Dorf. Lisez entre les lignes.

— Oui, mais la destruction de, euh... huit millions de gens ou plus... semble être une tâche assez écrasante... difficilement réalisable.

Je me sentais intérieurement tout bouleversé.

— On peut avoir cette opinion, dit Heydrich. Mais dans l'optique de notre réunion de demain, gardez-la pour vous. Je ferai un exposé sur quelque chose du genre « Mesures préparatoires d'ordre général », conduisant à un objectif final, par opposition à des *étapes* qui aboutiront à cet objectif.

Malgré toute sa maîtrise en matière d'organisation, de propagande et de fonctionnement d'une police complexe, Heydrich arrive parfois à m'étourdir avec ses circonlocutions verbeuses, (bien que j'aie l'impression de lui en avoir inculqué certaines).

— Dans quelle mesure rendrez-vous la chose claire et... sans équivoque à la réunion de demain ? demandai-je. Vous pourriez donner lieu à des malentendus.

Heydrich éclata d'un rire sonore.

— Vraiment, Dorf, vous me donnez parfois l'impression d'être resté l'étudiant en droit que vous avez été ! Faites le nécessaire pour que Eichmann soit présent demain. Il ne risque pas de se méprendre sur mes propos, *lui*.

Je hochai la tête, en m'efforçant de digérer tout cela.

— Peut-être une certaine forme de quarantaine, d'isolement, serait-elle une bonne mesure pour commencer?

Heydrich se cala sur son siège, et allongea ses grandes jambes sur le bureau, croisant ses bottes l'une sur l'autre. Il leva vers moi un long doigt élégant.

— Dites-moi, Dorf, les Juifs remplissent-ils une fonction?

— Une fonction?

— Quelle est la part de la conviction et celle de l'opportunisme dans notre action envers eux?

— Je ne sais pas trop. Il y a de la conviction, à coup sûr. Le Führer, Himmler, vous-même, vous ne faites pas mystère de vos opinions.

— Mais de là à prendre toute cette peine pour... les éliminer?

Il s'attarda sur le mot « éliminer ». Nous autres apprenons vite à utiliser des mots de code, à tourner autour de ce qui peut être l'ultime vérité. Je me demande pourquoi. Si ce que nous projetons de faire est une action morale (comme Keitel l'a dit), si le christianisme a justifié durant des siècles la haine envers les Juifs, pourquoi sommes-nous si réticents à parler à voix haute de nos véritables intentions? Après tout, nous combattons un fléau, un ennemi mondial, une conspiration. Du moins, est-ce la thèse soutenue par Hitler.

Heydrich poursuivit. Excellent orateur, il développait à présent son argumentation avec une grande clarté. L'antisémitisme n'assure pas seulement la cohésion de tout le peuple allemand, il servira de ciment pour maintenir la totalité de l'Europe, en un seul bloc, sous notre autorité, dit-il. La plupart des pays européens possèdent leurs propres mouvements antijuifs, qui nous épauleront. Les Croix-de-Feu en France, la Garde de Fer en Roumanie, divers partis fascistes locaux en Hongrie, Slovaquie, et Croatie. Des régions telles que l'Ukraine et les Etats baltes, actuellement sous la tutelle bolchevique, déborderont de sympathie pro-allemande, et cette sympathie sera d'autant plus forte que nous aurons su leur exposer nos sentiments à l'égard des Juifs qui les oppriment.

Il me lança un clin d'œil, et reprit.

— Une grande partie de ce que nous leur débiterons sera faite de mensonges, Dorf, mais de mensonges utiles. Une fois que nous aurons éveillé leurs passions antisémites, pour qu'ils nous aident à résoudre le problème juif, nous nous retournerons alors contre eux, et réglerons leur sort.

Heydrich continua à discourir. Le travail de base a été

accompli pour nous : deux mille ans d'une doctrine chrétienne, étayée par d'éminents pères de l'Eglise et des docteurs en théologie, qui prouve que le Peuple élu est une race de déicides, qui a crucifié le Christ, d'empoisonneurs de puits, de suppôts de Satan, et d'assassins, qui répandent le sang des enfants chrétiens à l'occasion de leurs fêtes pascales. Une interminable liste de vieilles idéologies, un ramassis d'absurdités pour la plupart, mais qui se révèlent extrêmement utiles.

Nous revînmes ensuite aux problèmes de l'heure. Les exécutions sommaires et les incendies occasionnels devront cesser. Les SS seront chargés d'une vaste opération de déplacement des Juifs vers l'Est. Seuls les bolcheviques, les criminels, les résistants, et tous les dirigeants en puissance, tels que les rabbins, les notables, etc., seront passés par les armes. La masse des Juifs sera mise en quarantaine dans des villes polonaises comme Lublin et Varsovie. De fait, dit-il, « les porteurs de germes » seront isolés.

J'ai suggéré d'appeler ces zones « territoires juifs autonomes ».

Heydrich a approuvé cette expression, et m'a complimenté.

— Cela donnera l'impression qu'il s'agit de communautés permanentes, fis-je, mais évidemment, comme vous dites, elles ne seront qu'une *étape* vers...

Il rit de nouveau.

— Le règlement du problème juif ! Mon Dieu, Dorf, je me mets à vous ressembler !

— Pardon, Monsieur !...

— J'utilise des mots qui n'expriment pas le fond de ma pensée. Rappelez-moi donc cela demain, à la réunion. Personne ne doit prononcer les mots d'anéantissement, ni d'extermination.

Berlin
Novembre 1939

Il y avait un bal somptueux ce soir-là, au quartier général du chef.

Nous avons beaucoup de choses à fêter. La Pologne est un pays fini. La Russie en occupe la partie orientale et Staline, terrorisé, a signé un pacte de non-agression avec nous. Les Français et les Anglais campent sur leurs positions de l'Ouest, trop effrayés pour bouger.

On ne dirait pas que nous sommes en guerre. Jamais je n'ai vu autant d'élégants uniformes, de femmes plus éblouissantes, avec leur parure de bijoux, et leur beauté saine si caractéristique de la race aryenne.

Marta est absolument ravissante. Elle rayonne. Voilà quelques années, c'était une bonne petite ménagère, qui se contentait de faire la cuisine, d'élever les enfants et de nettoyer la maison. Mais la vie mondaine que nous a imposée ma position lui a donné une élégance nouvelle, une classe étonnante que je n'aurais jamais imaginée. Elle sait choisir avec beaucoup de flair des vêtements très à la mode, danse le fox-trot et valse à la perfection. Elle a même appris à flirter un peu.

Je la regardais danser avec Heydrich en songeant à la modeste Marta Schaum que j'avais épousée. J'aurais dû comprendre, alors, qu'elle avait d'immenses possibilités : à vrai dire, c'est elle qui a fait de moi ce que je suis à présent. Le petit juriste sans travail, qui se trouvait des excuses et s'apitoyait sur son sort, a pris de l'assurance, est devenu un homme influent, et assume désormais une fonction extrêmement importante dans ce qui sera l'Allemagne de demain. La guerre se terminera bientôt, aucun doute à avoir là-dessus. La France et l'Angletterre vont revenir à la raison. La Russie se contentera d'annexer une partie de la Pologne, et nous pourrons de nouveau vivre dans la paix, en remodelant l'Europe.

J'admirais donc Marta, en train de danser dans les bras de Reinhart Heydrich, vêtue de sa robe vert pâle qui met si bien en valeur sa chevelure dorée, coiffée tout en hauteur au-dessus de son petit visage délicat, lorsque j'entendis dans mon dos une voix qui disait :

— On peut compter sur Heydrich pour trouver la plus belle femme de l'assistance !

La colère m'envahit, mais je ne me retournai pas. De toute évidence, celui qui parlait ignorait qu'il s'agissait de mon épouse.

— Une vraie beauté ! insista la voix. Son mari devrait savoir qu'Heydrich a été cassé de la Marine pour avoir compromis la femme d'un de ses supérieurs.

Furieux, je pivotai sur mes talons, en disant :

— Cette femme qui danse avec lui se trouve être la mienne, et je vous serais reconnaissant...

— Calme-toi, Erik, fit la voix.

J'avais devant les yeux un homme de haute taille, au visage buriné, qui portait un smoking. Il me sourit, et je le reconnus soudain. Je ne pus alors m'empêcher de rire du bon tour qu'il venait de me jouer. C'était Kurt Dorf, mon oncle Kurt, que je n'avais pas vu depuis quatre ou cinq ans.

— Quelle merveilleuse surprise ! m'écriai-je. J'ignorais votre retour à Berlin.

Il m'expliqua de sa voix tranquille qu'il travaillait à présent en Pologne, à la construction de routes pour l'armée, en tant qu'ingénieur civil en chef. Il semblait impressionné par ma tenue.

— Quand je pense ! fit-il. Le petit garçon de mon frère Klaus. Un officier SS. Un capitaine... Et un des proches d'Heydrich, m'a-t-on dit.

— Oh, on exagère. Mais que faites-vous ici ?

— Les généraux ont eu l'idée de m'offrir cette soirée en guise de prime, pour que j'exécute les travaux dans les délais qu'ils m'ont fixés.

Nous nous observions l'un l'autre. Il ressemble à mon père, mais en plus grand, avec un air plus dur. Mon père débuta dans la vie comme boulanger sans fortune, et fit faillite. Kurt a toujours eu beaucoup d'allant. Il a travaillé avec opiniâtreté, et poursuivi ses études en occupant divers postes jusqu'à ce qu'il obtienne son diplôme d'ingénieur des ponts et chaussées. C'est un célibataire, un peu solitaire. Un homme qui a peu d'amis.

— Je voudrais que papa soit vivant et puisse nous voir tous les deux en ce moment, dis-je.

— Je suis sûr qu'il serait fier de toi.

Il fit un signe de la tête en direction de Marta en ajoutant :

— ... et de Marta. Elle est belle, Erik.

— Je l'aime chaque jour davantage. C'est plus que de l'amour, Oncle Kurt, c'est du respect, de l'admiration.

— Elle semble avoir gagné le respect et l'admiration de ton patron. Il ne ressemble guère au fauve blond dont on parle.

Cela me prit de court. Kurt aurait dû surveiller son langage, mais c'était un homme direct qui avait toujours eu son franc-parler.

— A quoi ? demandai-je.

— Une expression qui court les rues. Tu as l'air choqué.

Je le regardai sans répondre. Heydrich raccompagna Marta jusqu'à moi. Elle le remercia de l'honneur qu'il venait de lui faire. Il lui baisa la main, et dit que nous devrions nous arranger pour passer ensemble une nouvelle soirée à l'Opéra dans les jours qui venaient.

Marta reconnut alors Oncle Kurt, et lui sauta au cou. Heydrich observait la scène.

Je fis les présentations.

— Mon général, mon oncle Kurt Dorf.

Kurt dit que c'était un honneur d'être présenté au chef des SS, et qu'il avait rencontré un grand nombre de ses officiers qui faisaient campagne en Pologne.

Heydrich étudia un moment le visage puissant de Kurt et son smoking de civil, puis déclara :

— Dorf Kurt, ingénieur, expert dans la construction des routes. Affecté au général von Brauchitsch. Chargé des voies d'accès dans les territoires occupés. Exact ?

— Entièrement. Je ne me doutais pas que votre bureau fût si bien informé sur un modeste constructeur de routes.

— Nous sommes bien informés sur tout le monde.

Heydrich s'éloigna. La musique reprit. Marta me suggéra d'inviter la femme d'Eichmann à danser. Cela ne ferait pas de mal à ma carrière, me souffla-t-elle.

Oncle Kurt accompagna Marta au bar. Ils burent du champagne. Ce qui suivit fut une conversation extrêmement curieuse, un peu troublante pour Marta. Kurt, manquant totalement de diplomatie, dit à mi-voix qu'Heydrich n'avait pas l'air d'être dans le parti, « ce jeune dieu maléfique de la mort » dont parlaient certaines personnes.

Marta fut choquée et le lui fit savoir sans ambages. Qui ose dire pareille chose ? Oh, les ennemis politiques habituels ! Elle apprit à mon oncle que nous vénérions tous les deux Heydrich. Qu'il symbolisait à nos yeux le brillant prototype de l'Allemagne de l'avenir : sans peur, sensible, intelligent, noble. Kurt tenta alors de présenter des excuses. Il était ingénieur et ne faisait pas de politique. Un simple bâtisseur de routes. C'était la raison pour laquelle il s'était toujours tenu à l'écart des partis politiques. Il changea ensuite de sujet de conversation et complimenta Marta sur sa beauté, sur le succès de son mari et sur sa charmante famille.

C'était simple, lui répondit ma femme. Nous faisions désormais partie intégrante de l'Allemagne nouvelle, de tout notre cœur, et de toute notre âme.

— Ah, c'est donc cela ! fit Kurt.

— On dirait que cela ne vous réjouit pas outre mesure ! fit remarquer Marta.

— J'en fais partie, moi aussi. Je sais quelle tâche le régime a accomplie. Les gens trouvent du travail, même s'il s'agit essentiellement pour eux de travailler à ces activités de guerre. Pas de grèves. Une monnaie stable. Et une fois que la France et l'Angleterre auront demandé la paix, l'avenir nous appartiendra.

— Alors, vous êtes d'accord avec Erik. La seule différence, c'est qu'il porte un uniforme, et vous pas.

— Oh, ma chère Marta ! Vous avez une façon merveilleuse de simplifier les choses. Mais peut-être avez-vous raison.

Il l'invita à danser, en la priant d'excuser son âge et la raideur de son dos, qui lui était venue à force de circuler sur les mauvaises routes de Pologne. Elle accepta l'invitation.

Ce fut une soirée merveilleuse, qui me procura la joie de revoir

Kurt et le plaisir de constater que Marta avait fait une excellente impression sur mon chef. Décidément, nous ne rencontrons aucun obstacle sur notre route.

Le récit de Rudi Weiss

Comme je l'ai dit, mon père et mon oncle Moïse firent partie de l'un des premiers Conseils juifs qui fut organisé à Varsovie, en décembre 1939.

On a écrit beaucoup de choses sur ces Conseils : en bien, en mal, ou sans prendre parti. Que pouvaient-ils faire ? Sans moyens, sans armes, sans amis ? Les Polonais n'étaient que trop contents de voir la colère des nazis s'abattre sur les Juifs. Ils n'avaient pas compris que le jour viendrait où leur compte serait réglé à son tour, et où ils deviendraient les esclaves de l'Ordre Nouveau.

Ce fut ainsi que mon père et mon oncle travaillèrent pour le Conseil, et s'efforcèrent d'adoucir un peu les conditions d'existence des centaines de milliers de gens qui venaient s'agglutiner à Varsovie. La même chose se produisait à Lublin, Cracovie, Vilna, et dans d'autres villes de Pologne. Nous savoṅs maintenant ce que cela signifiait : c'était un premier pas vers la solution finale d'Hitler.

Des trains arrivaient presque chaque jour, des wagons à bestiaux remplis de malheureux Juifs dévorés par la faim et par la peur. Des gens mouraient en route. Des enfants périssaient étouffés. Les voyageurs croupissaient dans leur crasse. Ils n'avaient pas d'eau ; seulement le paquet de nourriture qu'ils étaient autorisés à prendre avec eux. Et toujours les gourdins et les fouets des gardes. A côté des Allemands, de nombreux Polonais s'étaient joints aux SS, en tant qu'auxiliaires.

On les trompait, ces Juifs, comme on devait le faire durant des années encore, mais ils croyaient à ces mensonges. Le regroupement. Votre propre communauté. Vos propres villes. A l'écart des Polonais...

Un homme qui survécut à ce mode de transport conserve le souvenir de mon père et de mon oncle Moïse accueillant un des trains par un jour d'hiver. Il y avait des cadavres gelés à bord. Deux bébés étaient morts étouffés.

Ils essayaient de mettre les gens à l'aise. Lowy travaillait avec mon père ; il répartissait les arrivants selon les possibilités de logement. Les Juifs vivaient à huit et neuf par pièce. Les installations sanitaires ne fonctionnaient plus. Les toits laissaient passer l'eau. Il n'y avait pas de combustible pour chauffer les bâtiments. Chaque jour, les mendiants se faisaient plus nombreux dans les rues.

Mon père détestait ce travail pour le Conseil, mais il ne donna pas sa démission. Il préférait de beaucoup dispenser des soins à l'hôpital juif, aussi surpeuplé et sous-équipé qu'il fût. Mais il avait eu une altercation très vive avec un médecin militaire allemand, et on l'avait temporairement relevé de ses fonctions auprès des malades. L'Allemand traitait les personnes atteintes de typhus avec un médicament appelé uliron. Cela ne les guérissait pas, loin de là ; cela les tuait dans des souffrances atroces. Mon père protesta, discuta avec les Allemands qui menacèrent de le punir, de le battre, de l'emprisonner. Il refusa de s'incliner, et l'emploi de l'uliron fut momentanément suspendu. (Par la suite, on procéda à des expériences infiniment plus diaboliques sur des Juifs. Nous leur servîmes de cobayes, d'animaux de laboratoire.) Mais pour l'heure, mon père se trouvait limité dans le temps qu'il pouvait consacrer à l'hôpital et à son premier amour, la médecine.

Revenant du train, par cette froide journée, avec les nouveaux arrivants de l'Ouest de la Pologne qui grelottaient de froid, mon père avoua à mon oncle Moïse qu'il avait horreur de ce travail qui consistait à décider qui irait dans telle maison, quel genre de nourriture on devrait distribuer, etc.

— Les gens te respectent, Joseph, dit Moïse.

— Vraiment ?

— Oh, oui ! Exactement comme moi. Dès ma plus tendre enfance. Te rappelles-tu quand nous nous accrochions à ces mêmes trains pour faire une petite balade ? Tu étais le petit génie, et moi le crétin de la famille. Je revois le jour où tu as remporté le premier prix de chimie. Comme papa était fier !

Mon père sourit.

— Oui. Et le directeur ne voulait pas qu'on me le décernât sur l'estrade parce que, disait-il, j'étais de confession israélite.

— Et je suis allé le voler dans son bureau. Le diplôme et les cinquante zlotys de récompense. Où avais-je bien pu puiser mon courage ? Ce fut mon dernier acte de bravoure !

— Quelle mémoire tu as !

Les deux frères arrivèrent dans le ghetto. A cette époque, la muraille n'avait pas encore été érigée. Ils passèrent du côté dit « aryen », au vieux quartier juif de la ville.

— Et cette pharmacie passablement désuète, poursuivit

Moïse, fut ma récompense pour ne pas avoir été aussi brillant que toi.

Mon père prit le bras de Moïse.

— Je t'ai fait du tort. Sans le vouloir. Il n'y avait de l'argent que pour mes propres études à l'université.

— Non, non...

— J'étais le fils privilégié. Mon Dieu, je ne t'ai pas écrit souvent ! Inconsciemment, j'étais peut-être honteux de sortir d'une famille de pauvres Juifs polonais.

— Bien sûr que non ! Tu étais un homme très occupé. Avec ta carrière, ta femme, tes enfants.

Mon père s'arrêta. Autour d'eux avançaient les éternelles victimes, qui, de tout temps, avaient souffert des coups et de la faim : les Juifs d'Europe orientale.

— Je regrette, Moïse.

— Pas d'excuses inutiles, voyons. Nous sommes de nouveau logés à la même enseigne, dans une sorte de misère fraternelle. Faisons notre possible pour ces gens-ci.

Il y eut une réunion de famille chez les Helms pour le réveillon de la Saint-Sylvestre 1939. Karl n'avait pas été libéré de Buchenwald. Par contre, Hans, le frère d'Inga, avait eu une permission. Il revenait du front polonais. Et Muller, en uniforme de sergent SS, était présent à la fête.

Ma mère et Anna partageaient toujours le petit studio, voisin de l'appartement des Helms. Naturellement, elles ne participèrent pas à la réunion de famille. Ma mère avait sa fierté. Quant à Anna, elle avait beau être une invitée dans l'ancien foyer d'Inga (et de Karl), elle ne faisait pas mystère de son ressentiment pour les Helms à cause de leur attitude à son égard.

Bien que l'armée allemande eût été victorieuse en Pologne, et que les Français et les Anglais, retranchés dans les fortins de la Ligne Maginot, n'eussent guère envie de se battre, nous étions soumis à un régime d'économie de guerre. Chose curieuse, les Allemands ne semblaient pas en souffrir. Ils pillaient systématiquement la Pologne et la Tchécoslovaquie, et compensaient leurs pénuries en réquisitionnant les denrées alimentaires qu'ils trouvaient dans les territoires occupés.

Mais pour les Juifs, l'existence était devenue intenable. Ils avaient l'obligation de porter l'étoile jaune. Aussi étaient-ils des proies aisément reconnaissables dans la rue. Ma mère, trop fière pour se plier à cette contrainte, vivait en recluse. Anna s'aventurait de loin en loin à rendre visite à une amie assez malheureuse pour être restée en Allemagne, elle aussi. Il leur était interdit de fréquenter les cinémas et les théâtres, ainsi que d'emprunter les transports en commun, et de faire leurs achats dans des boutiques chrétiennes. Inga leur apportait ce qu'elle pouvait trouver comme nourriture. Elle avait pris un poste de secrétaire dans une usine. Il lui était impossible de conserver un emploi dans le voisinage lorsqu'on apprenait qu'elle avait un mari juif en prison.

Mais pour la famille Helms, c'était une période de fête. La Pologne était finie. Les armées occidentales paralysées par la peur. Hans Helms, la langue déliée par l'alcool, se vantait de la manière dont leurs tanks et leurs canons de 88 mm avaient traversé la Pologne.

Muller eut un petit rire, et dit :

— Comme une lame de couteau bien chauffée dans une motte de beurre, pas vrai, Hans ?

Il vida d'un trait sa chope de bière, et lança un coup d'œil à Inga en ajoutant :

— Moi, je suis trop vieux pour me battre. Je me retrouve gardien de prison à Buchenwald.

Inga qui, jusque-là, était pratiquement restée silencieuse et triste, se redressa.

— Buchenwald ? Avez-vous vu mon mari ?

— Il y est donc ?

— Mais... vous avez dit vous-même qu'on avait dû l'envoyer là.

— Vraiment ?

Muller, la voyant demander de l'aide, en profita pour jouer au chat et à la souris avec elle. Il accepta de chercher à retrouver le nom de Karl dans les registres du camp. Elle comprit que ce devait être un endroit immense. Mais Muller essaierait. Il lui toucha le genou, et elle recula, dégoûtée. Il tenta de lui faire croire que Buchenwald ne réservait pas un sort trop mauvais aux Juifs. Son frère Hans pouvait lui raconter comment on les traitait en Pologne.

Ivre, mais parfaitement conscient des propos qu'il tenait, Muller expliqua que la situation allait empirer pour les Juifs. Qu'est-ce qui avait poussé la France et l'Angleterre à entrer dans la guerre ? Les banquiers juifs, pardi ! Le père d'Inga renchérit. L'idée qu'il cachait deux juives dans l'appartement d'à côté lui faisait horreur, qu'il s'agisse, ou non, de parentes.

Cela rendit Inga furieuse. Elle s'écria qu'elle avait du mal à voir en eux ses proches parents. Lorsqu'en réponse, Hans lui reprocha d'être amoureuse d'un youpin, et lui dit qu'elle couvrait sa famille de honte, elle lui lança une chope de bière en pleine figure. Muller et Hans éclatèrent de rire. Inga se précipita hors de l'appartement, et vint passer la nuit auprès de ma mère et de ma sœur.

Toutes les deux vivaient en réalité comme des prisonnières dans le studio. Les dernières économies en banque de la famille avaient été confisquées. Ma mère avait, par bonheur, réussi à dissimuler un peu d'argent dans la doublure d'un manteau. Il leur était désormais impossible de se faire soigner, même par les médecins chrétiens qui avaient connu mon père autrefois. Aucun d'eux n'aurait remué le petit doigt pour secourir des Juives.

Inga se rappelle qu'à son entrée dans le studio, la T.S.F. célébrait le Nouvel An en diffusant un choral de Bach.

— Jean-Sébastien Bach, Inga! dit ma mère.

Elle était encore en train d'écrire à mon père. La plupart de ses lettres ne parvinrent jamais à destination. Les autorités nazies, dans ce qu'on appelait le « Gouvernement Général de Pologne », interceptaient le courrier destiné aux ghettos.

— Je me demande si quelqu'un joue sur notre piano, en cette période de fête, dit Anna d'une petite voix douce.

Ma mère leva les yeux.

— Sur le vieux Bechstein? Ma foi, je n'en ai aucune idée. Cet horrible docteur qui a repris le cabinet de papa ne m'a pas donné l'impression d'être porté sur la musique.

— Le cabinet de papa, il l'a *volé*! dit Anna. Je voudrais qu'ils se brisent les doigts s'ils essaient de jouer sur notre piano!

Quand je repense au passé, je sens que ce maudit piano nous a tenus ancrés en Allemagne, en nous communiquant une fausse impression de sécurité. Voilà quelques années, ici au kibboutz Agam, un Tchèque, professeur de langues, m'a avoué qu'il avait, lui aussi, possédé un superbe piano à Prague. Un Weber. Sa femme et lui avaient toujours eu le sentiment qu'aucun mal ne viendrait atteindre les propriétaires d'un piano à queue.

Maman ferma l'enveloppe. Inga vit l'adresse du Dr Joseph Weiss, c/o Hôpital juif de Varsovie. Elle embrassa ma mère.

— Je peux toujours essayer de la lui envoyer... Peut-être l'année 1940 sera-t-elle meilleure?

— Vous avez raison, maman, fit Inga. Nous ne devons pas renoncer à espérer.

Elle s'assit en face de ma mère, dans la pièce faiblement éclairée, et lui prit les mains en disant :

— Vous avez froid, maman?

— J'ai toujours froid... Joseph avait coutume de dire que c'est à cause de mon sang bleu.

Anna, abandonnant sa lecture, demanda :

— Qu'est-ce que ta famille criait contre nous?

— Oh, rien d'important. Hans est saoul.

— Ils veulent nous jeter dehors, fit Anna.

Ma mère prit la parole.

— Peut-être... peut-être pourrions-nous retrouver un ancien client de Joseph qui nous prendrait chez lui ?

— Maman, fit Anna d'une voix irritée, les clients de papa ont disparu... Ils se sont échappés... ils sont en prison... ou simplement ils ont disparu.

— Anna, ma petite fille, nous pouvons toujours essayer.

La voix d'Anna s'éleva d'un ton. Ma sœur avait alors dix-sept ans. Elle était grande, avec un visage fin, comme maman. Et la même force de caractère. Mais la volonté de ma mère faiblissait, alors qu'Anna était assez jeune pour ressentir de la colère.

— Il n'y a aucun espoir, maman ! Karl est en prison. Papa en Pologne... Nous sommes entourés de nazis. Et puis Rudi s'est sauvé. Nous ne les reverrons jamais plus, ni les uns, ni les autres.

Ma mère garda le silence.

— Maman, tu joues la comédie. Tu fais comme s'il ne nous était rien arrivé. Tu écris des lettres, tu parles des clients de papa comme s'il y en avait encore ici !

Inga tenta de la calmer.

— Voyons, Anna, ce n'est pas un crime.

Mais ma sœur n'écoutait pas.

— Tu as toujours eu l'impression d'être une personne à part. Si délicate, si cultivée. Et tu nous a appris à avoir cette impression-là, nous aussi. Oh, les nazis ne feraient pas de mal à des gens comme nous... et vois ce qui nous est arrivé !

— Anna, ta mère n'est pas à blâmer, dit Inga.

Elle s'approcha de ma sœur et la serra dans ses bras, cherchant à l'empêcher de fondre en larmes.

— Le réveillon de la Saint-Sylvestre ! sanglota Anna. Ah ! Aucun de nous ne sera plus en vie à la prochaine Saint-Sylvestre !

Inga lui parla gentiment. Ma mère ferma les yeux, mit ses coudes sur la table, et prit son front dans ses mains.

— Ne comprends-tu pas combien ta mère t'aime, Anna ? demanda Inga. Et combien elle aime ton père, et les garçons ? Elle écrit des lettres, elle parle d'eux, et conserve de l'espoir pour que tu restes heureuse.

— Non, c'est fini ! Je ne veux plus écouter ses histoires, ses mensonges !

Inga reprit.

— Mais on a parfois besoin de se raconter des histoires pour survivre.

— Je ne veux pas ! Je veux mon père, et Karl, et Rudi...

— Ne pleure pas, ma petite fille, dit maman. Je t'en prie, ne pleure pas. Rudi ne serait pas content, s'il savait cela. Et c'était lui ton préféré.

Le fait d'avoir évoqué son nom sembla ranimer le courage de ma mère. Elle remit ses lunettes sur son nez, et entreprit de fouiller dans ses vieilles lettres... des lettres d'autrefois qui lui rappelaient la vie que nous avions menée ensemble.

— Je sais que nous aurons des nouvelles de Rudi, déclara-t-elle. Je suis sûre qu'il trouvera le moyen de nous faire sortir d'ici.

Anna, qui s'était assise sur le lit, se leva d'un bond et se précipita sur la table. Elle jeta les lettres sur le tapis.

— Non ! Assez de mensonges ! Je ne veux plus en entendre. Je m'en vais, moi aussi.

C'était une nuit glaciale. Anna prit son manteau qui était accroché derrière la porte.

— Inga, arrêtez-la ! s'écria ma mère.

— Anna, dit ma belle-sœur, tu n'as pas d'argent, tu ne sais pas où aller. Rudi, lui, est un garçon costaud.

— Laisse-moi tranquille ! Je sais bien que je ne peux pas m'en aller. J'ai simplement besoin de sortir un peu d'ici.

Inquiète, ma mère se leva.

— Anna, je t'en prie...

Mais Anna avait déjà filé dans le couloir sombre, pour descendre dans la cour. Normalement, il y avait toujours un garde en faction à l'extérieur de l'immeuble. Mais c'était la nuit de la Saint-Sylvestre, et tout le monde était en train de boire, de manger, et de célébrer la fin de l'année.

Ma sœur se précipita dans la rue en courant. Comme pour nier tout ce qui s'était abattu sur nous, elle arracha l'étoile jaune qui était cousue sur son manteau.

Anna avait toujours eu un caractère indépendant et prompt à se rebeller. Mon père l'avait terriblement gâtée. Le bébé de la famille, l'unique fille. Loin de la rendre douce et timide, cette attitude avait eu l'effet inverse : elle était agressive, impertinente, et presque insolente parfois. Ma mère la reprenait sans cesse : « Anna, les jeunes filles bien élevées n'emploient pas un tel vocabulaire », ou « Anna, ma petite fille, ne peux-tu pas faire moins de tapage quand tes amies viennent jouer à la maison ? »

En outre, elle était extrêmement brillante, bien meilleure élève que Karl ou moi. Elle avait beaucoup de facilités pour tout : les études, la musique. Malgré son jeune âge, on sentait en elle une nature ardente, une soif de connaissances, le désir de s'adonner tout entière à sa passion du moment, qu'il s'agit d'une collection de papillons, de la musique de jazz américaine, ou de la dentelle à l'aiguille.

L'étouffement de ses talents et de sa liberté, et le refoulement du désir naturel chez une adolescente de fréquenter des jeunes gens, avaient dû lui être extrêmement pénibles. Elle me confia un jour, avant ma fuite, que le dernier de ses soupirants qu'elle avait naguère éconduit recevrait, s'il revenait à présent, le meilleur accueil de sa part. Quel aveu, pour la fille du Dr Joseph Weiss !

Ainsi s'en allait-elle étourdiment par les rues obscures. Les mesures de sécurité du temps de guerre étaient strictement appliquées. Et les Berlinois étant des gens disciplinés, les rues se trouvaient désertées.

Apparemment, Anna franchit sans encombre plusieurs pâtés d'immeubles. Elle eut envie de revoir notre ancienne maison de la Groningstrasse, et resta plantée devant, l'espace de quelques minutes, songeant à la vie de famille si chaleureuse qui avait été la sienne en ce lieu. La musique. Les jeux dans la cour de derrière. Le jardin public de l'autre côté de la rue, où nous avions fait tant de parties de tennis et de football. Les clients de papa dans la salle d'attente, qui partaient avec des paroles de remerciements. Les allées et venues.

D'aussi près qu'Inga ait pu reconstituer ce qui lui arriva alors, à partir des propos hystériques d'Anna qui sombra ensuite dans un mutisme complet, trois hommes s'approchèrent d'elle tandis qu'elle se tenait, tremblante de froid, sous le réverbère de la rue.

Deux étaient des civils. Le troisième, en uniforme des Sections d'Assaut, était un homme plus âgé, qui devait avoir pour fonction de veiller sur la rue pendant la nuit. Ils la prirent tout d'abord pour une prostituée qui enfreignait le couvre-feu pour se faire un peu d'argent à l'occasion du réveillon.

Mais un coup d'œil sur le visage jeune et frais de ma sœur leur révéla qu'elle n'était pas une putain. Ce fut alors que l'un des hommes remarqua l'emplacement où avait dû se trouver une étoile jaune sur le tissu de lainage. Ils étaient ivres, pour avoir célébré la fin de l'année. L'un d'eux (Inga ne parvint jamais à démêler lequel) reconnut en elle la fille du Dr Joseph Weiss. Ce devait être un habitant du quartier. Peut-être même un ancien client du médecin.

Elle tenta de s'enfuir en courant. Ils la retinrent. Elle expliqua qu'elle était simplement sortie pour respirer un peu d'air pur. Qu'elle habitait près de là. Qu'ils pouvaient, s'ils voulaient, l'escorter jusqu'à son domicile afin d'avoir la certitude qu'elle ne faisait rien d'illégal dans ce coin, à cette heure avancée de la nuit.

L'un d'eux suggéra alors d'aller « parler de ça » dans le petit jardin public, en face de notre maison. Il n'y avait personne dans les allées. Le sol était gelé, une légère couche de neige recouvrait la terre durcie. Anna commença par les croire, mais quand ils se mirent à empoigner ses vêtements, à ouvrir son manteau, et à palper son corps de leurs mains avides, elle comprit quelles étaient leurs intentions d'ivrognes. Elle poussa un hurlement.

Cela n'arrangea pas les choses. Les gens ne répondaient plus aux cris poussés dans la nuit. Il en montait trop fréquemment des rues, à présent. Il y avait un petit kiosque à musique dans le jardin, et les hommes la traînèrent jusque-là de force. Quand elle recommença à hurler, ils la rouèrent de coups.

L'un des assaillants colla une main sur la bouche d'Anna pour étouffer ses cris. Elle se débattit, parvint à se libérer, et leur échappa presque. Mais ils la saisirent de nouveau, la ramenèrent au kiosque, et pendant que deux hommes lui retenaient les bras et lui enfonçaient son cache-nez dans la bouche, le troisième arracha ses sous-vêtements et la viola.

Ils se relayèrent.

Quand ils l'eurent soumise à plusieurs formes de violence sexuelle, sodomisée, et contrainte à faire des choses que je ne peux me résoudre à relater ici, ils déguerpirent, l'abandonnant en pleurs, avec ses blessures qui saignaient, sur les marches du kiosque.

Anna, laissant une traînée de sang dans la neige, parvint à retrouver le chemin du studio. Les cloches de Berlin avaient sonné minuit. C'était la Nouvelle Année.

Ma mère perdit son sang-froid quand elle vit Anna debout sur le pas de la porte. Son visage n'était plus qu'une masse de chair tuméfiée. Une de ses lèvres était fendue. Elle s'était mordue elle-même jusqu'au sang, dans sa douleur et son humiliation. Sous son manteau d'hiver, sa jupe et ses sous-vêtements étaient en lambeaux. Elle n'avait plus qu'une chaussure.

Inga la prit dans ses bras, et tenta de la réconforter. Ma mère réussit enfin à recouvrer sa maîtrise de soi. Elle étendit Anna sur le lit. Ensuite, les deux femmes lui ôtèrent ses vêtements, la bassinèrent, soignèrent ses blessures, et passèrent la nuit à essayer de démêler ce qui s'était passé.

Anna ne pouvait répondre que par des sanglots convulsifs qui l'étouffaient.

Ce fut ainsi que l'année 1940 commença pour ma famille.

Après une course errante, la plus discrète possible, je me retrouvai à Prague, par un jour gris et pluvieux de février. J'étais sans nouvelles des miens. Je n'avais guère pris le temps de m'arrêter dans ma fuite. J'avais débité mes mensonges, utilisé mes faux papiers d'identité, et traversé le pays en dormant dans des granges ou dans des meules de foin.

Un sixième sens s'était développé en moi vis-à-vis des gens en uniforme : militaires, policiers, membres des SS et flics locaux. Je les décelais presque à l'odeur, et les entendais venir avant qu'ils aient eu le temps d'apercevoir ma silhouette dépenaillée et mon havresac.

En cours de route, j'avais passé trois semaines en Bavière, à travailler comme ouvrier agricole dans une ferme. J'arrachais les pommes de terre et les carottes, me mêlant à la population du village, et faisant semblant d'être un simple d'esprit refusé pour le service militaire. Lorsqu'un détachement de l'armée vint camper dans les environs, je disparus dès le lendemain.

Je suivis des petites routes, escaladai plus de mille clôtures et palissades, et mangeai tout ce que je pus dérober ou mendier. En lisant de vieux journaux que les gens avaient jetés, j'appris les inquiétants succès remportés par l'armée allemande, la drôle de guerre dans l'Ouest, et les bombardements sur l'Angleterre. De jour en jour, je me rendais mieux compte du fait que les Juifs étaient condamnés. Je décidai alors que, si je devais mourir, je le ferais en luttant. Je portais constamment mon vieux couteau de camping dissimulé dans ma ceinture ; et jurai que si l'on venait me prendre, si j'étais découvert, je tuerais au moins un homme avant d'être tué à mon tour.

A peu de distance de Munich, dans une ville appelée Starnberg (je m'en tenais, dans la mesure du possible, aux petites villes et aux routes secondaires), je dérobai une paire de cisailles dans une quincaillerie. J'étais devenu un fieffé voleur. Moi qui avais été élevé en bon jeune homme de la bourgeoisie, la tête pleine des préceptes juifs classiques interdisant le vol et la tromperie, j'étais en train de découvrir que la survie exige parfois autre chose que le respect des principes. Plus d'un commerçant dut constater, après mon passage, qu'il lui manquait un pain, un paquet de biscuits, ou une paire de chaussettes.

En outre, j'avais appris à me déplacer à travers champs, en me fiant à mon sens de l'orientation et aux poteaux indicateurs. Au moindre indice de la proximité d'un uniforme ou d'une autorité, je me terrais dans un champ ou dans un bois ou traversais une propriété. Plus d'un chien de ferme aboya à mes trousses, et, une fois, je fus poursuivi par un taureau que je parvins à gagner de vitesse. J'avais également appris à être méfiant, à me cacher et à circuler aux heures les plus propices. Chose curieuse, le moment du déjeuner et le début de l'après-midi étaient particulièrement favorables. Les flics, les SS, et toutes les forces de sécurité semblaient prendre plaisir à des longs repas suivis de petites siestes.

Ce fut le 10 février 1940 que je franchis subrepticement la frontière tchèque, en un point que je situe à environ vingt-cinq kilomètres au sud de Dresde. La Tchécoslovaquie avait beau être occupée, les frontières subsistaient toujours. J'attendis la tombée de la nuit, caché dans une cabane à outils sur un chantier de construction abandonné, et prit la direction du sud. Je m'appliquai à éviter les postes de sentinelles dispersés le long de la route, et me glissai sous les barbelés de la frontière, le dos contre le sol, en me servant de mes cisailles pour sectionner les fils de fer. Ce ne fut pas plus compliqué que cela.

Bien que la Tchécoslovaquie fût sous l'autorité des nazis (qui l'avaient baptisée « Protectorat »), j'avais entendu dire que les Tchèques se montraient fort peu coopérants avec les Allemands, et que la police tchèque était disposée à la clémence envers les Juifs. Je découvrirais bientôt si cela était vrai.

Prague possédait alors une importante communauté juive de petite bourgeoisie. Peut-être les Allemands auraient-ils quelque bonne raison pour feindre d'ignorer ces Juifs, au moins durant une certaine période. J'espérais pouvoir gagner le sud, si Prague présentait trop de dangers, et me rendre en Yougoslavie, puis, de là, je tâcherais d'atteindre un port de la côte Adriatique d'où je pourrais m'embarquer clandestinement sur un navire en partance.

Mon existence était amère et solitaire ; mais dans la lutte même que je menais chaque jour pour survivre, avec toute la présence d'esprit que cela exigeait, je parvenais à puiser la force de continuer. C'était comme un match de football, avec ses moments de tension où tout dépend du réflexe qui vous vient en temps opportun : feinter, faire une frappe, une passe, un fauchage, ou éviter de se faire soi-même faucher.

Dans une rue du vieux quartier juif de Prague, je me postai sur le pas d'une porte pour observer les Juifs de la ville. Ils me rappelaient nos voisins de Berlin. C'était la même petite bourgeoisie instruite, timide, et inquiète, et surtout totalement inconsciente des coups de marteau-pilon qui allaient lui être assenés.

Deux agents de police tchèques placardaient un avis sur la porte d'une synagogue. J'eus l'impression qu'ils le faisaient à regret. Les Tchèques n'avaient jamais été de violents antisémites, du moins à Prague. Mon père disait que c'étaient des gens bienveillants et cordiaux.

Mais les règlements qui leur étaient imposés par les nazis n'avaient, eux, rien de bienveillant ni de cordial. Pour moi, tout recommençait comme en Allemagne.

Un homme âgé s'était planté devant l'avis affiché sur la porte de la synagogue, à la grande contrariété des autres personnes qui se rassemblaient à présent. Il lut à haute voix : « Aucun Juif ne recevra plus de tickets de textile. Tous les Juifs qui n'ont pas encore été recensés par le Conseil juif des Anciens devront l'être immédiatement, sous peine de sanction grave. Il est interdit de vendre des bagages, des havresacs, des valises, ou des sacs de cuir à des Juifs. »

Le vieillard se retourna.

— Ah ! Ah ! Des bagages ! Pour aller où ? En Amérique, peut-être ! Quelqu'un d'autre poursuivit la lecture de l'avis : « Aucun Juif n'a le droit de porter une valise, une malle, ni un havresac, sans en demander auparavant la permission à la police et obtenir une autorisation spéciale. » Et ainsi de suite. Les préliminaires habituels. Viendraient ensuite les arrestations, les détentions, et Dieu sait quoi encore.

Les agents de police se retournèrent. Je mis un peu trop de temps à reculer dans le couloir de l'immeuble. L'un d'eux remarqua le havresac que je portais. Je m'efforçai alors de prendre un air dégagé et m'éloignai de quelques pas. Malheureusement, ils me suivirent.

— Hep là ! dit l'un d'eux. Vous avez vu le règlement ? Qu'est-ce que vous faites avec ce havresac ?

Je marmonnai que je n'étais pas au courant du règlement. Que faire ? Leur montrer mes faux papiers d'identité serait courir un risque. Qu'est-ce qu'un ouvrier agricole allemand pouvait bien fabriquer à Prague ?

Je tâchai de prendre un air idiot, et gesticulai avec les mains. Ils m'obligèrent à reculer contre une vitrine. C'était une petite boutique, plutôt vieillotte, qui vendait de la maroquinerie et des articles de voyage. L'un des agents sortit un bloc de papier, alors que l'autre me regardait du coin de l'œil.

— Donnez-nous le sac, dit-il.

J'hésitai. Peut-être avais-je eu tort de pénétrer dans une ville étrangère. Jusqu'ici, j'avais survécu en me cachant dans la campagne, où j'arrivais à me fondre dans le paysage environnant : dans les bois, les prairies, et les granges.

Une jeune fille se tenait derrière la porte vitrée de la boutique. Elle me regarda, vit ma détresse, et sortit.

— Non, il ne vous donnera pas ce havresac, dit-elle. C'est à *moi* qu'il le donnera.

— A vous, Mademoiselle Slomova ? demanda l'agent.

— Je le lui ai vendu, mais il ne m'a jamais payée. Allez, rendez-le-moi. Si vous lui prenez, ou si vous l'arrêtez, je ne pourrai jamais récupérer mon argent.

C'était une petite brune très fine. Extrêmement jolie. Avec les yeux les plus noirs que j'aie jamais vus. De plus, elle mentait à merveille, et j'avais eu l'occasion de constater l'importance de ce trait de caractère.

— Vous lui avez vendu cette vieille camelote-là ?

— Il était neuf quand je l'ai vendu... Je suis furieuse contre lui, fit-elle, en me foudroyant du regard. N'essayez pas de vous sauver. Vous savez très bien que ce sac m'appartient, et que vous me l'avez pris. J'ai déjà assez d'ennuis comme ça par ailleurs.

Les deux agents tchèques se consultèrent du regard. C'étaient de toute évidence des habitants du lieu, et ils connaissaient bien cette jolie fille.

— Qu'est-ce que tu crois ? fit l'un à son collègue.

— Elle est trop jolie pour que nous discutions avec elle. Je la crois.

Se retournant alors pour pointer son index sur moi, il ajouta :

— Mais gare à vous ! Si les Allemands vous prennent à enfreindre le règlement, vous ne ferez pas long feu dans les parages ! La jeune fille ouvrit la porte, et je pénétrai dans la boutique. Son audace et sa présence d'esprit m'avaient impressionné. Elle m'avait sauvé. Elle s'assura que les agents s'éloignaient bien de chez elle, puis me poussa littéralement vers le fond de la boutique. C'était une fille que je pouvais admirer, et serrer sur mon cœur avec reconnaissance. Je lui devais une fière chandelle. Quel sang-froid elle avait !

— Vite, la pièce du fond, dit-elle.

Une fois de plus, elle se retourna vers la rue froide où le jour commençait à baisser. Les gens se pressaient plus nombreux devant l'avis placardé à la porte de la synagogue. Ils se parlaient entre eux. Des femmes pleuraient.

Dans le fond de la boutique, derrière un rideau, se trouvaient une table, quelques vieilles chaises, et un réchaud à gaz sur lequel infusait du thé. Je pouvais en sentir l'odeur, et mourais d'envie d'en boire une tasse. Mon régime de pain rassis et de carottes volées m'avait affaibli. J'étais facilement sujet aux étourdissements.

— Asseyez-vous, dit-elle.

— Pourquoi avez-vous fait cela ? demandai-je.

— Vous étiez en difficulté, non ? Vous n'êtes pas Tchèque... je ne vois pas de quel pays vous pouvez venir.

— Je viens d'Allemagne, fis-je en songeant à cet enfer que ma patrie était devenue. Je suis juif.

— Pourquoi êtes-vous venu à Prague ?

— Je suis en fuite. Depuis longtemps.

Je regardai le mur. Il y avait un vieux calendrier orné d'une image qui représentait un bord de mer, une plage de sable.

— La Palestine, dit-elle. Je voudrais y être.

— Vous êtes juive, vous aussi ?

Elle eut un hochement de tête affirmatif.

— Qui ne l'est pas ici ? Nous sommes dans le fameux ghetto de Prague. Du moins, ce qu'il en reste. Les riches l'ont quitté, les pauvres ont disparu.

Je sentis que ma tête commençait à tourner, et j'eus le sentiment que j'allais m'évanouir de faim, de faiblesse. Elle s'agenouilla devant moi, et me prit les mains.

— Je m'appelle Hélèna Slomova. Je vis seule. Mes parents ont été arrêtés, voilà deux mois. On a dit qu'ils étaient des agents sionistes. J'ignore où ils sont à présent.

— Je suis Rudi Weiss.

Il me sembla que c'était la première fois depuis plus d'un an que je donnai mon vrai nom.

— Oh, mon Dieu ! Vous allez vous évanouir. Vite, du thé.

S'excusant de n'avoir ni sucre ni lait, elle me donna un bol de thé chaud, et je sentis sa chaleur pénétrer dans mes mains, dans mes bras. Hélèna fixait sur moi ses yeux noirs lumineux, et je me demandai comment des gens pouvaient tourmenter une telle jeune fille. Elle me reprit le bol vide, et se mit à me frictionner les mains.

— Il y a longtemps que je n'ai pas tenu une main de femme entre les miennes, dis-je. J'étais trop occupé à me cacher et à fuir.

— Et maintenant, qu'allez-vous faire ?

Je hochai la tête. J'étais à bout de forces. Peut-être n'y avait-il plus aucune possibilité de refuge, peut-être les Juifs étaient-ils condamnés, indésirables, et en danger partout dans le monde.

Brusquement, alors que je contemplais son petit visage sans défaut, je me penchai en avant et l'embrassai. Elle entrouvrit la bouche et nos lèvres restèrent jointes un long moment. Puis elle me donna une petite tape sur le front.

— Je suis désolé, murmurai-je. Je n'aurais pas dû. Mais vous êtes une jeune fille merveilleuse. Si jolie, si courageuse.

— Ça va, fit-elle. Cela m'a plu. Je me sens seule, aussi. Je pleure toutes les nuits en me demandant ce que mes parents ont pu devenir.

— Peut-être vont-ils bien. J'ai entendu dire qu'ils envoient des Juifs en Pologne pour les regrouper dans des villes pour eux. Mon père est là-bas. Il est médecin à Varsovie.

Hélèna me montra des photos de ses parents. De simples commerçants. Mais sa mère avait le même visage délicat et les mêmes lumineux yeux noirs qu'elle.

— Ils étaient prêts à partir pour la Palestine. Ils avaient trouvé le moyen de traverser la Méditerranée. Mais ils ont attendu trop longtemps.

Nous restâmes assis à bavarder, et j'eus un mal fou à m'empêcher de lui caresser doucement le visage et les bras. Je devais me retenir. Nous nous connaissions à peine. Mais elle ne voyait manifestement rien à redire à ces caresses. Elle était de petite taille, mais on sentait chez elle de la force, une vigueur certaine. Et elle était belle, même dans son vieux sarrau d'employée de magasin.

Je lui parlai un peu de ma famille, de ma fuite, et de ma course errante. Et je suppose que je dus me vanter un peu de mes talents sportifs. Alors, sentant qu'elle était réceptive, et bien contente de m'avoir sauvé la vie, je l'attirai contre moi. Elle s'assit sur mes genoux, si petite qu'elle ne pesait pas plus lourd qu'une plume. Mais la douceur de ses bras, de ses hanches, m'emplirent de passion. D'une passion que je cachais mal.

— Vous me faites confiance trop facilement, dis-je. Moi, j'ai appris à ne plus me fier à personne.

— Vous avez l'air sincère, Rudi. Je crois ce que vous me racontez.

— Ce n'est pas ce que je veux dire. Je pourrais... je risque de...

Elle mit un doigt sur mes lèvres.

Qu'est-ce qui me prenait ? Voilà que je respirais comme si je venais de courir un deux cents mètres. Il y avait si longtemps que je ne m'étais pas trouvé à côté d'une jeune femme. A vrai dire, j'étais un peu en retard sur ce plan-là. Elle semblait plus à l'aise que moi.

Tout en me caressant la nuque de la main, son visage contre le mien, elle me raconta le rêve de ses parents d'avoir une maison en Palestine. Et le rêve d'un homme appelé Herzl, qui fut à l'origine de la lente migration des Juifs vers cette région désertique du Proche-Orient. Tout cela me parut étrangement lointain et bizarre. Je dus avoir l'air incrédule, ou sourire comme si j'éprouvais de l'indulgence envers elle pour de telles chimères.

— Qu'est-ce que cela a de drôle ? demanda-t-elle.

— Je ne sais pas. Quand je pense aux sionistes, je me représente de vieux types avec de grandes barbes, ou des gosses en train de faire la quête au coin des rues. Pas de belles jeunes filles comme vous !

— Oh, que vous êtes allemand ! Très allemand !

— Plus maintenant.

Nous recommençâmes à nous embrasser en nous tenant

enlacés. La sonnette de la porte d'entrée de la boutique retentit soudain. Hélèna s'élança et disparut derrière le rideau.

J'entendis une voix d'homme. C'était un autre commerçant qui lui conseillait de fermer sa boutique. La Gestapo, mécontente du laxisme de la police tchèque, procédait à un contrôle afin de s'assurer que le nouveau règlement était bien respecté.

Hélèna verrouilla la porte de la boutique et éteignit les lumières. Puis elle revint me prendre par la main dans la pièce du fond.

— Vous allez venir avec moi à la maison, dit-elle.

Je lui confiai alors beaucoup de choses sur les membres de ma famille, qui me donnaient à présent l'impression d'être devenus des étrangers pour moi. Une seule fois, j'avais écrit à ma mère, sans oser lui donner d'adresse. Je lui parlai de mon père, bienveillant et surmené, qui jamais ne se mettait en colère, de Karl et d'Inga. Et puis d'Anna. Et de ma mère, si jolie, si douée, le vrai chef de notre famille. Je lui parlai même du Bechstein. Je déclarai que je ne retournerais là-bas que si j'étais en mesure de les sauver, que j'étais résolu à lutter, à poursuivre ma course fugitive.

Nous bavardâmes, mangeâmes un peu, et bientôt après, aussi naturellement que si nous nous connaissions depuis des années, nous fîmes l'amour.

J'avais bien eu quelques expériences maladroites auparavant, de petites aventures sans lendemain. Et Hélèna était vierge. Elle n'avait que dix-neuf ans. Mais cette nuit-là, nos corps s'unirent comme si nous étions réellement faits l'un pour l'autre, comme si Dieu nous avait destinés à être mari et femme. Elle reposait au creux de mon épaule, petite et douce, avec une peau très blanche et une chevelure d'un brun foncé. Mon corps était ferme et musclé, et mes mains terriblement rêches à cause de ma vie errante et de mes travaux en plein air.

— Rudi... serre-moi fort... ne retire pas tes bras.

— Mes mains vont t'écorcher la peau.

— Ça m'est égal.

— Tout ça à cause de ce maudit havresac ! dis-je. Je ne m'en séparerai jamais.

Elle s'assit dans le lit et me sourit.

— Et tu ne te sépareras jamais de moi.

Je lui demandai si elle avait un fiancé, des parents qui risquaient de nous surprendre. Elle fit non de la tête.

— Cela me serait égal s'ils me surprenaient, dit-elle. J'étais une petite écolière bien comme il faut. En jupe et chemisier. Je suivais les cours du lycée. A présent, je me contente de vivre au jour le jour.

Je couvris de baisers ses cheveux, son front, ses yeux.

— Hélèna Slomova, qui m'a sauvé la vie, dans une maroqui-nerie.

— Nous avons tout bonnement eu de la chance que la police tchèque soit si paresseuse. Et puis, j'ai un peu flirté avec eux. Ils me connaissent bien. Ils connaissaient ma famille.

Je sortis du lit. J'étais tracassé. Où aller ? Que faire à présent ?

Je savais que les choses empireraient. J'avais vu des commu-nautés juives tout entières disparaître dans certaines villes alleman-des. Dans quelque temps, ils commenceraient également à vider la Tchécoslovaquie.

— Que vas-tu faire, à présent ? demandai-je.

— Je ne sais pas du tout. J'ai très peur. Moins maintenant que tu es avec moi, mais...

— Hélèna, je resterai avec toi. Mais pas ici.

Elle s'assit dans le lit, relevant le drap et la couverture jusqu'à son menton. Il faisait un froid glacial dans la petite chambre.

— Il existe un moyen de s'échapper, dit-elle. En passant par la Hongrie et la Yougoslavie. Il y a des navires qui font la traversée vers la Palestine, si l'on a de l'argent.

Nous éclatâmes de rire ensemble. Nous étions sans le sou. Aucun espoir de payer notre traversée. Et des frontières à franchir, des gardes à éviter, avec les SS et les fascistes locaux à la recherche de gens comme nous.

— Tu viendras avec moi, dis-je.

— Sans argent ? Sans papiers ?

— Je suis bien arrivé jusqu'ici.

— Mais tu voyageais seul. Moi, je vais te gêner dans tes déplacements.

Je la repris dans mes bras.

— Tu suivras un régime très sain, à base de raves crues.

Je me blottis la tête contre sa poitrine, et la couvris de baisers à n'en plus finir.

— Hélèna, la pire chose qui soit au monde, c'est la solitude. J'essaie de m'endurcir, mais j'ai peur, moi aussi. Je n'ai plus de famille. Je sens que je ne les reverrai jamais. J'ai besoin de quelqu'un, la nuit, à mon côté. Quelqu'un de chaud à caresser, et qui puisse aussi me serrer dans ses bras quand il fait noir et froid.

— Oh, Rudi, j'ai besoin de quelqu'un, moi aussi !

— Tu dormiras dans des meules de foin. Tu voleras de quoi manger dans les fermes.

Elle sourit.

— Ce ne sera pas tout à fait une lune de miel.

— Ce serait bien pire de rester ici, à attendre qu'ils viennent nous arrêter ! Ils ne laissent aucun espoir. Ils ne font que mentir. Ces individus n'ont pas de pitié ; ils veulent se débarrasser de nous tous. Par n'importe quel moyen.

Nous nous enlaçâmes étroitement, et recommençâmes à faire l'amour.

Nous étions heureux.

— Connais-tu l'histoire de Ruth, dans la Bible ? demanda-t-elle..

— Je ne suis pas sûr de m'en souvenir. J'avais le chic pour sécher les cours de l'école hébraïque.

— Il suffit que tu te souviennes d'une seule partie de l'histoire, dit-elle, en déposant un baiser sur ma joue : celle qui dit : *Où tu iras, j'irai.*

Karl resta à Buchenwald.

Ce n'était pas un camp d'extermination, mais chaque jour, des centaines de prisonniers mouraient sous les coups, sous la torture, ou par suite des privations. Mon frère survécut, grâce à son travail dans l'atelier de couture, et aux conseils de durs à cuire comme son ami Weinberg qui savaient se débrouiller en toute circonstance. Il était impossible de survivre seul, par ses propres moyens. Il fallait faire partie d'un groupe : communistes, sionistes, ou autre. Les hommes de l'atelier de couture avaient leur propre encadrement, et ils essayaient de se protéger mutuellement, de partager entre eux les suppléments occasionnels de nourriture. Mais leur existence était sans cesse menacée. Ils vivaient de soupe claire et de pain noir. L'installation sanitaire était épouvantable. Les pires corvées étaient le travail dans les carrières et ce qu'on appelait « le jardinage », où les prisonniers se trouvaient battus à mort pour la plus légère infraction au règlement. Enterrer vivant un détenu rebelle était une des sanctions favorites des gardiens.

Un ancien officier de l'armée autrichienne, un Juif, alla un jour trouver le commandant du camp pour se plaindre de ces pratiques barbares. On lui dit que son avis, émanant d'un vieux militaire de carrière, serait considéré avec attention. Ensuite, on le fit sortir, on l'obligea à se mettre à genoux dans la cour centrale, devant les autres prisonniers, et on l'exécuta d'une balle dans la nuque.

Une nuit, dans les horribles baraques surpeuplées, le haut-parleur annonça la reddition de la France. Karl, Weinberg, et les autres occupants du « block » écoutèrent le cœur lourd cette nouvelle que les nazis diffusaient avec un grand luxe de détails.

« La France rejoint ainsi les Pays-Bas, la Belgique, la Norvège, le Danemark, l'Autriche, la Tchécoslovaquie, et la Pologne dans l'Ordre Nouveau de l'Europe. Le Führer a renoncé à toute revendication territoriale, et ne désire que la paix et la sécurité pour l'Europe. A cette fin, l'Angleterre sera sommée de se soumettre à... »

— Mon Dieu ! s'exclama Weinberg. Il a tout, sauf la Suisse et la Russie ! Qu'il n'ait plus de revendication à faire, ça c'est certain. Le haut-parleur continuait : « Une fois de plus, le Führer a mis l'accent sur ses relations cordiales et fraternelles avec l'Union soviétique et présente ses vœux chaleureux au Camarade Staline... »

— Attends un peu, Staline, dit Weinberg qui était en train de coudre un slip féminin en tissu rose, orné de dentelles, ton tour viendra !

— Quand le nôtre viendra-t-il donc ? interrogea Karl.

— Ne me le demande pas, Weiss, répondit à voix basse Weinberg en se penchant de sa paillasse du haut. J'ai entendu dire qu'un type a pu payer sa sortie. Cinquante mille francs suisses, versés au commandant SS. C'est sa femme qui est arrivée à lui faire parvenir l'argent à l'intérieur.

— Sa femme ! dit Karl. Je n'ai pas vu la mienne depuis deux ans... et pas une seule lettre. Rien.

— Les femmes nous ont rayés de leur mémoire, mon petit gars. Mais ne te laisse pas abattre.

Weinberg sauta de sa paillasse, et montra à Karl la jolie pièce de lingerie qu'il avait fini de coudre, en la présentant à la manière d'une vendeuse.

— Cela vous plaît-il ? C'est pour le sergent SS Kampfer. Pour sa poule.

Karl sourit.

— Ne me fais pas marcher, Weinberg !

— Mais je ne te fais pas marcher. Je veux te faire comprendre qu'il s'agit de savoir se débrouiller. Je fais de la lingerie fantaisie pour Kampfer, et je touche des suppléments.

— Tu me stupéfies, Weinberg, avec ton sens des affaires. Tu as peut-être trouvé la bonne solution. Prendre les choses à la légère, faire comme si rien n'avait changé...

— Ne sois pas amer, mon petit gars ! La semaine dernière, j'ai fait une culotte de dentelle pour Kampfer. Je me demande s'il n'est pas pédé, et s'il ne la porte pas lui-même, mais il dit que c'est pour sa poule polonaise. Regarde un peu ce qu'il m'a donné en échange.

Le tailleur sortit furtivement un demi-pain de seigle — du vrai pain frais — de dessous sa veste à rayures de détenu. Il le tendit à Karl.

— Prends-en la moitié !

— Je ne peux pas, Weinberg. C'est toi qui as exécuté le travail. Moi, je ne suis bon qu'à me plaindre.

— Ne fais pas l'idiot ! Je t'invite à partager. Du pain de seigle comme celui que j'avais l'habitude d'acheter à Brême.

Karl le remercia, en prit un morceau, et tous deux s'assirent et se mirent à mâcher pensivement. Melnik, le kapo, qui faisait sa ronde, arriva à cet instant.

— Avale vite, dit Weinberg, cache le pain.

Mais au cours de sa détention à Buchenwald, Karl avait changé. Cela arrivait à de nombreux prisonniers. Ils entraient effrayés, la tête pleine de principes sur la dignité humaine et la bienséance, et puis, avec le temps, ils devenaient durs, et ne songeaient plus qu'à survivre. Karl n'était pas un imbécile. Il ne l'avait jamais été. Et il apprenait lentement qu'en bien des cas, c'était chacun pour soi, ou la mort. Par exemple, dans l'atelier de couture, il avait lutté, avec le soutien de Weinberg, pour occuper la place qui était à côté de l'unique poêle de la salle, et réussi à gagner cet important privilège. C'est triste à dire, mais les nazis comprirent l'avantage qu'il y avait à dresser les Juifs les uns contre les autres. Cela expliquait le sadisme des kapos. Et cela expliquait comment un homme passif comme mon frère avait pu se constituer une carapace de dureté, et cultiver en lui la ruse et le pouvoir de résister.

Karl lança à Melnik un regard de défi.

— Qu'il aille au diable ! dit-il à voix haute à Weinberg.

— Weiss, menaça le kapo, il est interdit de manger dans les baraques.

Weinberg plaida sa cause en demandant à Melnik de regarder d'un autre côté. Mais le kapo n'en était pas moins qu'eux une victime. Si les SS apprenaient cela, il perdrait sa sinécure.

— Tu es un Juif comme nous, Melnik, dit Karl. Laisse-nous tranquilles. Nous ne sommes pas en train de manger. Nous sommes juste en train de goûter.

— Ferme-la et donne-moi ce foutu morceau de pain, avec toutes ses miettes !

— Non, dit Karl. Weinberg l'a gagné. C'est pour les tailleurs, pas pour un sale mouchard de flic comme toi !

Melnik tira d'un coup sec de sa ceinture sa petite matraque de caoutchouc dur, ou gummi, et marcha vers la couchette de mon frère.

— Alors, Weiss, on est le fils d'un grand médecin de Berlin ! On est trop bien pour des types comme nous ! Donne-moi ce foutu morceau de pain !

— Donne-le-lui, Karl, fit Weinberg.

Et il lança à Melnik le morceau qu'il tenait lui-même dans sa main. Mais Karl refusa de s'exécuter. Il avait faim, et la saveur du bon pain lui avait rappelé tout ce qu'il avait perdu, sa vie en liberté, sa femme, sa famille, son talent de peintre-dessinateur.

Lorsque Melnik tenta de lui arracher le morceau de pain des mains, mon frère l'attaqua. Ils luttèrent tous deux, et le kapo se mit à le frapper à coups de matraque. Karl s'était transformé en un vrai démon qui hurlait, mordait, lançait des coups de pied, et cherchait à s'emparer de la matraque de Melnik.

Weinberg tenta de s'interposer, et reçut, lui aussi, des coups de matraque. Les autres prisonniers suivaient la scène, encourageant Karl, mais se gardant bien d'intervenir. Une rixe à l'intérieur des baraquements était passible de la peine de mort : une balle dans la nuque, ou la pendaison en public.

— Weiss, Melnik, s'écria Weinberg, arrêtez, pour l'amour du ciel! Des Juifs qui se battent entre eux!

— Le petit salopard m'a attaqué, vociféra le kapo. A moi, les gardiens! Par ici!

Un autre kapo accourut sur les lieux. C'était un ancien droit commun, comme Melnik. Il se lança dans la mêlée, abattant lui aussi sa matraque sur les bras de Karl, qui ne voulait pas lâcher prise, et sur le côté de son crâne.

En quelques secondes, mon frère et Weinberg se trouvèrent maîtrisés, roués de coups, et laissés presque inanimés.

Le châtiment leur fut infligé sur-le-champ. Un sergent SS ordonna qu'on les conduisît aux « arbres ».

Ces arbres, « plantés » dans la cour, étaient des poteaux de bois surmontés d'une planche horizontale, sur lesquels se pratiquait une version modifiée de la crucifixion.

Au moyen de cordes grossières, Karl et Weinberg furent attachés avec les bras passés en arrière, sur les croix de bois. Leurs pieds se balançaient à une cinquantaine de centimètres du sol. La circulation du sang se trouvait entravée à la fois dans leurs bras et dans leurs jambes, et leur respiration devint laborieuse. On savait que des détenus mouraient après vingt-quatre heures de ce supplice.

Weinberg se rappelle que Karl commença à divaguer après plusieurs heures. Il n'arrêtait pas de répéter le prénom de sa femme : « Inga... Inga... »

— Doucement, mon petit gars, lui dit-il. Garde ton souffle.

— J'abandonne, Weinberg. Je veux qu'ils sachent qu'ils ont gagné, qu'ils m'ont eu. Je préfère qu'ils me tuent.

— Non, Weiss, non. Il vaut toujours mieux vivre. Il y a toujours un espoir. Chacun de nous glorifie Dieu par son existence. C'est ce que disent les rabbins. Je ne suis pas un homme religieux, mais je le crois.

— Je ne veux pas vivre.

— Bien sûr que si ! Laisse-toi aller à gémir, si cela peut t'aider.

Weinberg assura à Karl qu'on les détacherait le lendemain matin. L'eau les revigorerait. En réalité, Weinberg avait un ami dans le dispensaire de Buchenwald qui s'occuperait d'eux. Et le sergent SS, amateur de dessous féminins de fantaisie, un homme bien utile, ne laisserait pas Weinberg, le meilleur tailleur du camp, ni l'ami de Weinberg, mourir sur les « arbres ».

La santé de ma sœur Anna se mit à décliner après le viol dont elle avait été victime durant la nuit de la Saint-Sylvestre. Elle qui avait toujours montré tant de vitalité et de joie de vivre refusait désormais de manger, de se laver, et pour finir, au grand effroi de ma mère, cessa de parler en juillet.

Il existe un terme médical pour qualifier cet état, Tamar me l'a dit. Anna restait assise, prostrée dans un coin du studio, la tête contre le mur, le corps recroquevillé sur lui-même, les bras repliés et serrés contre sa poitrine, les jambes relevées sous le menton. Elle ne s'alimentait plus, et ma mère ou Inga s'efforçait de lui introduire de la nourriture dans la gorge. Elle qui avait été la plus charmante et la plus soignée des jeunes filles, se détournait à présent de l'eau et du savon, ne voulait plus se changer, et ne proférait plus aucun son, à part quelques faibles cris plaintifs.

En dépit du fait que c'était une période de guerre, et que les services médicaux spécialisés pour les civils (ne parlons pas des Juifs !) étaient rares, ma mère et Inga estimèrent qu'elles pourraient faire appel à un certain Dr Haefer, qui avait connu mon père, et qui jouissait d'une réputation d'assez grande libéralité. A leur connaissance, il n'était pas membre du parti, et avait conservé une clientèle importante en neurologie.

Ma mère n'eut pas la force d'aller avec Inga et Anna. En outre, mieux valait pour elle qu'elle restât cachée. Inga faisait ses courses et lui conseillait de quitter le studio le moins possible.

Le Dr Haefer considéra la silhouette voûtée d'Anna, son visage vide de toute expression, et parut compatir sincèrement. En privé, Inga lui avait raconté ce qui était arrivé à Anna, et comment elle avait décliné depuis ; cauchemars, crises de nerfs, comportement irrationnel, et maintenant le silence dans lequel elle était murée, et son incapacité à prendre soin de sa personne.

— Et quel est votre désir, madame Weiss ? interrogea-t-il.

— Peut-être une thérapie dans une maison de santé qui la prendrait en charge. Je me fais peut-être des illusions, mais...

Le docteur hocha la tête. Il usa de diplomatie.

— Peut-être puis-je faire quelque chose pour vous. Il y a un établissement à Hadamar dans lequel j'ai envoyé des cas semblables.

— Nous vous en serions reconnaissantes, Docteur.

A ce moment-là, Inga ne savait pas du tout si elle faisait ce qu'il convenait de faire. Mais la vue d'Anna, recroquevillée dans un coin, le regard vide, et les bras serrés contre sa poitrine, lui donna à penser qu'elle n'avait pas le choix. Cela tourmentait Inga, cette agression brutale, absurde. Le traitement infligé à Anna par trois de ses compatriotes, des hommes qu'elle connaissait peut-être, la remplissait d'un dégoût innommable. Il lui était impossible de comprendre un monde si aveugle, si cruel, si porté à infliger douleur et humiliation.

Détruire une créature aussi vivante et bonne que sa jeune belle-sœur ? Dans quel but ? Au bénéfice de qui ? Inga n'avait pas reçu une éducation soignée, mais son instinct était sûr. Et maintenant, elle avait sous les yeux une charmante jeune fille perdue à jamais, qui se trouvait réduite à une existence purement végétative, incapable de prendre soin d'elle-même. Inga avait signalé le crime à la police. Lorsque le sergent avait appris que la jeune fille violée était une Juive, il avait renvoyé Inga en ricanant : « C'est certainement une putain, Madame Weiss, même si elle cache cette activité à sa famille ! »

Inga épargna à la mère le récit de cette entrevue. Elle lui raconta que la police ferait son possible afin de retrouver les violeurs.

— Mais à quoi bon ? demanda ma mère qui commençait à se démoraliser, cela ne ramènera pas ma fille à la raison. Cela ne lui redonnera pas la santé. Oh, nous sommes condamnées, Inga !

Comme Inga était en train de penser à ma mère, acculée à la solitude, et dont la volonté de fer commençait à faiblir sous la série de coups portés à sa famille, elle entendit le Dr Haefer dire à son infirmière de téléphoner à la maison de santé d'Hadamar pour savoir s'il y avait en ce moment de la place pour une malade. Apparemment, il existait un système efficace pour le transfert des gens dans cette maison, et aux frais de l'Etat.

— Sera-t-elle bien traitée ? demanda Inga. Vous comprenez ce que je veux dire.

Elle voulait dire, évidemment, qu'Anna était juive.

Haefer fit semblant de ne pas comprendre.

— Oui, dans les limites d'une économie de temps de guerre.

— Vous dites qu'elle peut partir dès aujourd'hui ?

— D'ici à quelques heures. Elle peut rester dans mon cabinet jusqu'à ce que l'ambulance vienne la prendre.

Un pressentiment affreux envahit soudain ma belle-sœur. Elle n'avait jamais entendu parler d'Hadamar. A présent, Anna était en train de se balancer lentement, en avant et en arrière, les bras toujours collés contre sa poitrine. On aurait dit qu'elle tentait désespérément de contenir des démons intérieurs, de réprimer une douleur insupportable, pensa Inga. Toute l'affection qu'elle-même et ma mère avaient largement prodiguée à Anna depuis son viol n'était pas parvenue à la libérer de son enfer intérieur.

Le docteur assura à Inga qu'une équipe médicale compétente prendrait Anna en charge à Hadamar. Une thérapie lui serait prescrite. Certains médicaments nouveaux pourraient se révéler efficaces.

L'infirmière entra pour conduire Anna dans une salle d'attente. Inga entoura sa jeune belle-sœur de ses bras, et l'embrassa sur les joues. Mais elle n'eut aucune réaction.

— Anna, Anna, mon petit, je suis Inga, la femme de Karl. Tu dois me reconnaître. Tu ne te souviens plus de Rudi? D'un mariage dans un grand jardin? Et la maison de la Groningstrasse?

Les yeux d'Anna étaient absents de ce monde.

— Quand tu iras mieux, j'irai te chercher. Ta maman et moi, nous te ramènerons à la maison.

Toujours aucune réaction de la part de ma sœur. Inga l'embrassa encore une fois.

— Docteur, je n'arrive pas à comprendre ce qui s'est passé, dit-elle, en pleurant. Elle était la plus vivante et la plus courageuse des jeunes filles. Et maintenant...

— Ces cas sont des énigmes, Madame Weiss.

— Est-ce que j'agis pour le mieux? Je vous en prie, donnez-moi un conseil, Docteur. Peut-être devrait-elle rester avec sa mère et moi... Mais son état a l'air d'empirer.

— Cette jeune fille est très profondément perturbée. Presque autistique. Voyez-vous, son mouvement de balancement particulier, c'est ce que nous appelons la persévération. Un signe indubitable de psychose grave. Vous faites bien de l'abandonner à une surveillance médicale.

Le mot *abandonner* glaça Inga l'espace d'un instant.

Le médecin poursuivait :

— Vous serez tenue au courant de son état. Et veuillez transmettre mes salutations respectueuses à madame votre belle-mère. Une pianiste virtuose, je m'en souviens.

Il ne pouvait pas être un mauvais homme, se dit Inga. Ni un être susceptible de faire du mal à Anna. Poli, sympathique, il avait même conservé le souvenir de ma mère. Après tout, il avait connu mon père, voilà des années.

— Au revoir, Anna, fit Inga.

Anna leva un instant les yeux, comme si quelque part dans son cerveau atteint, une liaison s'était faite, l'avisant qu'une personne qui l'aimait allait sortir de sa vie. Mais les yeux restèrent vagues, la bouche molle.

Avec quelques paroles de réconfort, l'infirmière conduisit ma sœur dans une autre pièce.

Le journal d'Erik Dorf

Varsovie
Août 1940

Hans Frank est gouverneur général de cette partie de la Pologne que nous n'avons pas officiellement annexée au Reich. C'est un homme très brun, à l'air grave, avec une bouche sensuelle. Il veut donner l'impression d'être dur et sévère, mais j'ai senti en lui une certaine faiblesse. Il reste sur la défensive. Comme s'il était l'intellectuel de la classe qui essaie de l'emporter sur des copains sportifs en recourant à un grand déploiement de sa force.

Heydrich m'a envoyé en Pologne pour voir comment fonctionne notre plan de réinstallation. Nous acheminons des centaines de milliers de Juifs vers l'Est, en les rassemblant dans des villes telles que Lublin et Varsovie.

Frank est mal parti avec moi, en m'accueillant ironiquement comme le *nouveau commissionnaire* d'Heydrich. L'expression ne m'a pas plu, et je le lui ai signifié.

— Ne prenez pas cela en mauvaise part, capitaine Dorf ! Vous lui tenez en quelque sorte lieu d'oreilles et d'yeux. J'imagine qu'il vous a envoyé à Varsovie pour m'inspecter. Voir comment j'administre les nouveaux territoires.

— C'est effectivement ce qu'il a fait. Premièrement, vous réclamez quarante mille fonctionnaires de plus pour diriger l'afflux de Juifs et la main-d'œuvre polonaise, et deuxièmement, vous prétendez représenter en Pologne une force supérieure au pouvoir des SS.

Les yeux de Frank devinrent des fentes étroites.

— C'est donc cela. Je sais comment on m'appelle. Le roi vassal de Pologne. On me traite de pillard, de comploteur.

— Venons-en au fait, dis-je, voyant immédiatement qu'il

n'était pas un homme à redouter. Vous envoyer quarante mille fonctionnaires, c'est hors de question. Arrangez-vous pour que les Juifs et les Polonais eux-mêmes dirigent leurs congénères. Nous voulons que la noblesse et l'intelligentsia polonaises soient détruites, ainsi que les prélats les plus influents. La masse des Polonais sera employée à des travaux forcés, de même que les Juifs des ghettos.

— Vous ne manquez pas de toupet pour un jeune blanc-bec de vingt-huit ans, dit Frank. Vous avez dû berner Heydrich.

— Berner Heydrich ?

— Je sais que vous êtes un juriste comme moi. Le parti nous déteste. Le Führer aimerait supprimer tous les juristes d'Allemagne ! Ils lui rappellent les Juifs. Ce qui me sauve, c'est que j'ai tiré les grands pontes de prison dans les années vingt, alors que vous n'étiez qu'un petit morveux.

— Je sais quelles ont été vos activités juridiques pour le parti.

— Et moi, je sais que vous léchez les bottes d'Heydrich. Tout ce que je peux dire, c'est qu'il a engagé de drôles d'employés !

Mon visage devint écarlate, brûlant, à mesure que le sang me montait à la tête. Mais je compris, à ma grande satisfaction, que je n'avais pas peur de Frank. Il est chargé d'une lourde tâche, mais c'est un outsider. J'ai appris d'Heydrich que la force a toujours raison en définitive. Si vous pouvez brandir une menace au-dessus de la tête de quelqu'un, lui faire croire que vous avez l'appui d'une autorité supérieure, lui donner à entendre que si haut qu'il soit vous êtes loin de le craindre, et possédez même le pouvoir de le briser, vous aurez en fin de compte raison de lui.

Je n'ai certes pas l'intention d'être un fidèle reflet d'Heydrich. C'est un général, un véritable meneur d'hommes, et, en un sens, Frank n'a pas eu tort quand il m'a traité d'employé et de *commissionnaire*. Mais j'ai parfaitement senti la complaisance de Frank envers lui-même, et sa veulerie. A vrai dire, il m'a un peu rappelé ce que j'étais voici cinq ans, avant que le parti et les SS ne m'aient donné du nerf, et enseigné l'usage du pouvoir.

Je déposai ma serviette de cuir sur son bureau, et nous échangeâmes un long regard dans l'immense pièce ornée de bannières rouges, blanches, et noires, et de portraits géants du Führer.

J'aurais pu l'inquiéter davantage, mais préférai m'en abstenir. En réalité, les cercles supérieurs du parti ne lui font pas une confiance absolue. Il a toujours à la bouche des propos sur la nécessité des lois et des procédures légales. Cela me rappelle trop bien l'injonction que me fit Heydrich d'oublier les concepts qu'on m'avait inculqués durant mes études de droit. Parallèlement, Frank n'a pas son pareil en matière d'ambition, de soif de sang, d'absence de principes, et de ruse. C'est un mauvais mélange. Les SS le savent, et entendent bien plier cet individu à leur volonté.

— J'en ai marre de tous ces Juifs qu'on me balance, se plaignit-il, alors que je commençais à lui donner lecture de certaines directives d'Heydrich. Vous vous défaussez de ces sales youpins porteurs de germes en Pologne, mais qu'attendez-vous donc que j'en fasse ?

Ma foi, tout allait beaucoup mieux quand les SS les fusillaient à vue, l'année dernière, lors de notre invasion du pays.

— Les indésirables peuvent toujours être supprimés. Les communistes. Les criminels. Les fauteurs de troubles. Pour le moment, les Juifs qui sont productifs, ceux qui travaillent notamment à la fabrication de fournitures destinées à l'armée, peuvent être laissés tranquilles. Et, pour l'amour du ciel, arrangez-vous pour qu'ils administrent eux-mêmes leurs ghettos. Nos SS ne devraient être employés qu'au maintien de la discipline, à la tenue des registres, et à la surveillance des travaux demandés.

L'incohérence d'esprit de Frank me donna du mal à tenir avec lui des propos suivis. Il a beau avoir été avocat, il a les idées embrouillées. Il se mit à tempêter contre nos « territoires juifs autonomes » de Varsovie, Lublin, et Lodz. Ce sont des égouts, dit-il, de véritables cloaques, qu'on ferait beaucoup mieux de détruire.

Puis, sautant du coq à l'âne, il m'amena à la fenêtre et me montra le mur géant que les Juifs sont forcés de construire autour du ghetto de Varsovie. Cela va ruiner l'économie de la ville, se lamenta-t-il. Les Juifs occupent des postes clés en dehors du ghetto. Et on parle de les boucler à l'intérieur. Comment pourra-t-on continuer à faire tourner les usines ? Je répondis que le mur, cette masse constituée de briques, de moellons, de béton, et de pierres, est érigé sur l'ordre direct d'Himmler.

Lorsque je vis qu'il était une fois de plus sur le point d'exploser, je déclarai, d'une voix ferme que l'isolement des Juifs est une chose plus importante que l'économie de la ville. Ce sera à lui, Frank, de trouver le moyen de maintenir le bon fonctionnement des usines et du commerce, au besoin *sans* les Juifs. Il se mit à arpenter à grands pas son immense bureau, et ses talons claquaient sur le plancher ciré. Il mène la belle vie : il se prend pour un chevalier teutonique, un seigneur du Moyen Age, et se fait servir par une armée d'esclaves polonais.

Je le laissai fulminer durant quelques minutes, puis réitérai l'ordre d'Heydrich : un mur autour du ghetto.

Sur ces mots, il pointa un doigt sur moi, me traita de garçon de courses, et cria qu'il savait très bien ce que signifiait le mur.

— Eclairez-moi, monsieur Frank.

— Vous savez diablement bien ce que je veux dire, et ce que vous voulez dire, et ce qu'Heydrich veut dire ! Ce que tout le monde veut dire, à commencer par Hitler ! Les Juifs vont avoir à disparaître. Je lui suggérai de m'informer précisément sur ce qu'il entendait par là.

Son visage était à quelques centimètres du mien. Son haleine était fétide. Ses yeux lançaient des éclairs.

— Disparaître. Voyons, Dorf, que signifie une Europe libérée des Juifs ? Où allons-nous les envoyer ? Dans la lune ?

Pour le coup, je ne me sentais plus du tout l'envie de le harceler. Il approchait l'ultime vérité de plus près que je n'osais le faire, et le dire... au roi vassal de Pologne.

— Peut-être ai-je plus de cœur au ventre que vous ! vociféra Frank. Moi, je ne m'exprime pas à mots couverts comme Heydrich. Il n'y a pas longtemps, j'ai dit à mes hommes que nous pourrions avoir du mal à fusiller ou à empoisonner trois millions et demi de Juifs en Pologne, mais que nous serons capables un jour ou l'autre de prendre des mesures qui aboutiront à leur anéantissement.

— Je sais que vous l'avez fait. C'était contraire aux ordres.

— Vos ordres, c'est de la merde !

L'attitude de Frank m'avait ébranlé. Nous utilisons si souvent des mots de code, à Berlin, nous tournons tellement autour du pot, en nous contentant de faire des allusions voilées à la solution finale, que le langage abrupt de cet homme m'avait désarçonné. Pour me remonter, je m'appuyai sur quelque chose que m'avait dit Eichmann : dans le doute, il faut *obéir*. Un meurtre collectif n'est pas une perspective agréable. Mais si ce n'est pas à proprement parler un meurtre, s'il s'agit d'une mesure de protection, de prophylaxie contre une contamination ? Je conservai pour moi ce genre de réflexions. Un Hans Frank était bien incapable de saisir de telles subtilités.

Il se plaignait à présent, effondré dans son grand siège qui était en fait un trône sculpté. A coup sûr, on l'obligerait, lui, à faire notre sale besogne, et cette idée ne lui plaisait pas. Le temps viendrait, dit-il, où il nous *fourrerait le nez dedans*. Je ne pus résister à l'envie de lui reprocher sa maudite jactance, et sa curieuse façon d'insister sur *la justice et les méthodes légales*. Comme un instituteur patient, je lui citai les propos d'Heydrich. Les vieilles notions de justice sont mortes sous le Troisième Reich. C'est à nous, le bras policier du régime, de décider de ce qui est juste et de ce qui ne l'est pas.

— C'est Heydrich qui s'exprime par votre propre bouche, Dorf !

Je lui fis croire que je prenais sa réflexion pour un compliment.

128

Nous bûmes du cognac, et il tenta de se montrer conciliant. Je l'avais un peu inquiété. Il devrait se taire sur *l'extermination,* accepter le mur du ghetto, laisser les Juifs veiller à leurs propres affaires et procéder eux-mêmes à leur recensement, et aussi prendre des dispositions pour recevoir des centaines de milliers de Juifs en plus.

Il émit un grognement pour me signifier qu'il consentait à tout cela, puis il m'invita à faire le tour du ghetto dans sa voiture officielle.

Le ghetto de Varsovie est un endroit sale et déprimant, preuve que les Juifs sont incapables de mettre eux-mêmes de l'ordre chez eux. Les rues sont jonchées de détritus, avec des papiers çà et là. A mon grand étonnement, je vis même deux cadavres qui gisaient au bord d'un trottoir, dans l'indifférence générale. Ce sont des mendiants ou des vagabonds sans abri, m'expliqua Frank. Peut-être des faibles d'esprit. Les Juifs, prétendument attachés à leur cellule familiale et soucieux de charité envers leurs pauvres, sont en train de se désolidariser les uns des autres, dit-il avec dégoût. Et pourtant, force m'est de constater qu'il subsiste une curieuse vitalité dans cet environnement lugubre. Des marchands ambulants font l'article pour le contenu des petites voitures qu'ils poussent. Des ouvriers tirent des charrettes sur le pavé des rues. Des vieillards entrent dans des synagogues, plongés dans leurs conversations et agitant les mains. Des femmes poussent des voitures d'enfants. Les boutiques, bien que sales et mal approvisionnées, ont l'air de faire des affaires. Contrairement à ce que je pensais, il y a une force vitale certaine chez ces gens-là. Peut-être est-ce la raison pour laquelle ils sont si dangereux.

— Ces imbéciles font comme si de rien n'était, ricana Frank. On va leur apprendre !

Un incident étrange se produisit alors.

Comme notre voiture officielle se trouvait ralentie à un carrefour par une charrette chargée de vieux meubles, je vis un homme grand et un peu efflanqué, en costume sombre, avec un homburg noir tout cabossé sur la tête, qui traversait la rue devant nous. Il portait quelque chose qui ressemblait à une serviette de médecin.

J'eus un moment l'impression qu'il s'agissait du Dr Weiss, l'homme qui avait, dans le temps, soigné ma famille, et plus récemment stabilisé Marta. Cela faisait deux ans que je ne l'avais pas vu, depuis le soir où il était venu me demander d'intervenir en faveur de son fils.

L'homme ne me remarqua pas. Il était accompagné d'un individu plus modestement vêtu, avec lequel il soutenait une conversation animée. Ils entrèrent dans un immeuble qui portait l'indication de *Judenrat,* le Conseil juif de Varsovie, et je les perdis de vue.

Coïncidence stupéfiante... si l'homme était effectivement le Dr Weiss ! Evidemment, je n'ai plus rien à faire avec lui désormais. Il n'est plus rien du tout pour moi. Il est simplement associé à mon passé. Un type bien, pour autant que je me souvienne, mais du genre naïf.

Je demandai à Frank s'il connaissait l'homme à la serviette. Il haussa les épaules.

— Je ne tiens pas de dossier sur chacun des youpins de Varsovie ! On dirait bien un des membres du Conseil avec son drôle de chapeau. Quelle bande de bons à rien ! Il va falloir qu'ils s'organisent mieux, sinon nous devrons en exécuter quelques-uns pour les obliger à s'activer un peu. Dorf, j'ai tué plus que ma part de ces membres des Conseils dans les petites villes, quand ils se faisaient tirer l'oreille. C'est bien cela qui est à l'ordre du jour, n'est-ce pas ? Plus de vieux concepts de justice périmés ! Juste le fusil et la corde de potence, pas vrai ?

Je ne répondis pas. Pendant un long moment, je ne parvins pas à chasser de mon esprit l'image du grand homme efflanqué. Ce n'était probablement pas le Dr Weiss. Et même si c'était lui, qu'est-ce que cela peut me faire ? Il ne semble pas souffrir indûment.

Le récit de Rudi Weiss

Une poignée de Juifs survécut aux horreurs de Varsovie. Certains vivent ici, en Israël, notamment une femme, Eva Lubin, qui habite près du kibboutz Agam. Elle a connu mon père et mon oncle Moïse. Ce fut une combattante de la résistance. Elle participa aux réunions du Conseil avant que celui-ci ne perdît toute sa crédibilité aux yeux des Juifs, et ne fût remplacé par les unités combattantes. Eva me donna beaucoup de détails sur ce qui se passa alors. Le président du Conseil était le Dr Menahem Kohn. C'était un conciliateur, partisan d'exécuter à la lettre tout ce que les nazis ordonneraient.

Mon père, après son altercation courageuse avec le médecin militaire allemand, sur l'usage de drogues toxiques pour le traitement du typhus (de prétendus remèdes qui tuaient les malades dans des souffrances atroces), acquit la réputation d'être un résistant. Rien, à cette époque, n'aurait pu se trouver plus éloigné de la vérité. Il restait un homme circonspect, soucieux de maintenir un certain niveau de soins médicaux, en dépit du terrible entassement des gens, du manque cruel d'installations sanitaires, et de la pénurie de vivres, de combustibles, et de médicaments. Chaque jour, des Juifs mouraient à l'hôpital et ailleurs dans le ghetto. Lui, et son frère Moïse, ainsi que les infirmières, observaient, impuissants. Les enfants constituaient les cas les plus dramatiques. Des douzaines d'entre eux s'entassaient dans des salles infestées de poux, recroquevillés sur eux-mêmes, craintifs, avec des yeux qui leur mangeaient le visage, et de petits corps décharnés. Ils n'arrêtaient pas de pleurer de faim.

Eva se rappelle du jour où il y eut une grande discussion au sujet de la contrebande que le Dr Kohn et la plupart des membres âgés du Conseil considéraient comme un délit grave.

Un homme du nom de Zalman, un simple ouvrier, qui était le représentant des syndicats juifs, avait amorcé la discussion en disant du mur : « Seize kilomètres pour nous enfermer à l'intérieur, avec les Polonais à l'extérieur. C'est une prison, voilà ce que c'est ! »

Mon père en convint.

— Varsovie sera le suprême ghetto de tous les temps, je le crains. Les choses vont empirer.

Il y eut un débat sur l'opération de construction du mur. Kohn insistait pour que les syndicats fournissent davantage d'ouvriers.

Zalman retourna sa casquette entre ses mains d'un geste nerveux avant de répondre :

— Ce ne sera pas facile, Docteur. Ils sont nombreux à savoir qu'une fois le mur construit, nous resterons prisonniers à l'intérieur. Plus de commerce avec les Polonais, plus de travail au dehors. Kohn lui répliqua :

— Mon ami, à Reszow, un Conseil juif exactement comme celui-ci n'a pas réussi à rassembler le nombre d'ouvriers requis. Conséquence : tous les membres du Conseil ont été pendus en public. Nous devons coopérer avec les Allemands. Nous n'avons pas le choix. Nous sommes ce que nous n'avons jamais cessé d'être : des victimes.

— Cela, je ne peux pas le dire à mes camarades du syndicat, fit Zalman.

— Vous feriez pourtant mieux de les mettre au courant, répliqua le Dr Kohn.

Mon père et mon oncle se taisaient. Un silence lourd d'inquiétude et de tristesse plana un moment sur la séance du conseil.

— Nous devons cesser de gémir et de nous lamenter sur le principe du ghetto, reprit le Dr Kohn. C'est tout de même un concept que nous pourrions comprendre puisqu'il existe depuis des siècles ! Nous serons habilités à avoir nos écoles, nos hôpitaux, nos associations communales. Le Commandant en chef des SS en personne me l'a promis. Voyez-vous, messieurs, ils ont *besoin* de nous dans l'industrie et le commerce, dans l'économie polonaise.

Le silence accueillit ses propos.

Après quelques instants, mon père interrogea :

— Pendant combien de temps vont-ils avoir besoin de nous ?

— Je vous demande pardon, docteur Weiss ?

— Docteur Kohn, je vous demande pendant combien de temps ils vont encore avoir besoin de nous. Pendant combien de temps plusieurs milliers de pauvres Juifs présenteront-ils un intérêt à leurs yeux. A la longue, nous risquons de constituer un fardeau pour eux. Alors... Le docteur Kohn secoua la tête.

— Nous n'avons pas d'autre alternative que de coopérer de toutes les façons possibles. Assurer les corvées de travail. Nettoyer la ville. Entretenir les usines en état de marche.

Moïse l'interrompit.

— J'ai entendu dire que ces corvées de travail ne sont pas ce qu'il était prévu qu'elles soient. On bat des hommes à mort, pour de légères infractions.

Zalman renchérit :

— C'est la vérité. J'ai fait partie de plusieurs de ces corvées. Nous ne sommes pas traités comme des ouvriers, mais comme des esclaves.

— Mais nous n'avons absolument pas le choix, nous devons exécuter les ordres, dit le Dr Kohn sur un ton solennel. Nous ne pouvons pas résister. Nous ne devons pas résister. Pas de contre-bande, ni de marché noir, ni de tentatives de sabotage. Nous ne pouvons que prier afin que la situation s'améliore.

Eva Lubin, qui était présente à la réunion, se rappelle que mon oncle Moïse murmura alors à mon père : « Dieu entendra-t-il sa prière ? »

En octobre, trois mois après qu'Anna eut été envoyée à l'hôpital psychiatrique d'Hadamar, ma mère reçut une lettre officielle de l'établissement. Elle était brève, et portait la signature d'un « Directeur des Services ».

Une curieuse lettre. Elle avait été dactylographiée sur un papier qui avait pour en-tête : « Fondation Charitable pour les Soins Mentaux, Hadamar, Allemagne. »

Elle disait qu'Anna Weiss, âgée de dix-huit ans, était morte d'une « pneumonie avec complications ». Sans indication de date.

On avait pris la liberté de faire incinérer son corps, afin de prévenir tout risque de contagion. Ultérieurement, Mme Weiss serait informée de l'endroit où se trouvait l'urne de sa fille.

Maman eut une crise de nerfs. Elle sanglota pendant des jours. Elle était inconsolable. Anna avait été le bébé de la famille, la plus brillante de nous trois, l'enfant qui manifestait la plus grande joie de vivre. Il était inconcevable pour ma mère qu'elle pût mourir de la sorte, sans affection auprès d'elle, avec un cerveau détraqué et des espérances brisées. Elle avait pu supporter l'incarcération de son fils Karl... Après tout, il était resté en vie. Même ma disparition lui avait semblé admissible. Mais la mort d'Anna fut pour elle comme un coup de poignard dans la région du cœur, une douleur qui ne cesserait jamais de se faire sentir.

— C'est ma faute, dit-elle en pleurant à Inga. J'ai demandé à ce qu'on l'emmenât d'ici.

— Non, maman, dit Inga. Nous avons jugé toutes les deux que cela valait mieux pour elle... Elle ne pouvait plus mener une existence normale.

Mais les deux femmes regrettaient cette décision qu'elles avaient prise. De la part de la famille Helms, il y eut quelques formules de condoléances polies, mais sans plus. Inga entendit ses parents marmonner qu'Anna s'était elle-même attiré tous ses ennuis en allant courir dans les rues la nuit de la Saint-Sylvestre.

Dans les semaines qui suivirent la mort d'Anna, ma mère sembla souvent sur le point de perdre la raison. Mais chaque fois que ses sanglots convulsifs redoublaient au point d'inquiéter sérieusement Inga, ses réserves d'énergie refaisaient surface, et elle s'appliquait à reprendre son équilibre en pensant à Karl, à moi, et à mon père.

— Nous nous retrouverons tous un jour, disait-elle souvent. Je le sais. Nous garderons toujours le souvenir d'Anna. Quand Karl et Rudi auront des enfants, ils donneront à une petite fille le prénom d'Anna. Inga, vous rappelez-vous comme elle était taquine ? Comment elle jouait avec Rudi ? Les jeux qu'ils inventaient ?

— Je m'en souviens. Nous n'oublierons jamais notre Anna.

Je n'appris les circonstances exactes de la mort de ma sœur que plusieurs années plus tard, lorsqu'Inga eut vent de la réalité. Anna avait été l'une des 50 000 victimes (chrétiennes aussi bien que juives) du programme nazi dit d'*euthanasie*.

A Hadamar, ce n'était pas dans une maison de santé qu'on l'avait transportée, mais dans l'un des premiers prototypes de ces installations de chambre à gaz, dont l'usage généralisé permit l'extermination de millions de Juifs.

Il y eut douze centres semblables à celui d'Hadamar, et l'Etat décidait lui-même de l'opportunité d'envoyer les gens à la chambre à gaz, sans consulter les familles de ses victimes.

De cette manière, les infirmes, les faibles d'esprit, les arriérés mentaux, les paralytiques, etc., furent amenés dans ces usines à tuer, dépouillés de leurs vêtements, revêtus d'un papier d'emballage, et asphyxiés par les gaz d'échappement d'énormes machines à combustion interne.

Cette opération fut lancée en 1938 pour se poursuivre durant plusieurs années. On prit soin de l'entourer de mystère, mais le secret transpira petit à petit. Ce fut, en quelque sorte, la répétition générale de ce qui allait devenir le modèle type de l'extermination des Juifs, et de beaucoup d'autres gens, quelques années plus tard.

Au cours de mes recherches, j'ai appris que, lorsque le Vatican reçut la confirmation de la mise à mort de ces « personnes inutiles », il envoya de vives protestations à Berlin. Le clergé protestant exprima également son indignation. Les idiots, les mongoliens, les crétins, les infirmes, étaient tous des enfants de Dieu, tinrent-ils tous à affirmer. Ce fut ainsi que le programme d'*euthanasie* se trouva discrètement abandonné. Mais ce projet ne fut jamais totalement écarté.

Lorsque les Juifs furent gazés par millions, aucune protestation ne fut émise par les honorables dignitaires ecclésiastiques. Pas un mot. Sauf de la part de quelques personnes courageuses qu'on aurait pu compter sur les doigts d'une seule main.

J'éprouve aujourd'hui le besoin de relater ces choses d'une façon aussi neutre et froide que possible. Peut-être pour m'épargner de verser des larmes, ma vie durant, sur le meurtre de ma sœur bien-aimée.

Le journal d'Erik Dorf

Berlin
Novembre 1940

Un informateur anonyme a averti hier mon bureau qu'un certain prêtre fait des sermons subversifs contre notre politique raciale.

L'homme s'appelle Bernard Lichtenberg. C'est le doyen de la cathédrale Sainte-Hedwige. Un individu d'une soixantaine d'années. Je sais peu de choses sur lui, et me demande bien ce qui a pu le pousser sur cette pente dangereuse. La grande majorité des églises, catholiques et protestantes, ont, soit soutenu notre action, soit conservé une prudente neutralité.

J'ai donc décidé d'assister à un office du soir à Sainte-Hedwige. (Je ne suis pas catholique et ne fréquente plus les lieux de culte depuis mon enfance. Mes parents étaient luthériens, mais mon père n'avait guère de sympathie pour les religions établies.)

Il n'y avait pas grand monde dans l'église. Les deux tiers des chaises étaient vides. Peut-être le bruit s'était-il répandu que Lichtenberg critiquait l'Etat. De fait, au cours de son sermon, une douzaine de personnes se levèrent et s'en allèrent.

Le vieux prêtre progressait sur un terrain dangereux. Je n'ai personnellement rien contre cet homme, mais tout individu qui sabote notre action doit être remis dans le rang. Ce sont les ordres d'en haut.

— Prions en silence, dit le Père Lichtenberg, pour les enfants d'Abraham.

Ce fut sur cette injonction que quatre ou cinq fidèles s'en allèrent. D'autres, de façon très ostensible, n'inclinèrent pas la tête, et ne prièrent pas du tout.

— A l'extérieur, poursuivit le prêtre, la synagogue est en train de brûler, alors qu'il s'agit également d'une demeure de Dieu. Dans beaucoup de nos foyers, il circule un journal provocateur avertissant les Allemands que, s'ils témoignent d'une fausse sentimentalité envers les Juifs, ils commettent une trahison. Cette église-ci et son prêtre prieront pour les Juifs, parce qu'ils sont dans l'affliction.

Une demi-douzaine de personnes se levèrent et partirent.

— Ne vous laissez pas égarer par des pensées si contraires à la doctrine chrétienne, mais agissez selon le commandement du Christ qui est très clair : « Tu aimeras ton prochain comme toi-même ».

J'attendis la fin de sa messe, puis descendis la nef et pénétrai dans la sacristie. J'étais en civil, estimant un peu déplacé de venir à l'église en uniforme. (Bien qu'un grand nombre de nos hommes soient de bons catholiques ou de fervents protestants, et suivent régulièrement les offices religieux en uniforme.)

Le Père Lichtenberg retirait sa chasuble avec l'aide d'un vieux sacristain. Je m'approchai de lui et lui montrai ma carte d'identité et mon insigne de SS.

— Capitaine Erik Dorf, fit-il, comment puis-je vous aider, mon fils?

— J'ai écouté votre sermon avec beaucoup d'intérêt.

— Et en avez-vous tiré un enseignement?

— J'ai appris que vous êtes un homme de cœur, mais que vous êtes très mal informé.

Le regard de ses yeux sensibles et fatigués se posa sur moi. J'aurais voulu ne pas avoir à lui infliger un blâme.

— Je sais ce qu'il arrive aux Juifs. Et vous aussi, Capitaine.

Plutôt que de le chapitrer, je fis quelques pas autour de la table de la sacristie, et repris en pesant mes mots :

— Mon Père, le Pape Pie XII, voici quelques années, a conclu un concordat avec le Führer. Le Vatican a répété à de nombreuses reprises qu'il considère l'Allemagne comme le dernier bastion de l'Europe chrétienne contre le bolchevisme.

— Cela ne justifie pas la torture et le massacre d'innocents, Capitaine.

— Personne n'est torturé. Je n'ai pas entendu parler de massacre d'innocents.

— J'ai vu les Juifs battus, et contraints à défiler dans les rues. Je les ai vus jetés en prison sans motif…

— Ce sont les ennemis du Reich. Nous sommes engagés dans une guerre, mon Père.

— Contre des armées, ou contre des Juifs sans défense ?

— Il est de mon devoir de vous prier d'être plus modéré dans vos remarques, mon Père. D'autres ecclésiastiques n'ont éprouvé aucune difficulté à concilier leur foi avec notre régime. A Brême, la semaine dernière, une église nouvelle a été consacrée au nom du Führer.

Il n'était pas homme à lâcher son point de vue.

— J'ai entendu des récits qui m'ont été faits par nos soldats à leur retour du front de Pologne, dit le prêtre. Ils vont très au-delà d'un simple regroupement de races prétendument étrangères.

— Des confessions de jeunes gens qui étaient fatigués par leurs combats ! Vous ne devriez pas faire grand cas de telles histoires.

— Mais en tant que prêtre, je dois écouter, et donner l'absolution. Je suivrai ma conscience en la matière.

C'était un vieil entêté, assez correct, mais totalement fermé à nos vues, et à nos objectifs. Je pris congé poliment, en lui disant de ne pas laisser sa conscience lui attirer des ennuis.

Il me remercia et me tourna le dos. Je l'entendis alors dire au sacristain :

— Quel jeune homme charmant et intelligent ! La contribution de l'Allemagne à l'ère nouvelle !

Je perçus le sarcasme de son propos, et me promis intérieurement de placer cet homme sous surveillance.

Le récit de Rudi Weiss

Ma mère finit par être arrêtée et envoyée à Varsovie.

Je crois qu'elle accueillit presque avec joie ce nouveau coup. Bien qu'elle eût pu rester quelques mois encore dans l'ancien studio de Karl, son état général se détériorait à cause de la perte d'Anna et de l'absence de son mari et de ses fils. Peut-être fut-elle « dénoncée » par quelqu'un de la famille Helms. Inga jure que ses parents n'ont rien dit, bien qu'ils n'aient jamais cherché à dissimuler leur haine pour ma mère.

Quoi qu'il en ait été, elle fut arrêtée dans une rafle générale de ce quartier de la ville, embarquée dans un wagon à bestiaux, avec des centaines d'autres Juifs berlinois, pour la plupart des femmes et des enfants, et envoyée à Varsovie.

Mon père était occupé à soigner des enfants dans une salle de l'hôpital juif qui leur était consacrée lorsqu'il apprit qu'une certaine Berta Weiss, affirmant être sa femme, était arrivée à l'Umschlag-platz, la place de triage proche de la gare centrale du ghetto.

Max Lowy, l'imprimeur, le fidèle client de la Groningstrasse, vint en courant apporter la nouvelle. Mon père et une femme du nom de Sarah Olnick, qui était infirmière, s'efforçaient de procurer de la nourriture et des médicaments aux enfants malades. Il en mourait chaque jour et les survivants se pressaient autour d'un poêle éteint, en gémissant, incapables de résister aux maladies qui ravageaient le ghetto.

Lowy affirmait avec insistance qu'il avait vu ma mère. Sur-le-champ, mon père quitta l'hôpital et courut pratiquement tout le long du chemin jusqu'au bureau d'enregistrement de la gare.

Ainsi se trouvèrent-ils réunis, près de deux ans après la déportation de mon père.

Les lettres que ma mère écrivit à Karl (et qui ne furent apparemment jamais postées, ou bien qu'on renvoya et qu'Inga conserva précieusement) révèlent la véritable profondeur de ses sentiments à l'égard de mon père. En présence de ses enfants, elle ne se départait jamais de sa réserve, en digne fille d'un ancien officier de la vieille école.

Mais les lettres qu'elle écrivait exprimaient tout autre chose. En voici un exemple :

C'est peut-être de ma faute, mon cher Karl, si tu es aussi timide et, devrais-je dire, aussi effacé que cela. Je n'ai jamais véritablement manifesté d'amour profond, ni d'émotion envers ton cher père, ni, à vrai dire, envers mes enfants. Cela ne signifie pas que je ne vous aime pas tous. Comment pourrais-je ne pas le faire ? Ton père est la bonté même. Il traite les plus humbles de ses clients, les pires ronchonneurs, les pires mendiants, et les pires coquins, avec les égards qu'il aurait envers un prince. Et pour ce qui est de ses honoraires jamais payés... et de son talent de ne jamais les réclamer !

Il me déconcerte parfois, et je sais qu'il est meilleur que moi. A mon amour pour lui se mêle une certaine forme d'émerveillement, de respect devant son infinie bonté. Tu as également cela en toi, Karl...

Ma mère avait toujours été dépourvue de cette aptitude à témoigner ouvertement de sa chaleur intérieure, de ses émotions profondes. Fille unique, élevée dans une atmosphère de serre par des parents stricts, elle était avare de baisers et de caresses, pour ne rien dire des questions sexuelles.

Mais, cette fois-là, mon père et elle n'eurent pas honte de s'embrasser comme de jeunes amoureux. Il la plaisanta sur son insistance à vouloir rester dans la file des nouveaux arrivés pour se faire enregistrer, disant qu'elle était toujours la même Berlinoise respectueuse des règlements. Il lui assura que même dans le pitoyable ghetto de Varsovie, il y avait une bureaucratie stupide, qu'elle pouvait attendre un peu avant d'aller à l'enregistrement, et il l'entraîna dans ce qui passait pour un café, en prétendant qu'il s'agissait là d'un palace.

— Là où il y a des Juifs, dit mon père, il doit y avoir des lieux publics où les gens puissent s'asseoir, se tenir les mains, et échanger des propos. Même s'il s'agit d'un café... qui ne sert pas de cafés !

Ils restèrent un moment à se contempler. Tous deux avaient vieilli. La douleur les avait frappés, creusant leur visage de rides.

— Tu me caches quelque chose, dit mon père. Il connaissait bien sa façon d'être et ses réactions.

— Joseph... Anna est morte.

Elle lui parla de la curieuse lettre qu'elle avait reçue d'Hadamar, de la mort d'Anna survenue à la suite d'une pneumonie, dans la maison de santé. Inga avait tenté d'en savoir davantage, de retrouver trace d'une tombe, mais elle s'était heurtée à une fin de non-recevoir.

Mon père pleura ouvertement, incapable de contrôler sa douleur. Ma mère lui mentit sur les événements qui l'avaient amenée à la mort. Il ne sut rien de son viol avec coups et blessures, par des canailles ivres, et qui avait provoqué son déclin mental.

— Elle n'a pas souffert, dit ma mère. Le personnel de l'hôpital dit que les médicaments ont endormi sa douleur et qu'elle est morte paisiblement.

— Je n'arrive pas à le croire, sanglotait-il. Mon enfant. Mon Anna. Au nom du ciel, que veulent-ils de nous ? Quel tribut exigent-ils ? Les vies de nos enfants ?

Il resta un long moment silencieux, la tête inclinée, les mains contre les yeux, pendant que ma mère racontait ses pieux mensonges sur Anna. Il était trop bon médecin pour accepter la fable d'un déclin mental sans motif. De tels effondrements moraux, fit-il valoir, en s'efforçant de surmonter son immense chagrin par un recours à l'analyse médicale, sont d'ordinaire provoqués par un trauma d'un genre ou d'un autre. Quelque chose était-il arrivé à Anna ? Non, soutint ma mère, ce fut une simple dépression qui s'empara d'elle petit à petit.

— Cette vie qu'elle avait en elle... cette vie... murmura-t-il à travers ses larmes. Ils l'ont tuée.

Il comprit en cet instant qu'aucune indignité, aucune humiliation, aucune torture ne nous serait épargnée... à nous, la famille Weiss ; non plus qu'aux Juifs d'Europe. Pour le reste de sa vie, il serait incapable de dissiper la vision de sa fille perdue.

Ma mère tenta de passer à un autre sujet. Elle posa des questions sur la situation à l'intérieur du ghetto de Varsovie. Y avait-il du travail pour lui ? Où vivraient-ils tous les deux ? Avec son optimisme invétéré, sa capacité à voir le beau côté des choses, elle dit qu'elle était volontaire pour enseigner à l'école. Elle avait appris que les établissements scolaires du ghetto, en dépit de toutes les privations, connaissaient une grande activité, qu'ils regorgeaient d'élèves avides de s'instruire. Elle serait heureuse de faire des cours de musique, et peut-être aussi de littérature.

Mon père se montra d'accord, mais ne put s'empêcher de revenir sur le sujet de la mort d'Anna.

— Je n'arrive pas à croire qu'elle n'est plus de ce monde. Tu ne m'as pas tout dit. Où était donc cet hôpital ? Quel en était le médecin-chef ?

Ma mère lui prit la main.

— Joseph, pleure si cela peut te soulager. Mais cela ne nous rendra pas notre fille. Peut-être... peut-être... est-ce mieux ainsi.

— Mieux ainsi ? La vie est toujours préférable à la mort.

— Je n'en suis pas si sûre. Ne me questionne pas davantage là-dessus, s'il te plaît.

— Et les garçons ?

— Karl est toujours en prison. Oui, il est vivant, il arrive à s'en tirer. Inga dit qu'elle n'a pas renoncé à essayer de le voir. qu'elle tentera de faire agir des relations pour qu'on le libère.

— Rudi ?

— Envolé. Notre insoumis... Notre combattant des rues. Il a disparu, une nuit. Le lendemain, à mon réveil, j'ai trouvé un billet disant que nous ne devions pas nous inquiéter à son sujet, mais qu'il ne voulait pas rester pour se faire arrêter à son tour, un jour ou l'autre.

Mon père eut un hochement de tête.

— Ils me manquent terriblement. Je ne leur parlais pas suffisamment, je ne leur consacrais pas assez de temps à Berlin. Combien je voudrais qu'ils soient ici, avec nous ! Cela me permettrait de mettre bien des choses au point. Un jour, je me rappelle, j'ai dû infliger à Rudi une grosse déception. C'était la première fois qu'il jouait demi-centre dans un grand match. Il était le plus jeune de l'équipe avec ses seize ans. Et je l'ai lâché pour courir à une conférence de médecine. Il a dit que cela lui était égal, mais je me suis bien rendu compte de son désappointement.

— Joseph, nous réglerons toutes ces choses quand ceci aura pris fin.

— Oui, oui, naturellement. Et puis, nous n'allons pas nous appesantir sur nos malheurs. Il y a des centaines de milliers de gens plus mal lotis que nous. Au moins, nous avons du travail, et de quoi manger, et un logement convenable.

Ils se levèrent pour quitter le café, en se tenant par la main, comme de jeunes amoureux.

— Joseph, dit ma mère, je ne t'ai jamais aimé davantage qu'en ce moment.

— C'est la même chose pour moi. Je t'aime aujourd'hui plus que jamais... Mon Dieu, quand je te regarde, je vois Anna.

— Mais tu ne dois plus pleurer, fit-elle en s'emparant fermement de son bras. Maintenant emmène-moi dans cet élégant appartement.

— Il faut que je dise, il n'y a qu'une seule pièce, au-dessus de la vieille pharmacie.

— Et pas de piano ? Pas de Bechstein ? Tu sais, je t'abandonnerai peut-être s'il n'y en a pas !

— Nous n'aurons pas de piano, dit mon père, mais il nous reste tous les souvenirs de celui que nous avons eu.

Quelque temps avant Noël, Inga reçut une lettre du sergent Heinz Muller qui lui disait de venir à Buchenwald. Tout en restant dans le vague, il donnait à entendre qu'il pourrait peut-être lui offrir la possibilité de voir Karl. Il ne pouvait rien promettre, mais essaierait de faire quelque chose. Et il lui ordonnait de brûler la lettre.

Ma belle-sœur était une femme courageuse et tenace. Elle fit semblant d'être une promeneuse en excursion, avec ses grosses chaussures et son sac à dos, et s'approcha hardiment de l'enceinte extérieure du camp de concentration. Il y aurait beaucoup à dire sur les femmes qui sont indépendantes et pleines de ressources, sur le terrain offert en cela par la classe ouvrière. Inga était en avance sur son temps.

Evidemment, elle fut arrêtée par des sentinelles armées. Elle pouvait voir la double rangée de fils de fer barbelés, une haute palissade, des miradors, et un fossé tout autour de la palissade.

Au loin, sur le sol glacé du camp, elle distingua des hommes qui portaient des vêtements à rayures. Ils creusaient la terre durcie avec des pioches et des pelles. Leurs gestes étaient lents. Un SS se précipita dans sa direction en courant afin de la chasser de là, mais elle insista pour voir le sergent Heinz Muller, un vieil ami à elle. Le simple soldat, impressionné par son assurance, passa un coup de fil à Muller, et enjoignit à Inga d'attendre à l'extérieur de l'enceinte du camp.

Muller sortit du bâtiment des gardiens, bouclant le ceinturon de son uniforme, et lissant ses cheveux en arrière. Il souriait d'un air cordial, presque onctueux.

D'un geste, il chassa la sentinelle curieuse, et tendit les bras à Inga, en signe de bienvenue. Elle recula légèrement.

— Ainsi, vous avez reçu ma lettre.

— Oui, dit-elle.

— Comment allez-vous, ma chère ? Chère et honorable Madame Weiss.

— Je ne vais pas mal. Je suis venue afin de voir Karl. Vous avez dit dans la lettre que vous pourriez m'offrir cette possibilité.

Muller regarda au loin, dans la direction des prisonniers qui travaillaient en plein air, cinglés par le vent d'hiver. Inga se rappelle qu'il y avait de la neige dans l'air.

— Les règlements sont devenus plus sévères, dit-il. Je n'ai pas d'autorité directe sur les détenus.

— Alors pourquoi m'avez-vous trompée ?

Les yeux de Muller fuyaient le regard direct d'Inga.

— J'ai eu le sentiment que je devais bien une petite faveur à votre famille. Ce sont de vieux amis.

— Je veux voir Karl.

Il lui prit le bras.

— Avez-vous peur de moi ?

— Non. Je vous connais trop bien. Et d'autres de votre

espèce. On ne doit pas témoigner de crainte envers des individus comme vous. Mon beau-frère Rudi l'a parfaitement compris.

— Ah ! Ce footballeur stupide ! On l'attrapera bien, lui aussi, et on s'occupera de lui.

— Emmenez-moi auprès de Karl.

— Venez. Nous allons discuter de cela dans le bâtiment des gardiens. Il y a là une salle pour les visiteurs.

Par une porte latérale, il la conduisit à un bâtiment qui ressemblait à un baraquement. Elle vit immédiatement qu'il ne s'agissait pas du tout d'une salle pour les visiteurs, mais de son logement personnel. Un lit, un bureau, des chaises, des photographies sur les murs.

— C'est votre chambre, fit-elle.

— S'il vous plaît, asseyez-vous. Les visiteurs sont toujours les bienvenus.

Inga s'assit.

— Cigarette ? fit Muller. Peut-être un petit verre de cognac ? Rien n'est trop bon pour nos braves soldats qui gardent les ennemis du Reich. Nous faisons un aussi bon travail ici que ceux qui vont au front.

— Je suis venue pour une seule et unique raison. Voir mon mari.

— Peut-être prendrez-vous une tasse de café ? Pas de l'ersatz. Du vrai café.

Elle fit non de la tête.

— Ah, cet entêtement des Helms ! dit-il en posant une main sur l'épaule d'Inga.

Il entreprit ensuite de lui caresser la nuque.

Elle le supporta un instant, puis ôta cette main importune en lui demandant :

— Comment va-t-il ?

— Pas trop bien, je regrette d'avoir à vous l'apprendre. Il s'est attiré des ennuis dans son block. Il a dû voler de la nourriture et se bagarrer. Je ne sais pas trop. On lui a retiré son travail douillet de l'atelier de couture. Il est à la carrière, maintenant. A vrai dire, lui et un de ses amis, un youpin appelé Weinberg, ont été pendus durant un petit moment.

— Oh, mon Dieu ! Oh, mon pauvre Karl !

— Oui. Il ne fait pas bon trimer là-bas, avec une pioche et une pelle. Les gardiens ne laissent personne tirer au flanc. Ils travaillent jusqu'à ce qu'ils tombent, quelquefois. Et à présent, avec l'hiver qui vient...

Inga se leva, furieuse, mais contenant son indignation.

— Vous m'avez menti ! Quel bel ami de mon père vous êtes !

142

Vous m'avez fait venir ici sous un faux prétexte. Je ne peux pas voir mon Karl. Et j'apprends qu'on est en train de le tuer au travail. J'ai entendu parler de ce qui se passe ici.

— Des bêtises ! Ici, on travaille et on s'en tire. Ou bien on ne travaille pas et on a des ennuis.

Inga aimait mon frère d'un amour profond, et l'idée qu'il souffrait, que cet homme fragile était dehors, dans la carrière enneigée à casser des rochers, exposé aux coups et en danger de mort, brisa sa volonté de fer. Elle prit sa tête dans ses mains, et pleura silencieusement.

Muller la fit asseoir sur une chaise, et s'assit lui-même en face d'elle, sur son lit. Il posa une main amicale sur son genou.

— Ne pleurez pas, je vais vous aider.

Inga leva les yeux, honteuse de ses larmes.

— Comment ? Vous pouvez le faire libérer ?

— Je ne suis qu'un sergent. Mais... je pourrai lui porter une lettre de vous.

— Vraiment ?

— Et puis, je prendrai sa réponse, et je vous l'enverrai à Berlin, par la poste.

— Je vous en serai reconnaissante.

— Pour vous, Inga Helms, c'est avec joie que je le ferai.

Il souleva de la main le menton de ma belle-sœur. Inga se rappelle encore aujourd'hui que pour un ancien ouvrier d'usine, il avait une main étonnamment douce, comme si la vie facile qu'il avait menée ces dernières années avait fait de lui un autre homme. Il s'était également parfumé avec une eau de toilette.

Il s'agenouilla devant elle. Elle eut un mouvement de recul.

— Non, non, s'il vous plaît, fit-il. Je ne suis pas un monstre. Je fais mon travail, c'est tout.

— C'est bien autre chose que du travail ce que font les gens comme vous.

— Les gens comme *vous*, Inga ! Condamnerez-vous une nation tout entière, qui lutte pour ses droits, pour son existence ? Il faut bien que des gens s'occupent des ennemis de l'intérieur.

— De grâce, Muller, épargnez-moi ces discours dans la ligne du parti.

— C'est bon. Revenons-en à nous deux. Vous me connaissez depuis longtemps. Je suis un vieil ami de votre père et de votre frère. J'étais présent à votre mariage. Je vous ai vue épouser ce Juif d'une famille de gommeux. Et moi ? Et moi dans tout ça ? Ouvrier métallo toute ma vie, sans instruction. Fallait-il que je sois méprisé, mortifié à cause de ça ? Inga, je vous aimais davantage que ce... ce...

— Ne dites pas cela, Muller.

— C'est la vérité. J'étais malheureux à en crever quand je vous ai vus échanger vos anneaux. Vous auriez dû devenir ma femme.

— Je vous en prie, ne parlez plus de cela. J'ai apporté une lettre avec moi. Remettez-la-lui pour moi.

Elle ouvrit le sac à dos, en sortit la lettre, et la donna au SS.

Muller la contempla comme s'il s'agissait d'un objet empoisonné, ou susceptible d'exploser entre ses mains.

— C'est risqué, Inga, ce que vous me faites faire là. Mais pour vous... pour votre famille... Heinz Muller prendra le risque.

Ce fut alors qu'il déboutonna sa tunique et la déposa sur le dossier d'une chaise. Inga se leva pour partir. Il se mit devant la porte, et lui barra le passage. Puis il la força à revenir auprès du lit.

— Votre Karl, dit-il, je l'ai vu hier. Dans un état lamentable. Quelques jours de plus à la carrière peuvent le tuer.

— Vous aviez dit qu'il n'allait pas trop mal.

— Je ne voulais pas vous affoler. Mais à présent, je vous dis la vérité. Ici, il y a tous les jours des gens qui meurent.

— Faites quelque chose pour lui, je vous en supplie.

Muller commença à déboutonner sa chemise.

— J'ai un peu plus d'influence que je ne le laisse voir. Si nous arrivons à nous mettre d'accord, tous les deux, je le tirerai de la carrière. Je lui ferai obtenir un travail plus agréable encore que celui de l'atelier de couture. Ils ont un atelier de peinture, ici. Ce sera parfait pour lui.

— Quelle sorte d'accord?

— Je crois que vous comprenez, répondit-il en débouclant son ceinturon.

— Sale cochon!

— Une semaine encore à creuser le roc, dehors, par ce froid, et il fera un Juif mort de plus.

Il vint à elle, rasé de près, sentant une eau de Cologne bon marché, et se mit à couvrir son visage de petits baisers humides. Puis, sous le poids de son corps massif, Inga tomba à la renverse sur le lit. Elle le laissa relever sa robe. Il essayait d'être doux, mais ses mains fébriles trahissaient la brutalité de sa passion.

Dans sa répugnance et son dégoût, elle trouva le moyen de combattre sa haine envers lui et son horreur de ce qu'il l'obligeait à faire. Elle fixa des yeux le plafond du baraquement, écoutant ses grognements, ses gémissements, acceptant son ardeur maladroite, le détestant. C'est purement mécanique, se dit-elle intérieurement, comme un acte de petite chirurgie, ou l'ajustement d'une prothèse orthopédique. Il se mit à haleter très fort, gémit, et, chose curieuse, ce fut tout de suite fini. Oui, se dit-elle, c'est purement mécanique, sans rien d'humain, en réalité, ni même rien de physiologique.

— Je t'aime, bon sang ! fit Muller en gagnant d'un pas mal assuré sa petite salle d'eau. Je t'aime, tu reviendras, et tu m'aimeras.

Elle ne répondit pas, mais pensa qu'elle serait peut-être bien capable de le tuer avant.

J'ai perdu toute notion du temps qu'Hélèna et moi passâmes à tenter de gagner un pays qui ne fût pas occupé par les nazis. Nous errions toujours. Son don pour les langues étrangères nous fut d'une aide inestimable : le tchèque, l'allemand, et par la suite le russe qu'elle parlait à la perfection. Moi, je jouais à l'ouvrier agricole un peu faible d'esprit, et prenais la parole aussi peu que possible.

Un jour, qui doit se situer en janvier 1941, après avoir passé la nuit dans une grange abandonnée, j'interrogeai un vieux paysan qui me parla d'une portion de frontière sans grande surveillance, à peu de distance de là, vers le sud. Il dit que la route bifurquait, et que la voie de droite menait à un bois épais d'où l'on pouvait voir l'est de la Hongrie d'un côté, et même un méandre de la Tisza. Le terrain était plat, précisa-t-il, et l'on peut trouver sans trop de difficulté la barrière de barbelés.

Quand la nuit fut venue, j'emmenai Hélèna à l'endroit qu'il avait décrit. Au cours de ma vie errante, j'avais acquis un œil de lynx, et mon instinct s'était beaucoup développé. Je pouvais voir la nuit, et presque flairer le chemin vers un cours d'eau ou vers des lieux habités. L'odeur caractéristique de l'homme se sent de loin dans la campagne.

Nous traversâmes à quatre pattes des fourrés broussailleux pour atteindre une barrière à quatre rangées de barbelés. Mes cisailles entrèrent en action. En quelques minutes, Hélèna et moi, le dos contre le sol, en prenant appui sur nos talons pour progresser, écorchés au passage par les ronces et les barbelés, pénétrâmes en Hongrie. Nous n'avions aucune idée de ce que pouvait être le village le plus proche, ni de l'histoire que nous serions amenés à raconter.

J'étais devant. Elle me suivait. Mon nez décela l'odeur. Mais trop tard. Un homme venait de s'écarter de l'arbre qui l'avait dissimulé jusque-là, et pressait à présent contre mon ventre l'extrémité d'un fusil à canon court. C'était un homme petit et gros, vêtu d'un uniforme gris-vert, avec des bottes et un képi pointu.

— Va contre l'arbre, dit-il.

Hélèna tressaillit. L'homme parlait allemand, mais j'étais certain qu'il n'était pas un Allemand. Ce devait être un garde-frontière hongrois. La langue allemande était couramment utilisée dans les régions frontalières.

— Papiers ! dit le garde.

— Nous les avons perdus, déclarai-je.

— Les mains sur la tête, tous les deux ! dit-il en promenant sur nous le rayon lumineux d'une torche, sans lâcher le fusil qu'il conservait dans son autre main. Qu'est-ce que vous faites là ?

— Je vous en prie, dit Hélèna, nous essayons de gagner la Yougoslavie. La côte Adriatique. Accordez-nous une chance.

— Nous pouvons payer, lançai-je avec aplomb.

(Ce n'était pas vrai : nous n'avions pas un centime à nous deux.)

— Sales Juifs ! dit le Hongrois. Vous êtes tous les mêmes. Vous croyez que vous pouvez vous acheter le monde entier.

Je le jaugeai du regard. Environ trente-cinq ans. Un gros ventre. Des pieds petits. L'air mou. Il me suffirait de quelques coups bien assenés, à condition de l'attaquer par surprise.

— Laissez-nous un peu de répit, dis-je. Nous ne voulons de mal à personne. D'ici à quelques jours, nous pourrions être en Yougoslavie.

Le garde fit un geste avec son fusil.

— Allez, avancez ! Toi devant, la femme derrière. Si tu tentes quoi que ce soit, je t'abats. Avance vers le chemin.

— Où nous emmenez-vous ? demanda Hélèna.

— A la prison de la frontière. La Gestapo nous envoie un camion plusieurs fois par semaine afin de ramasser les Juifs, les communistes, et les autres fuyards de la Tchécoslovaquie.

— La Gestapo ? fit-elle.

— Oui, la Gestapo. Nous n'avons pas de problème avec elle. Nous sommes heureux de leur renvoyer quelques Juifs.

Il nous contraignit à avancer. Nous dûmes parcourir environ trois cents mètres en descendant un terrain en pente avant d'arriver sur un sentier. Beaucoup de branches d'arbres dénudées de chaque côté de nous, un terrain humide. Il y avait également des sapins, et je me dis que nous devions être à plus haute altitude que je ne l'avais calculé. Dans le lointain, je distinguai les contours d'une guérite de sentinelle. Une lumière en jaillit. Quelqu'un lança un appel :

— Lajos ? Ça va ?

— Oui, répondit notre garde. J'en ai attrapé deux autres.

Je poussai Hélèna hors de mon chemin, si rudement que sa hanche et sa jambe en restèrent meurtries durant un mois, et sautai sur notre homme qui marchait derrière elle. Je le heurtai de toutes mes forces (bras, tête, et poitrine tout à la fois), et il s'effondra par terre en soufflant l'air de ses poumons. Avant de m'emparer du fusil et de la torche, je pris soin de lui lancer deux coups de pieds dans la poitrine et un dans le crâne.

L'autre sentinelle, l'homme de la guérite, se mit à pousser des cris. Mais il ne tira pas. Notre garde tenta de se relever, et je lui envoyai alors un violent coup de poing dans le menton qui le rendit K.-O.

— Lajos! Qu'est-ce qu'il t'arrive? criait l'autre.

Nous entendions ses bottes marteler le sol, et des branches d'arbres craquer.

Pris de rage, je pointai le canon du fusil sur le crâne de Lajos, et fis jouer la culasse. J'allais faire sauter la cervelle de ce salaud. Je me vengerai au moins un peu de tous ceux qui haïssent les Juifs dans le monde entier. Et ensuite, je m'occuperai de celui qui fonçait sur nous en courant.

— Non, non! cria Hélèna.

Je ne tirai pas. Mais je saisis son bras. Et nous retournâmes en courant vers la barrière que nous venions de franchir. Il nous sembla courir un temps infini. Je l'exhortai à se dépêcher malgré les maudites branches qui lui écorchaient la figure, retenaient ses vêtements, et toutes les racines qui nous faisaient trébucher.

— Cours, Bon Dieu! Cours, lui criai-je.

— Je ne peux pas... Je ne peux pas...

— C'est ça ou la mort.

L'autre sentinelle s'était apparemment arrêtée pour examiner son camarade... celui dont j'avais frappé la tête comme s'il s'agissait d'un ballon de football.

— Crétins de Juifs! lança-t-il. Vous n'arriverez pas à vous en tirer!

Des balles sifflèrent à nos oreilles, et cassèrent quelques branches autour de nous. Mais il tirait à l'aveuglette. J'obligeai Hélèna à se courber très bas. Le tir cessa. Il n'avait pas le cran de nous poursuivre... Ou peut-être l'avait-il perdu en découvrant l'état dans lequel j'avais laissé son copain. Et puis, il savait que j'étais armé. Les brutes et les fiers-à-bras ont un trait en commun, je l'ai appris étant gamin : ils hésitent toujours à se battre quand ils croient qu'ils vont se trouver dans un combat loyal ou dans une position risquant de leur être désavantageuse.

— Assez... assez... pleurait Hélèna. Rudi, je n'en peux plus. Arrête... ma poitrine me brûle...

Nous nous reposâmes un moment, appuyés contre un sapin. La douce odeur de ses branches me rappela ces vacances d'hiver, que j'avais passées lorsque j'étais petit, avec maman, papa, Karl et

Anna, dans un hôtel autrichien, et durant lesquelles nous avions appris à skier et à faire du patin à glace.

— Cela suffit, maintenant, dis-je avec irritation. Nous devons continuer à courir.

— Non... Assez... assez..., fit-elle à travers des sanglots qui devenaient convulsifs. Nous sommes perdus, Rudi.

— Non. Il faudra qu'ils nous tuent pour me faire abandonner tout espoir.

Je regardai le fusil. Il ressemblait à une carabine, avec son canon court.

Je tirai Hélèna par le bras, et de nouveau, nous abandonnâmes le sentier. Bientôt après, je pus remarquer que la barrière de barbelés paraissait avoir été découpée en plusieurs endroits, comme si d'autres fuyards avaient tenté de suivre le même itinéraire que nous. Il nous suffit de la longer un peu pour trouver un passage tout préparé.

— Quelle sinistre plaisanterie ! dis-je. J'ai l'impression que nous rentrons en Tchécoslovaquie.

— Tu crois que c'est grave, Rudi ? dit-elle à travers ses larmes.

— Je n'en sais rien.

Je la pris dans mes bras, l'étreignis avec douceur, embrassai son front, et tâchai d'apaiser ses pleurs.

— Nous essaierons encore, Hélèna. Je ne suis pas prêt à mourir pour ces gens-là. Tu dois faire comme moi.

Le journal d'Erik Dorf

Berlin
Avril 1941

Le sujet du jour, tout au moins dans les cercles gouvernementaux, c'est l'ordre du Führer du mois de mars, connu sous le nom de *Directive Commissar*. Tout notre peuple va se trouver profondément concerné par ce document.

Je n'assistais pas à cette réunion, puisqu'elle était essentiellement destinée à quelque deux cents officiers supérieurs des trois armes. Ce n'est un secret pour personne qu'une grande invasion de la Russie « de la Baltique à la mer Noire » est désormais imminente.

Hitler a notamment déclaré : la guerre contre l'Union soviétique ne ressemblera à aucune des guerres du passé, et ne sera pas menée « dans les formes chevaleresques » (pour reprendre ses propres termes). L'intelligentsia judéo-bolchevique doit être liquidée. (Un jeune officier qui faisait remarquer qu'un grand nombre des commissaires politiques et des membres de la hiérarchie bolchevique sont des Blancs-Russiens, des Ukrainiens, des Arméniens, et Dieu sait quoi encore, fut rapidement réduit au silence.)

Cette tâche de « liquidation » sur une grande échelle de tous les ennemis du Reich — Juifs, bolcheviques, ecclésiastiques, commissaires et membres de l'intelligentsia — est si lourde qu'elle ne peut pas être confiée à l'armée. Heydrich m'a rapporté, avec un large sourire, que les chefs de l'armée, Jodl, Keitel, et tous ces individus pleins de morgue, ont avalé cela comme les petits enfants avalent leur huile de foie de morue. D'un côté, ils sont furieux à l'idée de perdre leur juridiction, mais, de l'autre, ils sont soulagés de ne pas avoir à entreprendre des tâches que seuls nos SS, nos vaillantes unités à la Tête de Mort, auront le courage d'exécuter.

Pas une seule voix ne s'éleva au cours de cette réunion pour protester contre ce projet d'un massacre à grande échelle de civils, de prisonniers, et de tous ceux qui auront le malheur de tomber plus ou moins dans l'une des nombreuses catégories stigmatisées par le Führer. Keitel, cette suprême salope, compléta même les ordres du Führer par l'instruction suivant laquelle le Reichsführer SS (Himmler) et ses hommes auront la responsabilité des « tâches occasionnées par la lutte finale qui devra être menée entre deux systèmes politiques totalement opposés ». Cette phraséologie assez compliquée signifie simplement que les SS seront chargés d'exécuter les Juifs. (Je n'utilise ces termes que dans le secret de ce journal ; je ne me risquerais pas à les employer dans des aide-mémoire, ni même dans le cours d'une conversation.)

Pour la mise en œuvre de cette *Directive Commissar,* Heydrich, toujours brillant organisateur, a élaboré un plan d'action pour quatre Einsatzgruppen, ou commandos d'action spéciaux, qui divisera l'Union soviétique en quatre juridictions. Le commandant de chacun de ces groupes, que l'on désignera par les lettres A, B, C et D, aura l'entière responsabilité du nettoyage de ces territoires.

De fait, nous sommes à présent constitués en unités d'exécution mobiles, équipées pour liquider en grand nombre les ennemis politiques et raciaux de l'Allemagne. Nous avons bientôt appris que la valeureuse Wehrmacht, si fière de ses traditions chevaleresques, non seulement s'efface de notre chemin, mais encore nous fournit une aide généreuse, et parfois même collabore à notre sanglant travail de liquidation de cette sous-humanité ennemie de la civilisation.

Qu'est-ce qui me traversa l'esprit à mesure que ces plans se dessinaient plus clairement ?

Premièrement, la maxime d'Eichmann : *obéir*. Mais l'obéissance même exige une certaine compréhension des ordres exacts qu'on met à exécution. Et, aujourd'hui 21 avril 1941, je réalise que notre mission fait partie d'un projet d'ensemble. D'une perspective globale, si l'on veut. Je dois bannir de mon esprit la notion du Juif en tant qu'individu particulier. Ce n'est pas elle qui importe. Bien au contraire, je dois prendre conscience du grand projet que forme le Führer pour une Europe nouvelle : de créer un monde nouveau, dirigé par l'élite des hommes, nous les Aryens, et régi non par ces concepts périmés et sans force, mais par l'Ordre Nouveau de fermeté, de volonté, de pureté raciale, et de puissance sans limite.

Ces mots ne me sont pas encore très familiers, alors même que je les couche sur le papier. Mais je vois maintenant la profonde validité historique de ces concepts. Après tout, les colons américains décimèrent leurs Peaux-Rouges afin de constituer une nation nouvelle et puissante. L'Empire britannique ne s'est pas érigé sur des propos lénifiants et des soupes populaires. Les Zoulous et les Hindous furent réduits en miettes, innocents et mécontents tout à la fois, pour qu'un vaste système commercial parvînt à se créer.

Et l'objectif ultime du Führer est beaucoup plus honorable, beaucoup plus glorieux qu'un vulgaire empire d'usines et de plantations. Il implique les plus hautes aspirations de l'esprit humain. Les Juifs sont un obstacle sur notre route. Toute sentimentalité, toute compassion, toutes les vieilles notions chrétiennes inutiles de charité et de pitié doivent être laissées de côté. Je comprends beaucoup mieux ces choses aujourd'hui que je ne l'avais fait jusqu'ici. Certainement mieux que le jour où je suis entré pour la première fois dans le bureau d'Heydrich, et où je me suis conduit comme un *enfant de chœur*.

Pour annoncer la constitution des Einsatzgruppen, Heydrich nous convia à un buffet organisé dans son quartier général. L'atmosphère était informelle, tout à fait décontractée. Aucune lecture d'ordres officielle. Les conversations furent libres, amicales, d'ordre général. Nous nous comprenions les uns les autres. Il y avait au mur une grande carte de l'Union soviétique, à laquelle le chef se référait de temps en temps, pour montrer comment l'U.R.S.S. serait découpée en secteurs d'opération pour nos équipes de commandos. Seule cette carte pouvait donner à entendre qu'il s'agissait là de quelque chose de plus sérieux qu'une simple réunion mondaine.

En tant qu'officier SS subalterne, je fus à la fois étonné et ravi de voir à quel point les Allemands attirés dans nos rangs étaient des gens de grande envergure. La plupart des futurs commandants d'Einsatzgruppen avaient déjà accompli de nombreuses missions, mais je ne les connaissais que pour avoir lu leurs noms sur des fiches dans des dossiers. Alors que nous étions en train de boire un excellent champagne français, Heydrich entreprit de faire l'éloge de ses subordonnés, auxquels incomberait la tâche de « libérer » l'Europe des Juifs.

— Le colonel Blobel, par exemple, fit Heydrich, en le désignant de sa main qui tenait la coupe de champagne, est un architecte éminent.

Paul Blobel, un peu trop corpulent, assez bruyant, et porté sur la boisson, fit un signe de tête, et dit :

— Avec des plans ingénieux pour les Juifs de Russie !

Heydrich poursuivit :

— Le colonel Ohlendorf est un juriste, comme vous, Dorf, et un expert en économie. Weinmann est un physicien. Klingelhoffer était un chanteur d'opéra... Et notre trouvaille, le colonel Biberstein, un ancien pasteur luthérien.

J'étais très impressionné. La presse étrangère a essayé de nous dépeindre comme une bande d'aventuriers et d'assassins. Je voudrais qu'elle puisse se rendre compte de la haute qualité des officiers qu'il y a dans nos rangs.

— Biberstein, fit Heydrich sur un ton moqueur, parlez-nous donc de cette organisation que vous avez formée, lorsque vous avez quitté votre ministère. Comment s'appelait-elle ?

Le colonel Biberstein rougit.

— La Fraternité de l'Amour.

Ohlendorf se mit à rire, et demanda :

— Que diable est-ce là ?

Biberstein vit bien qu'on le taquinait, mais il fut beau joueur. Nous, les SS, nous formons une vraie fraternité. Nous nous trouvons profondément unis par la connaissance des lourdes tâches qui nous incombent.

— J'ai senti l'existence d'un besoin profond pour une organisation laïque, qui encouragerait l'amour humain à travers la foi chrétienne, mais pour ainsi dire en dehors de l'Eglise.

— Comment cela a-t-il marché ? interrogea Blobel.

— Plutôt mal, hélas ! Voilà comment j'ai fini par entrer dans les SS. Tout d'abord comme aumônier, et maintenant dans un nouveau type de travail.

— Pour diffuser la bonne parole, hein, Biberstein ? railla Blobel.

— Oh, pas besoin de la diffuser ici, répliqua l'ancien homme d'Eglise. Nous sommes tous des convertis à une foi nouvelle.

Sur cette déclaration, Blobel éclata d'un rire sonore, et même des hommes plus sérieux comme Ohlendorf et le colonel Artur Nebe esquissèrent un sourire. Heydrich resta impassible, et, pour ma part, je ne vis rien de drôle là-dedans.

— Une foi nouvelle, oui, dis-je. Et nous en sommes les apôtres.

— Ecoutez donc le capitaine Dorf, rugit Blobel. Si tel est le cas, lequel d'entre nous est Pierre ?

— Je serais plutôt Thomas, celui qui doutait, dit Ohlendorf.

— Tant que nous n'aurons pas de Judas... fis-je.

Blobel me regarda alors avec un mépris cauteleux. Il était ivre. Au buffet, un peu plus tôt, il avait beaucoup bu en tenant des propos frivoles sur le champagne français, le jambon polonais, la salade d'endives belges et le fromage de Hollande. Ce qui manquait, avait-il ajouté, c'est le caviar russe, et nous en aurons bientôt.

— Un Judas ? répéta Blobel. Dans notre groupe ?

— Je suis parfaitement certain qu'il n'y aura pas de trahison, dit Heydrich d'un ton enjoué. Je crois que le capitaine Dorf veut faire allusion à la nécessité du secret.

— Comment voulez-vous garder secrètes des tâches comme celle-ci ? insista Blobel.

— Pas d'ordres écrits, fis-je rapidement. Pas de références au Führer. Coopération totale de l'armée. Le programme de réinstallation doit être mis en œuvre avec célérité, comme une intervention chirurgicale, et ne pas laisser de traces. Même dans la conversation courante, et à plus forte raison dans les rapports écrits, nous ne recourrons pas aux termes précis pour décrire l'action des Einsatzgruppen.

Le Colonel Ohlendorf, un bel homme blond qui portait des lunettes (c'était le type même de l'intellectuel passé officier), tapotait sa coupe de champagne.

— Cela ne sera peut-être pas facile, dit-il.

Il était non seulement juriste et économiste, mais aussi docteur en jurisprudence.

— Rien d'important n'est facile, fis-je.

Ohlendorf me toisa du regard. Il devait se sentir un peu offensé. Après tout, je suis non seulement un officier subalterne, mais aussi un confrère juriste.

Blobel me prit brusquement par la manche et m'entraîna à l'écart du groupe qui se remit à taquiner Biberstein sur sa carrière ecclésiastique. Ohlendorf lui posa une question de principe sur l'approbation des mesures anti-bolcheviques par les Eglises chrétiennes.

— J'ai entendu parler de vous, Dorf, dit Blobel d'une voix qui avait quelque chose de vil et de plat. Vous êtes le porte-parole d'Heydrich, son espion. On m'a dit que vous avez tellement engueulé Hans Frank que les oreilles lui en ont tinté.

J'ai appris beaucoup de choses depuis que j'ai endossé mon uniforme de SS. Et notamment qu'il ne faut jamais manifester de peur, même si l'on en éprouve. Blobel avait un rang supérieur au mien, et un bel état de services, mais je suis un des proches collaborateurs d'Heydrich.

— On vous a mal informé, mon colonel, dis-je. Le gouverneur Frank et moi-même avons eu un entretien utile et constructif.

Un mauvais sourire se dessinait sur ses lèvres molles, et il allait me lancer une réplique lorsque Heydrich nous convia à nous approcher de la carte de l'Union soviétique.

— Vaste territoire ! dit Heydrich. Et c'est une mission d'une plus vaste ampleur encore qui vous attend. L'efficacité et le rendement seront nos impératifs. Vous serez suivis. Le capitaine Dorf, ici présent, sera affecté au front russe. Une sorte de représentant itinérant de mon bureau.

— Qu'est-ce qu'il vendra ? laissa échapper Blobel. De l'extermination ?

Il y eut dans l'assistance quelques rires nerveux auxquels je ne me joignis pas.

— Surveillez votre vocabulaire, Blobel, dit Heydrich. Vous informerez le capitaine Dorf sur vos actions, vos campagnes, mais vous consignerez le moins de faits possible par écrit.

— Et puis-je me permettre, Monsieur, ajoutai-je, de suggérer que le nom du Führer reste en dehors de tout ceci. Le Führer lui-même n'a rien écrit sur cette question, il n'a pas précisé ce qu'il avait en tête, bien qu'il se soit prononcé clairement là-dessus devant ses généraux.

Je pus les voir, tous les colonels et les commandants, ces hommes qui dirigeraient nos équipes volantes, me contempler avec un mélange de respect et de méfiance, auquel s'ajoutait un peu de perplexité. Quelques-uns d'entre eux avaient entendu parler du jeune et brillant juriste du bureau d'Heydrich, et certains avaient eu l'occasion de me rencontrer, ne fût-ce que brièvement. Ils étaient en train de me jauger, et ne paraissaient pas entièrement satisfaits.

Je suis pratiquement certain d'avoir entendu Ohlendorf murmurer à l'oreille de Blobel : « Il va falloir que nous le prenions en main ! »

Heydrich se tourna vers la carte accrochée au mur.

— Voyez, dit-il. Près de deux mille kilomètres de front russe à couvrir, lorsque nous aurons envahi le pays. De la Baltique à la mer Noire.

— Et nos groupes ne comprendront que trois mille hommes au total ? demanda Blobel.

— Cela fait partie des difficultés de la mission, Colonel, dis-je. Notre plan prévoit le recrutement de milices locales de sympathisants ; des Ukrainiens, des Lituaniens, des Baltes. Ils seront heureux de collaborer à la réinstallation des Juifs.

Ohlendorf, soucieux de légalité comme il l'est toujours, secoua la tête d'un air dubitatif :

— Permettez-moi de dire, mon général, que ces actions envisagées sont d'une portée infiniment plus vaste que de simples réinstallations. Parquer les Juifs dans des villes comme Varsovie ou Lublin, ou encore dans des camps, est une chose. Ceci est tout à fait différent.

— C'est en un sens plus facile, dit Heydrich. Vous n'aurez pas à les nourrir, ni à les vêtir, ni à les soigner.

— Oui, mais songez aux piles de caisses de munitions qu'il va nous falloir ! dit Blobel en riant.

Il resta le seul à rire.

Heydrich doit avoir de la sympathie pour Ohlendorf. C'est un homme qui me ressemble beaucoup : sérieux, précis, analytique.

— Le colonel Ohlendorf vient de nous mettre les points sur les i, reprit-il. N'oubliez pas que la clé de nos opérations sera la mobilité. Dès qu'une zone aura été nettoyée par l'armée, nous devrons intervenir immédiatement pour ramasser les bolcheviques, les commissaires politiques, les Juifs, les Tziganes, tous les éléments indésirables. L'armée coopérera. Elle a reçu la *Directive Commissar* du Führer, et l'a même améliorée ! Dorf, faites-nous donc la lecture de cet ordre qui a été récemment donné à l'armée.

J'allai à ma serviette et en tirai le document auquel le chef venait de se référer.

« Instructions générales pour le traitement des dirigeants politiques et autres, conformément à l'ordre du Führer de mars 1941. Onze catégories de ressortissants de l'Union soviétique relèvent de notre juridiction. »

— *Juridiction !* lança Blobel, complètement ivre à présent. Un fossé et une mitrailleuse !

Nous fîmes semblant de ne pas entendre, et je poursuivis ma lecture :

« Les catégories comprennent les éléments criminels, les

154

Tziganes, les fonctionnaires de l'Etat soviétique, les officiels du parti, les agitateurs, les communistes, et tous les Juifs.

— Il s'agit d'une liste destinée à l'*armée*? interrogea Biberstein. Ce n'est pas une liste de SS?

— Absolument, dit Heydrich. L'armée a pris les paroles du Führer à la lettre. Bien sûr, la seule chose qui nous importe, c'est que la juridiction de tous ces groupes nous revienne à *nous*. Mais cela vous donne une idée du désir de coopération de Keitel et des généraux.

— Je suis curieux, fit Ohlendorf. Y aura-t-il des exceptions?

— Des exceptions? lui demanda Heydrich.

— Oui. Des gens qui nous seront utiles... de la main-d'œuvre... des collaborateurs...

Heydrich fit un signe de tête affirmatif.

— Naturellement. Certains éléments anti-bolcheviques seront utilisés. Un bon nombre d'Ukrainiens. Et les Russes eux-mêmes, ceux qui ne font pas de politique, serviront de main-d'œuvre esclave. Ce sont des individus qui ne seront bons qu'à cela.

Biberstein se pétrissait les doigts.

— Et... dans le cas des Juifs? Y aura-t-il quelques exceptions à l'ordre du Führer?

— Aucune, lui répondit Heydrich.

Blobel vociféra :

— C'est assez clair! Je croyais que c'était cela le but de cette réunion!

— Que personne ne conserve plus de doute sur la question, dit Heydrich. L'Europe sera débarrassée des Juifs, d'une manière ou d'une autre.

— Devons-nous tenir pour certain que cet ordre émane de...? Ohlendorf laissa sa question en suspens.

Heydrich me regarda.

— Dorf, trouvez donc dans votre stock inépuisable d'excellents mémorandums cette note concernant la conversation d'Hitler avec l'ambassadeur d'Italie.

Je fouillai dans ma serviette, et mis la main sur le papier en question.

— Oui, dis-je. Voilà quelques années, l'ambassadeur de Mussolini se plaignit de ce que le Duce était indisposé par notre campagne antijuive. Le Duce craignait en effet que la presse étrangère ne vînt à s'en émouvoir, etc.

— Réaction typiquement italienne! fit Ohlendorf.

Tout le monde rit.

— Le Führer a informé l'envoyé que, dans cinq cents ans, Adolf Hitler serait au moins connu et honoré pour cette action : il restera dans les mémoires l'homme qui a balayé les Juifs de la surface du globe.

Le récit de Rudi Weiss

Hélèna et moi trouvâmes le moyen de parvenir jusqu'en Russie — fût-ce pour le meilleur ou pour le pire, je l'ignore — en juin 1941.

A l'extrémité occidentale de l'Ukraine, au point où convergent les frontières de la Tchécoslovaquie, de la Hongrie, et de l'Union soviétique, (j'avais dérobé une carte de la région, quelques semaines plus tôt, dans une gare), nous n'eûmes qu'à traverser une simple ligne de barbelés pour nous rendre à un soldat russe.

C'était un garçon de ferme, vêtu d'un uniforme gris trop grand pour lui. Il me délesta du fusil que j'avais pris au Hongrois plusieurs mois auparavant, et nous fit marcher jusqu'à un campement de l'armée rouge.

L'indifférence et le laisser-aller des Soviétiques me remplirent de stupéfaction. A travers toute la Tchécoslovaquie, nous avions vu des mouvements de troupes, des tanks et des camions qui se déplaçaient en direction de l'Est. Dans quel but ? Hélèna et moi nous étions réfugiés chez des fermiers slovaques durant quelques mois, et avions travaillé dans les champs en échange de notre nourriture, et d'une meule de foin en guise de lit. Certains jours, le ciel disparaissait derrière un voile de poussière jaune, soulevée par d'interminables convois d'équipement militaire en déplacement sur les routes. Les Slovaques nous traitèrent assez convenablement. Le village était si petit et si reculé que les SS ne se donnèrent jamais la peine d'y envoyer une équipe d'inspection.

Mais à présent, nous étions en Russie, debout devant un capitaine d'infanterie de l'armée rouge qui était assis, les jambes négligemment allongées devant lui sur une petite table, dans des bottes de cuir souple. Il nous dévisageait d'un regard indifférent, mais peu amène.

— Où avez-vous eu le fusil ? demanda-t-il à Hélèna.

Il avait vu qu'il était de fabrication italienne. C'était une vieille arme, à chargement manuel.

— Je l'ai volé, dis-je.

Hélèna, qui parlait un russe impeccable, me conseilla de

156

garder le silence. Elle se chargeait de la conversation. Je ne sais trop ce qu'elle raconta à l'officier russe, mais celui-ci ne sembla pas favorablement impressionné. A bout d'arguments, elle se tourna vers moi.

— Toujours la même rengaine, me confia-t-elle. Il dit qu'ils n'ont rien à reprocher aux Allemands. Ne savons-nous pas que Staline et Hitler ont signé un pacte, et qu'ils sont bons amis ?

— Parle-lui des tanks et des camions militaires allemands.

Hélèna donna ces informations. Mais sans produire sur lui le moindre effet. Il se leva. C'était un homme rougeaud et assez apathique, qui portait un uniforme négligé et couvert de taches. Ses hommes flânaient alentour. Certains jouaient au football. Des odeurs de ragoût nous parvenaient de leur popote. Ces gens-là étaient, de toute évidence, persuadés que les Allemands ne leur voulaient pas de mal.

Hélèna continuait à parler. Elle lui prit le bras, flirta un peu. Elle lui raconta que nous étions des Tchèques qui redoutaient les Allemands. Pourquoi ? demanda-t-il. Oh, nous étions de bons membres du parti, lui mentit-elle. Oui, nous avions fréquenté l'Académie marxiste-léniniste de Prague (rien de tel n'existait), et nos têtes étaient mises à prix.

Je vis alors le capitaine faire un clin d'œil au soldat qui nous avait amenés, et prononcer le mot *Zhidn*. Je savais ce que cela signifiait : Juifs, youpins.

— Oui, camarade officier, reprit Hélèna. Nous sommes des Juifs. Mais nous sommes également des marxistes convaincus, et nous admirons l'Union soviétique, ce pays pacifique, et son merveilleux peuple.

Une discussion s'ensuivit, avec l'intervention d'un officier subalterne qui vint fourrer son nez là-dedans en exigeant qu'on nous renvoie de l'autre côté de la frontière, mais, sur les instances d'Hélèna, le capitaine rougeaud finit par décider que nous pourrions rester. Pas dans son camp, toutefois.

— Nous ne sommes pas en guerre contre les Allemands, protesta l'officier subalterne.

— Vous le serez, éclatai-je. Hélèna, redis-lui ce que nous avons vu.

Ce qu'elle fit.

— Bah ! Des manœuvres !

Le capitaine restait tout ce qu'il y a de plus indifférent. Les Allemands n'avaient certainement pas besoin d'une guerre sur deux fronts, voyons ! Il fit à Hélèna un petit exposé de politique étrangère. L'Angleterre allait se rendre, et alors la Russie et l'Allemagne se partageraient l'Europe.

— Je vous en prie, camarade capitaine, permettez-nous de rester, plaida Hélèna. Mon père fut un des fondateurs du parti communiste de Prague.

(Mensonge téméraire, mais qu'elle assuma bien. Son père était un Sioniste de longue date.)

— Embrasse-le s'il le faut, ce salaud, fis-je.

Hélèna noua ses bras derrière son cou et déposa un baiser sur sa joue. Malgré sa peau brûlée, durcie, et ses cheveux qui n'étaient pas peignés, elle restait une belle jeune fille, pleine de vitalité. Elle était tout bonnement irrésistible, et pas plus que les agents de la police tchèque, les officiers de l'armée rouge ne pouvaient lui résister.

En définitive, il décida de nous renvoyer à la grande ville ukrainienne de Kiev. Il y avait là un centre de réfugiés, et nous y serions dûment enregistrés, peut-être incarcérés ou interrogés, à moins qu'on ne nous y donnât du travail si nous pouvions apporter la preuve de notre loyauté envers l'U.R.S.S. Tout cela était terriblement confus et incertain. D'après ce que me raconta ensuite Hélèna, je pus en conclure que l'officier voulait se débarrasser de nous. Cela lui éviterait de la paperasserie.

Elle l'embrassa de nouveau, en lui disant :

— Pour Marx, Lénine, et Staline, et pour vous, capitaine.

Il lui passa la main dans le dos, et puis nous expédia vers un camion qui était déjà chargé d'un groupe de gens hétéroclite. Des Hongrois et des Slovaques. Ils s'étaient tous infiltrés en Union soviétique par le même chemin que nous, et disaient être des réfugiés politiques qui fuyaient les Allemands.

Peu de temps après, nous nous retrouvâmes sur une route poudreuse. Le camion était durement secoué, et nous nous sentions à la fois étouffés par des nuages de poussière et meurtris par les cahots. Un vieux Juif, accroupi près de moi, continuait malgré tout à prier en hébreu. En cours de chemin, j'appris de lui, grâce au peu de yiddish que je connaissais, qu'il était allé rendre visite à des parents qui habitaient près de la frontière, et qu'il rentrait maintenant chez lui, à Kiev.

— Quel genre de ville est-ce donc, grand-père ? lui demandai-je.

— C'est beau. C'est très grand. Il y a des cinémas. Et beaucoup de Juifs. Nous avons nos synagogues et nos propres boutiques.

Je passai un bras autour des épaules d'Hélèna. Le vieil homme demanda si elle était ma femme, et je lui dis oui. Mais je n'étais pas disposé à me lancer dans une conversation.

Une demi-heure plus tard, alors que nous étions toujours

cahotés sur la route creusée d'ornières, nous entendîmes des coups de canon. Apparemment, ce devait être de gros canons, de l'artillerie lourde.

Un ouvrier, vêtu d'habits crasseux, mit sa main en cornet autour de son oreille, et dit quelque chose à Hélèna.

— Que t'a-t-il raconté ? demandai-je.

— Il dit que c'est l'armée rouge. Il y a une batterie d'artillerie près d'ici.

Muller avait menti à Inga. Il ne fit aucun effort pour tenter d'arracher Karl au travail dans la carrière. J'ignore comment mon frère parvint à survivre au long de tous ces mois-là.

Finalement, Inga, sentant qu'elle était trompée (chaque mois, elle apportait une lettre à Muller qui, moyennant son prix, lui en remettait une de Karl), exigea que son mari obtînt le poste promis, dans l'atelier de peinture du camp. Des passages de ses lettres révélaient qu'il peinait toujours dans la carrière, à la merci des gardiens SS, avec leurs fouets, leurs gourdins, et leurs chiens.

En tout cas, Muller prenait plaisir à la tourmenter. Weinberg qui travaillait à la carrière avec Karl a gardé le souvenir du jour où mon frère fut enfin transféré. Il s'en souvient à cause des deux Tziganes que les gardiens SS abattirent ce jour-là.

Les Tziganes, me raconta Weinberg, mettaient souvent les SS en fureur. Ils refusaient de travailler et, quand ils allaient en ronchonnant à la carrière, ou à la corvée de « jardinage », ils s'ingéniaient à trouver des moyens pour ne rien faire. En outre, avec ce qu'on pouvait prendre pour de la bravoure excessive, ou pour de l'imprudence folle, ils s'arrangeaient pour donner l'impression de ne pas entendre ce que les gardiens leur disaient. Ils payaient cher cette attitude.

C'était une chaude journée, et deux Tziganes de l'équipe de Karl avaient allumé des mégots de cigarettes. Lorsque le gardien leur lança l'ordre d'arrêter la fumée, l'un d'eux souffla avec insolence de la fumée dans sa direction.

Un kapo fut envoyé pour les battre, mais il eut le dessous. Karl, Weinberg, et les autres travailleurs de la carrière (des hommes insuffisamment nourris, qui arrivaient à grand peine à survivre d'un jour à l'autre à leurs mauvais traitements) suivaient la scène. Les Tziganes, rassemblant des réserves d'énergie miraculeusement épargnées, arrachèrent la matraque des mains du kapo, et se remirent à fumer en riant.

Sans sommation, le gardien SS ouvrit le feu avec sa mitraillette et les deux Tziganes basculèrent au fond de la carrière, les vêtements rougis par le sang. Ils semblaient être morts presque joyeusement, me dit Weinberg.

— Pauvres types ! fit Karl. Plus braves que beaucoup d'entre nous.

— Mais stupides ! lui dit Weinberg.

Mon frère et Weinberg reçurent l'ordre d'aller chercher les deux corps, et de les remonter le long de la pente raide.

— Et ce sera la même chose pour vous, les deux youpins, si vous ne vous remuez pas assez vite ! cria le SS.

Karl et son ami se mirent à patauger dans l'eau infecte du puisard, et récupérèrent un cadavre.

— Sortez l'autre, maintenant ! fit le SS, et emportez-les au four crématoire !

Muller qui n'avait rien perdu de cette scène (il n'était pas rare que des prisonniers fussent exécutés de la sorte pour une légère infraction au règlement) arrêta alors Karl à l'entrée de la carrière. Il s'adressa au gardien qui avait abattu les Tziganes.

— Je veux prendre Weiss, dit-il.

Un autre prisonnier reçut l'ordre d'aller chercher le second cadavre, et Muller entraîna mon frère à l'écart. Il l'emmena auprès de la cabane où l'on rangeait les outils de travail utilisés dans la carrière.

— Ta femme est une fidèle correspondante, dit Muller.

— Est-elle venue aujourd'hui ?

— Bien ponctuellement... la visite mensuelle.

— Pour l'amour du ciel, Muller, laissez-moi la voir. Au moins une fois.

— Oh, elle est déjà repartie. Il serait dangereux qu'elle s'attarde par ici. Pour tous les intéressés.

— Lui transmettrez-vous une lettre de moi ?

— Naturellement. Voici la tienne. Vas-y, lis-la.

— Plus tard. Quand je serai seul.

Muller lui souriait, d'un sourire bizarre, possessif.

— Elle te manque, pas vrai ?

Karl eut un hochement de tête.

— Muller, ne pouvez-vous pas me tirer d'ici ? Vous connaissez la famille d'Inga. Oubliez ce qui me concerne, mais pourquoi Inga devrait-elle souffrir ?

Muller marqua une pause avant de répondre.

— Ne sois pas si sûr qu'elle souffre !

— Que voulez-vous dire ? demanda Karl.

— Les femmes se font une raison...

— Que... Qu'est-ce qui vous fait sourire ainsi ? Vous a-t-elle dit quelque chose ?

Le sourire de Muller s'épanouit largement.

— Nous sommes en *affaires,* elle et moi. Weiss, en *affaires.*

160

Les Juifs doivent comprendre ce que sont les affaires. Vous croyez peut-être que je risque ma tête à jouer le facteur sans être payé en retour ?

Alors seulement Karl commença à comprendre ce que Muller voulait lui donner à entendre.

— Vous mentez.

— Pourquoi donc crois-tu qu'elle vienne en personne jusqu'ici ? Elle pourrait m'envoyer les lettres par la poste.

— Bon Dieu ! Vous... vous l'obligez à...

— L'argent ne change pas de poche, comme ça. Et je ne l'oblige à rien du tout. Elle est plus que consentante, Weiss.

Karl serra le poing. Il confia plus tard à Weinberg qu'il serait bien mort comme étaient morts les Tziganes, provoquant, luttant, et protestant. Mais mon frère n'était pas combatif de nature. Il ne l'avait jamais été. Et il avait la conviction profonde qu'il serait un jour remis en liberté.

Muller secoua la tête.

— Vous, les Juifs, vous voulez toujours quelque chose pour rien. Pas étonnant que le monde entier vous déteste.

— Je ne veux pas de ses lettres. Ne m'en apportez plus.

— Pas de ça, mon garçon ! Les choses pourraient se gâter pour toi si tu refusais.

— Je m'en fous éperdument !

— Bien sûr que tu t'en fous. Tu ne resteras pas toujours en prison, n'est-ce pas ? Un jour, le Führer décidera que vous, les Juifs, avez suffisamment expié comme ça, et il vous lâchera.

Lançant à Karl un regard paillard, il ajouta :

— Tu ne verras même pas la différence en elle !

Karl tenta de s'éloigner, et de retourner à son travail. Muller le retint par le bras.

— Sois beau joueur, Weiss. Marche avec moi.

— Laissez-moi partir.

— Tu lui écriras une gentille lettre, pour lui expliquer qu'il faut qu'elle continue à venir ici. Je la lirai, pour être sûr.

— Fichez-moi la paix. Je n'ai pas la moindre envie de lui écrire, ni de la revoir un jour.

— Tu veux finir comme les deux Tziganes ?

— C'est peut-être ce que j'aurais de mieux à faire.

Muller fit un geste pour lui montrer Engelmann, le gardien qui avait assassiné les deux Tziganes. C'était un homme gras, à la tête ronde, un homosexuel notoire, qui faisait son choix parmi les détenus les plus jeunes.

— Ou bien préfères-tu peut-être devenir un des petits amis

d'Engelmann ? Mais tu risques d'être trop vieux et trop coriace pour ses goûts.

— Assez, Muller.

— Je vais te faire une faveur. J'obtiendrai pour demain ton transfert à l'atelier de peinture. Un boulot facile. Mais il faut que tu continues à écrire à Inga.

— Non.

— Je crois que tu changeras d'avis après avoir passé une nuit avec Engelmann.

Karl vit Weinberg et les autres qui redescendaient dans le puisard afin d'en retirer l'autre Tzigane, dont le corps semblait s'être évanoui dans l'eau vaseuse, et sa volonté céda. Mais il ne répondit rien.

Muller retourna auprès d'Engelmann.

— Vas-y doucement avec mon ami Weiss. On le réquisitionne pour l'atelier de peinture. Un gars sensible. Ce serait dommage de continuer à le faire trimer ici.

— Demain, peut-être... mais aujourd'hui, Weiss, ajouta-t-il en se tournant vers mon frère, tu continues à creuser le roc.

Muller lança un clin d'œil à Engelmann.

— Et dire que ce Juif ne m'a même pas dit « merci » !

Mes parents, d'une manière bien à eux, faisaient tout leur possible pour rendre la vie supportable aux Juifs emprisonnés dans le ghetto.

Ma mère se porta volontaire pour enseigner la musique et la littérature. Chose surprenante, en dépit de la maladie, de la faim, et de la dégradation de leur situation matérielle, les Juifs tenaient encore beaucoup à ce que leurs enfants fréquentent l'école. Il y avait à la fois des établissements laïcs (où enseignait ma mère) et des institutions religieuses.

Les parents faisaient leur possible pour envoyer en classe des enfants propres et nets, bien que les vêtements fussent difficiles à trouver. Les érudits du ghetto discutaient sans fin sur les textes bibliques. Il y avait un vrai cabaret, dans lequel se donnaient des spectacles de variétés, et des concerts, et où se produisait parfois une troupe de comédiens. Tout cela dans un contexte de surpeuplement épouvantable, de manque d'installations sanitaires, d'un régime alimentaire à base de pain et de pommes de terre, et d'une sorte de défaitisme grandissant, un sentiment d'être condamné, maintenant que la muraille achevée tenait la communauté prisonnière, totalement coupée du secteur « aryen » de la ville.

L'un des élèves à problème de ma mère était un garçon nommé Aaron Feldman, un gamin de treize ans, au teint pâle et aux grandes oreilles décollées, qui était considéré comme le roi des petits contrebandiers.

A bien des égards, c'était maintenant la contrebande qui entretenait la vie dans le ghetto. Tous ceux qui connaissaient un moyen pour franchir le mur, par un tunnel ou un trou, ou par quelque autre ruse, et qui avaient de l'argent ou quelque chose à monnayer — ou bien encore qui étaient assez courageux pour voler — contribuaient à l'approvisionnement de la communauté.

Aaron arrivait fréquemment en retard, et son volumineux manteau dépenaillé cachait alors quelques œufs, ou un pot de confiture, ou parfois jusqu'à un poulet. Ma mère le savait bien, mais ne se sentait jamais le cœur de le réprimander, même s'il était en retard pour une répétition de la chorale du ghetto.

Je parle ici d'Aaron Feldman parce qu'il me donne l'impression d'avoir été le genre de gosse que j'aurais admiré. Par la suite, lorsque le ghetto se souleva pour combattre les nazis, il se trouva au cœur de la lutte. Sa contrebande fit plus de bien aux Juifs que n'importe quel congrès, n'importe quel concordat, ou n'importe quelle conférence.

Mon père, qui travaillait durant de longues heures à l'hôpital juif, et qui, de surcroît, consacrait aussi du temps au Conseil des Anciens, vint un jour en personne jusqu'à l'école pour avertir Aaron qu'il devait s'arrêter. Les agents de police du ghetto l'avaient vu sortir par un trou dans le trottoir, et disparaître dans de mystérieuses anfractuosités du mur. Ils s'étaient contentés de regarder ailleurs jusqu'à présent, mais mon père prévenait l'enfant que, la prochaine fois, ils l'arrêteraient.

— Ils ne m'arrêteront pas, dit Aaron. Je leur donne des œufs.

— Les œufs peuvent les satisfaire, mais ils ne suffiront certainement pas à la satisfaction des Allemands quand ils tomberont sur des contrebandiers. N'as-tu pas peur ?

— Oh, si ! Mais je continuerai tout de même, quoi qu'il arrive. Ils ne vont pas m'obliger à jeûner.

Cela fit rire mon père. Peut-être vit-il un peu de moi-même dans cet enfant plein de toupet, qui refusait de se laisser faire, et d'être traité en esclave.

Eva Lubin se rappelle avoir vu alors mon père embrasser du regard toute la salle de classe dans laquelle il ramenait l'élève fautif, pendant que ma mère, assise au piano, dirigeait un chant, et ses yeux s'emplirent de larmes.

Dans les couloirs, Eva se souvient qu'il y avait des dessins en couleurs faits par les écoliers, qui montraient à quoi ressemblerait le « futur ghetto de l'après-guerre » : des arbres, des jardins publics, des terrains de jeux, des mamans poussant des voitures d'enfants, des bicyclettes. Mon père, comme le faisaient souvent les personnes qui rendaient visite à l'école, s'arrêta pour contempler ces dessins d'enfants, et il dut se demander s'ils verraient jamais un tel jour, un tel lieu.

Peu de temps après avoir tenté de convaincre Aaron de s'amender, mon père assista à une réunion du Judenrat de Varsovie. Le manque de vivres était devenu le problème le plus préoccupant de l'heure. Le Dr Kohn, qui présidait ce Conseil juif, souhaitait que les efforts fussent concentrés sur les bien-portants et les travailleurs productifs. Des gens squelettiques, à demi morts, vêtus de haillons, erraient dans les rues, en mendiant, ou, ayant renoncé à quémander quoi que ce fût, se laissaient tomber au bord d'un trottoir ou le long d'un immeuble, dans l'attente de la mort.

— Nous devons nous efforcer de nourrir tout le monde, dit mon père.

Zalman, le dirigeant syndical, était désemparé :

— Les contrebandiers nous permettent de subsister depuis longtemps. Mais les nazis se sont mis à les abattre à vue.

— Oui, ajoute Kohn. Et ils exécutent de surcroît vingt Juifs à chaque fois qu'ils attrapent un de ces contrebandiers.

Mon père, qui avait lu tout récemment le courage et la détermination dans les yeux d'Aaron Feldman, perdit patience, chose extrêmement rare chez lui. Donnant de la main un coup sur le dessus de la table, il déclara :

— Les gamins qui se glissent dans les égouts seront peut-être notre salut.

— C'est absurde ! dit Kohn. Ils nous feront tous exécuter.

A ce moment-là, un jeune homme grand et mince, dont le physique était assez ingrat mais dont les gestes mesurés imposaient curieusement le respect, se leva dans le fond de la salle. Comme Zalman, il semblait être un travailleur manuel, avec ses vêtements ordinaires et une casquette d'ouvrier.

Le jeune homme regarda posément le Dr Kohn et dit :

— Nous serons tous exécutés, de toute façon.

— Je vous demande pardon ?

— J'ai dit que nous serons tous exécutés, de toute façon.

— Comment le savez-vous ?

— Les exécutions ont déjà commencé. Les nazis massacrent les Juifs de Russie. Pas seulement dix, vingt, ou même une centaine d'entre eux. Mais tous, sans exception. Ils sont en train d'anéantir les ghettos. Il n'y aura plus de ghettos comme celui-ci ou n'importe quel autre. Seulement des tombes collectives.

Il parlait d'un ton si tranquille, quoique plein de force, que le plus grand silence plana alors un moment sur la salle de réunion.

— De quoi parlez-vous exactement, jeune homme ? demanda mon père. Et comment se fait-il que vous sachiez cela ?

— Je parle de massacre global. Leur politique a changé d'objectif. Les ghettos ne sont plus que des lieux de rassemblement. En Russie, des milliers et des milliers de Juifs sont maintenant exécutés de façon systématique par les Allemands. Ceux-ci ont l'intention de tuer tous les Juifs d'Europe. Nous avons reçu des rapports de ces communautés.

— Ridicule ! De simples rumeurs sans fondement ! se borna à dire le Dr Kohn, qui s'appuya ensuite contre le dossier de sa chaise.

— Comment vous appelez-vous, jeune homme ? demanda mon père.

— Anelevitz. Mordechai Anelevitz. Je suis un Sioniste. Mais peu importe qui nous sommes, et ce que nous sommes, riches ou pauvres, jeunes ou vieux, communistes, socialistes, ou bourgeois. Ils nous tueront tous.

— Qui a fait entrer cet homme ici ? fut tout ce que le Dr Kohn trouva à dire en réponse à la déclaration provocante du jeune homme à la casquette.

— Je dis à ce Conseil, à chacun d'entre vous, que nous ne devrions pas seulement introduire de la nourriture dans le ghetto, mais aussi des fusils et des grenades.

Ces paroles, émanant d'un simple travailleur en tenue modeste, mirent le Dr Kohn en fureur.

— Silence, fulmina-t-il. Je ne vous connais pas, mais vous êtes un imbécile pour parler de la sorte. De tels propos assureront votre perte.

Mon oncle Moïse était venu à cette réunion avec mon père. Il pria Kohn de laisser Anelevitz aller jusqu'au bout de ce qu'il avait à dire.

— Pas un mot de plus ! s'écria Kohn. Je vois d'ici cette population de Juifs à demi morts de faim, affaiblis par les maladies, fondre tout à coup sur l'armée allemande ! Anelevitz, les Allemands ont balayé tout le territoire de la Pologne en vingt jours. Ils avancent en Russie à l'heure qu'il est, en anéantissant les meilleures divisions de Staline. Et nous serions, nous, le peuple qui doit résister à une telle puissance ?

— Nous le devons.

Kohn tenta alors de le prendre autrement.

— Jeune homme, je suis parfaitement renseigné sur vous, les militants sionistes, et sur les réunions secrètes que vous tenez. Vous êtes des utopistes. La lutte n'est pas dans les habitudes des Juifs. Nous avons survécu, depuis bientôt deux millénaires, parce que nous avons su faire des compromis. Céder un peu de ci, nous soumettre un peu de là. En somme conclure des marchés. Trouver des alliés, des amis. Tantôt un prince, tantôt un cardinal, tantôt un homme politique...

Anelevitz répondit :

— Vous n'avez pas affaire à des cardinaux, ni à des hommes politiques. Les nazis sont des adeptes du meurtre collectif. Leur objectif primaire, dans la conquête de l'Europe, est le massacre des Juifs. Peu importe ce que nous faisons. Peu importent notre degré de soumission, les marchés que nous leur proposons, tout le travail que nous exécutons pour eux, ils nous tueront.

Eva se rappelle qu'un terrible silence tomba sur l'assemblée. Peu nombreux furent ceux qui se rangèrent aux côtés d'Anelevitz. Il venait apparemment de nulle part, de la rue. C'était un homme jeune, d'extraction modeste, au langage simple. Mais il avait exprimé des pensées qui étaient également venues à l'esprit de certains membres de l'assistance.

— A présent, cela suffit, dit le Dr Kohn. Nous n'en écouterons pas davantage. Sortez !

— Si ce Conseil est trop lâche pour donner l'ordre de s'armer et de combattre, alors les Sionistes se chargeront de le faire. Nous n'avons pas l'intention de mourir sans lutter.

— J'ai dit « sortez » ! cria Kohn. Et surveillez vos propos. Ne propagez pas de telles idées.

— Vous mourrez tous ici, en soulevant vos casquettes pour saluer les Allemands, en étant volontaires pour les corvées de travail, en envoyant des ouvriers faire tourner les usines, en suivant des cours, en discutant sur la Torah. Vous n'avez aucune autorité, et vous ne représentez personne.

— Mettez-le dehors ! cria Kohn.

Mais personne ne bougea. Anelevitz avait jeté comme un charme sur la salle. Il lança un appel du regard aux membres du Conseil, ne trouva pas de défenseurs déclarés, et sortit, présence indésirable.

Mon père et mon oncle Moïse se levèrent immédiatement et le suivirent dans le couloir sombre.

— Je suis le docteur Joseph Weiss, dit papa. Et voici mon frère Moïse. Nous passons le plus clair de notre temps à l'hôpital.

— Je sais qui vous êtes, dit Anelevitz.

— Je... Je ne sais trop que dire... Nous ne sommes pas des Sionistes. Nous ne faisons pas de politique. Nous sommes des gens de métier qui nous employons à rendre les choses un peu plus faciles pour la communauté.

Anelevitz leur dit que leurs convictions politiques, de même que les opinions et croyances des Juifs, quelles qu'elles fussent, n'importaient pas du tout aux nazis. Calme, sûr de lui, il leur expliqua tranquillement qu'à la longue les Allemands les tueraient tous.

Mon père n'avait jamais pu croire une chose pareille. Moïse non plus. Mais les deux frères se regardèrent alors avec une appréhension nouvelle de la situation. Il y avait quelque chose de si tranquillement persuasif, de si profondément sincère, dans l'attitude du jeune homme, qu'ils se sentirent dans l'obligation de discuter avec lui.

— Avez-vous un peu de temps, pour que nous parlions de cela ? interrogea papa.

— Bien sûr. Nous avons besoin des membres du Conseil. Nous sommes surtout des travailleurs, des étudiants, des jeunes.

Ce fut ainsi que mon père et mon oncle firent leur premier pas vers la résistance. Ils s'étonnèrent, à l'époque, du petit nombre de ceux qui cherchaient à résister. Pourquoi la plupart des Juifs du ghetto agissaient-ils comme si la vie pouvait continuer — avec les écoles, le théâtre, la religion, le travail — alors qu'ils se trouvaient confrontés à l'éventualité d'un massacre général ? Je ne suis pas sûr que lui et Moïse aient pu comprendre à ce moment-là ce qui se passait chez tous ces gens ; mais je ne suis pas certain non plus de le comprendre aujourd'hui. D'une façon étrange, avec leur puissance psychologique démoniaque, les Allemands avaient réussi à briser leur élan vital, en les contraignant à se cramponner à une existence sommaire.

Et, en toute justice, fait remarquer Tamar, il faut bien reconnaître que les actions de résistance parmi les Européens infiniment mieux armés et plus nombreux ne furent que ponctuelles. Le règne absolu de la terreur nazie, les raffinements de la police d'Etat, les privations, l'humiliation dans laquelle étaient plongés les individus, laissèrent les peuples sans défense aucune. Si quelqu'un veut reprocher aux communautés juives d'avoir eu le tort de ne pas lutter autant qu'elles auraient dû le faire, que trouvera-t-il donc à dire de nations entières, comme par exemple la France, où la résistance n'était que marginale ?

Ce n'est pas là un problème facile à résoudre.

Mais, quoi qu'il en fût, papa et oncle Moïse étaient d'ores et déjà engagés dans la résistance.

Le journal d'Erik Dorf

Ukraine
Septembre 1941

J'en tremble encore. Et pourtant, je dois à présent écrire sans passion. Essayer d'oublier ; non, de comprendre. Moi aussi, en fin de compte, j'ai tué.

En tant que représentant d'Heydrich, je suis en ce moment dans les environs de Kiev, à contrôler l'action de l'Einsatzgruppe C, qui est commandé par le colonel Paul Blobel.

Je déteste Blobel. Il boit trop et fait preuve de négligence dans sa conduite des opérations. Je me demande pourquoi Heydrich l'a laissé monter si haut. Mais apparemment, il s'est attelé à sa tâche avec diligence. Et il travaille vite. Il faut une trempe d'Allemand particulière pour accomplir notre mission ; et j'ai l'idée que Blobel, en dépit de tous ses défauts, est bien de cette trempe-là.

Nous avons commencé par nous arrêter devant le baraquement des nouvelles recrues, où plusieurs nouveaux enrôlés étaient en train de s'initier au métier. Il y a en gros un millier d'hommes dans chacune des quatre unités volantes, ou Einsatzgruppen, dont le recrutement se fait parmi les SS, le SD, la Police criminelle, etc. Nous utiliserons également un grand nombre d'Ukrainiens, de Lituaniens et de Baltes, qui procéderont sans scrupules de conscience au traitement spécial des Juifs.

— Nous tombons aussi sur beaucoup de tire-au-flanc, et de bons à rien, dit Blobel, alors que nous approchions du baraquement. Des hommes traînaient en sous-vêtements aux alentours (il arrive que l'Ukraine connaisse des jours de canicule en septembre), occupés à lire, à écrire des lettres, et à nettoyer des armes à feu. Aucun d'eux ne se mit au garde-à-vous lorsque Blobel, moi et le reste de notre petit groupe arrivâmes à leur hauteur.

— Ils sont fatigués, dit Blobel. Et ils ne foutront rien avant un certain temps. Il faut les faire marcher au schnaps.

Un sergent se mit debout et salua paresseusement.

— Ça va, Foltz, repos, dit Blobel.

— De nouvelles recrues aujourd'hui, mon colonel.

— Bien, bien, qu'elles fassent un peu d'exercices.

J'entendis Foltz accueillir l'un des nouveaux venus à l'Einsatzgruppe C. Il s'appelait Hans Helms, et arrivait d'une division d'infanterie.

— Tu te plairas ici, fit le sergent Foltz sur un ton railleur. Personne ne te tire dessus. On travaille à des heures normales. Et on se partage le butin. Après que les officiers se sont servis. Ne prends pas cet air con, Helms !

— Je suis un combattant, moi ! dit Helms. Je n'ai pas demandé à joindre cette unité minable !

— Tu apprendras à l'aimer, répondit Foltz.

La nouvelle recrue s'éloigna en direction du baraquement. Le ton sur lequel le sergent Foltz avait fait son petit discours m'avait déplu, et je le dis à Blobel. Cet homme se moquait de notre mission.

— Foutaise, Dorf ! dit Blobel. Qu'importe leur attitude, tant qu'ils tuent les Juifs comme il faut.

— Attention à votre langage, Blobel. Pas d'allusions aux exécutions. Vous connaissez les termes approuvés.

Son gros visage rougeaud se tourna vers moi.

— Ouais. Votre sacré vocabulaire spécial. Traitement spécial. Action spéciale. Réinstallation. Opération en cours. Communautés juives autonomes. Transport. Regroupement.

Je jugeai inutile de relever les propos de Blobel. D'expliquer à cet individu grossier et borné que les mots de code remplissent plusieurs fonctions. Tout d'abord, ils dissimulent aux Juifs les réalités qui les attendent. Ces gens ne demandent qu'à se dire qu'on est en train de les « réinstaller ». On dirait même qu'ils ont plus envie de nous croire que nous n'avons envie de les tromper. En outre, ce vocabulaire facilite les choses dans nos propres rangs, ainsi que dans ceux de nos alliés.

Après tout, nous restons une nation chrétienne, et nous courons toujours le risque que des ecclésiastiques bien intentionnés, mais dépourvus de jugement (comme le Père Lichtenberg) se mettent à pousser de hauts cris. Le Vatican voit d'un œil favorable notre croisade contre le bolchevisme en Russie. Pourquoi ternir nos bonnes relations en proclamant que nous avons l'intention d'exécuter plusieurs millions de Juifs ? Et puis, il y a le problème de la sanction de l'opinion générale, une fois que nous dirigerons l'Europe entière. Nous pourrons toujours dire que certains Juifs ont trouvé la mort au cours de leur réinstallation, à cause de leur manque d'hygiène, de leur tendance à propager les maladies infectieuses, ou bien qu'ils ont été exécutés pour sabotage et espionnage.

Blobel me fit traverser une prairie, en direction d'une zone boisée. Devant un bosquet d'ormes et de bouleaux, des arbres de belle taille, un large fossé avait été creusé récemment. Le monticule de terre amassée derrière paraissait encore humide. J'estimai que ce fossé devait avoir environ trente mètres de large, et un mètre vingt de profondeur.

Il était très long : quinze cents ou dix-huit cents mètres. Devant la fosse se trouvaient deux tables de bois qui portaient chacune une mitrailleuse et des bandes de munitions.

Il y avait aussi des bouteilles de cognac russe bon marché, des verres, et des paquets de cigarettes. Derrière chaque arme, se tenait une équipe de trois hommes, qui faisait partie de l'Einsatz-gruppe SS de Blobel.

Ils me firent une impression de grand laisser-aller : cols ouverts, bottes non cirées. Deux hommes étaient en train de fumer, et un autre sirotait un verre de cognac. Cela ne ressemblait guère à une unité de militaires. Je me plaignis de leur aspect négligé au colonel Blobel, et fis une comparaison désobligeante pour lui avec l'armée où les soldats étaient censés conserver une apparence nette et soignée, même lorsqu'ils partaient au combat.

De sa façon si typiquement crue, Blobel fit une remarque insultante sur l'armée, et me rappela que j'étais un officier SS et que nous définissions nous-mêmes notre propre règlement. Il ajouta ensuite une allusion à un « blanc-bec » de commandant de l'armée, qui s'était plaint des activités « peu allemandes » des SS ; Blobel l'avait envoyé promener avec une bordée d'injures choisies.

J'aperçus les Juifs au loin. Un groupe avait été amené jusqu'au bord de la fosse. Des gardiens SS, armés de gourdins, les contraignaient à se déshabiller. Les vêtements étaient soigneusement mis en tas. Les gens étaient fouillés. On leur ôtait leurs montres et leurs bijoux.

La fascination qu'éprouvaient certains gardiens envers les femmes nues ou à demi dévêtues était tout à fait incongrue. Elles restaient en sous-vêtements — slips, culottes, jarretelles — offertes à la contemplation des hommes. J'entendis des commentaires égrillards. Lorsqu'elles se trouvaient enfin complètement nues, les femmes tentaient vainement de dissimuler leurs seins et leur sexe. Certaines tenaient de petits enfants dans les bras. Il y avait de vieilles grand-mères, pratiquement incapables de se tenir sur leurs jambes, et une, notamment, qui dut être portée par deux hommes.

C'étaient des Juifs qui venaient, m'avait-on dit, d'un village proche de Kiev. Beaucoup étaient des orthodoxes, avec de longues barbes, des cadenettes frisées, et une expression profondément éperdue sur leurs visages charnus. Rien d'étonnant à ce qu'Himm-ler et mes autres supérieurs aient conclu que ce sont des sous-hommes. Il suffisait de les voir nus, leur chair blanche et molle exposée à l'ardeur du chaud soleil d'Ukraine, pour comprendre qu'ils ne ressemblent pas aux autres gens.

C'est bizarre. Je n'éprouve pas de haine envers eux, mais ma connaissance du fait qu'il s'agit d'une race différente, qui, depuis l'époque du Christ jusqu'à aujourd'hui, a toujours comploté et fourni à l'histoire ses plus grands traîtres, me facilite l'acceptation de ce que je vais devoir contempler pour la première fois de ma vie.

— Allez-y, Foltz! dit Blobel qui me gratifia alors d'un large ᵕ ᴜurire. Faites-les avancer. Ne remplissez pas trop le fossé! Les ordres furent transmis. Une cinquantaine de Juifs nus furent poussés à coups de bâton, contraints de descendre dans la fosse, et d'avancer jusqu'aux deux tables sur lesquelles reposaient les mitrailleuses. A mon grand étonnement, il n'y eut pas de résistance, seulement une certaine lenteur de la part des plus vieux. Les orthodoxes semblaient prier entre eux. Une femme chantonnait une berceuse au bébé qu'elle avait dans les bras. Un enfant ne cessait pas de poser des questions pour savoir quand il rentrerait à la maison. J'aurais juré qu'une fillette d'environ douze ans était en train de demander si elle pourrait faire ses devoirs de classe ce soir-là.

Tout se passa en quelques secondes.

Sur un signal du sergent Foltz, les mitrailleuses crépitèrent, lançant de petites flammes orange. L'odeur âcre de la poudre m'emplit les narines, me faisant suffoquer.

A travers un voile, je vis les Juifs s'effondrer pêle-mêle les uns sur les autres, leurs corps criblés de petits trous rouges. La fillette qui venait de demander si elle pourrait faire ses devoirs gisait sur le corps de sa mère. La mort les réunissait dans une étreinte.

J'entendis à moitié la voix de Blobel qui criait :

— Deux balles par Juif, crétin! Et que ce salopard de von Reichenau vienne un peu compter les balles qu'ils ont dans le corps, si ça lui chante !

Vite, je me dissimulai les yeux derrière un écran de plastique transparent. J'étais en train de pleurer. Non par sympathie pour les Juifs, j'en fus parfaitement conscient ; ils mouraient si facilement, si rapidement, avec tant de résignation, qu'on avait du mal à voir là le visage réel de la mort. Mais par une sorte de vague appréhension des dimensions grandioses et terribles de notre mission. Heydrich m'a convaincu, sans l'ombre d'un doute, que nous forgeons actuellement une civilisation nouvelle. Des actions dures et cruelles sont indispensables. Je viens d'en voir accomplir une.

Le sergent Foltz marchait à présent le long de la fosse, près du bord. Il tenait son Lüger à la main. A trois reprises, je le vis se baisser et tirer presque à bout portant.

— Pourquoi fait-il cela ? demandai-je à Blobel.

— Il en reste parfois quelques-uns en vie, répondit-il. C'est un acte d'humanité. Ça vaut mieux que de les enterrer vivants, bien que cela se produise aussi, les jours de grande presse.

Il me regarda du coin de l'œil, comme s'il me soupçonnait d'avoir pleuré. Mais il ne dit rien.

Son attitude franchement obscène lui facilite énormément le travail. Il faudra que je m'en inspire pour cultiver en moi une défense similaire. Dans mon journal intime, je peux parler franchement de toutes ces choses. Ohlendorf, m'a-t-on dit, un autre chef d'Einsatzgruppe, est capable d'*intellectualiser* sa tâche. Professeur, expert en économie, docteur en jurisprudence, il considère l'extermination des Juifs comme une nécessité d'ordre social, et économique. Je suis certainement aussi brillant et aussi brave qu'Ohlendorf. Il faudra que je trouve le moyen de m'inspirer de son exemple.

Une pensée me vint à l'esprit immédiatement après l'exécution : il n'y a pas d'avenir pour les Juifs en Europe. Ils sont universellement méprisés, à des titres divers. Nous sommes en train de résoudre un problème dont les dimensions sont quasi mondiales. Nos moyens et nos objectifs sont identiques. En leur refusant une place sur la terre, nous rendons un grand service à l'humanité. Un critique de notre mouvement nous a, un jour, qualifiés de « Bohémiens en armes ». Je suis heureux d'en être un.

J'ai tiré un autre enseignement de ce premier mitraillage. Il me donna l'occasion de constater qu'en affirmant mon autorité, qui est considérable, en jouant le rôle de « l'homme d'Heydrich », je suis capable d'étouffer les sentiments de pitié qui pourraient faire surface chez moi. Sitôt après m'être ressaisi, j'ai remarqué que des civils assistaient à l'exécution des Juifs, et qu'au moins deux hommes, dont un soldat, prenaient des photographies et filmaient la scène. Un homme vêtu d'un imperméable poussiéreux inscrivait des notes dans un calepin.

Sur-le-champ, afin de chasser de mon esprit tous ces cadavres sur lesquels des milliers de mouches étaient immédiatement venues se poser, je me mis à fulminer contre Blobel pour étaler ainsi nos actions au grand jour, au vu et au su de tout un chacun.

Les civils, me répondit-il, étaient des fermiers ukrainiens, heureux d'assister à l'exécution de leurs ennemis de toujours. Les photographes prenaient des photos pour leur propre plaisir. Rien d'officiel. Le type en imperméable était un journaliste italien.

J'ordonnai à Blobel de les chasser. On ne devait pas prendre de photographies. Aucun journaliste ne devait être admis sur les lieux d'une exécution. A ma grande satisfaction, je constatai qu'en me concentrant sur ces détails tout à fait secondaires, je parvenais à dissiper en moi la dernière trace de sentiment envers les victimes. Elles m'apparurent bientôt comme de simples sous-produits, des résidus de notre campagne. Notre guerre, Hitler l'a bien dit, sera

différente de toutes les autres guerres de l'histoire de l'humanité :
elle ne sera pas « menée de façon chevaleresque ».

Un second groupe de Juifs avançait maintenant vers nous.
Cette fois, ils furent moins dociles. Plusieurs femmes poussèrent
des cris et des hurlements, et s'arrachèrent les cheveux. L'une se
jeta aux pieds d'un gardien SS, passa les bras autour de ses bottes,
et tenta de lui embrasser les mains. Il eut toutes les peines du
monde à la repousser avec les pieds.

— Heydrich aura un rapport complet sur cette opération que
vous menez avec beaucoup de négligence, dis-je.

En lançant des ordres, en faisant de moi-même un maillon de
la chaîne du commandement, je parvins à me détacher totalement
de ces gens debout dans la fosse. Quelques vieillards, qui ressemblaient à des prophètes barbus, se mirent à réciter des prières en
hébreu. Une étrange mélopée plaintive s'éleva du groupe. Les Juifs
ont une très grande habitude de mourir en tant que victimes
propitiatoires. Ils ont élaboré un genre de *routine* pour cela, une
sorte de rite talmudique. C'est un sujet sur lequel Eichmann s'est
souvent étendu. Cela facilite chez eux l'acceptation de la mort.

Blobel s'écarta de moi.

— Foltz, cria-t-il, donnez l'ordre.

Une fois de plus, les mitrailleuses crépitèrent. On aurait dit
que le sol lui-même éclatait sous l'impact d'une météorite.

De nouveau, les Juifs tombèrent, sur les cadavres du groupe
qui les avait précédés dans la fosse de quelques minutes. Au loin,
s'avançait à présent un troisième groupe de gens, nus, d'un calme à
faire frémir. Et derrière cette colonne en marche, des camions
militaires déchargeaient encore d'autres vagues d'arrivants juifs.

Je me sentais d'ores et déjà parfaitement maître de moi.
L'ampleur même de notre opération (et je sais qu'il y en a des
centaines d'autres semblables à celle-ci, de la Baltique à la mer
Noire), me permit de m'élever au-dessus de ce qu'on pourrait
considérer comme de la cruauté. Je dois voir dans les Juifs nos
ennemis, nos rivaux raciaux, des êtres dont la progéniture risque-
rait de détruire l'Allemagne, dont les ruses innombrables, la
richesse, et les idées diaboliques pourraient sonner le glas de la
civilisation aryenne.

J'ai mis un certain temps à comprendre la vérité absolue des
convictions d'Heydrich, qui lui ont été transmises par Hitler et par
Himmler. Il *doit* s'agir là de la vérité. Un peuple intelligent,
énergique, artiste et plein de talents, comme le peuple germanique,
serait incapable de participer à de telles actions si ce qu'il faisait
n'était pas absolument indispensable à la santé présente et future
de notre nation.

Fortifié par mes réflexions, j'affrontai de nouveau Blobel.

— Je vais soumettre un rapport critique sur vous, Colonel, dis-je.

— Vous allez quoi faire ?

— Vous débarrasserez cette zone de civils. Et que personne ne prenne plus de photographies. Ni les SS, ni d'autres gens.

De l'autre côté des tables aux mitrailleuses, quelques SS, dont le sergent Foltz, fouillaient dans la pile de vêtements. Un homme s'esclaffa en brandissant une immense culotte de femme qu'il agita en l'air.

— Et plus de ça non plus ! — ajoutai-je. Tous les biens laissés par les Juifs réinstallés appartiennent à l'Etat.

— Gardez votre baratin pour vos conférences !

— Le langage que vous employez sera également signalé dans mon rapport. Heydrich m'a donné l'ordre de contrôler les Einsatzgruppen. Le vôtre n'est pas à la hauteur des normes établies.

Le gros visage colérique de Blobel vira au violet, et ses traits porcins se marbrèrent de rouge.

— Pas à la hauteur, vraiment ? Laissez-moi vous dire une chose, Dorf. Ohlendorf et tous les autres chefs d'unités volantes vous ont à l'œil. Nous savons reconnaître un espion quand il s'en présente un.

— N'essayez pas de saper ma position, Colonel. Je m'entretiens tous les jours avec Heydrich.

Il chercha à bredouiller quelque chose en guise de réponse, mais resta à court d'expression. Tout comme on peut rendre les Juifs craintifs et sans ressort, on peut inquiéter un colonel Blobel en suspendant au-dessus de sa tête une menace d'humiliation, de dénonciation, et même de mort. Nos hommes qui sont en campagne savent quel genre d'homme est Heydrich. Il ne redoute personne. Il n'a peur de rien. Et moi, en tant que son émissaire, je me trouve investi de sa toute-puissance.

Le sergent Foltz avait fait avancer cinquante Juifs de plus dans la fosse. Derrière les mitrailleuses, les tireurs SS étaient en train de déguster leur cognac à petites gorgées, et de fumer tranquillement.

Cette fois, mes paroles eurent de l'effet. Blobel ordonna au sergent de faire partir les Ukrainiens, de chasser le journaliste, et d'interdire toute prise de vues.

Les mitrailleuses entrèrent de nouveau en action. Les Juifs tombèrent. Les cadavres empilés les uns sur les autres montaient à présent assez haut, et je supposai qu'après quelques groupes de plus on utiliserait des tracteurs pour combler de terre la fosse, et qu'on équiperait des Juifs de pelles pour achever d'enterrer leurs morts.

Tout à coup, Blobel s'approcha de moi et s'empara vivement de mon Lüger qu'il sortit de l'étui. Je ne m'étais servi qu'une fois de cette arme, pour un exercice de tir dans les locaux des SS, à Berlin.

— Qu'est-ce que vous faites ? protestai-je.

— Il y en a encore quelques-uns qui bougent là-dedans, dit-il.

Il rit, et poursuivit :

— Allez, achevez-les vous-même. Vous connaissez la vieille tradition de chez nous : on n'est pas un homme tant qu'on n'a pas tué son Juif.

Je lui dis de remettre mon revolver à sa place. Au lieu d'obéir, il me le colla dans la main droite.

— Soldat d'opérette ! Capitaine de papier mâché ! Fumier de garçon de bureau ! Vous allez descendre et en tuer quelques-uns.

Que pouvais-je faire d'autre ? Je ne courais personnellement aucun danger. Les Juifs n'allaient évidemment pas m'attaquer. Ils étaient morts comme des moutons, comme des chatons. Sans protester. Les paroles d'Heydrich contribuèrent à me soutenir alors que je descendais la pente sableuse de l'horrible fosse. *Le judaïsme dans l'Est est la source du bolchevisme. Il doit, par conséquent, être liquidé, conformément aux objectifs du Führer.*

— C'est comme quand on mange un plat de spaghetti ! me cria Blobel. Une fois qu'on a commencé, on ne peut plus s'arrêter !

Ses hommes ricanèrent.

— Demandez à mes SS ce que ça fait, Capitaine ! ajouta-t-il. Vous tuez dix Juifs. Les cent d'après sont plus faciles à liquider. Et les mille d'après encore plus faciles !

Le sergent Foltz me précédait dans la fosse. Nous dûmes nous frayer un chemin parmi les corps nus ensanglantés qui semblaient piqués de petits trous rouges. C'est étonnant de voir à quel point il suffit de peu de chose pour tuer un homme ! A l'état de cadavres, les Juifs me parurent, en un sens, plus naturels que lorsqu'ils étaient debout, vivants, dans l'attente ou la prière, et résignés à leur sort.

— Y en a une ici, mon capitaine, dit Foltz.

Il me désigna du doigt une jeune femme aux longs cheveux bruns. Ses yeux étaient implorants. Les balles étaient entrées dans ses épaules, en laissant des traces rouges. Mais apparemment elles n'avaient touché aucun organe vital.

Elle leva un bras vers moi, un bras long et bien formé, et j'eus soudain la vision des doux bras de Marta. La femme me fixait de ses yeux mi-clos.

— C'est un acte de bonté d'achever ces pauvres gens, mon capitaine, dit le sergent Foltz. Celle-là n'a pas plus de vingt ans.

J'hésitai. De nouveau je revis Marta. Avec une telle netteté que je faillis crier son prénom. Mes yeux se voilèrent comme je regardais toute la scène : le groupe de SS au-dessus de moi, les mitrailleuses silencieuses, les hommes en train de boire leur cognac, la prairie verdoyante, les bosquets d'arbres, le large fossé sanglant, qui dégageait à présent l'odeur caractéristique du sang, les nuées de mouches, je vis tout cela comme si je me trouvais moi-même derrière une vitre, ou sur une autre planète, à vivre une vie qui n'était pas la mienne.

— Tirez, Dorf ! cria Blobel.

Les yeux de la femme cherchèrent les miens. Elle était presque inconsciente. Et pourtant, quelque souffle de vie tenace l'habitait encore. Elle ne parvint pas à lever les bras de nouveau. Elle avait des yeux noirs, fendus en amande. Sa longue chevelure brune me rappela une jeune fille que j'avais connue au lycée. Pourquoi ces idées vagabondes ? La conviction s'empara de moi que *le caractère terrible de nos actions les justifie*. On ne peut pas accomplir des choses comme celle-là à moins qu'elles ne soient en elles-mêmes, et par elles-mêmes, des actions méritoires faisant partie d'un grand projet, fruit d'une idée révolutionnaire pour le monde.

Je pressai la détente comme on m'avait appris à le faire lors de la courte session que j'avais suivie à l'école des SS. L'explosion fut étonnamment douce. On aurait dit celle d'un pistolet à bouchon pour enfant. Je tirai de si près qu'une partie du crâne de la jeune femme se détacha. De l'os, du sang, et des fragments de cerveau, se trouvèrent projetés sur mes bottes. Cela me souleva l'estomac, et je dus faire un effort pour ne pas vomir mon déjeuner.

— C'est bien comme ça qu'il faut faire, mon capitaine, dit Foltz. On s'y habitue après les premières fois. Ils n'ont pas l'air de souffrir. J'ai jamais vu de gens comme ceux-là.

Il devait avoir raison. Je me dis que les Juifs collaboraient presque avec nous pour que nous procédions à leur destruction. Sinon, comment expliquer la facilité avec laquelle nous les supprimions ?

— Je vais m'occuper des autres, mon capitaine, dit Foltz.

Il me sembla que sa voix venait de loin, comme dans les communications téléphoniques à longue distance. Je m'empressai de remettre mon Lüger dans son étui. Sans un coup d'œil pour la jeune femme que je venais de tuer. Ma foi, si les hommes d'un grade inférieur au mien pouvaient tuer des milliers, des centaines de milliers de Juifs, j'avais le devoir d'en tuer au moins *un*. Bien que je déteste Blobel, d'une certaine manière il a tout de même eu raison de me forcer à agir.

Applaudissements, larges sourires. Blobel cligna de l'œil à ses commensaux quand je revins auprès de leur groupe.

— Beau travail, Dorf, dit-il. Von Reichenau dit que deux balles suffisent pour un Juif. Il ne vous en a fallu qu'une.

Notre conversation fut un moment suspendue par le crépitement des mitrailleuses. D'autres Juifs étaient en train de mourir. Et je suis maintenant fermement convaincu de la justesse de notre action. Ils n'ont aucun but, ces gens-là, en dehors de la mort.

Le récit de Rudi Weiss

Le mur étranglait lentement la vie du ghetto. On avançait pour prétexte qu'il avait été construit par mesure d'hygiène, afin d'empêcher la propagation du typhus. De fait, c'était une vaste prison, où l'on espérait que les Juifs mourraient à l'usure, en attendant que la solution finale fût appliquée.

Mais des Juifs continuaient à s'infiltrer dans la zone « aryenne ». Parmi ces contrebandiers, il y avait beaucoup de femmes à la recherche de quelque chose à manger pour leur progéniture. Notamment une infirmière appelée Sarah Olnick, qui assistait mon père dans les salles de l'hôpital réservées aux enfants. Sarah s'était fait prendre. On l'avait incarcérée.

Mon père, que cette nouvelle avait rendu furieux, s'en alla trouver le chef de la police du ghetto, un Juif du nom de Karp, qui s'était converti au catholicisme et qui, depuis lors, était un peu mieux vu des SS.

— Je veux qu'on relâche Sarah Olnick, dit mon père.

— Elle fait de la contrebande.

— Voyons, Karp. Vous savez bien qu'elle a franchi le mur afin d'aller chercher du pain pour ses enfants.

— Elle connaissait le règlement. Pas de contrebande.

— Relâchez-la, je vous en conjure. On a besoin d'elle à l'hôpital.

— Je me demande s'il n'y aurait pas là un peu de snobisme de classe, Docteur ? Mettriez-vous autant d'empressement à la faire libérer si elle était une mendiante ou une femme d'ouvrier ?

— Mais certainement.

— En ce cas, vous pouvez demander la libération de toutes les huit.

— *Huit ?*

Le chef de la police amena mon père près d'une fenêtre de son bureau d'où l'on pouvait voir la cour de la prison. Il y avait là huit femmes, de tous âges, et parmi elles, Sarah Olnick.

— Pour qui me prenez-vous, Docteur ? fit Karp sur un ton geignard. Pour un monstre ? Moi, je reçois des ordres, et je les exécute. Sinon, ils me pendront. Vous voyez la jeune mendiante, là-bas ? Elle a seize ans.

— Qu'a-t-elle fait de mal ?

— De la contrebande. Comme les autres. Elle est sortie du ghetto pour procurer du lait à son petit bâtard.

Mon père baissa la tête, et tenta de prier. Impossible. Il avait la sensation d'être lui-même acculé, pris dans un étau, et prisonnier.

— Karp, vous êtes un Juif. Vous pouvez faire appel auprès de vos maîtres...

— *J'étais* un Juif. J'ai trouvé le moyen de me tirer de là.

— Mais vous connaissez les SS. Usez de votre influence. Vous ne pouvez pas nous laisser...

Karp s'emporta alors.

— Qui diable êtes-vous donc pour me parler de la sorte ? Vous et votre frère Moïse, les membres éminents du Conseil des Anciens ! Que faites-vous dans ce Conseil, sinon recevoir des ordres des Allemands ? Vous vous inclinez, et vous obéissez. Listes de noms, corvées de travail, dénonciation des délinquants ! Vous houspillez les contrebandiers tout autant que les nazis. Ne me donnez pas de leçon de morale ! Si vous voulez être un héros, et vous plaindre aux SS, allez-y vous-même pour voir !

Mon père jeta de nouveau un coup d'œil sur la cour de la prison, pour tenter d'apercevoir Sarah, une grande femme au maintien très digne, qui était pleine de patience et de bonté, puis il sortit du bureau de Karp.

On fusilla quelques jours plus tard les huit femmes accusées de contrebande. La police juive refusa de procéder à leur exécution. Ce furent des Polonais venus de l'extérieur qui s'en chargèrent.

Une foule nombreuse se rassembla derrière le mur de la prison, afin de prier et de protester.

Sans grand résultat, ni pour les prières, ni pour la manifestation.

Ma mère, vêtue de son vieux manteau qui, autrefois, à Berlin, avait été très à la mode, se tenait auprès de mon père. Elle lui prit la main. Il lui avait bien dit qu'elle n'avait pas besoin de venir, mais elle avait insisté. « Je me sens solidaire de ces femmes », avait-elle répondu.

Aaron Feldman, le gamin dont la grande spécialité était la contrebande, grimpa sur le mur de la prison et décrivit à la foule ce qu'il voyait. On amenait les femmes une par une, on leur mettait un bandeau sur les yeux, et on les fusillait.

Ce fut d'abord le tour de Rivka, la jeune mendiante. Ensuite, on exécuta Sarah. Puis les six autres femmes. Leur crime avait été de chercher quelque chose à manger pour des enfants qui mouraient de faim.

— Oh, Joseph, fit ma mère à travers ses larmes, n'aurions-nous pas pu les sauver ?

— C'était sans espoir, répondit mon père.

Mon oncle Moïse, l'homme le plus doux qui fût, gardait l'œil sec. Il jurait intérieurement : « Il faudra venger cela. Je veux voir certains d'*entre eux* morts, et couverts de sang. »

De nouveau, mon père essaya de persuader ma mère de partir, mais elle insista pour rester jusqu'à la dernière salve.

Un rabbin commença à réciter la prière des morts, et mes parents qui en connaissaient à peine les paroles s'efforcèrent de prier avec les autres gens. Mon oncle Moïse resta silencieux. Il se sentait trop furieux pour pouvoir desserrer les dents.

Lorsque la foule eut cessé de prier, elle commença à se disperser. Mais les parents des victimes se collèrent à la porte de la prison et donnèrent des coups dedans. Beaucoup de personnes pleuraient.

Eva Lubin, qui constitua ma grande source d'informations pour cette période de la vie de ma famille, se rappelle qu'elle-même et Zalman s'approchèrent alors de Moïse Weiss. Anelevitz se tenait à peu de distance, le visage pensif, comme d'habitude, comme s'il avait toujours l'esprit concentré sur un objectif, sur une action à entreprendre.

— Pouvez-vous venir avec nous ? demanda Zalman.

— Bien sûr ! dit Moïse.

Un groupe de gens priait encore à proximité de la porte de la prison. Leurs voix brisées par l'émotion montaient dans l'air froid de novembre.

— Je suis si troublé que je ne peux plus prier, fit Moïse.

Zalman haussa les épaules.

— Les prières ne servent à rien, Weiss.

Ils emmenèrent mon oncle jusqu'au sous-sol d'une maison de la rue Leszno.

Dans un local sombre, dissimulé derrière un faux mur, se trouvaient une table, des livres, des rames de papier, et une presse à imprimer.

C'était une petite presse, au fonctionnement manuel, mais elle marchait bien. L'imprimeur était le vieil ami de mon père, Max Lowy, son client de la Groningstrasse, à Berlin. Moïse et lui échangèrent une poignée de main.

— Voilà donc d'où cela vient ! dit Moïse.

— Vous êtes contre notre journal ? demanda Zalman.

— Pas du tout. Je voudrais qu'il soit plus copieux. Avec davantage de nouvelles. Davantage de protestations. Je n'en saute jamais une seule ligne.

Anelevitz sortit de son silence.

— Nous manquons d'encre. Vous avez accès aux produits pharmaceutiques de l'hôpital.

— On ne peut pas imprimer avec de la teinture d'iode !

— Non, dit Lowy. Mais nous pouvons confectionner notre encre nous-mêmes. Du noir de fumée, du charbon de bois, de l'huile de lin. Je vous donnerai une liste.

Il inspecta d'un œil critique une feuille fraîchement tirée, la froissa, et la jeta par terre.

— Je reste un professionnel, même dans un sous-sol !

Dans un coin de la pièce grésillait un petit appareil de T.S.F. C'était donc par ce canal, se dit Moïse, que leur parvenaient les nouvelles du monde. Il comprit alors que chacune des activités du lieu, prise individuellement, était passible de la peine de mort, et que toute personne arrêtée ici serait torturée pour qu'elle fasse des révélations sur le réseau clandestin.

— Vous appelez ça un journal de résistance ? demanda Moïse. Jusqu'à maintenant, je dois dire que vous êtes restés plutôt passifs !

— C'est fini, dit Anelevitz. Nous allons réveiller le peuple. A partir d'aujourd'hui, la résistance passive n'a plus sa raison d'être. Il faut que les gens prennent conscience de ce qui les attend.

Moïse hésita.

— Si... si je vous apporte les produits pour confectionner l'encre, je me trouverai impliqué dans vos activités.

— Mieux vaut être impliqué dans notre activité que dans celle du Judenrat, dit Eva.

— Les membres du Conseil restent en vie, répondit Moïse, alors que ceux qui transgressent la loi se font tuer.

— Vous mourrez, de toute façon, dit Anelevitz.

— Et mieux vaut mourir en combattant, dit Zalman.

Moïse regarda le petit Lowy, qui s'activait à encrer sa vieille presse, et les visages résolus et ouverts de ceux qui se trouvaient réunis dans le local exigu.

Mon oncle commençait à avoir des doutes. Quel genre d'armée formaient-ils donc ? Comment pourraient-ils vraiment résister ? Peut-être lui et mon père avaient-ils été trop impulsifs, à lier leur sort à ces visionnaires, aussi braves et admirables qu'ils fussent.

— Ecoutez-moi, Zalman, dit Moïse. Vous êtes un travailleur, un dirigeant syndicaliste. Les nazis ne savent-ils pas quels bons ouvriers nous sommes ? Comment nous faisons marcher les usines ? A quoi leur servirait-il de se retrouver avec une quantité de Juifs morts sur les bras ?

Zalman se frotta le menton.

— Weiss, ils fermeront toutes les usines de Pologne, ou les feront marcher avec des Polonais et des Russes, plutôt que de laisser un Juif vivant.

Moïse voulait poursuivre la discussion. Quelle chance pouvait avoir leur résistance contre des Waffen-SS, et l'armée allemande ? Mon oncle était d'accord pour réfléchir à une certaine forme de lutte. Mais laquelle ? A quoi rimait leur activité ? Les Juifs, c'était bien connu, étaient des gens qui passaient le plus clair de leur temps à discuter, et à entretenir entre eux des querelles intestines : orthodoxes contre non-croyants, sionistes contre non-sionistes, communistes contre socialistes, etc.

Anelevitz fit un signe de la tête pour lui montrer la direction de la porte.

— Il peut s'en aller. Nous n'avons pas besoin de lui. Contentez-vous de garder le silence sur ce que vous avez vu ici, Weiss.

Moïse ne s'en alla pourtant pas. Il était fasciné par Lowy. Le petit homme déployait une activité stupéfiante. Il aurait certainement été capable, à lui seul, de conduire une presse automatique géante ! Sur la tête, il portait un calot de papier. Une traînée noire lui barrait le nez.

Lowy prit la parole en yiddish :

— Ah ! Le maître imprimeur au travail ! Ils me flanqueraient à la porte de leur syndicat, à Berlin, s'ils voyaient la saleté de feuille que je tire ici !

Il cligna de l'œil à Zalman.

— Attention, je ne parle pas de la copie, seulement de la qualité de l'impression.

Moïse s'adressa à Zalman ainsi qu'à tous les autres :

— Comprenez-moi bien... Je suis de votre bord. Mais la logique dit que nous ne sommes pas nécessairement condamnés à... à...

— La logique ne prouve rien, Weiss, dit Lowy.

Il ne fallut pas longtemps à Moïse pour se décider. Il tendit la main à Anelevitz :

— Je suis des vôtres, dit-il.

Le jeune homme sourit. Zalman et Eva embrassèrent Moïse.

— Nous pourrions aussi employer le Doc ! fit Lowy. Cela nous aiderait d'avoir quelqu'un à l'hôpital, un homme que les gens respectent.

— Je parlerai à mon frère.

Lowy retira une autre feuille de la presse à marbre-plan, l'agita une seconde fois pour la faire sécher, puis la tendit à Moïse.

— On peut l'accepter, celle-là. Bien sûr, elle ne serait sûrement pas primée à un concours d'Art graphique, mais elle fera l'affaire. Lisez-la.

Moïse prit la feuille, et se mit à lire.

« Aux Juifs de Varsovie, disait la proclamation. Mettons un terme à notre apathie. Plus de soumission à l'ennemi. L'inertie risque de causer notre déchéance morale, et de déraciner de nos cœurs notre haine pour l'envahisseur. Elle peut détruire en nous le désir de lutter, elle peut miner notre détermination. Du fait que notre situation est si cruellement désespérée, notre volonté de consacrer nos vies à une fin plus sublime que notre existence quotidienne doit être raffermie. Nos jeunes doivent marcher la tête haute. »

C'est ainsi que Moïse s'engagea activement dans la lutte clandestine. Il se porta volontaire pour afficher le premier appel à la résistance dans les points clés du ghetto. Lui, Eva, et quelques autres sortirent donc, et, en s'assurant qu'aucun représentant de l'ordre n'était en vue, placardèrent leur proclamation sur les portes, les murs, et les poteaux du téléphone.

Eva revoit encore Moïse fixer d'un clou la feuille qui appelait à la résistance sur la porte d'une boutique abandonnée, puis faire semblant d'être un simple passant juste comme mon père et ma mère tournaient le coin de la rue. Mon père s'arrêta pour lire la proclamation, bien loin de supposer que son frère lui-même venait de l'afficher.

— … à une fin plus sublime que notre existence quotidienne... nobles paroles !

Ma mère la lut également.

— Ceux qui ont rédigé ce texte et qui l'ont mis là sont des gens plus braves que nous, Joseph. Et peut-être aussi meilleurs.

— Oh, je n'en sais rien, dit Moïse. Ce sont peut-être de jeunes inconscients.

Papa se mit à rire.

— Cela me fait penser à Rudi. C'est le genre de chose qu'il aurait faite s'il était ici.

— Oui, tu as raison, dit maman. S'il était ici, il serait au cœur de la résistance. Tu sais, Joseph, j'ai la conviction que Rudi est sain et sauf. Qu'il s'en est tiré.

Mon père déposa un baiser sur sa joue.

— Moi aussi. Et Karl et Inga vont s'en tirer. Et nous nous retrouverons tous ensemble bientôt.

Le journal d'Erik Dorf

Berlin
Novembre 1941

Ce matin du 16 novembre, Heydrich et moi regardâmes dans la salle de projection les films et les photographies d'Ukraine. A ma surprise, il ne partagea pas mon indignation devant les documents visuels qui avaient été pris sans l'autorisation de notre bureau. Mais il reconnut que nous devrions contrôler de tels enregistrements, et que tous les films et les photographies devraient être conservés dans son quartier général.

— A quelle fin, Monsieur? demandai-je.

— Pour montrer au monde que nous n'avons pas flanché.

Assis dans une salle obscure, il fumait, immobile et songeur, effleurant de temps à autre son long nez de ses doigts de musicien.

Nous vîmes défiler sur l'écran une suite d'images impressionnantes en noir et blanc : des Juifs, amenés par groupes jusqu'au lieu de rassemblement, sur le bord de la fosse, puis contraints de se déshabiller, poussés dans la tranchée, et obligés à se tourner face aux fusils. Ils tombaient alors sous l'impact meurtrier des balles. Je dois avouer que la vision du film fut moins éprouvante pour moi que ne l'avait été celle de la réalité.

— Ils meurent assez paisiblement, dit Heydrich. Et leur absence de résistance est remarquable. Vous savez, Dorf, nous aurons beaucoup moins de mal à atteindre l'objectif du Führer que je ne l'imaginais.

Je lui racontai comment Blobel se plaignait de la fuite vers l'Est de millions de Juifs, devant nos armées victorieuses.

Il répondit, laconique :

— Nous finirons par les avoir tous. La Russie va s'effondrer, et ils seront à nous.

Je fis alors quelques suggestions utiles, en vue d'un contrôle étroit de toute la documentation des Einsatzgruppen : films, photographies, enregistrements, papiers. Il faudrait constituer une unité spéciale afin de tenir les registres. Il fut d'accord.

J'avais déjà recueilli quelques renseignements que je lui lus.
« Les divers commandants s'efforcent de procéder aux fusillades à une distance de 130 à 180 kilomètres des villes dont les Juifs sont originaires. Lors de ces déplacements, à pied ou en camion, j'ai le regret de dire que des Juifs s'échappent parfois. Nous avons obtenu nos meilleurs résultats en Lituanie, où des volontaires locaux, formés par nos soins, nous ont été d'un grand secours. »

— Un bon point pour les Lituaniens.

Oui. Le colonel Jager, chef d'un de nos commandos, appelle Kovno un *paradis de la fusillade*. De telles expressions devront être omises de nos rapports, mais il semble que tel soit le cas. Kovno est libéré des Juifs. Et puis quelques chiffres en vrac, dont je ferai ultérieurement des tableaux statistiques pour Heydrich : 30 000 Juifs ont été fusillés à Lvov, 5 000 à Tarnopol, 4 000 à Brzezany. La Lituanie conserve toutefois l'avantage. On estime que près de 300 000 Juifs ont été supprimés dans les régions de Vilna et de Kaunas.

Tout en lisant ces chiffres, j'observai Heydrich, guettant quelque réaction de sa part. Son beau visage n'exprimait rien. Mission en cours. Il réalise les souhaits du Führer : il extirpe d'Europe un fléau, une calamité. En outre, nous sentons à présent que notre opération n'est pas plus sanglante, plus insolite, ni plus frappante qu'un bombardement intensif par les airs, ou l'anéantissement d'une division soviétique, ou encore l'administration d'une zone occupée. L'essentiel est d'accomplir cette mission.

A vrai dire, les statistiques, pour étonnants que soient leurs chiffres — et j'avoue que la fusillade massive de 300 000 Juifs est difficile à concevoir —, facilitent l'acceptation de la chose. Elles prouvent que nous sommes une organisation efficiente, aux rouages impeccables, dans laquelle les ordres sont transmis et exécutés. Il s'agit d'envisager ces opérations, non pas en regardant les choses par le petit bout de la lorgnette (une jeune femme levant le bras, une petite fille demandant si elle pourra faire ses devoirs de classe), mais dans la perspective du mal numéro 1, l'existence pernicieuse des Juifs.

Nous continuâmes à suivre les images sur l'écran. C'était à présent le tour des photos. Femmes nues qui s'efforçaient de cacher leur poitrine et leurs parties intimes avec leurs mains, et qui couraient vers la fosse d'une manière maladroite et trébuchante, assez caractéristique du sexe féminin. Juifs âgés, barbus, au corps blanchâtre, qui, même face aux mitrailleuses, conservaient la calotte sur la tête. Jeunes gens aux yeux écarquillés de terreur. Pour ce qui est de notre mission, quelles qu'en soient les raisons, (et elles sont nombreuses), nous sommes de parfaits agents

184

d'exécution et avons trouvé nos victimes idéales. C'est comme un mariage olympien, quelque chose conçu par des dieux de la mythologie.

— J'estime que l'aspect illustration de notre travail ne doit pas être mesuré avec parcimonie, dit Heydrich. Dorf, veillez à ce qu'il soit fait avec notre approbation, et à ce que tous les films soient développés, projetés, et conservés ici.

J'hésitai.

— Bien sûr, j'y veillerai. Mais...

— Des doutes ?

— Aucun, Monsieur.

Heydrich fumait, apparemment détaché des sinistres photographies projetées. Nous échangeâmes quelques propos. De temps en temps, il me posait une question pertinente. Il ne me surprit qu'une fois, en insistant pour que je « lise entre les lignes » dans l'œuvre du Führer, et revoie d'anciens mémorandums, comme s'il cherchait à confirmer en chacun de nous l'indiscutable bien-fondé de notre action.

La dernière photo passa fugitivement sur l'écran. Trois jeunes adolescents juifs, au corps nu, au crâne rasé, avec ces curieuses cadenettes devant les oreilles. Leurs mains étaient levées, leurs yeux agrandis par l'effroi. Quelques secondes, et ils seraient des morts. Statistiques.

La lumière revint dans la pièce. Il se tourna vers moi, puis réaffirma (comme si un homme aussi efficace avait besoin de réaffirmer ses plus profondes convictions) qu'il était indispensable de purger l'Europe des Juifs. Il me parla d'un enregistrement qu'un des premiers membres du parti avait conservé d'une conversation avec Hitler dès 1922.

Hitler s'était vanté de ce qu'une fois arrivé au pouvoir, il pendrait tous les Juifs de Munich, puis ceux de toutes les autres villes, « jusqu'à ce que les cadavres puent ». Il exécuterait systématiquement les Juifs d'Allemagne jusqu'au dernier.

— On l'entend sur l'enregistrement, Dorf, dit le chef, nous faisons exactement ce qu'il a toujours désiré.

Je demandai une fois encore pourquoi apporter tant de précautions à garder secrète notre mission. Heydrich traita ma question avec dédain. Etant donné l'isolement de l'Angleterre, et le succès de notre guerre contre les Russes, Churchill pourrait fort bien demander la paix. Pourquoi donc compliquer les choses en faisant connaître au monde le problème juif ?

Cela me paraît assez logique.

Le récit de Rudi Weiss

Kiev tomba en quelques jours.

La grande ville d'Ukraine, qui, croyait-on, résisterait aux Allemands jusqu'à la mort, subissait maintenant l'occupation germanique. L'armée rouge avait disparu, battue, et pratiquement privée de ses chefs.

Dès que je vis les premières troupes allemandes, je forçai Hélèna à quitter le centre de réfugiés où nous avions été amenés. Les canons que nous avions entendus en chemin n'étaient pas des canons soviétiques : ils ouvraient la route aux Allemands qui envahissaient l'Ukraine.

La confusion régna durant plusieurs jours. Nous ressemblions à n'importe quels Russes réduits à la misère, et prétendions être des ouvriers agricoles. Le russe parfait d'Hélèna nous aida bien. A diverses reprises, je dérobai du pain, et, une fois, en volai directement dans le chariot du boulanger, derrière le grand Hôtel Continental, qui servait de quartier général à l'armée allemande.

La lutte se poursuivait encore dans certains quartiers de Kiev. Quelques militaires russes étaient restés en arrière, à dissimuler des mines et des objets piégés. Et de larges secteurs de la ville étaient en ruines.

Entendant un canon tirer, et voyant dans la rue des cadavres de Russes ainsi que d'Allemands, j'entraînai Hélèna dans l'arrière-boutique d'un magasin dévasté, où nous pourrions manger notre pain.

Elle se mit à pleurer doucement.

— C'est la fin, Rudi. Nous sommes perdus.

— Bien sûr que non, voyons ! Mange ton pain. Imagine que c'est une galette de pommes de terre.

L'arrière-boutique possédait un robinet d'eau. Je remplis mon quart, et nous bûmes.

— C'est affreux ! geignit-elle.

— Eh bien, merci ! Je nous ai procuré de quoi déjeuner. Essaie de croire que tu bois du vin. Je n'accepterai plus de récriminations. Attends que nous soyons mariés.

Elle fut prise d'un rire nerveux, et je la fis taire.

De l'autre côté de la vitrine brisée, je perçus un mouvement. C'était trois soldats allemands en parfaite tenue de combat. Ils s'arrêtèrent, regardèrent autour d'eux, et marquèrent une pause.

— Qu'est-ce que c'est ? chuchota Hélèna.

— On dirait des SS. Ils s'apprêtent certainement à faire des rafles dans la population.

— Ciel ! Rudi, qu'allons-nous faire ?

— Nous cacher. Derrière le comptoir. S'ils entrent, nous mentirons comme d'habitude. Nous sommes des fermiers qui avons été chassés de nos terres par les bombardements.

Soudain, il y eut une explosion gigantesque, comme si toute la ville de Kiev sautait. Du plâtre et de multiples débris tombèrent autour de nous. Dehors, c'était encore pire. La rue semblait soulevée en l'air sous la violence du coup. Une deuxième explosion suivit, puis une troisième.

J'entendis des échos de plâtras et de briques en train de tomber, puis un fracas assourdissant comme si tout un pâté d'immeubles venait de s'effondrer.

Nos yeux étaient aveuglés par la poussière, mais je réussis à voir devant la boutique les trois soldats se relever du caniveau, rajuster leurs ceinturons, et se diriger vers l'Hôtel Continental tout proche, à la boulangerie duquel j'avais volé notre déjeuner.

Des cris venaient de la rue. Il y avait beaucoup de confusion. De nouveaux soldats, plus nombreux, passèrent en courant. Un motocycliste couvert de poussière arriva à leur hauteur, et je parvins à l'entendre hurler :

— L'Hôtel Continental ! Ces salauds de Russes l'ont fait sauter. Il est plein de morts et de blessés.

Alors même qu'il parlait, l'air fut déchiré par de nouvelles explosions, et les soldats coururent se réfugier contre la boutique où nous nous trouvions. L'un d'eux fut atteint par une poutre qui tombait, et s'affaissa à l'intérieur même de la pièce où nous étions, dissimulés derrière le comptoir brisé.

Ses camarades venaient à son aide lorsque le motocycliste les rappela :

— Ratissez le secteur. Arrêtez tous les Russes que vous pourrez attraper. Il faudra fusiller ces salauds. Jésus, ça recommence !

— Et Helms ? demanda l'un des soldats.

— Il a l'air mort. Allons-nous-en.

Au-dehors, les sirènes hurlèrent plaintivement. Des camions passèrent dans un bruit de tonnerre. Les détonations semblaient avoir cessé, mais on entendait à présent un grondement sourd, comme si la terre elle-même était en train de s'affaisser.

Helms. Je crus cela impossible. C'était un nom assez répandu. Mais une fois la rue débarrassée des Allemands, je me glissai en rampant jusqu'à la vitrine pour voir le soldat qui avait été cloué au sol par la poutre de bois.

Je contemplai alors avec stupéfaction son visage blond familier. C'était bien Hans Helms. Je le savais dans l'armée depuis des années, mais ignorais qu'il appartînt à une unité de SS, comme en témoignaient la tête de mort et les initiales acérées sur les pattes de son col.

— Je suis blessé, gémit-il. Soulevez ce qu'il y a sur moi.

— Salopard ! fis-je. Je n'arrive pas à le croire.

Il ne m'avait pas encore reconnu.

— Hélèna, dis-je. Viens le tirer pendant que je soulève la poutre.

Je me plaquai au sol, le dos contre la poutre, rassemblai mes forces, et parvins à la soulever. Lentement, beaucoup trop lentement à mon gré, Hélèna le libéra.

— Prends son fusil, lui dis-je.

Elle le prit.

J'ôtai le casque de la tête de Hans Helms. Une entaille lui avait ouvert le crâne, et le sang cachait ses yeux. Le regardant bien en face, je prononçai son nom : Hans Helms.

Il fixa son regard sur moi, battit des paupières comme s'il s'éveillait d'un songe, et dit :

— Weiss. Rudi Weiss. Pour l'amour du ciel, qu'est-ce que tu... ici... comment...

Je l'empoignai au collet et entrepris de le secouer.

— Peu importe, fumier ! Tu ne m'as jamais plu, tu sais.

— Calme-toi. Cet uniforme noir, on m'a forcé à l'endosser. J'étais un simple fantassin. J'ai été entraîné dans un Einsatzgruppe.

— Tu mens, ordure !

Hélèna était ahurie.

— Tu le connais ?

— C'est un parent à moi.

— Rudi, ce n'est pas de ma faute, haleta-t-il. Je n'ai jamais rien eu contre toi. Pour l'amour du ciel, donne-moi à boire.

Hélèna saisit son casque et alla le remplir d'eau dans l'arrière-boutique. Helms but. A part quelques contusions, il paraissait indemne. Il remuait les jambes, et tenait son casque à deux mains. Aussi conservai-je le fusil entre les miennes.

— Ecoute, Helms, j'erre depuis bientôt trois ans à cause de salauds de ton espèce. Parle-moi de ma famille. As-tu vu ta sœur ?

— Il y a six mois, à Berlin.

— A-t-elle dit quelque chose au sujet de mes parents ? et Karl ? Et ma sœur ?

Il hésita. Je collai le canon du fusil contre sa gorge.

— Parle, Bon Dieu !

— Ta mère et ton père vont bien, a dit Inga. Ils sont en Pologne. Varsovie, je crois. Ce n'est pas mal. Les Juifs y ont tout un quartier de la ville. Inga a de leurs nouvelles.

Dans quelle mesure mentait-il ? Je n'en avais aucune idée ; mais les mensonges sont encore préférables au manque d'informations.

— Et Karl ?

— Il est à Buchenwald. Lui aussi va bien. Inga lui a fait obtenir un travail qui n'est pas pénible du tout.

Je tendis le fusil à Hélèna et me remis à secouer Helms.

— Salopard, j'ai bien envie de te faire sauter la cervelle sur-le-champ. Dis-moi la vérité. Un nazi de moins sur terre, cela ne me gênera pas. Tu peux mourir pour le Führer.

Il se fit suppliant.

— Mon Dieu, Weiss, que t'ai-je fait ? Je n'ai rien contre toi. Rappelle-toi tous ces matches de football que nous avons joués ensemble.

Je songeai aux Juifs inoffensifs, désarmés, et terrorisés que sa race avait massacrés, et voulus le tuer ; mais ce me fut impossible.

— Et Anna ?

Helms s'écarta un peu de moi.

— Elle est morte. De maladie. Une pneumonie. Je ne sais pas. Je le saisis à la gorge. Ses mains s'agrippèrent à mes manches.

— Je n'y suis pour rien. Personne ne lui a fait de mal. Elle... est simplement... tombée malade... et morte. C'est tout ce que je sais.

Il nia que ses parents l'aient tenu au courant, et prétendit s'être trouvé en Russie à l'époque. Ma rage m'empêchait de pleurer. Mon unique envie du moment était de lui faire du mal, pour qu'il paie les crimes commis contre ma famille, et toutes les autres indignités dont j'avais été le témoin.

Ensuite, incapable de contenir plus longtemps mes larmes, je pleurai bruyamment, sans aucune honte.

— Elle avait dix-huit ans, Hélèna, sanglotais-je. Ces salauds, je sais qu'ils sont pour quelque chose dans sa mort.

— Oh, Rudi, je suis désolé. Tu l'aimais tant.

Je regardai la tête ensanglantée de Helms. Ses yeux trahissaient sa frayeur. Ces salopards pouvaient aussi éprouver de la peur. Ils pouvaient apprendre ce que cela fait de mourir, sans pouvoir se défendre.

— Donne-moi son fusil, dis-je.

— Non, Rudi.

— Je vais lui faire sauter la cervelle.

— Rudi, accorde-moi une chance, implora Helms. Nous t'avons donné asile, dans l'immeuble où nous habitions, ainsi qu'à ta mère et à ta sœur. Nous prenions un risque.

— Parce qu'Inga t'y a obligé.

— Et puis après ? Nous l'avons fait. Tes parents vont bien, tu sais. Karl aussi...

— Tu as tué Anna.

— Je n'ai pas levé la main sur elle.

— Cet uniforme te rend aussi coupable que celui qui l'a fait. Je sais que tu mens, Hans. Il s'est passé quelque chose. Raconte-moi.

— Je jure que je ne sais rien.

Il savait, bien sûr, qu'elle avait été rouée de coups et violée, mais il est possible qu'il ait ignoré son meurtre à Hadamar. En définitive, avec Héléna qui plaidait sa cause, et les explosions qui s'étaient remises à ébranler le ciel et la terre, je décidai de le laisser aller. Je n'en étais pas encore au stade où je pourrais tirer sur un individu sans défense. Pas encore.

— Aidez-moi à sortir d'ici. Je suis blessé. Conduisez-moi à un poste de secours.

— Peut-être vais-je t'enterrer vivant. Comme vous autres enterrez les Juifs âgés. En les recouvrant de pelletées de terre, alors qu'ils respirent encore.

— Je n'ai jamais agi de la sorte. Ecoute. Je peux vous procurer des sauf-conduits. Crois-moi, il ne fera pas bon pour les Juifs d'être à Kiev. Je veillerai à ce qu'on ne vous inquiète pas.

Héléna regardait sa tête blonde, au visage maculé de sang aggloméré, qui exprimait la franchise.

— Rudi, je pense que nous pouvons le croire.

Elle était d'une nature bienveillante, encline à la confiance ; mais je l'écoutai. Il me fallut plusieurs secondes pour me décider à suivre son conseil. Après tout, Helms était peut-être différent des autres SS. Je le connaissais depuis longtemps. Et c'était le frère d'Inga.

Nous l'aidâmes à se relever, lui mîmes son casque, passâmes son fusil sur son épaule, et quittâmes la boutique pour la rue qui était jonchée de décombres.

Sur notre gauche, se trouvait un escadron, et plus loin derrière, quelques camions et charrettes tirées par des chevaux.

Nous passâmes tous deux un bras de Helms sur nos épaules, et marchâmes vers l'escadron. Un sergent s'avança. Je l'entendis qui disait à ses hommes, en tournant la tête vers eux, « Ciel ! Ils ont fait sauter la moitié de Kiev. »

— Je suis blessé, fit Helms.

— Qui êtes-vous ?

— Caporal Helms. Vingt-deuxième division SS.

Le sergent nous désigna :

— Et qui sont-ils ?

Hélèna faillit prendre la parole, mais se tut.

— Des Juifs, dit Helms. Ils ont essayé de me tuer.

— Non, fis-je, nous sommes des paysans ukrainiens. Explique-lui, Hélèna.

— Des Juifs, des youpins, insista Helms.

— Salaud de menteur, lui dis-je. Nous vous avons sauvé la vie, nous avons risqué notre tête pour vous, et maintenant...

Deux soldats s'avancèrent et assirent Hans sur un tas de pierres. Un médecin équipé d'une trousse de premier secours entreprit de nettoyer la blessure de son crâne et de le bander.

Le sergent nous regarda avec indifférence, comme si nous étions des sacs de pommes de terre.

— Vous deux, montez dans ce camion, là-bas.

Il désignait de son pouce le camion et les charrettes où l'on faisait monter des civils russes.

— Pourquoi ? demandai-je.

Il me fendit la peau du visage avec son revolver.

— Ferme-la, youpin. On t'emmène pour ton bien. Va !

Hélèna eut un frisson. J'essuyai le sang de mon visage. Nous descendîmes tous deux la rue jusqu'aux camions.

— Que va-t-il nous arriver, Rudi ? murmura-t-elle.

— J'ignore. Ce que je veux, c'est vivre assez longtemps pour régler le compte de ce salaud de Helms.

Juste comme nous étions hissés sur le dernier camion, une nouvelle explosion secoua le sol. Une mine venait de sauter presque sous les pieds de Helms et des autres. Je me retournai, et vis que ma soif de revanche ne serait jamais étanchée. Hans Helms avait été réduit en miettes, ainsi que l'équipe médicale.

Le journal d'Erik Dorf

Kiev
Septembre 1941

L'Hôtel Continental, qui servait de quartier général à l'armée n'est plus qu'une masse de gravats. Plus de deux cents officiers supérieurs et soldats ont trouvé la mort dans l'explosion.

191

Par bonheur, le poste de commandement de Blobel est installé dans une autre partie de la ville. L'armée ne tient pas à ce que nous soyons trop près d'elle. La Waffen-SS, notre branche combattante, est généralement bien acceptée. Mais les officiers de l'armée préfèrent maintenir une certaine distance entre les membres des Einsatzgruppen et eux-mêmes, quoiqu'ils n'entravent jamais notre action, et à vrai dire nous aident même souvent. En l'occurrence, leur attitude tourna à notre avantage.

Le carnage et la destruction du centre de Kiev glaçent littéralement d'horreur. Il semble que des ingénieurs russes aient miné des pâtés d'immeubles entiers, notamment l'Hôtel Continental, et qu'ils aient disposé des charges à retardement juste avant leur retraite. Qui aurait pensé que ces Slaves primitifs pouvaient avoir assez d'intelligence pour agir ainsi ?

Blobel était hors de lui. Il hurlait des ordres au téléphone, et essayait d'obtenir des renseignements. Il devra rendre des comptes à Heydrich pour ce désastre. Après tout, la liquidation des Juifs n'est qu'*une* de nos fonctions. On attend également de nous que nous supprimions les saboteurs, les criminels, les commissaires politiques, et tous les éléments susceptibles de se révéler gênants. L'armée rouge a certainement laissé des espions derrière elle pour procéder à une telle destruction.

Blobel et moi, nous nous détestons réciproquement, surtout depuis qu'il m'a contraint, voilà quelques jours, à achever la jeune femme devant ses hommes. (J'ai découvert depuis que lui-même ne s'est jamais servi d'un revolver. Il se contente de donner des ordres.) En tout cas, le désastre qui vient de nous être infligé à Kiev m'a fourni l'occasion de reprendre le dessus.

— Votre intelligence laisse beaucoup à désirer, dis-je, alors qu'il courait d'un téléphone à un autre, apprenant à chaque coup de fil de nouvelles morts, et de nouveaux ravages dans la capitale de l'Ukraine.

— Nous sommes tellement occupés à tuer les Juifs que nous n'avons plus personne pour surveiller l'armée rouge.

— Vous êtes censé faire les deux.

— Oui, dit-il en raccrochant bruyamment un appareil, et je peux constater que vous êtes un mouchard, que vous raconterez tout à Heydrich. A Himmler. Ce salopard d'ivrogne de Blobel, et ses négligences ! Et vous alors ? Pourquoi ne saviez-vous pas que l'armée rouge avait miné la ville, hein ? Qu'est-ce que vous croyez qu'ils foutent, toute la journée ? Qu'ils boivent de la vodka et baisent des danseuses ?

Les explosions avaient cessé, mais des miasmes et un voile épais de poussière, de plâtre, et de terre pulvérisés, planaient sur la ville en ruine. Je jetai un coup d'œil par la fenêtre. Des pelotons de SS arrêtaient tous les gens qu'ils trouvaient. L'armée rouge s'était évanouie. Les soldats russes qui n'avaient pas été faits prisonniers s'étaient enfuis vers l'Est. Je me console de l'explosion de l'Hôtel Continental en me disant qu'ils ont bien mal défendu Kiev, que notre armée a déjoué toutes les manoeuvres de leur tactique, et remporté l'avantage des armes. On dit que le « Grand Staline » est dévoré par la peur, qu'il ose à peine lire les bulletins en provenance du front, et qu'il est sur le point de se rendre.

Il me vint une idée.

— Blobel, vous me considérez comme votre ennemi, mais vous vous trompez, lui dis-je. Peut-être arriverons-nous tout de même à tirer un avantage de ce désastre.

— Comment cela ? En nous faisant rembourser par la compagnie d'assurances de l'Hôtel Continental ?

Son sarcasme me contraria. J'ai acquis la certitude que ma mentalité est tellement supérieure à la sienne que je suis en mesure de le faire plier à ma volonté, et de l'obliger à m'écouter et à accepter mes décisions, même s'il est d'un rang supérieur au mien.

— Aucun de nous deux ne sera en bonne posture lorsque le rapport arrivera à Berlin, dis-je. Au lieu d'en rester à nous demander comment il se fait que nous n'ayons pas eu l'idée que la ville pouvait être minée, pourquoi ne pas rejeter tout le blâme de ce désastre sur les Juifs ?

Blobel en rota de surprise. Il ouvrit son col de chemise.

— Quelle idée, Dorf ! Ces vieillards barbus ? Ces enfants aux cadenettes devant les oreilles ? Ces femmes crasseuses ? Ces gens-là pourraient miner une ville ? Quasiment la détruire ?

M'armant de patience, je lui expliquai alors que des mensonges au service d'une vérité supérieure, des jugements et des actions extrêmes dans la poursuite d'un objectif noble sont parfaitement admissibles. Les Juifs sont à la fois un moyen et une fin, lui dis-je une fois de plus. Berlin trouvera notre histoire acceptable sur tous les plans. Nous n'avons pas besoin de nous chercher d'excuses supplémentaires pour tuer les Juifs, mais, en matière de stratégie et de propagande, leur imputer la destruction de Kiev sera bénéfique pour tout le monde. Cela nous gagnera le soutien indéfectible de la population ukrainienne, et désarmera toute critique éventuelle qui nous serait faite de l'extérieur, si l'activité des Einsatzgruppen venait à être connue.

Je rappelai également à Blobel la réflexion ironique qu'il m'avait lancée : une fois que vous avez tué dix Juifs, il vous est plus facile d'en tuer ensuite une centaine ; et après cela, plus facile encore d'en tuer un millier.

Sur-le-champ, il décrocha un téléphone et ordonna une nouvelle rafle.

Le récit de Rudi Weiss

A quelques kilomètres de Kiev, — nous étions, ce jour-là, le 29 septembre 1941 —, nous reçûmes l'ordre de descendre des camions et des charrettes pour continuer d'avancer à pied.

Il faisait très chaud. Nous étouffions dans les nuages de poussière jaune que nous soulevions en marchant. Ceux qui trébuchaient et tombaient étaient tués d'une balle dans la tête. Hélèna fut prise d'un tremblement nerveux. Je dus la tenir tout contre moi pour l'empêcher d'avoir une crise de nerfs.

L'homme qui nous précédait dans la colonne paraissait avoir un bon niveau d'éducation. Il était bien habillé. Hélèna entreprit de lui parler. Il dit qu'il était instituteur. Je ne me souviens plus de son nom : Liberman... Liebowitz...

— Ils nous emmènent dans un camp de travail, fit-il sur un ton presque joyeux. J'ai entendu les Allemands le dire. Cela ne devrait pas être trop mal. En tout cas, on nous donnera à manger.

— Oui, ajouta une femme. Ils disent que nous serons protégés contre les Ukrainiens, pour notre bien.

— Où est ce camp ? demanda Hélèna. Loin d'ici ?

— Non, dit l'instituteur. Pas trop. Juste derrière le cimetière juif. Dans un endroit appelé Babi Yar.

Hélèna se tourna vers moi.

— Drôle de nom, Babi Yar. Cela veut dire le ravin de grand-mère.

Je lui murmurai à l'oreille.

— Ce n'est pas dans un camp de travail que nous allons. Ils veulent se venger de ce qui s'est passé à Kiev. Je ne crois plus un seul mot de ce qu'ils racontent. Il va falloir que nous nous sauvions à la première occasion.

— Rudi... non...

— Et s'il le faut, je te traînerai par les cheveux.

Je regardai les pauvres Juifs de Kiev. Les vieux, les faibles, les orthodoxes, de jeunes couples, des femmes portant des bébés. Ils

194

avaient confiance. Quelque chose en eux les poussait à croire ce qu'on leur disait. Mais nous, les Juifs d'Allemagne, si fiers d'être allemands, qui étions des gens si modernes, si évolués, avions-nous été plus malins ?

Un convoi de véhicules militaires arrivait derrière nous. Des voitures d'état-major, des camions, des motos. Ils allaient dans la même direction que nous. A l'arrière de chaque camion, je pus voir des mitraillettes prêtes à cracher la mort, et des caisses de munitions empilées les unes sur les autres.

Le convoi soulevait un épais nuage de poussière. Une poussière suffocante, car la route était très sèche et poudreuse. Une poudre jaune. Au passage des véhicules le long de notre colonne, il se formait d'énormes tourbillons de poussière qui nous étouffèrent et nous aveuglèrent, et qui firent tousser les soldats SS, dont les visages s'abritaient derrière des lunettes et des foulards. Saisissant alors le bras d'Hélèna, je l'entraînai hors de la file des marcheurs. Nous roulâmes dans le fossé d'irrigation qui longeait la route. J'attendis un moment. Un second convoi s'annonça bruyamment derrière le premier. A son tour, il entreprit de doubler la colonne en l'enveloppant dans un épais nuage jaune. J'en profitai pour tirer Hélèna par sa manche, et nous partîmes en courant, pliés en deux, afin de ne pas attirer l'attention sur nous, vers un bosquet de chênes et d'érables. L'herbe du champ que nous traversions était haute et dense. Nous nous trouvâmes bientôt hors de la vue de la colonne qui s'était considérablement allongée, puisqu'elle semblait maintenant s'étendre en arrière jusqu'à Kiev.

Nous prîmes le temps de nous reposer sous une corniche rocheuse. Hélèna se blottit dans mes bras et pleura doucement. J'embrassai ses joues mouillées, son nez, sa bouche. Je lui dis alors que nous n'allions pas mourir, que je ne les laisserai pas nous tuer. C'était la vantardise stupide de la jeunesse, mais je n'avais pas d'autre recours que de lui mentir, ou tout au moins de lui laisser entrevoir un avenir plein d'espoir.

Elle cessa rapidement de pleurer. Hélèna était si petite, si courageuse, et faisait tellement partie de moi-même ! Je me suis souvent demandé comment une jeune fille si jeune et si frêle pouvait avoir une telle force de caractère, un tel désir de vivre, et tant d'amour au cœur. Ses origines étaient modestes. Elle était la fille d'un couple de commerçants, de Sionistes à la foi touchante, des Juifs ordinaires de Prague. Mais il s'était développé en elle (de quelle façon, je l'ignore) un amour de la vie, et une profondeur de sentiments qui me rappellent, à bien des égards, Anna, ma sœur perdue.

— Je t'épouserai un jour, dis-je.

— Rudi, ne me taquine pas !

— C'est vraiment dans mes intentions, tu sais. Mais pour le moment, debout, mon petit. Avant de nous marier, il va falloir que nous recommencions à nous cacher.

Le journal d'Erik Dorf

Kiev
Septembre 1941

C'est extraordinaire comme les Juifs ont obtempéré à nos ordres de préparer un sac, de prévoir de la nourriture pour une journée, et de se rassembler à certains coins de rue, prêts à être transportés dans nos camps de travail.

Avec le colonel Blobel et ses hommes, nous sortîmes de Kiev, ce matin de bonne heure, pour aller voir la manière dont se déroulent les opérations. Evidemment, la rumeur selon laquelle les Juifs ont fait sauter la ville s'est déjà propagée dans Kiev. De toute évidence, l'armée rouge s'accommode de cette version des événements. Et la population civile ukrainienne en semble presque ravie. Ils s'enrôlent par dizaines comme auxiliaires des SS.

Nous regardâmes avec des jumelles le fond du ravin, en contrebas. C'est un endroit qu'on appelle Babi Yar.

Blobel se mit à rire.

— Juste derrière, c'est le cimetière juif de Kiev ! Quel à-propos, ne trouvez-vous pas, Dorf ?

— Oui, apparemment. Bien sûr, tous les rapports doivent qualifier ceci de réinstallation.

— C'est précisément ce qu'on leur dit, et précisément ce qu'ils croient. Des camps de travail. Pour leur propre sécurité. Leurs rabbins et autres dirigeants les ont persuadés d'obéir.

— C'est surprenant de voir à quel point ils coopèrent, dis-je.

— Ce sont des sous-hommes. Des descendants d'une autre branche de l'espèce humaine. Himmler le prouve tous les jours. Vous savez que notre Reichsführer bien-aimé se plaît à collectionner les crânes de Juifs. Il passe des heures à les mesurer, et à les comparer à des crânes d'aryens ?

— C'est stupéfiant.

Tout en conversant ainsi, nous pouvions voir, de l'autre côté du ravin sableux, une immense foule de Juifs rassemblés. Dans le plus grand ordre.

— Bon Dieu! s'exclama Blobel. Nous en attendions à peu près six mille, et nous en avons trente mille !

C'était fantastique.

— Peut-être, reprit Blobel avec un large sourire, ont-ils compris que, de toute façon, nous allons les faire expier. Kiev brûle encore à cause de toutes les maudites explosions juives.

En abritant d'une main mes yeux contre les rayons du soleil, je vis alors des milliers de gens, dont certains tournaient en rond, et d'autres restaient paisiblement en rang, à mesure qu'on les déchargeait des camions et des charrettes. Ils formaient une immense marée humaine. Un lac. Une mer intérieure de Juifs. Le déshabillage avait commencé. C'était étrange. Au premier plan, près du ravin, les corps se fondaient en une grosse tache d'un blanc rosé, alors que vers l'arrière, les Juifs étaient marron-noir, et seul leur visage pâle qui ressortait un peu leur conférait un semblant d'humanité.

Je me suis endurci. J'ai maintenant une carapace protectrice contre tout vestige de pitié ou de compassion qui pourrait encore subsister en moi. Je n'ai plus autant de difficulté à conserver présentes à l'esprit les paroles d'Heydrich. Les Juifs sont les ennemis mortels de l'Allemagne, à tous égards, à tous les points de vue qu'il est possible d'imaginer.

J'interrogeai Blobel sur les journalistes étrangers.

— Ils sont tenus à l'écart de cette opération. On est en train de leur montrer les incendies dans Kiev, et tous les dégâts.

— C'est bien. Et les Ukrainiens ?

— A part ceux qui nous aident dans ce travail, ils sont aussi tenus à l'écart... bien qu'ils se foutent éperdument de ce que nous pouvons faire aux Juifs.

Les premiers groupes de Juifs nus avancèrent. On les fit s'agenouiller dans le ravin. Un homme tenait ses mains au-dessus de sa tête. Faisait-il une prière à son Dieu ? Implorait-il un soldat ? Je ne saurais le dire. Une nouvelle technique se pratiquait là, peut-être dans le but d'économiser les munitions. Les Juifs étaient exécutés un par un, d'une seule balle dans la nuque. Des SS armés de revolvers passaient derrière chacun d'entre eux et les liquidaient.

— Plus de mitraillages ? demandai-je.

— Je fais des expérimentations. Nous en reviendrons aux mitrailleuses si cela nous prend trop de temps.

Il donna un petit coup de cravache sur sa botte.

— Cela devient monotone, Dorf. Allons-nous-en. Cela durera

plusieurs jours. Je vais donner l'ordre de décharger les Juifs plus loin, afin d'éviter la panique. Je voudrais aussi essayer un truc utilisé par Ohlendorf. Il appelle ça la méthode des sardines.

— La méthode des sardines ?

— Une première rangée de Juifs s'allonge dans le fond de la fosse, les uns contre les autres. Boum-boum. Morts. Un second groupe s'étend sur la rangée du fond, la tête contre les pieds des morts. Boum-boum. Morts à leur tour. Et ainsi de suite, jusqu'à ce que la·fosse soit remplie.

Nous nous éloignâmes du ravin. Les coups de feu étaient plus fréquents à présent, ainsi que les gémissements et les cris aigus. Mais l'endroit conservait tout de même une curieuse tranquillité. Des SS se tenaient sur la route la plus proche, où nous attendaient nos voitures.

A un barrage établi par nos SS, un homme de haute taille, en costume de civil, de toute évidence un Allemand, montrait des papiers à un caporal tout en protestant. Il voulait entrer dans le périmètre interdit.

— Je suis sous les ordres du Feld-Maréchal Von Brauchitsch, disait-il d'une voix irritée. Voici mes papiers. Voici sa lettre.

— Je regrette, Monsieur. Personne n'a le droit d'aller au-delà de ce barrage.

Le civil releva la tête, mécontent, frustré, et je reconnus alors mon oncle Kurt.

— Je suis chargé de diriger des équipes de terrassement des routes dans cette région. Je devais examiner le ravin aujourd'hui même.

— Je regrette, Monsieur. C'est dans la zone interdite.

Je rejoignis Kurt, et lui dis :

— Il a raison, oncle Kurt. La zone est effectivement interdite.

Kurt me regarda d'un air intrigué, puis il me sourit. Nous nous embrassâmes. J'étais vraiment heureux de le voir. On devient solitaire, faute d'éléments qui rappellent la famille. Je voyais peut-être Kurt seulement une fois l'an, mais c'est un parent bienveillant et fidèle, qui avait toujours été très lié avec mon pauvre père.

— Erik ! s'écria-t-il. J'avais entendu dire que tu étais en Ukraine ! J'ai parlé à Marta avant mon départ de Berlin, mais elle m'a dit ne pas savoir où tu te trouvais exactement. Comme c'est bon de te revoir !

Je le présentai à Blobel, qui ne fit pas grand cas de cette rencontre, mais qui m'invita à passer prendre un verre dans son bureau quand le « pointage » serait terminé.

— Le « pointage » ? questionna Kurt.

— Oh, un exercice militaire, dis-je.

La voiture de Blobel démarra.

Kurt admirait mon uniforme.

— Quelle allure ! Le petit garçon de mon frère Klaus. Devenu l'un des grands pontes du Reich. Chez les redoutés SS. Je n'arrive pas à le croire, Erik !

— La guerre nous change.

— Je ne crois pas que tu aies changé. Tu as toujours l'air d'un bel adolescent.

Je n'ai jamais été spécialement vaniteux, je le dis franchement, mais le compliment de mon oncle Kurt me fit un grand plaisir. Tant mieux si je conserve l'aspect physique d'un innocent jeune homme ! La trempe de caractère que j'ai acquise est d'ordre *interne*. L'être qui peut maintenant observer stoïquement des exécutions massives, qui est capable de loger une balle dans le crâne d'une jeune femme, ne présente pas de changement en apparence. Ma femme non plus ne pourra pas sentir mon évolution intérieure.

Et pourtant, j'ai beaucoup changé. Mais Kurt ne pouvait pas s'en rendre compte. Je suis un soldat, un combattant de première ligne dans la marche de l'Allemagne vers la conquête. Mais, à la différence de cet ivrogne de Blobel et de ce faux jeton de Nebe, j'ai la chance de garder le physique d'un jeune officier viril, probe et intelligent, aux vues justes et pacifiques.

Nous bavardâmes sur notre campagne de Russie, sur le beau travail que faisaient nos armées, et sur nos perspectives d'avenir : l'Europe entière sous notre autorité, l'Angleterre qui demanderait bientôt la paix. On dit qu'une bonne partie du gouvernement britannique verrait d'un bon œil l'anéantissement du bolchevisme, et pourrait pousser à la signature d'un pacte germano-anglais.

J'invitai Kurt à regagner Kiev dans ma voiture. Lorsque nous eûmes échangé quelques menus propos, sur Marta, les enfants, le travail de Kurt pour l'armée, mon oncle me demanda :

— Et Babi Yar ? Qu'est-ce qui se passe là-bas ?

Je restai un moment silencieux. Je pouvais lui révéler, sans mentir, une partie de ce qui s'y passait.

— Des exécutions répondis-je.

— Ah ! Cela serait donc de votre ressort... à l'arrière du front... Et quelles sont... les victimes ?

— Oh ! Un peu de tout. La racaille habituelle. Espions, saboteurs, ceux qui ont pris part aux explosions et aux incendies de Kiev. Criminels de droit commun. Trafiquants de marché noir.

— Des Juifs ?

— Oui, quelques-uns.

— Quelques-uns seulement ?

— Nous ne tenons pas de registres. Quiconque nous résiste doit être supprimé.

Kurt se caressa le menton de la main.

— Je suis en Ukraine depuis plusieurs semaines, et les Juifs de la région ne me font pas du tout l'effet d'être des résistants. Ceux que j'ai vus mettent, de toute évidence, le plus grand empressement à nous satisfaire.

— Ce sont des gens rusés, mon oncle. De fait, nous procédons à la réinstallation d'un bon nombre d'entre eux. Nous les mettons à l'écart du reste de la population.

— La réinstallation, dis-tu ?

— Oui. C'est en quelque sorte une mesure sanitaire. De façon à pouvoir poursuivre la guerre.

— Naturellement.

Il me regarda alors avec une attention extrême, et poursuivit :

— Tu étais autrefois l'un des petits garçons les plus timides que j'aie jamais vus. Maintenant, regarde-toi ! Tu donnes des ordres. Tu diriges des programmes de réinstallation. Tu changes la face de l'Europe.

— Vous me créditez d'un pouvoir que je n'ai pas, mon oncle. Je ne fais qu'obéir aux ordres.

Kurt rit.

— N'est-ce pas là ce que nous faisons tous ?

Ma voiture se trouva alors bloquée par une autre colonne de Juifs. Une file interminable qui serpentait sur la route sinueuse. De plus en plus nombreux, ils répondaient à notre appel de se rendre à Babi Yar. Ils avançaient lentement. Avec à leur tête plusieurs hommes barbus, sans doute des rabbins ou des professeurs, qui psalmodiaient en roulant les yeux.

— Mon Dieu ! s'exclama Kurt. Encore d'autres. D'autres « saboteurs », comme tu dis. On les dirige tous vers ce ravin.

— Et aussi ailleurs.

— Ah ! dit Kurt. Pour être réinstallés ?

Le timbre de sa voix témoignait d'une certaine incrédulité.

— Oui, certains d'entre eux. Il y aura une espèce de tri. Une procédure de sélection. Les criminels qui se trouvent parmi eux seront exécutés.

Notre voiture parvenait à grand-peine à se frayer un chemin au milieu de cette marée de Juifs. Ils avaient l'air de dégager une odeur de crasse, de peur, de corps mal lavés, et d'excréments.

— Tâche cruelle ! dit Kurt.

— Toute guerre est cruelle.

— Mais... tant de civils ? Est-ce vraiment indispensable ?

Je lui offris une cigarette, et nous nous mîmes à fumer. Je ne voulais pas revenir sur le sujet de Babi Yar, ni sur aucun autre aspect de notre travail.

— Parlez-moi encore de Marta, Oncle Kurt. J'ai du mal à attendre mon retour à Berlin pour la revoir, et pour revoir les enfants. Croyez-moi, sans eux pour m'insuffler du courage, je ne sais pas si je pourrais continuer.

Il ne dit rien, mais posa sur moi le regard profondément triste et interrogateur de ses yeux pâles.

J'en restai un moment déconcerté. En me regardant, Kurt avait les yeux de mon père. Leur expression était exactement celle que prenait mon père lorsque j'avais menti ou commis une mauvaise action. A vrai dire, j'étais un enfant si obéissant et si soumis que de telles occasions avaient été rares. Ce qui m'avait rendu ces instants si pénibles n'était pas tant le sentiment de culpabilité qui m'envahissait alors pour avoir triché dans une composition ou chipé un crayon, que la conscience de faire à mon père une peine inutile. Il avait déjà tellement de soucis, avec sa mauvaise santé et sa boulangerie qui marchait mal! Je souffrais alors de lui infliger un surcroît de souffrance à cause de mes peccadilles.

Les yeux de Kurt éveillèrent en moi ces souvenirs de mon enfance. Je me trouvais donc à nouveau sous le coup d'une réprimande. Mais pourquoi? Kurt se doutait probablement de ce que pouvait être la teneur de la plupart de nos tâches. Il n'est pas possible de dissimuler intégralement toutes les preuves. Mais de quel droit me blâmait-il... si toutefois j'avais bien interprété son regard?

Je ne fais rien de mal. Je suis discipliné. Je respecte les règlements, les lois, et la destinée de la nation, de nos chefs. Il faudra bien, un jour ou l'autre, que j'explique cela à Kurt. Je ne me ferai pas un plaisir de le revoir. Ni d'avoir à me justifier à ses yeux de nos actions quelles qu'elles soient. Ni de retrouver sur le visage de mon oncle le regard douloureux de mon père.

Le récit de Rudi Weiss

Les SS et leurs auxiliaires ne nous suivirent pas dans les bois. Nous restâmes cachés durant quelques heures, puis nous traversâmes à gué un cours d'eau peu profond, l'oreille toujours tendue vers les bruits de camions, de charrettes, ou de foule en marche. Finalement, par cette journée torride du 29 septembre 1941, nous gravîmes une colline d'où nous eûmes une vue plongeante sur un vaste ravin, celui de Babi Yar dont l'instituteur de Kiev nous avait parlé.

Les Juifs y étaient mis à mort par centaines.

Je fus soulagé de constater que nous étions trop loin pour voir leur visage et entendre leur voix. Les coups de revolver — des mitrailleuses entrèrent en action par la suite — ressemblaient à de simples coups de pistolet à bouchon qu'auraient tirés des enfants. Les victimes tombaient sans bruit, presque au ralenti, sur le sol sableux.

— Rudi, Rudi... Il y en a tant et tant ! pleurait Hélèna. Des enfants, des bébés.

Je la serrai tout contre moi, en me demandant comment nous pourrions nous éloigner, comment nous arriverions à éviter les patrouilles de SS. Les villes étaient désormais pour nous synonymes de condamnation, de mort. Notre seul espoir était de pouvoir errer dans la campagne. Sans doute quelques Juifs s'étaient-ils échappés ? Une partie de la population ukrainienne aurait pitié de nous.

— Je veux mourir avec eux, dit Hélèna à travers ses larmes.

— Pas question, dis-je. Tu resteras avec moi. Nous n'allons pas mourir nus, dans la honte. Si nous devons mourir, nous aussi, nous en tuerons quelques-uns avant.

Elle se mit à crier :

— Assez ! Assez !

Je l'attirai à moi et lui collai ma main sur la bouche. Elle devrait apprendre à ne pas pousser de cris, à ne pas risquer de trahir notre présence. Elle devrait aussi apprendre à haïr, à vouloir se venger, à comprendre que notre seule chance de salut consistait à fuir, à nous cacher, et, le cas échéant, à tenter de nous battre. Je devrais lui apprendre pis encore. Que nous devrions être prêts à mourir, mais à mourir de façon courageuse, c'est-à-dire en résistant. J'en avais plus qu'assez de ces gens résignés, qui se mettaient sagement en rang, en s'excusant, qui obéissaient aux ordres, et qu'on acheminait sans problème à la mort.

Les tirs se poursuivirent tout le reste du jour. Des colonnes de Juifs continuaient à arriver de l'autre côté du ravin, sur les lieux de l'exécution. La terre devint noire de sang juif. Les nazis avaient compris une chose que le monde entier fut long à admettre : plus le crime est monstrueux, moins les gens peuvent croire qu'il ait réellement été commis. Mais moi, je le vis perpétrer. Et je ne fus plus tout à fait le même ensuite. Hélèna non plus.

Le journal d'Erik Dorf

Berlin
Octobre 1941

Aujourd'hui, Heydrich et moi regardâmes les photographies *officielles* de l'opération de Babi Yar.

Je lui rapportai que, si Blobel pose des problèmes à cause de son comportement, c'est un homme efficace. Nous avons réinstallé exactement 33 771 Juifs en deux jours. Et il est encore au travail. Avec la façon dont les Juifs nous facilitent la tâche, nous aurons probablement réinstallé environ 100 000 Juifs à la fin du programme de Babi Yar.

— Et les corps ?

Heydrich voulait savoir.

— Blobel les recouvrira de terre. Avec des bulldozers et des tracteurs. Il estime qu'il lui faudra une fosse commune d'environ soixante mètres de long et deux mètres cinquante de profondeur.

Nous discutâmes sur le succès avec lequel les autres Einsatzgruppen accomplissent notre mission. Ils ne sont pas tous aussi efficaces. Ohlendorf, notre distingué docteur en jurisprudence, économiste, juriste, notre « intellectuel maison » pour ainsi dire, se révèle particulièrement doué. Son groupe, désigné par la lettre D, qui est responsable de la Crimée, est en passe de liquider son 90 000e Juif. Je tins à souligner que je préférais de beaucoup la méthode froidement efficace d'Ohlendorf aux rodomontades d'ivrogne de Blobel. Mais Heydrich ne sembla pas s'intéresser à cela.

De nouvelles photographies de Babi Yar se succédèrent sur l'écran. Celles qui représentent des femmes nues, ou à demi dévêtues, donnent toujours l'impression de passer plus lentement. Heydrich se penche alors en avant sur son siège, et les étudie avec ce qui me semble aller un peu plus loin que l'intérêt professionnel pur et simple. Cela se produit souvent lors de nos séances de projection. Non seulement le chef, mais un bon nombre de nos hommes se sentent excités par la vue de Juives nues et sur le point de mourir. L'explication de ce phénomène m'échappe. Heydrich a une vie de famille heureuse, une femme charmante, des enfants. On dit qu'il a été cassé de la marine pour avoir compromis l'épouse d'un officier, mais cela ne relève pas que je sache du domaine de la dépravation sexuelle.

Et pourtant, je suis bien obligé de me demander s'il ne pourrait y avoir un rapport quelconque entre le type d'hommes que nous attirons dans nos rangs, à tous les échelons de la hiérarchie, et les besoins sexuels complexes de la psyché humaine.

Finalement, Heydrich déclara qu'Ohlendorf était un type admirable.

— Ohlendorf a rencontré quelques difficultés pour commencer, dis-je. Chose étrange, les colonies allemandes de Crimée, et même certains de nos alliés hongrois élevèrent des protestations.

— Vraiment ?

Il était en train de contempler une belle Juive à la poitrine abondante et aux larges hanches. Cela fait un drôle d'effet de penser que quelques secondes plus tard, elle serait morte.

— Oui. Ils disaient que les Juifs qui vivaient parmi eux étaient totalement innocents, et Ohlendorf recula, temporairement, bien sûr. C'est assez bizarre. Chaque fois qu'une population locale ou une unité alliée proteste, nous avons l'air de reculer, comme si nous étions — je n'aime pas avoir à le dire — honteux de notre mission.

Heydrich releva la tête.

— Toute défaillance de ce genre doit être rapportée. Nos ordres sont clairs.

Je lui racontai comment Ohlendorf, malgré sa ténacité à regrouper et réinstaller les Juifs, avait effectivement épargné les vies de certains fermiers juifs de Bessarabie pour des raisons économiques.

— Oh, je suis au courant, dit Heydrich. Himmler a visité la Crimée peu de temps après cette affaire, et les fermiers juifs ont retrouvé leurs congénères. Il n'en reste plus un seul.

TROISIÈME PARTIE

LA SOLUTION FINALE

Le journal d'Erik Dorf

Berlin
25 décembre 1941

Quel merveilleux Noël !

C'est si bon de se retrouver en famille à Berlin pour célébrer ce jour saint entre tous. Après une dernière tournée sur le front de l'Est — un peu écourtée par la résistance de l'armée rouge, qui défend Moscou avec ténacité, et stoppe ainsi momentanément notre avance — on m'a accordé cette permission pour les fêtes de fin d'année.

Je suis épuisé. Mon voyage en Russie m'a vidé de mes forces. Mais il m'a procuré des satisfactions très vives. Le travail qui a été accompli par les Einsatzgruppen dépasse les espérances. Heydrich est satisfait, tout en éprouvant à présent le besoin de déterminer un programme plus global. Et pourtant, 32 000 Juifs ont été liquidés à Vilna, 27 000 à Riga, 10 000 à Simféropol', et ainsi de suite.

La seule ombre au tableau est que les Etats-Unis sont entrés dans le conflit, après l'attaque de leur flotte du Pacifique par les Japonais à Pearl Harbor. Mais personne ici ne s'en préoccupe. L'Amérique est un pays lointain. Nos services de renseignements ont la certitude que les Américains ne sont pas du tout prêts à se battre, et que Roosevelt a commis une grosse erreur sous l'influence des Juifs de là-bas. L'opinion publique des Etats-Unis le forcera à revenir sur sa décision. En outre, les Américains pourraient parfaitement le chasser de la Maison Blanche s'il continue sur cette voie insensée. On dit qu'il existe aux Etats-Unis un grand courant de sympathie pour l'Allemagne ; Roosevelt risque de se faire renverser.

Mais aucune de ces questions politiques ou militaires ne nous préoccupait ce soir. Nous étions réunis autour de notre acquisition la plus récente, un superbe Bechstein, et chantions des airs traditionnels tels que *Mon Beau Sapin, Le Houx et le Lierre, Bethléem,* etc. Marta nous accompagnait au piano.

Peter, Laura, Marta, oncle Kurt, et moi mêlions ainsi nos voix dans une atmosphère merveilleusement chaude et affectueuse. Quel courant de sympathie et de respect entre nous !

Laura demanda :

— Papa, pouvons-nous ouvrir nos cadeaux maintenant ?

C'est une belle enfant, blonde comme sa mère, avec un visage en forme de cœur.

Et Peter renchérit :

— Oh oui ! Les cadeaux !

Il est maintenant d'âge à faire partie des Jeunesses hitlériennes et arbore fièrement son uniforme. (Il m'en a voulu un peu d'avoir renoncé au mien pour notre soirée du réveillon de Noël.)

— Quand nous aurons fini de chanter, les enfants, dit Marta. Vous connaissez les règles : on chante, on débarrasse la table, on nettoie la cuisine, et on passe ensuite aux cadeaux. La récompense seulement après l'effort.

— Exactement comme dans l'armée, ajouta Kurt. Votre père a fait son devoir sur le front, et en est aujourd'hui récompensé par un long congé.

— Tout à fait juste, dis-je. Tout comme maman a mérité son cadeau, ce beau piano, pour avoir été si courageuse en mon absence.

Kurt qui avait toujours su apprécier les belles choses passa la main sur la surface d'acajou poli du Bechstein.

— Il est magnifique. On dit que la sonorité de ces Bechstein s'améliore avec le temps.

Marta plaqua quelques accords, enthousiasmée par leur musique.

— J'ai été stupéfaite quand on me l'a livré. Je n'en croyais pas mes yeux.

Peter lança :

— Et il ne nous a pas coûté un seul centime !

— Vraiment ? interrogea Kurt.

— Il restait inutilisé dans un cabinet médical de la Groningstrasse, dans une pièce du haut, expliquai-je. Le médecin qui dirige le cabinet, le Dr Heinzen, connaît mon intérêt pour la musique. Aussi me l'a-t-il offert.

— Offert ?

Kurt paraissait intrigué.

— Dans l'intérêt de l'unité du parti. J'ai facilité l'installation de ce bon docteur dans le cabinet.

Marta venait de froncer les sourcils :

— J'ai l'impression qu'il aurait besoin d'être accordé.

— Oh! plaisanta Kurt. Accorder son piano ne pose guère de problème. C'est en acquérir un qui est difficile.

L'intérêt de mon oncle semblait rivé à notre Bechstein, et il continua à me poser des questions à son sujet. Il ignore tout de la manière dont le parti récompense les bons travailleurs, les officiers de haut rang. Peter, qui avait dû surprendre une conversation entre Marta et moi, déclara alors que le piano avait appartenu autrefois à un médecin juif qui vivait au-dessus du cabinet avec sa famille.

Kurt allait poser une autre question lorsque Marta battit des mains et dit :

— C'est l'entracte! Le moment est venu d'ouvrir les cadeaux!

Les enfants filèrent tout droit sur l'arbre de Noël, et se mirent à défaire leurs boîtes en arrachant les papiers d'emballage et en jonchant le tapis de rubans. Il y avait un couple de souris blanches pour Peter dans une immense cage en bois, un cadeau qu'il avait lui-même demandé, car il s'intéresse beaucoup à la biologie. J'avais trouvé en Russie le Noël de Laura : une poupée de chiffons ukrainienne, et une belle série de ces poupées russes en bois, qui rentrent les unes dans les autres.

Ils étaient tous les deux ravis.

Pour Marta, j'avais acheté une robe de soie somptueuse, ornée de dentelle, à un agent spécialement chargé de fournir ce genre d'article aux SS.

— Erik, elle est fabuleuse! dit ma femme.

Elle la tenait devant ses épaules. La robe est du bleu le plus clair, presque aussi clair que ses yeux.

— Où as-tu bien pu la trouver? fit-elle. Aucune boutique de Berlin n'a d'aussi belles choses.

Je déposai un baiser sur sa joue.

— Tu ne le croirais pas, mais on fait ce genre de travail élégant dans les camps.

— Les camps? demanda-t-elle.

— Oui. Les centres de détention. C'est un genre de thérapie pour les délinquants. Beaucoup d'entre eux sont d'habiles professionnels, et ce serait dommage de laisser leurs talents se gâter.

Peter jouait avec ses souris. Il en avait une dans chaque main.

— Je les appellerai Siegfried et Wotan, dit-il.

— Ce n'est pas très indiqué, fis-je. Tu as un mâle et une femelle, le marchand me l'a affirmé. Tu ferais mieux de baptiser la femelle Brunhilde.

— Un mâle et une femelle? demanda Peter. Et ils auront des petits?

— Oui, dit Marta. Et tu devras tenir ta famille de souris bien propre, et la laisser à l'intérieur de sa cage.

Laura se plaignit :

— Mes poupées, elles, ne peuvent pas avoir de bébés. Ce n'est pas juste !

Je caressai la chevelure soyeuse de ma fille.

— Peter est un grand garçon maintenant, Laura. Il est plus âgé que toi, et maman et moi voulons qu'il apprenne ces choses-là.

— Oui, ma chérie, dit Marta. Le miracle de la vie. Ce qu'il y a de beau en chaque créature. Nous devons le respecter même chez une souris, car ce sont des créatures de Dieu.

Kurt, qui fumait sa pipe, un peu à l'écart, nous regardait à travers un voile de fumée. En tant que célibataire vieillissant, il se sentait un peu en dehors de la fête.

— Quelle merveilleuse idée, Marta ! dit-il. Le miracle de la vie. Quelle belle notion à inculquer à des enfants !

— Des petits souriceaux ! fit Peter. Je voudrais déjà qu'elles en aient.

Il avança sur Laura et lui mit une souris sous le nez pour la taquiner.

— Si elles sont malades, je t'en donnerai peut-être une. Ou bien alors, je les tuerai.

— Maman, dis-lui d'arrêter ! s'exclama Laura.

Peter la poursuivit tout autour de la pièce, et je dus intervenir en le saisissant par le bras et en le priant d'être plus gentil, et aussi plus généreux, envers sa sœur. Marta dit :

— Les enfants sont si fatigués, Erik. Pourquoi ne pas chanter *Nuit étoilée,* puis les envoyer au lit ? Toi et moi, et Kurt, nous pourrons ensuite écouter la messe de minuit à la T.S.F.

Je me tournai vers Kurt.

— Mon oncle, vous voyez comme le fait d'être mariée à un administrateur efficace a rendu Marta aussi efficace qu'il l'est.

— J'ai l'impression que ce serait plutôt l'inverse, Erik, dit-il. L'efficacité de Marta qui aurait déteint sur toi.

De nouveau, nous fîmes cercle autour du piano. Nous commençâmes à chanter, mais après quelques mesures, Marta s'arrêta.

— C'est bizarre, fit-elle. Les notes graves rendent un drôle de son. Comme si les marteaux ou les cordes étaient cassés. Quelque chose en étouffe le son.

Kurt et moi soulevâmes l'immense couvercle d'acajou, et le fixâmes dans cette position. Mon oncle explora alors du regard l'intérieur du piano, puis introduisit une main, et sortit quelque chose. C'étaient trois photos, toutes trois encadrées dans ce carton épais qu'utilisent les photographes de métier.

— Oh ! fit Peter. Je veux les voir.

— Elles coinçaient les cordes, dit Marta. Jetez-les.

Kurt et moi regardâmes les vieilles photographies.

— Qui sont ces gens, papa ? demanda Laura.

— Idiote ! dit Peter. Ce sont les anciens propriétaires du piano !

J'étudiai les photos pendant un moment. L'une représentait le docteur Joseph Weiss avec une femme qui devait être son épouse, une belle femme mince et souriante. Ils étaient habillés comme pour une sortie d'été. Avec à l'arrière-plan un lac, ou peut-être bien la mer. Il y avait aussi la photographie d'un jeune couple, manifestement une photo de mariage : un jeune homme mince, qui ressemblait au docteur, et une femme blonde, au visage de type aryen. La troisième photo, plus petite, qui avait l'air d'être une photo d'amateur, représentait une adolescente de douze ans, avec des nattes, dont le bras était passé autour de la taille d'un garçon d'environ seize ans, qui paraissait très robuste. Le garçon portait un maillot de footballeur et semblait bien musclé.

— Oui, on dirait le docteur Weiss, dis-je.

— Et sa famille, fit Kurt.

— J'ai peur, dit Laura. C'est comme s'il y avait des fantômes dans le piano... Des fantômes, répéta-t-elle en tirant la langue aux photos qu'elle regardait.

— Où sont-ils tous, à présent, Erik ? demanda Kurt.

— Oh, Weiss a été déporté voilà des années, répondis-je. Ce n'était pas un mauvais homme, et il connaissait bien son métier. Mais il se trouvait ici illégalement. C'était un Polonais, et il enfreignait la loi.

— Et les membres de sa famille ? questionna mon oncle.

— Je n'ai pas la moindre idée de ce qu'ils sont devenus. Ils ont quitté Berlin il y a des années.

Plaquant un accord sonore, Marta nous dit alors :

— Nous n'avons pas chanté *Nuit étoilée* !

Et elle demanda les photographies.

Je crus un moment qu'elle voulait aussi les voir. Mais elle les remit à Peter en lui disant :

— Va les brûler, Peter. Dans la cheminée, avec les emballages des cadeaux.

Le récit de Rudi Weiss

Cet hiver-là, la santé de ma mère se mit à décliner. Elle ne souffrait d'aucun mal particulier, je l'appris d'Eva et de certains autres survivants, mais elle s'affaiblissait à cause du peu de nourriture et du manque de médicaments dans le ghetto.

Selon mes informateurs, mes parents restaient toujours aussi attachés l'un à l'autre. Ma mère se plaignait rarement, mais dut petit à petit renoncer à son enseignement, aux cours de musique et de littérature qu'elle donnait, gratuitement, aux enfants du ghetto.

Un jour où une réunion de quelques membres importants du Conseil juif se tenait dans l'appartement voisin de la chambre de mes parents, Eva entendit mon père qui prenait le pouls de ma mère et écoutait les battements de son cœur avec son stéthoscope. Comme envers tous ses clients, il se montrait doux, attentionné, et très enjoué.

— Qu'entends-tu dans mon vieux cœur ? demanda ma mère.

— Du Mozart, dit papa.

Elle rit.

— Ah ! Joseph ! Tu plaisantes toujours de la même façon !

— Nous autres, vieux généralistes, avons un répertoire restreint. Je continue à dessiner des lapins sur mon bloc d'ordonnances pour distraire l'attention des enfants, au moment de leur piqûre.

Ils parlèrent du retour de ma mère à l'école. Quand elle manquait, beaucoup d'enfants se sauvaient de l'établissement pour aller mendier, voler, et faire de la contrebande.

Le problème des écoliers leur rappela leurs enfants — moi, Karl, et Anna. Ma mère conservait des photographies de nous trois fixées au-dessus du lit par des punaises. Mon père pensait parfois qu'il n'était pas bon pour elle d'être ainsi constamment ramenée au souvenir de sa famille perdue.

— Mais cela me donne du courage, Joseph ! avait-elle coutume de répondre.

Il entrait alors dans son jeu. Il soutenait que toute personne « utile » survivrait. Je suis médecin, donc je survis. Karl est un artiste, ils sauront l'utiliser. Et Rudi...

— Rudi se débrouillera, Joseph. Je lui fais confiance.

Peu après, Eva Lubin vint les trouver pour leur dire qu'oncle Moïse était rentré subrepticement au ghetto avec un homme de Vilna qui avait des informations importantes.

Ma mère venait juste de parler à mon père de l'argent qu'elle avait dissimulé dans la doublure de son vieux manteau de Berlin. C'était une espèce de fonds de secours, destiné à Dieu sait quel usage. Et ma mère, informée des terribles conditions de survie des enfants à l'hôpital, avait jugé que mon père devrait utiliser cet argent pour acheter de quoi manger aux petits malades.

Il avait acquiescé d'un signe de tête. Armée d'une paire de grands ciseaux, elle commençait à défaire la doublure de son manteau.

— Un volontaire pour se glisser *à l'intérieur* de notre ghetto ? questionna mon père.

— C'est un courrier appelé Kovel, répondit Eva. Il a des informations importantes pour nous.

— Ah ! Je vois. Un genre de conférence au sommet !

Mon père embrassa ma mère, et suivit Eva dans la pièce voisine.

Kovel était un homme barbu, au regard halluciné. Mais il respirait l'efficacité. Tout en buvant du thé chaud à petites gorgées, tassé sur lui-même, il raconta son histoire à l'assistance.

— Ne croyez rien de ce que les Allemands vous disent sur les camps de travail, ni sur les ghettos spéciaux, déclara-t-il après s'être passé la main sur les yeux.

— Oh, nous nous gardons bien de prendre tout ce qu'ils nous racontent au pied de la lettre !

C'était le Dr Kohn, le conciliateur de toujours, qui venait de parler.

Kovel leva les yeux. Des yeux d'animal traqué, qui embrassèrent d'un coup tout le groupe réuni dans la pièce sans chauffage.

— Ils ont l'intention de massacrer tous les Juifs d'Europe, annonça-t-il.

— Impossible, fit Kohn.

— Vous voulez dire qu'ils envisagent des représailles sur une grande échelle ? demanda mon père.

Il avait beau avoir un jugement sûr, il ne parvenait pas à admettre la vérité.

— Pas des représailles, répondit Kovel. L'extermination. Ils veulent tuer tous les Juifs jusqu'au dernier. Comment se peut-il qu'aucun d'entre eux ne puisse comprendre ce que je suis en train de dire ?

Eva se souvient du silence qui accueillit ses paroles. Zalman, Anelevitz, et elle-même — les travailleurs, les petites gens — semblaient mieux saisir les éléments de la situation que les intellectuels. Depuis plusieurs mois déjà, Anelevitz essayait de faire prendre conscience aux Juifs du sort qui les attendait.

Kovel poursuivit :

— Le ghetto de Vilna comptait auparavant quatre-vingt mille Juifs. Il en reste aujourd'hui moins de vingt mille.

Mon oncle Moïse fut le premier à réagir.

— Cela en fait donc soixante mille de...

— D'exécutés par les SS.

Le Dr Kohn leva les bras au ciel :

— Quelle absurdité ! Personne, pas même les Allemands, ne peut emmener soixante mille personnes et les tuer ! C'est matériellement impossible... Voyons... La logistique... les mesures nécessaires...

— Je ne suis pas sûr de pouvoir le croire, moi non plus, dit mon père.

Anelevitz vint s'asseoir auprès de l'homme de Vilna, et demanda :

— Comment cela s'est-il passé, Kovel ?

— D'abord, les SS ont rassemblé tous les Juifs pour une corvée de travail. Ils les ont forcés à creuser des fosses, à une trentaine de kilomètres de la ville. Ensuite la police lituanienne a encerclé le ghetto. Personne n'avait plus le droit d'y entrer ni d'en sortir. Si vous tentiez de résister, vous étiez exécuté. Ils ont alors obligé tous les gens à sortir. A coups de gourdin et de fouet. Ils ont une technique. Les Juifs sont contraints de se déshabiller, et d'attendre. Puis on les envoie jusqu'aux fosses par petits groupes, et on les tue, soit individuellement, d'une balle dans la nuque, soit tous ensemble d'une rafale de mitrailleuse. Il n'y a pas d'exceptions. En cas d'atermoiement, le Conseil juif est forcé de dresser des listes de personnes, puis ses membres sont eux-mêmes exécutés.

Le Dr Kohn passa sa langue sur ses lèvres sèches.

— Ah... Vilna... peut-être une exception... un cas spécial... vous comprenez...

— Non, dit Kovel. Tous les ghettos sont vidés, les uns après les autres. Riga. Kovno. Lodz.

Mon père secoua la tête.

— Je sais qu'ils sont cruels et qu'ils nous haïssent. Mais l'armée allemande... avec son sens traditionnel de l'honneur... Elle doit bien s'opposer à de tels agissements.

Kovel eut un rire amer.

— S'opposer ? Elle détourne les yeux... quand elle n'apporte pas son aide aux sanguinaires SS.

Nouveau silence.

Kovel reprit la parole pour faire le récit d'autres massacres encore : Dvinsk, Rowno. Des ghettos sur le territoire de la Pologne ou de la Russie.

— Ouvrez les yeux, conclut-il. Varsovie représente la plus grande concentration de Juifs de toute l'Europe. Votre jour viendra.

— Nous sommes près d'un demi-million, dit le Dr Kohn. Ils ne seront pas en mesure de creuser assez de fosses, ni de trouver assez de munitions.

Oncle Moïse l'interrompit :

— Ils trouveront un moyen.

Anelevitz regarda Kovel :

— Dites-nous ce que nous devons faire.

Kovel tira alors de sa poche de veste une feuille de papier froissée.

— Tenez. Diffusez cet avertissement à tous les habitants de votre ghetto. Lisez-le pour commencer. Que tout le monde entende.

Eva Lubin le prit, et lut de sa voix d'adolescente la proclamation de Vilna : « Ne marchons pas vers la mort comme des moutons vers l'abattoir. Jeunes Juifs, je vous en conjure, ne croyez pas ceux qui vous veulent du mal. C'est le projet d'Hitler d'exterminer les Juifs. Vous êtes les premiers. Il est vrai que nous sommes faibles, et sans appui, mais la seule réponse valable à l'ennemi, c'est la résistance. Frères, mieux vaut mourir en combattant que vivre un sursis laissé par les tueurs. Défendez-vous jusqu'à la mort. De l'intérieur du ghetto de Vilna, le premier janvier 1942. »

Personne ne souffla mot durant un long moment. Puis le docteur Kohn demanda :

— Mais à quoi cela peut-il servir ? Vous dites qu'ils seront tués de toute façon.

— Pas *ils* seront tués, fit oncle Moïse. *Nous* serons tués, Kohn, *nous* serons tués.

— Des mains nues contre des tanks et de l'artillerie ? demanda Kohn.

Kovel se tourna vers Anelevitz :

— Avez-vous des armes ?

— Non, pas encore. Mais nous apprenons aux jeunes sionistes à obéir aux ordres, à manœuvrer avec des balais en guise de fusils, afin de nous organiser en unités combattantes.

— Nous commencerons par être des soldats, dit Eva. Ensuite, nous aurons les armes.

— Ah, c'est bien juif, une chose pareille ! fit mon oncle Moïse. Pas un seul fusil parmi nous, mais des soldats !

Le Dr Kohn secouait la tête.

— Il y a moyen d'acheter les Allemands. Je le sais. Le ghetto de Varsovie leur est précieux. Ils savent que la fin de la guerre est proche depuis que les Américains sont entrés dans le conflit. Ils sont en train de perdre l'Afrique. Les Russes résistent à Moscou...

— Et nous serons tous morts entre-temps, dit Kovel.

— Ils ont besoin de nos ateliers, de notre main-d'œuvre, poursuivit Kohn. Pour leurs uniformes, leurs articles de cuir... Nous, les Juifs, sommes d'habiles artisans.

Kovel se leva :

— Je vois bien que je n'arrive pas à vous faire comprendre que le massacre des Juifs se trouve au cœur de leurs projets. Ils se soucient moins de terrain perdu ici et là, d'une invasion, d'une guerre sur deux fronts, que de l'extermination de notre race. C'est cela leur objectif principal.

— Mais cela ne tient pas debout ! dit Kohn. Même Hitler n'est pas insensé à ce point !

La discussion dura un certain temps. Kohn et ses partisans furent mis en minorité. Mon père et mon oncle se rangèrent du côté de la résistance.

Ma mère avait tout suivi de la pièce voisine. A la fin de la discussion, elle rejoignit le groupe, toujours élégante dans sa vieille robe. Elle s'excusa d'avoir défait sa coiffure, et remit à mon père l'argent qu'elle avait retiré de la doublure de son manteau.

— Ah, dit mon père, pour les enfants...

— Non, Joseph. Pour acheter des armes.

Janvier 1942 à Buchenwald. Muller avait fini par tenir sa promesse, et Karl travaillait dans l'atelier de peinture du camp, lieu privilégié, puisqu'il était chauffé, et que les artistes y jouissaient d'une certaine faveur.

Cette faveur leur venait de la vanité des SS qui prenaient plaisir à se faire faire leurs portraits, et même à se faire composer, en couleurs flamboyantes, des arbres généalogiques fantaisistes et très compliqués.

Dans l'atelier, Karl s'était lié d'amitié avec un artiste petit et frêle, de Karlsruhe, qui s'appelait Otto Felsher. Cet homme avait été un portraitiste en renom avant son internement, et était en quelque sorte devenu un favori des gardiens, bien qu'il ait, tout comme Karl, été battu et mal nourri pendant un certain temps avant qu'on ne se décidât à utiliser son talent.

A vrai dire, Karl et Felsher avaient beau être mieux traités désormais, ils détestaient le travail qui leur incombait.

— Alors, que devient l'arbre généalogique de la famille Muller, Weiss? demanda Felsher.

216

— Mensonges sur mensonges. Ah, comme ils nous obligent à prostituer notre talent !

— C'est ainsi que nous survivons.

Karl contempla l'arbre multicolore et fort complexe qu'il était en train d'exécuter pour Muller.

— Dire que ce salaud a voulu que je le peigne en Charlemagne et en Frédéric le Grand !

Felsher se mit à rire.

— Ils sont jaloux de ce que nous autres, Juifs, nous remontons à Abraham !

— Bah ! pour le bien que cela nous fait depuis plusieurs années !

Chaque jour, le sergent Muller venait voir où en était son arbre.

— C'est beau, Weiss. C'est beau. N'oublie pas les deux croisés.

— Ils sont là, indiqua mon frère.

Muller rayonnait de satisfaction.

— Weiss, toi et moi, nous pourrions être amis quand tout cela sera passé. Qui sait ? Maintenant que l'Amérique est dans la guerre, j'aurai peut-être besoin d'un Juif... Pour qu'il dise du bien de moi.

— Ne comptez pas sur moi pour cela, Muller !

Le SS sortit une lettre, qu'il avait dans sa tunique.

— Après tout ce que j'ai fait pour toi ? Ta femme était ici, pas plus tard qu'hier. La lettre que la belle Inga t'envoie tous les mois.

— Je n'en veux pas.

— Bien sûr que si, Weiss !

— Vous lui avez fait payer le prix habituel, n'est-ce pas ?

Muller haussa les épaules.

— Dame ! Ses lettres arrivent port dû Elle a payé, oui. Elle en a les moyens.

— Allez-vous-en ! Je ne veux plus entendre parler d'elle. Dites-le-lui : plus de lettres : ni d'elle pour moi, ni de moi pour elle.

Muller fourra de force la lettre dans la poche de sa veste rayée de détenu.

— Elle ne reviendra plus ici, alors ça n'a pas d'importance. Tu vas être transféré. Toi et Felsher. On nous a demandé deux artistes de grande classe.

— Transféré ?

— Oui. Vous vous êtes fait de belles réputations. L'atelier de peinture de Buchenwald est célèbre. On vous réclame, vous et d'autres artistes réputés, dans un nouveau camp de Tchécoslovaquie, Theresienstadt. Le paradis des ghettos. Réservé aux Juifs les plus méritants. Une station de vacances, quoi !

Muller cligna de l'œil, et poussa un soupir, comme si une vieille amitié touchait à sa fin :

— Cela me manquera, de ne plus faire le facteur pour toi, Weiss ! Mais je crois qu'il faudra que je m'arrange pour aller plus souvent passer mes congés à Berlin.

Karl avait gagné en robustesse dans le camp, bien qu'il fût soumis à un régime de famine et dût subir des conditions de vie épouvantables. Une certaine intrépidité, qui lui avait totalement fait défaut au temps de sa jeunesse, faisait désormais partie intégrante de son caractère.

Comme Muller s'éloignait, mon frère s'élança derrière lui :

— Arrête, Weiss ! dit Felsher. Cela ne vaut pas le coup.

— La crapule ! Il se sert de ma femme comme il se servirait d'un objet... d'un vulgaire pinceau !

— Laisse tomber. Qu'il aille au diable.

Karl froissa la lettre et la jeta sur le plancher. Il s'assit devant son chevalet, et resta silencieux, les yeux fixés sur l'arbre généalogique de fantaisie. Felsher ramassa la lettre, et la lui tendit.

— Ecoute, mon petit, dit le vieil homme. Maintenant rien n'est plus comme avant, comme ce devrait être. Va, lis-la. Sois tolérant. Karl acquiesça d'un hochement de tête. Des larmes perlaient à ses yeux. Il ouvrit la lettre (pour laquelle Inga avait dû acquitter à Muller le prix habituel), et la lut.

Mon Karl bien-aimé, mon mari très cher,

Tu me manques beaucoup. Davantage chaque jour. Au moins pouvons-nous communiquer à présent. Cela me fait du bien, mais me donne encore plus envie d'être avec toi. Nous devons garder espoir. Je suis allée dans divers bureaux du gouvernement, mais on m'a dit que ton cas ne pouvait pas être ré-examiné. J'ai pris un poste qui est mieux. Je suis la secrétaire du patron d'une petite usine qui fabrique du matériel agricole. C'est étrange. Nous sommes en guerre depuis plusieurs années, et pourtant les petites firmes privées comme les grandes compagnies n'ont pas l'air d'en souffrir. Nos salaires sont élevés ; il y a suffisamment de nourriture. Et à part l'éloignement des hommes qui sont partis au front, la population civile vit plutôt bien. Les gens semblent un peu troublés par l'entrée en guerre de l'Amérique, mais ils espèrent que la Russie va s'effondrer avant que son intervention puisse être utile ; et que l'Angleterre se rendra. Mon patron a appris que j'ai un mari en prison, mais il veut bien fermer les yeux là-dessus (je figure sur une liste de gens qui sont considérés comme des « pollueurs de la race aryenne »), puisque, dit-il, je suis la secrétaire la plus travailleuse et la plus disciplinée qu'il ait jamais eue. (Ne t'inquiète pas, mon chéri, il est gros et vieux, et c'est un luthérien dévot). J'aurais voulu avoir davantage de nouvelles de ta famille. Pas un mot de Rudi. Il a disparu. Par miracle, une lettre déjà ancienne de ta mère m'est arrivée de Varsovie la semaine dernière. Elle et ton père ont l'air de bien aller ; ils travaillent tous les deux. La vie n'est pas facile, mais supportable, dit ta mère. Mon chéri, nous ne devrons jamais perdre espoir. J'ai dû faire des choses pour que ces lettres parviennent jusqu'à toi, et j'espère que tu comprendras...

Karl plia délicatement la lettre, et la remit dans sa poche.

Lui et Felsher restèrent un moment silencieux. Puis le vieil homme dit :

— J'ai entendu parler de ce camp de Theresienstadt, Weiss. Il est censé être un camp modèle, une vraie ville pour les Juifs. Peut-être avons-nous de la chance. Peut-être permettront-ils à ta femme de venir te rendre visite là-bas. Moi, je n'ai pas de famille. Alors, être ici ou ailleurs...

Karl lança un regard plein de colère au tableau généalogique qu'il avait entrepris pour Muller, avec son Charlemagne, et ses croisés. Il s'empara d'un pot de peinture rouge, et le jeta avec force contre la toile. Puis il baissa la tête, et des larmes roulèrent sur ses joues.

Le journal d'Erik Dorf

Berlin
Janvier 1942

Quelques remarques préliminaires avant d'entrer dans le vif du sujet d'aujourd'hui, à savoir la conférence de Gross-Wannsee du 20 janvier 1942.

Heydrich, voilà quelques mois, m'a communiqué une information très importante. Dans le cours de l'été 1941, alors que nos Einsatzgruppen nettoyaient la Russie, le Reichsführer Himmler convoqua dans son bureau un homme appelé Rudolph Hoess, qui commande un camp assez obscur à Auschwitz, en Pologne, et lui dit : *Le Führer a donné l'ordre d'une solution finale au problème juif.* Himmler mit de nouveau l'accent là-dessus environ un mois plus tard, dans un discours qu'il fit à Blobel, Ohlendorf, et aux autres chefs d'Einsatzgruppen (je n'assistais pas à cette réunion). Dans ce discours, il leur assura qu'ils « ne portaient aucune part de responsabilité personnelle dans l'exécution de cet ordre, dont toute la responsabilité revenait au Führer, et à lui seul ».

Je tiens à faire état de ce discours, parce que j'ai éprouvé l'impression étrange, disons l'intuition, que si les choses tournent mal — si, à Dieu ne plaise, nous perdons la guerre, ou si notre diplomatie ne parvient pas à briser l'alliance de nos ennemis, s'ils restent unis pour nous combattre, et si ces camps sont un jour découverts, et les corps déterrés — certains historiens chercheront alors à rejeter le blâme sur *nous.* Par nous, j'entends les hommes déterminés et dévoués des SS, les Himmler, les Heydrich, et, oui, les Dorf.

Le Führer sera ainsi dépeint en tant que « politicien comme un autre », qu'on aura tenu dans l'ignorance de ces horreurs.

Ce qui est curieux, pourtant, c'est que, de façon habile, sans jamais utiliser les termes exacts de « massacre » ou d' « extermination », le Führer a rendu extrêmement clair dans ses discours et dans ses écrits ce qu'il désire précisément faire aux Juifs. J'ai même l'idée bizarre que le refus aux Juifs d'une place sur notre terre est son *but essentiel,* un but qui prime sur la domination des Slaves, le châtiment de la France, et l'autorité à imposer par l'Allemagne au monde entier. Idée plutôt absurde, je le reconnais, mais l'accent mis sur notre travail à nous SS, les privilèges que nous en retirons, et la facilité avec laquelle Himmler peut opérer, tout cela m'oriente sur une telle conclusion.

Certes, Hitler n'est pas au courant de l'exécution, par balle ou pendaison, de chacun des Juifs que nous liquidons, peut-être même n'est-il pas au courant des statistiques précises sur la réduction des ghettos russes. Mais il sait ce qui se passe, j'en suis sûr. Il a dit, à de nombreuses reprises, que rien ne se produit *sans qu'il le sache.* Et cependant, j'ai la conviction que d'ici à quelques années, de moindres personnages seront dépeints comme ayant été les principaux instigateurs et artisans de ce travail terrible, et que certains érudits tenteront de décharger Hitler de sa responsabilité en la matière.

Les plus proches collaborateurs d'Hitler savent également ce qui se passe. Quelques semaines avant l'invasion de la Russie, l'année dernière, Göring a écrit à Heydrich et lui a assigné pour tâche d'« appliquer une solution aussi avantageuse que possible du problème juif ». Je ne crois pas que cela puisse signifier leur réinstallation dans des fermes et des villages. Göring veut un rapport complet sur « un plan d'ensemble concernant les mesures concrètes qui ont déjà été prises, ainsi que sur les mesures projetées, afin d'assurer l'application de la solution désirée du problème juif ». (A noter en passant que, durant des années, beaucoup de Juifs riches et influents ont vu dans Göring un médiateur possible pour leur cause, un homme porté à la clémence sur la question des mesures antisémites, alors qu'ils tenaient Himmler et les autres partisans intransigeants de la pureté raciale pour les agents de la politique antijuive. Quelle aurait été leur surprise s'ils avaient pu lire ses communiqués à Heydrich !)

Bien entendu, il n'y a jamais eu le moindre doute dans l'esprit de qui que ce fût sur ce qu'implique une « solution finale », quoique nous ayons rarement abordé ce sujet entre nous. Seuls des imbéciles comme Hans Frank se pavanent de-ci de-là en débitant qu'ils vont supprimer les Juifs comme ils supprimeraient des poux. Mais, de fait, nous avons circonscrit et réduit le champ de ses responsabilités en Pologne, de sorte qu'il n'est plus à présent qu'un homme de paille pour les SS. Nous avons gagné. Nous accomplirons les désirs du Führer aussi discrètement et efficacement que possible.

En tout cas, les événements que je viens de rapporter plus haut, ainsi que d'autres développements intéressants, tels que la construction de certains camps secrets à Chelmno et à Belzec en Pologne, où de nouveaux systèmes uniques, destinés à la solution du problème juif, sont actuellement en cours d'expérimentation, ont abouti à la conférence de Gross-Wannsee du 20 janvier.

Outre Heydrich et moi-même, treize hommes assistèrent à cette réunion. Elle se tint dans les locaux du R.S.H.A. — l'Office Central de Sécurité du Reich — que dirige Heydrich, et qui traite directement des questions juives, dans le joli faubourg de Berlin appelé Gross-Wannsee.

Ce qui retint mon attention, tandis que les participants se réunissaient en échangeant de menus propos, fut qu'à côté des membres des SS et de la direction de la police, cinq sous-secrétaires *civils* se trouvaient présents. Ce que Heydrich avait en tête était extrêmement clair. Aucune branche du gouvernement, qu'elle fût civile, policière, ou militaire, ne devait être laissée dans l'ignorance de nos projets. (Je me demandai, en regardant les civils, quelles excuses leurs cerveaux ingénieux pouvaient déjà bien forger pour le cas où ils auraient ultérieurement des comptes à rendre sur cette réunion.)

Eichmann était présent. Nous sommes d'assez bons amis maintenant. Mes relations tendues avec certains chefs d'Einsatzgruppen — notamment ce butor de Blobel et ce cafard de Nebe — m'incitent fortement à rechercher le soutien d'Eichmann, puisque je l'ai toujours trouvé rationnel, aimable, et d'esprit ouvert.

— Ah ! Dorf, dit-il, après m'avoir demandé des nouvelles de Marta et des enfants, il y a de nouveaux développements dans l'air. L'affaire d'Auschwitz.

— C'est ce qu'on dit.

— J'y suis allé dernièrement. Himmler a donné le feu vert à Hoess. J'essaie actuellement de mettre au point avec lui des horaires de train, et autres détails de cet ordre.

— Pourquoi Auschwitz ?

— C'est un camp bien desservi par le réseau ferroviaire. Il y a là-bas tout l'espace qu'il faut pour assurer l'isolement. Beaucoup de Juifs dans les parages. La Pologne est notre gros problème. Tous les nouveaux camps, tels que Chelmno, Belzec, Sobibor, c'est en Pologne qu'on les construit.

Il se pencha vers moi, et me glissa dans le creux de l'oreille :

— Voyez-vous, le Führer ne veut pas que le sol sacré de l'Allemagne soit contaminé par du sang juif.

— Cela se comprend.

Je me surpris moi-même à accueillir si froidement cette information. Les SS, y compris le R.S.H.A., étant un théâtre permanent de rivalités intestines et d'imbrications inextricables des responsabilités, Himmler n'éclaire pas toujours Heydrich sur ses intentions et sur ses plans, et bien que je fusse au courant de l'existence de ces nouveaux camps, je n'avais qu'une très vague idée de ce qui s'y passait. Mon domaine essentiel de responsabilités est resté le territoire de la Russie.

Hans Frank me vit entrer dans la salle de conférence. Il s'empara de mon bras, et m'entraîna à l'écart d'Eichmann.

— De nouveaux camps, à ce qu'il paraît ? Allons, Dorf, détendez-vous, que diable ! N'avez-vous pas envie de renifler un peu de gaz ? D'y goûter pour voir ?

Je me débarrassai de sa main posée sur mon bras, et l'entendis qui murmurait à l'un de ses adjoints :

— Quelle réunion ! Avec Heydrich, ce demi-juif, et Dorf, l'avocassier berlinois !

La conférence commença.

Heydrich exposa clairement devant toute l'assistance (et en particulier devant les civils qui représentaient les principaux ministères, et comprenaient des personnalités aussi éminentes que le sous-secrétaire aux Affaires étrangères et celui du ministère de l'Intérieur) que lui, Reinhart Heydrich, était l'instrument choisi par le Führer pour apporter « la solution finale au problème juif ».

— Dans tous les domaines ? interrogea une voix.

— Tous.

— Ah bon... c'est-à-dire l'Allemagne et tout l'ensemble des territoires conquis ?

La réponse d'Heydrich fut que *tous* les Juifs d'Europe, dont il estimait le nombre à onze millions, compte tenu de ceux de Grande-Bretagne et d'Irlande, finiraient par tomber sous notre juridiction, et connaîtraient le même sort.

Il ne s'étendit jamais autant que ce jour-là sur ce qu'était cette « solution finale », bien que chacun des membres de l'assistance l'eût parfaitement compris. Nous étions tous au courant.

— L'émigration a été un échec, poursuivit mon patron. Personne ne veut de ces Juifs. Ni l'Amérique, ni l'Angleterre, ni aucun autre pays. En outre, la tâche consistant à les expulser de leurs villes et de leurs villages contaminés serait trop lourde pour nous, ou pour quiconque, notamment dans le cas des Juifs d'Europe orientale. Aussi procéderons-nous à une évacuation échelonnée dans le temps de tous les Juifs en direction de l'Est. Essentiellement en direction de la Pologne.

Sur un tableau, Heydrich indiqua comment tous les Juifs européens — français, hollandais, anglais, italiens — seraient dirigés vers « l'Est ».

— Et après, demanda Hans Frank. Lorsque vous me les aurez expédiés ?

Heydrich continua de parler comme s'il n'avait rien entendu.

— Les Juifs seront groupés en unités de travail. Un dépérissement naturel par la maladie, la faim, les travaux forcés pour lesquels ils ne sont pas faits, s'ensuivra donc, en tout état de cause. Il y aura, bien sûr, un petit noyau de survivants, parmi ceux qui offriront la plus grande résistance physique.

— Et que leur arrivera-t-il ? interrogea Eichmann.

— Ils seront traités en conséquence.

Les membres de l'assistance sourirent, certains changèrent de position sur leur siège. Deux des civils, semblables à de bons écoliers qu'on aurait surpris à fumer en compagnie de chenapans du coin, se raclèrent la gorge en se consultant du regard.

— Le Général pourrait-il s'expliquer là-dessus ? demanda le gauleiter Meyer.

— Eh bien, vous devez comprendre que ces Juifs survivants constitueront une menace directe pour l'Allemagne. Ils seraient capables de faire renaître la Juiverie. La sélection naturelle les aura rendus très forts. Aussi... devront-ils être traités en conséquence.

— Bon Dieu! Ils sont plus de trois millions en Pologne, à l'heure qu'il est! éclata Frank. Des goinfres, des parasites, pleins de germes, qui couvrent tout le pays de leur merde. Moi, je peux vous dire ce que j'ai déjà dit à mes chefs de divisions, nous ne pourrons pas fusiller ou empoisonner trois millions de Juifs, mais nous trouverons bien un moyen pour les exterminer!

— Puis-je rappeler au Gouverneur Général de surveiller son langage? dis-je.

Frank tapa du poing sur la table.

— Bon sang! C'est pourtant bien d'extermination qu'il s'agit! J'en suis malade de ces mots de code bidon que vous substituez à la réalité.

Heydrich lui lança un regard froid, et à la place de Frank, j'aurais eu peur de cette froideur glaciale.

Eichmann, toujours diplomate, s'efforça de changer de sujet. Il demanda si les Einsatzgruppen étaient appelés à se développer. Heydrich répondit par l'affirmative.

— Et envisagerait-on de nouvelles méthodes? demanda-t-il encore.

— L'emploi d'un gaz est à l'étude, dit Heydrich.

Un fonctionnaire civil de haut rang — j'ai oublié lequel — manifesta sa surprise. Heydrich lui dit que des essais étaient en cours dans des conditions de laboratoire. Les membres de l'assistance, mal à l'aise, s'agitèrent sur leurs sièges. Certains se grattèrent le nez, d'autres contemplèrent le plafond.

Le Dr Luther, qui représentait les Affaires étrangères, signala que le clergé avait protesté, plusieurs années auparavant, lorsque les « bouches inutiles » avaient été délivrées de l'existence par gazage. Je fis une remarque improvisée qui donna à entendre que cela ne devait pas nous arrêter. Luther se tourna vers moi, et cita des protestations qui avaient émané du Vatican et des Eglises protestantes, et devant lesquelles le Führer lui-même avait reculé.

— Eh bien? interrogea Heydrich.

Un autre civil se montra pareillement inquiet :

— Cela peut se reproduire. Des massacres de population dans le courant d'une guerre, c'est une chose. On trouve à cela des excuses que des hommes raisonnables, notamment des gens d'Eglise, peuvent accepter. Mais le gaz! Pour des femmes... des enfants... Pour des vieillards! Nous ne pouvons pas nous mettre à dos les Eglises. Heydrich, cette sale besogne dépasse les limites!

— Du calme, voyons! dit Heydrich. Nous avons affaire à des Juifs.

Luther était furieux.

— Oui! Ils exercent leur contrôle sur les banques, la presse, les places boursières, et sur l'appareil communiste en Russie. Ils soufflent dans l'oreille de Roosevelt la politique qui leur convient le mieux.

Heydrich se pencha en avant.

— Je vous en donne ma parole, Docteur. Personne ne lèvera le petit doigt pour protéger les Juifs.

Eichmann eut un hochement de tête approbateur, apportant ainsi opportunément son soutien à mon chef.

— En outre, notre position légale repose sur une base solide. Il s'agira d'exécuter — peu importe ce que recouvrira ce terme — les ennemis de l'Etat, les espions, les terroristes. De tels actes sont autorisés en temps de guerre.

Luther se trouvant réduit au silence sur ce sujet souleva quelques points de détail. Dans certains pays, notamment la Norvège et le Danemark, il était douteux que la population civile collabore à l'exécution de notre programme. Les Italiens n'étaient pas très coopératifs non plus. Ils se dérobaient, avançant des prétextes. Mussolini ne manifestait aucun empressement en la matière. Et même Franco — qui était resté neutre, bien sûr — cachait des Juifs. Il les laissait s'infiltrer en Espagne. Chaque fois que les SS avaient rencontré une forte résistance dans des populations chrétiennes locales, ils avaient soudainement perdu toute ardeur à appliquer notre solution au problème juif. Naturellement, à la longue, ajouta Luther sur un ton conciliant, on n'éprouverait plus de véritables difficultés dans les Balkans ni en Europe orientale, où les sentiments antijuifs sont assez puissants.

Quelques autres civils avaient l'air complètement bouleversés. Ils gardèrent toutefois le silence. Plus personne ne semblait avoir quoi que ce fût à dire. Frank finit par déclarer que la théorie d'Heydrich consistant à faire travailler les Juifs jusqu'à ce qu'ils tombent était absurde. La plupart des Juifs de Pologne étaient si mal nourris et si atteints par les maladies qu'ils seraient bien incapables de tout travail productif.

— C'est bien pourquoi de nouveaux camps sont en cours de construction, dit Eichmann de sa voix douce.

— Oui, et je sais pourquoi ! vociféra Frank.

Il est resté cet être faible que j'avais remis à sa place voilà un an et demi, à Varsovie. D'un côté, il se complaît à ruminer sur la beauté de la légalité, et la notion abstraite de justice. De l'autre, il cherche à se montrer aussi dur que l'un de nous autres.

— Rappelez-vous ce que le Führer a dit un jour à un groupe de juristes, cela vous soulagera, dit Heydrich en riant.

— Je ne m'en souviens pas, grommela Frank.

Heydrich se tourna vers moi.

— Dorf ?

Je connaissais la citation :

— « Je me place ici avec mes baïonnettes, vous vous mettez là avec vos lois, et nous verrons qui l'emportera. »

C'était là une excellente note finale pour la conférence de Gross-Wannsee, et les membres de l'assistance se dispersèrent.

Plus tard, ce même jour, quelques-uns d'entre nous, soigneusement triés sur le volet, étaient assis dans le bureau personnel d'Heydrich, à contempler les flammes d'un grand feu magnifique dans la cheminée, en buvant du cognac français et en fumant.

Eichmann, Heydrich et moi chantâmes des mélodies anciennes et portâmes des toasts, d'abord debout sur le plancher, ensuite juchés sur des chaises, puis sur une table, nous élevant toujours plus haut avec nos verres. Heydrich dit que c'était une vieille coutume germanique.

Le chef s'assoupit auprès de la cheminée, et je discutai alors avec Eichmann sur les décisions qui venaient d'être exposées à la conférence.

— Ce fut un moment historique, dit Eichmann. De toute évidence, le monde ne comprend pas nos objectifs.

— Peut-être ne veulent-ils pas les comprendre, répondis-je.

— Oh, nous avons fait un superbe travail de camouflage. Personne ne se rend compte de ce que nous sommes en train d'accomplir. Beaucoup de gens ne veulent pas se rendre compte. Pas même les Juifs.

Je me penchai en avant.

— Eichmann, vous qui êtes maintenant pour moi un vieil ami, dites-moi, tout à fait entre nous, ne vous arrive-t-il pas d'avoir des doutes, des arrière-pensées ? Jamais ?

— Bien sûr que non ! fit-il sans l'ombre d'une hésitation. Nous obéissons à la volonté du Führer. Nous sommes des soldats. Et les soldats obéissent.

— Mais la façon dont le Führer lui-même ne se montre jamais à ces réunions... La façon dont ses ordres à Himmler et à Heydrich ont toujours l'air, ma foi, de tourner autour du pot...

— Cela ne signifie rien. Il l'a dit et redit. En 1922, il a déclaré qu'il pendrait jusqu'au dernier Juif de Munich, puis passerait aux autres villes pour faire la même chose partout. Rappelez-vous, Dorf, que notre seule loi, notre seule Constitution, c'est la volonté de notre Führer.

Il avait raison, évidemment.

— Je suppose qu'il est au courant de ce nouveau programme.

Eichmann termina son verre de cognac, et reprit :

— Les détails ne l'intéressent pas. Il mène une guerre sur deux fronts. Mais il veut que ce travail se fasse. Et il l'approuve. Vous savez ce qu'il a dit voilà des années : « Rien n'arrive dans mon mouvement sans que je le sache et l'approuve. »

Je suis porté à admirer Eichmann. Il a un esprit clair, et quoiqu'il n'ait pas fait d'études très poussées, il a le sens de l'organisation dans son travail, comme un bon administrateur. A diverses occasions, il m'a répété qu'il n'a personnellement rien contre les Juifs. En réalité, d'un point de vue historique, il les trouve fascinants : ce furent les fondateurs des grandes religions du monde, ils ont fourni des esprits éminents aux sciences, aux arts, et à toutes les formes du savoir. Il aime à se targuer de la période qu'il a passée en Palestine, en tant qu'agent, et de sa familiarité avec l'hébreu. (« Une langue difficile, Dorf, m'a-t-il dit, qui a un système grammatical absolument stupéfiant ! »)

Avec le charme qui le caractérise, Eichmann passa à un autre sujet de conversation. Il m'interrogea sur ma femme et sur mes enfants, dont il se souvient depuis cette belle journée, à Vienne, où il nous avait accueillis tous les quatre. Sa propre famille est prospère, dit-il, en dépit des pénuries gênantes de notre économie de guerre, et des actes occasionnels de sabotage.

Je me sentis attendri et comblé, et je dis :

— Aucun doute, Eichmann, c'est pour nos merveilleuses familles, pour nos femmes et nos enfants, que nous accomplissons ces tâches difficiles. Elles nous insufflent du courage et affermissent notre résolution.

Il en convint.

— Nous devons quelque chose à la génération d'Allemands qui nous suit. Les décisions que nous prenons aujourd'hui — aussi terribles qu'elles puissent paraître — sont une absolue nécessité pour préserver la pureté de notre race, pour la survie de la civilisation occidentale.

Les générations qui viendront ensuite n'auront peut-être pas la force ni la volonté d'achever notre tâche. Ni, qui sait, l'occasion. Je pense à mon foyer, à ma famille, et je sais que nous faisons ce qu'il convient de faire.

Nous continuâmes à boire, en silence, dans le bureau, tandis qu'Heydrich dormait, fatigué par sa longue journée de travail.

Le récit de Rudi Weiss

Hélèna et moi recommençâmes à errer. On nous avait dit, après notre fuite de Babi Yar, que des bandes de partisans se déplaçaient dans les forêts d'Ukraine. Nous décidâmes de nous joindre à l'une d'elles.

Sur Babi Yar, les gens ne se montraient guère loquaces. Une vieille paysanne à la mâchoire édentée apprit à Hélèna que les chrétiens pauvres de Kiev et de ses environs avaient reçu une distribution de cent quarante chargements de camions remplis de vêtements. « Et qui étaient aux Juifs ! répétait-elle entre ses gencives tremblantes, qui étaient aux Juifs ! »

Par un matin froid, Hélèna se mit à frissonner. Elle dormait entre mes bras, dans une cabane de paysan en ruine, abandonnée par un fermier parti Dieu sait où, peut-être enrôlé dans l'armée rouge, peut-être fait prisonnier par les Allemands. Le fond de l'air était humide. J'avais volé quelques couvertures, et nous dormions ensemble, tâchant de nous réchauffer chacun au contact du corps de l'autre.

— J'ai froid, dit-elle en claquant des dents.

— Viens plus près de moi.

— Ce n'est pas la peine, Rudi. Ah, je n'aurai plus jamais chaud !

J'entrepris de frictionner ses mains et ses poignets, mais elle n'était pas d'humeur à se laisser réconforter, ni réchauffer.

— Je ne peux plus continuer à fuir comme cela, dit-elle à travers ses larmes. J'ai trop froid et trop faim.

— Tu penses que nous aurions dû rester à Prague.

— Je n'en sais rien… Je n'en sais rien. Au moins, nous aurions pu trouver à manger, là-bas. J'avais mon logement, des amis…

— Tes amis sont tous enfermés dans des camps de concentration à l'heure qu'il est !

— Je suis un fardeau pour toi, dit-elle. Je pleure trop.

Je lançai un coup d'œil sur nos quelques ustensiles rudimentaires qui étaient posés sur la table : un quart, une assiette de métal, des cuillers. Je saisis le quart, et le jetai violemment contre la cheminée.

— Bon sang de bon sang !

Elle s'assit dans le lit, pleurant maintenant à gros sanglots.

— Rudi, c'est sans espoir !

Je la pris dans mes bras et la soulevai du matelas de paille sur lequel nous avions dormi pour l'installer sur mes genoux.

— Mais non ! Tu m'as assez parlé de cette patrie sioniste que toi et tes parents veulent créer en Palestine, dans un désert entouré d'Arabes. Tu crois que tu y parviendras un jour en restant comme

228

cela, assise à pleurer ? En cédant à quiconque te menace ? Ce type avec des favoris sur les joues, qui a lancé cette idée... comment s'appelait-il, déjà ?

Mon ignorance la fit rire.

— Oh, voyons, Rudi ! Il s'appelait Herzl.

— Oui. Eh bien son rêve sioniste n'aura pas de sens tant que les Juifs n'auront pas appris à se battre. Tu crois que vous pourrez obtenir cette terre sans tuer des gens ? Ou sans qu'un tas de Juifs se fassent tuer ?

Elle frissonna.

— Je suis désolée, Rudi. Je ne peux pas penser quand je gèle. Je ne peux pas réfléchir aux idées de Herzl quand je meurs de froid.

A l'extérieur de la cabane, je creusai la terre gelée, et parvins à trouver des navets que personne n'avait arrachés à l'automne. Ils étaient gelés, à moitié pourris, mais je pouvais peut-être en découper des morceaux mangeables. Un chaton au pelage roux me suivit à mon retour dans la pièce.

— Ferme les yeux, dis-je à Hélèna. Je t'apporte un cadeau.

Elle ferma les yeux, et je déposai le chaton sur ses genoux.

— C'est un persan-siamois-ukrainien pure race. Pour toi !

— Oh, Rudi ! Il est aussi maigre et affamé que nous deux.

— Il te donne une leçon. C'est un chat, et il trouve le moyen de survivre.

Je tendis une tranche de navet à Hélèna.

— Tiens, essaie de manger ça. C'est plein de vitamines.

Elle eut tout de suite des haut-le-cœur. Cela lui donnait envie de vomir.

— Allons, dis-toi que c'est un petit pain. Un croissant chaud. Miam miam. Avec du café frais moulu. Et de la crème, et du sucre...

Je la fis rire. Elle feignit d'être en colère, et me lança sa tranche de navet à la figure.

Tout en mâchant la mienne, je pensai tout haut :

— Une vraie petite famille berlinoise : maman, papa, et le chat... Mais nous ne vivrons jamais à Berlin, Hélèna.

— Ni à Prague. Nous irons en Eretz-Israël, en terre promise.

Elle vint derrière ma chaise, et passa un bras autour de mon cou.

— Mais cela ne fait rien, ajouta-t-elle. Partout où tu iras, je serai heureuse.

— Moi aussi, Hélèna, je serai toujours heureux avec toi.

— Et nos enfants le seront aussi.

Je caressai le petit chat maigre.

— Ils ne pourront jamais croire le récit que nous leur ferons de nos aventures. Notre fuite à travers la Tchécoslovaquie, la Hongrie, la Russie.

Elle rit.

— Ils auront pourtant intérêt à le croire, jusque dans les moindre détails !

Je la pris dans mes bras.

— Je vois d'ici mon fils, Hélèna. Un petit coquin avec tes yeux et ton terrible accent tchèque, qui me fera tourner en bourrique.

Elle se remit à rire. Mais ce n'était que pour dissimuler sa détresse. Pauvre fille si frêle ! Nous nous étions enfuis sur mes instances. Elle avait souvent des hésitations, des doutes. Sa vie à Prague avait été assez agréable jusqu'à l'arrivée des Allemands. Il lui avait été difficile de tout quitter du jour au lendemain. Je me sentais coupable en pensant aux idées que je lui avais inculquées. Mais j'étais convaincu qu'il n'y avait pas d'autre moyen de nous en tirer.

C'était elle, à présent, qui caressait le chaton. Je la contemplai, jeune fille vulnérable, au petit visage délicat encadré de cheveux châtain foncé, aux lumineux yeux noirs. Et je rageais intérieurement en songeant à la manière dont les nazis massacraient les femmes comme elle — sans hésitation, sans scrupule, et sans frein. Mon Dieu, comment de tels monstres pouvaient-ils exister ?

Il me sembla, en ce moment où un danger de mort planait au-dessus de nos têtes, que les horreurs dont nous avions été les témoins à Babi Yar et ailleurs, rendaient d'autant plus vital pour nous de nous aimer l'un l'autre d'un amour indéfectible, sans jamais nous blesser, en restant toujours loyaux et bienveillants. Hélèna l'avait bien compris également. Je le voyais dans ses yeux, le sentais dans ses soupirs, ses petites crises de larmes, et dans son regret à se détacher de moi lorsque nous faisions l'amour dans des granges, des champs, ou des maisons abandonnées.

Le chat sauta de la table, miaula, s'étira, puis se dirigea vers la porte qui était restée entrebâillée, comme si quelque chose l'attirait au dehors.

J'entendis alors des bruits qui venaient de l'extérieur. Des pas discrets, des branches déplacées par des gens dans leur marche. La vie en pleine nature que je menais depuis longtemps avait rendu mes oreilles attentives à de tels bruits. Des partisans ? Mais de quel genre ? Nous avions été repoussés par une bande de guérilleros ukrainiens. Pas de Juifs avec nous, avaient-ils déclaré. Et ils avaient ajouté que nous avions de la chance qu'eux-mêmes ne nous fusillent pas sur-le-champ.

Soudain quelqu'un ouvrit la porte d'un coup de pied, et attendit. Je tirai le couteau de ma ceinture et reculai, le dos vers le mur de la cabane, en pressant Hélèna de venir se mettre à l'abri derrière moi.

— Qui est là ? demanda une voix d'homme.

Mais personne n'entra. L'homme attendait. Je chuchotai alors à Hélèna :

— Va sous le lit.

— Pas la peine, Rudi... rendons-nous.

La voix de l'homme reprit :

— Sortez. Les mains sur la tête. Nous sommes cinquante, dehors, et tous armés !

La silhouette de l'homme qui parlait se profila dans l'encadrement de la porte. Il portait de grossiers vêtements d'hiver, assez disparates, qui rappelaient tout de même la tenue militaire. Il avait un bonnet de fourrure sur la tête, une vieille capote de l'armée rouge, des bottes de feutre. Autour de ses épaules étaient deux cartouchières. Il pointait sur moi le canon d'un fusil russe.

— Rudi, ça ne sert à rien, gémit Hélèna. Abaisse ton couteau.

— Elle a raison, fit l'homme. Lâchez-le. Dehors, tous les deux. Mettez les mains sur la tête.

Nous obéîmes. Il s'écarta pour nous laisser passer. Je pensai à sauter sur lui, mais ses compagnons se tenaient à l'extérieur, j'en vis au moins deux, un homme et une femme dans le même accoutrement pseudo-militaire que lui, avec de vieux habits dépenaillés, et des bottes de feutre. Mais, chose étrange, ils ne portaient pas d'armes.

L'homme au fusil s'adressa en russe à Hélèna. Il semblait avoir environ cinquante ans, avec ses cheveux grisonnants et son visage creusé de rides.

Les trois nouveaux venus nous faisaient face dans le jardin abandonné du fermier disparu.

— Un seul fusil minable, fis-je à Hélèna. J'aurais dû lui sauter dessus et le lui arracher des mains.

— Voulez-vous essayer maintenant ? demanda-t-il.

— Non. Plus tard peut-être. Où sont vos cinquante partisans en armes ?

— Ils seront ici quand j'aurai besoin d'eux.

Il y eut un moment de répit, que nous mîmes à profit pour nous étudier mutuellement du regard, et la clarté se fit en nos esprits : nous étions tous des Juifs !

— Qui êtes-vous ? demanda l'homme au fusil. Ne mentez pas.

Regardant Hélèna, il reprit :

— Préféreriez-vous que je parle yiddish ?

— Nous sommes des Juifs, dit-elle. En fuite. Lui est un Juif allemand, et moi, je suis de Prague.

La jeune femme ouvrit le col de sa tunique, et nous montra une étoile de David qu'elle portait au cou.

— Shalom, dit-elle d'une voix douce.

— Shalom, fit Hélèna.

J'hésitais encore à aller vers eux, tellement j'étais devenu méfiant. Mais Hélèna n'hésita pas un seul instant. Elle tomba dans les bras de la jeune femme en pleurant de joie. L'homme au fusil baissa son arme et me tendit la main. Je la lui pris et nous nous étreignîmes également. Puis le jeune homme me serra dans ses bras, et n'eut pas honte de m'embrasser.

— Je n'arrive pas à en croire mes yeux, dis-je. Des Juifs armés de fusils !

— Très peu de fusils, précisa la jeune femme, en riant.

Elle s'appelait Nadia. Elle était très brune, avec de grands yeux intelligents au regard assuré.

— Les cinquante partisans n'existent que dans l'imagination d'oncle Sasha, ajouta-t-elle.

L'oncle Sasha, c'était l'homme au fusil. Il nous raconta, alors que nous repartions ensemble à travers bois, qu'il était le chef d'une brigade de partisans de la région de Shitomir. Tous les membres de son groupe étaient des Juifs. Les partisans ukrainiens avaient constitué leurs propres unités et ne permettaient pas aux Juifs de se joindre à eux.

Je lui racontai comment Hélèna et moi nous étions fait repousser par une de ces unités.

Le jeune homme, nommé Youri, hocha la tête.

— Vous avez encore eu de la chance qu'ils ne vous aient pas tués. Pour nous, une attitude pareille est inconcevable. Les Allemands sont en train de les réduire en esclavage, de massacrer leur jeunesse, d'incendier leurs maisons, de voler leurs récoltes. On aurait tout lieu de croire qu'ils vont faire cause commune avec les Juifs d'Ukraine. Mais non. Ils trouvent encore le moyen de nous haïr et de nous repousser. C'est à désespérer de tout !

— Qu'ils aillent au diable ! dit l'oncle Sasha.

Il fit halte au moment où nous allions pénétrer dans ce qui ressemblait à une pépinière abandonnée : un genre de forêt semi-cultivée, avec de grands arbres, et d'épais taillis.

— Attention à présent ! Marchons en file indienne. Toi, l'Allemand, tu me suis. Tu as l'air de ne pas avoir peur de te battre.

— Je me sentirais mieux avec un fusil entre les mains.

— Nous projetons d'en trouver quelques-uns très bientôt. Allons.

Nous traversâmes la forêt humide et froide. En cours de route, je me retournai pour regarder Hélèna. Elle souriait. Enfin, une lueur d'espoir dans notre vie.

Dans le courant de l'hiver 1942, mon frère Karl et son compagnon le portraitiste Otto Felsher, furent envoyés, avec tout un groupe de Juifs de Buchenwald, dans le nouveau camp de Theresienstadt.

Ce camp se trouvait à moins de cinquante kilomètres de Prague. Du temps de l'impératrice Marie-Thérèse, Theresienstadt avait été une ville de garnison, puis était devenue une bourgade tchèque semblable aux autres. Mais la population locale avait été évacuée, et toutes les maisons se trouvaient maintenant coupées du monde extérieur par un mur et des barbelés. C'était une prison, mais une prison d'un genre très spécial.

Il s'agissait d'un camp d'exposition, d'une façade mensongère destinée à tromper le monde extérieur. Tandis que les Juifs y mouraient de faim, ou, par la suite, n'y faisaient plus que de brefs séjours avant d'être expédiés dans des camps d'extermination, les Allemands répandirent le bruit que c'était là le *paradis des ghettos,* un *foyer pour personnes âgées,* un *camp spécial,* destiné aux héros juifs de la Première Guerre mondiale, aux personnalités importantes, et aux notables cultivés qui habitaient l'Allemagne et la Tchécoslovaquie.

Au cours de mes recherches pour ce récit, j'appris que le rabbin Léo Baeck, de Berlin, le chef religieux des Juifs d'Allemagne, y fut prisonnier. Ainsi que plusieurs généraux juifs. Et un ingénieur juif qui avait fait partie des cadres de la grande firme I.G. Farben.

Plusieurs centaines de gens de Buchenwald, envoyées dans le même convoi que Karl, furent, à leur descente du train, acheminées sur la grand-place du camp. (J'y vins en visite après la guerre, et ne pus m'empêcher d'être impressionné — du moins à l'extérieur — par le charme du lieu. Des maisons de style baroque, aux portes massives, des rues propres. Mais tout cela n'était que du trompe-l'œil.)

Le commandant du camp accueillit les arrivants. C'était un colonel SS, un Autrichien, et il tint à souligner qu'ils se trouvaient dans une ville donnée par le Führer à eux, les Juifs ; qu'il était de leur devoir, à eux les Juifs, de la conserver propre et nette, d'obéir aux règlements, et de coopérer avec les autorités. Theresienstadt dissiperait tous les mensonges colportés sur les prétendues atrocités commises par l'Allemagne contre les Juifs.

S'ils désobéissaient à ses ordres, ajouta-t-il, s'ils racontaient des mensonges, faisaient de la contrebande, volaient, rendaient la ville sale et dégoûtante, comme c'était dans leurs habitudes de Juifs de le faire, alors ils subiraient le sort des criminels de droit commun. Et il attira leur attention sur une potence dressée juste derrière une simple barrière, à côté d'une petite forteresse intérieure, à laquelle pendaient les corps de trois jeunes gens.

Les arrivants furent ensuite divisés en plusieurs groupes. On leur dit que les dirigeants de leur communauté eux-mêmes leur assigneraient un logement et une occupation.

Une belle femme mûre, pleine de charme, appelée Maria Kalova, qui survécut à l'holocauste et me fournit beaucoup de renseignements sur l'année que mon frère passa dans ce camp, s'approcha alors de Karl et de Felsher.

— Weiss ? Karl Weiss ? interrogea-t-elle.

— Oui.

Karl se mit à rire, et se tourna vers Felsher.

— Je n'arrive pas à le croire. Un comité d'accueil pour un prisonnier. Attendiez-vous également mon ami Felsher ?

— En effet, nous vous attendions tous les deux. Les informations circulent bien. Je suis Maria Kalova. Je travaille dans l'atelier de peinture. Vous deux devrez y travailler aussi. Le fait est qu'un des officiers SS a entendu parler de votre talent, et a donné l'ordre de vous faire transférer ici.

Le visage de Felsher se rembrunit.

— Encore des arbres généalogiques en perspective ! Pour prouver que ces voleurs et ces menteurs descendent tous de Frédéric Barberousse !

— Estimez-vous heureux d'être ici, répondit la femme. Ce n'est pas un hôtel, mais on arrive à subsister.

Elle les guida à travers le camp. Au grand étonnement de Karl, il y avait là un jardin public parfaitement entretenu, et une série de boutiques. Des boutiques dans un camp de concentration ! Ainsi qu'une banque, un théâtre, et un café.

Mon frère posa à Maria Kalova quelques questions à ce sujet.

— C'est du trompe-l'œil, dit-elle. De la mise en scène. A vrai dire nous nous trouvons dans une prison comme les autres. Les banques distribuent des billets inutilisables. La boulangerie n'a jamais de pain. Dans la boutique d'articles de voyage, tout ce que vous pouvez faire, c'est racheter votre propre valise. On trouve à la rigueur une tasse d'ersatz de café, une fois par semaine, dans ce semblant de bar.

— Mais qu'est-ce que cela signifie ? demanda Karl. C'est un jeu ?

— Non, c'est beaucoup plus qu'un jeu pour les nazis, dit Maria.

Quand vous irez dans les baraquements, vous les trouverez pleins de vieillards mourants. Nous arrivons à peine à survivre avec le peu de nourriture qu'ils nous donnent. Les punitions sont sévères pour la moindre infraction aux règlements. Voyez-vous le fort, là-bas ? On l'appelle la Petite Forteresse. Les tortionnaires SS y sont à pied d'œuvre. En vérité, ce camp ne diffère pas beaucoup de Buchenwald, sauf pour son aspect extérieur.

— Je ne comprends toujours pas, dit Felsher.

— Theresienstadt est leur façade de respectabilité, répondit Maria. Régulièrement, la Croix-Rouge internationale, ou certains pays neutres, comme par exemple la Suède, exigent de pouvoir inspecter un camp de concentration. On les amène ici. Alors ils ont tout loisir de voir la banque, le cinéma, la boulangerie, les boutiques, et on leur demande d'approuver ces réalisations. De quoi se plaignent donc les Juifs ? Le Führer leur a donné cette jolie bourgade !

— Et cela marche ? Les personnes venues inspecter le camp croient ce qu'on leur dit ?

Tout en posant ces questions, Karl avait l'impression d'être au bord de la folie.

— Peut-être préfèrent-ils croire, dit Felsher.

L'atelier de peinture de Theresienstadt était grand, très clair, et bien aéré. Karl comprit tout de suite que les personnes qui y travaillaient constituaient une élite qui était considérée avec une certaine faveur par les maîtres SS.

Il apprit bientôt la raison d'une telle considération. Cette élite était un alibi, elle faisait partie intégrante du projet des nazis de présenter dans le monde entier le camp comme une ville modèle, et de détourner l'attention des pays étrangers des véritables conditions d'existence qu'ils réservaient aux Juifs dans les camps de concentration — les Auschwitz, les Treblinka —, qui allaient bientôt devenir de gigantesques usines de mort.

Sur le mur, des affiches hautes en couleur, avec des légendes telles que : *Ne gaspillez pas la nourriture ! Propreté avant tout* et l'éternel *Le travail rend libre !* La production de l'atelier était magnifique. Elle avait de quoi l'être : quelques-uns des meilleurs peintres allemands et tchèques étaient emprisonnés à Theresienstadt, ainsi que de nombreux musiciens, dont plusieurs compositeurs et chefs d'orchestre.

Quelques hommes se trouvaient au travail, devant leurs chevalets, à peindre des scènes de ce qu'on pouvait appeler « l'heureuse vie de ghetto de Theresienstadt ». Karl, qui avait vu des enfants se bagarrer dans les allées de Buchenwald, et même dans les rues de Theresienstadt, pour des miettes de pain, se sentit crispé. Un grand gaillard quitta la longue table sur laquelle il était en train de dessiner pour venir se présenter à Karl et à Felsher. Il s'appelait Emile Frey. C'était lui qui dirigeait l'atelier. Il avait été un artiste assez renommé à Prague, où il avait enseigné le dessin.

— Vous êtes contents de sortir de Buchenwald, je présume, dit-il.

— Cela a l'air mieux ici, fit Karl.

— Vous avez de la chance, dit Frey. Vous, Weiss, et vous, Felsher, soyez prudents, et vous parviendrez à survivre.

— Quelqu'un s'est-il jamais échappé d'ici ? demanda Karl.

— Ce n'est pas une prison ordinaire, expliqua Frey. Elle est on ne peut mieux surveillée : murs, barbelés, chiens, SS, police tchèque. La dernière chose que souhaitent les nazis, c'est bien que le monde apprenne qu'ils mentent sur Theresienstadt et sur tous les camps !

Pendant qu'Emile Frey parlait, Karl se promenait au milieu des divers chevalets et planches à dessin, étudiant du regard les œuvres en cours et les peintures terminées. Ce n'étaient qu'hommages à la femme germanique, au Führer représenté dans une armure de chevalier, ou dessins idylliques de la « vie de camp » : terrains de sports, représentations théâtrales, et concerts.

Maria et Frey se turent. Karl poursuivait son tour de l'atelier, suivi de Felsher qui secouait la tête, l'air accablé.

Mon frère s'arrêta à côté de la table à dessin de Frey, et le regarda droit dans les yeux.

— Ces tableaux sont un ramassis de mensonges.

Frey garda le silence un instant. Puis il se tourna vers Maria, et lui dit :

— Monte la garde à la fenêtre. Je vois que nous devons commencer l'éducation de nos deux apprentis.

Dès que Maria se fut postée auprès de la vaste fenêtre, Frey ôta une planche de sa grande table, et retira de l'intérieur un rouleau de dessins qu'il entreprit de présenter.

— Vous allez voir, dit-il à Karl et à Felsher, que notre production est assez éclectique en réalité. Ce qui est exposé est un de nos styles, peut-être romantique, mais nous donnons également dans le réalisme, le message à caractère social, si vous voulez.

La première œuvre était un dessin d'une épouvantable tristesse, intitulé *Les Condamnés*. Trois corps pendus à la potence. Avec des SS qui les lorgnaient d'un air méchant. La seconde était appelée *Le Dernier Voyage ;* un dessin au fusain qui représentait des cercueils dans un wagon de marchandises, dont chacun portait une étoile de David.

— C'est vous qui avez dessiné ? demanda Karl.

— C'est nous tous.

De la fenêtre, Maria cria :

— Le Commandant du camp avec un groupe d'inspection !

Frey roula les dessins, et les remit prestement dans la cavité qu'il y avait sous la planche détachable de sa table.

Quelques secondes plus tard, le commandant SS, un Autrichien nommé Rahm, et deux civils entrèrent dans la salle. Les civils, pour autant que Maria se souvienne, faisaient partie de la Croix-Rouge internationale — c'étaient peut-être des Suisses.

Rahm lança avec entrain :

— Alors, comment vont mes artistes, aujourd'hui ?

Tout le groupe se mit au garde-à-vous. Frey répondit au nom de ses compagnons :

— Très bien, mon Commandant. Nous sommes tous au travail.

Rahm fit un large sourire à ses hôtes.

— Ces messieurs sont de la Croix-Rouge. Ils ont entendu parler de notre vaste programme de dessin et de peinture ici, de nos artistes créateurs, et ont voulu rendre une petite visite à l'atelier. Un bel atelier, n'est-ce pas Messieurs ? Cela ne ressemble guère à une chambre de tortures, comme la presse juive d'Amérique s'efforce de le faire croire. Frey, montrez à nos visiteurs ces portraits d'enfants.

Karl et Felsher virent Frey présenter alors quelques dessins au pastel. Les enfants ressemblaient à des angelots. On était loin des gosses sales et affamés que Karl avait vus au dehors, en train de se battre pour des miettes de pain !

— C'est ravissant, dit l'un des Suisses. Absolument ravissant !

Héléna et moi étions maintenant dans ce que les partisans russes et notamment les Juifs, appelaient un « camp de familles ». Des communautés entières s'étaient enfuies dans les forêts : des vieillards, des enfants, et des personnes qui étaient nées pour commander, telles que l'oncle Sasha.

La vie de ces communautés était très unie : on partageait tout, on respectait les cellules familiales autant que cela était possible, on veillait sur les malades et sur les vieillards, et on essayait d'organiser une certaine forme de résistance contre les Allemands.

Le camp d'oncle Sasha était un des plus célèbres. Il regroupa, suivant les moments, entre cent et cent cinquante personnes qui vivaient dans des cabanes provisoires, des tentes, et toutes sortes d'abris faciles à constituer et à démonter. La communauté se déplaçait sans cesse, afin de rester hors de l'atteinte des Allemands comme des bandes de partisans chrétiens qui tuaient les Juifs isolés sans l'ombre d'une hésitation. (Hélèna et moi avions eu de la chance lorsque nous avions abordé notre groupe de partisans ukrainiens.)

L'atmosphère du camp de familles me sembla toujours irréelle, enveloppée de mystère. Les gens se parlaient à voix basse, quand, toutefois, ils venaient à parler. Cela n'avait rien de commun avec le caquetage bruyant et les discussions interminables, si caractéristiques pourtant des communautés juives. Ces gens-là avaient été les témoins de crimes affreux perpétrés contre leurs familles et leurs amis ; ils ne perdaient plus de temps à discuter entre eux sur des banalités ni sur des vétilles.

Seuls quelques enfants semblaient avoir échappé à cette modification du caractère. Ils jouaient au ballon, se faisaient des niches entre eux, et se poursuivaient à la course autour des feux et des cabanes dans l'insouciance de l'enfance.

Hélèna et moi nous liâmes d'amitié avec Youri et Nadia, le jeune couple qui accompagnait Oncle Sasha le jour de notre rencontre. Ils avaient tenu un magasin de photographie dans un bourg d'Ukraine, avaient vu tous leurs parents mis à mort, avaient refusé (comme nous le fîmes aussi) de répondre à l'appel qui était fait aux Juifs de se rendre dans un « camp de travail », et s'étaient réfugiés dans la forêt.

Un soir, nous mangions notre frugal repas de pommes de terre et de gruau d'avoine (aliments que nous achetions chez des fermiers ukrainiens à nos risques et périls, car ils pouvaient nous dénoncer à tout moment), et nous regardions un petit groupe d'hommes en train de prier derrière les cabanes. L'un des partisans était un rabbin nommé Samuel, un homme d'allure juvénile, avec un long visage qui respirait la tristesse.

Je remarquai qu'oncle Sasha ne se joignait pas à eux. Il restait assis, avec l'un de ses hommes, le nez sur une carte de la région pleine de gribouillages ; il devait projeter un genre de raid. Nous possédions alors trois fusils, mais il nous en fallait beaucoup plus avant de nous trouver en mesure d'attaquer les Allemands.

— Qu'est-ce qu'il faisait dans la vie ? demandai-je.

— Sasha ? fit Youri. Il est médecin.

— Tu plaisantes ! Où est son cabinet ?

Des souvenirs de mon père revinrent m'assaillir en foule : la maison de la Groningstrasse, la salle d'attente, l'odeur des produits pharmaceutiques lorsque mon père se lavait les mains. Et sa façon si douce de prendre le pouls, ou de masser mes chevilles foulées avec autant de maîtrise qu'un soigneur professionnel. Et son pas lourd dans l'escalier, sa voix toujours empreinte de bienveillance et de considération envers les gens.

238

Il est encore capable d'opérer d'une appendicite. Et avec un couteau de cuisine. Il a aussi fait deux accouchements depuis que nous vivons dans les bois.

— Et le rabbin ?

— Samuel Mishkin. Il vient du même village que Sasha. Il veut combattre à nos côtés lorsque nous tenterons une sortie.

— C'est comme cela que j'aime les rabbins, dis-je. Il arrivera peut-être à me ramener à la synagogue un jour ou l'autre.

Karl et moi n'y avions plus mis les pieds depuis notre bar-mitzva. D'autres hommes vinrent se joindre au rabbin pour la prière du soir. Les yeux fermés, ils agitaient leurs têtes. Les châles couvraient leurs cheveux et ils semblaient perdus dans un autre monde.

L'un des jeunes garçons, par étourderie, envoya le ballon au milieu du groupe en prière.

Le rabbin le ramassa et le lança au loin :

— Allez-vous-en ailleurs ! dit-il avec sévérité. Ceci est une *shul.*

— On ne le dirait pas ! fit le gamin.

— Toi, je te rattraperai plus tard, dit le rabbin. Partout où des Juifs s'assemblent pour prier, c'est une demeure de Dieu. Et maintenant, file !

Hélèna et moi eûmes envie de rire.

— Tout à fait comme lorsque j'étais enfant, dis-je. Je m'attirais toujours des ennuis pour jouer au ballon le samedi.

Le camp brumeux, envahi par la fumée des feux, me rendit de nouveau songeur, et je pensai à ma famille. Je demandai à Youri.

— Comment toutes ces familles sont-elles arrivées ici ?

— La plupart d'entre nous sont venus de Koretz, avec oncle Sasha. Il nous a guidés jusqu'ici. Les Allemands ont tué sa femme et ses deux filles. Ils ont massacré plus de deux mille Juifs en un seul après-midi. Ils les ont obligés à creuser leurs propres tombes, à se dévêtir, et puis les ont tués. D'une balle dans la nuque. Mes parents ont été exécutés ainsi. Mes frères également. Et presque toute la famille de Nadia. Un des clients d'oncle Sasha, un juriste ukrainien, un type bien, nous a prévenus. Il nous a cachés dans sa cave avec d'autres Juifs jusqu'à la fin de la rafle ; puis nous a aidés à quitter discrètement le bourg. Il s'appelle Lakov, et, si je survis, je veillerai un jour à ce que les gens se souviennent de lui.

Nadia enchaîna :

— D'autres Juifs se sont joints à notre groupe. De Berdichev, de Shitomir. Tous les ghettos se vidaient. Les Allemands tuaient tous leurs habitants.

— Mais pourquoi ? Pourquoi ? interrogea Hélèna.

— Ils n'ont pas besoin de raisons, dis-je. N'importe quel prétexte leur est bon parce qu'ils ont des armes, et que nous n'en avons pas. Youri changea la position de ses jambes, et jeta une branche dans le feu.

— C'est notre cinquième lieu de campement. Nous devons sans arrêt nous déplacer. Ils savent que nous sommes dans ces parages, et de temps en temps les SS envoient des patrouilles dans les bois. Ils ne veulent pas qu'il reste un seul Juif en vie dans toute la Russie.

— Quand riposterons-nous ? demandai-je.

— Quand nous aurons assez de fusils pour ça, répondit-il. Nadia secoua la tête.

— Cela pose des problèmes. Oncle Sasha dit que nous ne pouvons pas abandonner les vieillards, les enfants, ni les malades. C'est pourquoi il appelle notre camp un camp de familles. Nous devons survivre en tant que communauté, dit-il, de *Yishuv*.

Je regardai le chef des partisans. Il était assis, tout seul à présent, à fumer une de ces cigarettes russes qui ont un long tube de carton creux, les yeux perdus dans la contemplation du feu. Il avait un visage dur, sillonné de rides, mais on sentait en lui de la bonté et de la compassion. De nouveau, il me rappela mon père.

— Pourquoi ne prie-t-il pas avec les autres ? demandai-je.

Nadia répondit :

— Il a déchiré son châle de prière après le massacre de sa famille. Il dit à tous ceux qui viennent ici de ne plus accepter la mort, de ne plus marcher à la mort sans résistance. De toute façon, nous mourrons ; aussi devons-nous mourir en luttant.

— Mais, dit Héléna, vous n'êtes qu'une poignée de résistants. Des milliers de Juifs ont été tués, des dizaines de milliers, qui n'ont pas tenté de résister !

— Il faut les comprendre, dit Nadia. Les gens ont été dépassés par les événements. Ils ne pouvaient pas imaginer ce qui leur arriverait. Et qui avait des fusils ? Qui savait comment organiser une résistance ? Avant d'avoir pu trouver une réponse à ces questions, ils se trouvèrent arrêtés, emmenés, et tués.

Oncle Sasha se leva, et quitta la place qu'il occupait auprès du feu pour venir jusqu'à nous. Son visage avait toujours une expression de lassitude, dans son effort perpétuel pour maintenir la cohésion de notre communauté, et guider notre vie errante de jour en jour.

— Weiss, tu peux monter la garde, cette nuit. Tu sais tirer ? fit-il en me tendant un vieux fusil à chargement manuel.

— On arrive à tirer avec ce machin-là ?

— Si cela ne marche pas, tu peux toujours t'en servir comme d'un gourdin.

— Ça, je sais le faire !

Il sourit.

— Tu as l'air d'avoir une bonne expérience de la bagarre.

— Oui. Et j'en sors généralement vainqueur.

Nous nous mîmes en route vers l'extérieur du camp, où des sentinelles montaient la garde vingt-quatre heures sur vingt-quatre. Oncle Sasha me regarda du coin de l'œil.

— Qu'est-ce qui te fait sourire ?

— J'étais en train de réfléchir... Mon père est médecin.

— Où cela ?

— Il a longtemps exercé à Berlin. Ensuite, on l'a déporté. Il vivait à Varsovie la dernière fois que j'ai eu de ses nouvelles. Nous nous arrêtâmes de marcher. Hélèna était à quelques pas derrière nous.

— C'est drôle. Il avait pensé à me faire faire des études de médecine !

Oncle Sasha se mit à rire.

— Et tu n'as pas supporté la vue du sang ?

— Non, j'étais simplement trop mauvais élève pour me lancer là-dedans !

J'éprouvais un élan profond vers cet homme, comme si quelque chose de capital avait manqué à ma vie depuis que mon père avait été déporté, depuis que je m'étais enfui de Berlin.

Hélèna arriva à notre hauteur.

— Puis-je rester auprès de lui pendant qu'il monte la garde ?

— Certainement, dit oncle Sasha.

Un garçon d'environ quatorze ans, qui portait aussi un fusil de modèle ancien, s'approcha de notre groupe.

— Vania t'indiquera ton poste. Restez éveillés. Et ne parlez pas. Vous êtes des soldats.

Nous suivîmes Vania qui s'enfonça dans la profondeur du bois. Sur une impulsion subite, je me retournai et demandai à oncle Sasha :

— Samuel, le type qui est rabbin, dis-je.

— Eh bien ?

— Pourrait-il célébrer un mariage ?

— Pourquoi pas ? Il a déjà marié plusieurs couples ici. En bonne et due forme. Mais attention ! Pas de flirt pendant que vous montez la garde !

Hélèna m'embrassa. Elle frémissait légèrement. Nous nous prîmes par la main. Et je passai le fusil en bandoulière, sur mon épaule.

Nous fûmes mariés par le rabbin Mishkin deux jours plus tard. Les femmes du camp tressèrent une couronne avec des petites branches d'arbres à feuilles persistantes, pour mettre sur les cheveux d'Hélèna, et lui firent un voile dans un vieux châle de dentelle qu'une d'entre elles avait emporté dans sa fuite.

L'un des partisans était un violoniste, et il joua des mélodies étranges et sauvages, en dansant frénétiquement autour de nous, tantôt en faisant le clown, tantôt en tirant des sons plaintifs de son instrument. Ma mère n'aurait certainement pas apprécié son jeu.

Hélèna et moi nous tînmes immobiles sous le dais. Le mot yiddish qui le désigne est la *khupa,* chose que j'appris avec force plaisanteries sur les goyim berlinois, et nous fûmes unis dans les liens du mariage par le rabbin-partisan.

— Drôle de Juif ! fit oncle Sasha pour me taquiner, alors que la cérémonie allait commencer. La calotte n'a même pas l'air d'en être une sur sa tête ! Il la porte comme il porterait un béret de boy-scout.

Par bonheur, ce fut une cérémonie de courte durée. Eu égard à mon ignorance, une grande partie du service se fit en yiddish, car cette langue est assez proche de l'allemand pour que je comprenne un peu, et j'avais oublié tout ce que j'avais appris avec Karl comme hébreu au *kheder,* à notre petite école primaire. Ces étranges voyelles, et ces conjugaisons impossibles s'embrouillaient dans ma tête, et n'avaient jamais pris le dessus sur les rencontres de football et les courses de vélo.

Mais j'étais plein de respect et de bonheur, et lorsque nous échangeâmes nos anneaux, Hélèna et moi — de modestes anneaux de cuivre fabriqués par un bijoutier qui faisait partie de notre bande de partisans — et que je l'embrassai tendrement, je me sentis comblé et parfaitement intégré dans notre tradition ancienne. Une idée bizarre me trotta par la tête pendant que le rabbin poursuivait la cérémonie. *S'ils mettent tant d'acharnement à nous exterminer, c'est certainement parce que nous sommes des êtres valables, précieux, et importants pour le monde...*

— « Bien-aimé, viens rencontrer la mariée, entonna le rabbin, accueillons la princesse Sabbath... »

Il y eut une lecture de la Bible, à laquelle je ne compris rien, mais que Sasha me traduisit par la suite. *Dans la détresse, j'ai fait appel au Seigneur, et il m'a répondu par sa grande libération...*Pour finir, on me demanda de briser avec ma botte un verre de cuisine posé par terre. (On aurait dû prendre pour cela un beau verre à vin, mais le camp n'en possédait pas.)

Je brisai donc le verre.

L'assistance applaudit en s'exclamant, et le violoniste attaqua un air joyeux.

— Embrassez la mariée, embrassez la mariée ! criait-on autour de moi.

— J'ai bien l'impression qu'ils se sont déjà embrassés plus d'une fois ! fit oncle Sasha en me lançant un clin d'œil.

Hélèna et moi échangeâmes un baiser. Elle avait les yeux pleins de larmes.

— Puissent vos jours à venir être comblés par le bonheur, la plénitude, et la venue d'enfants ! dit le rabbin. Et surtout un amour indéfectible l'un pour l'autre et pour le Seigneur notre Dieu. Dans la foi d'Abraham, d'Isaac, et de Jacob, vous êtes mari et femme.

Sasha m'envoya une bourrade amicale dans les côtes.

— De nouvelles responsabilités pour toi, Rudi. Tu fondes un foyer. Il va falloir que tu prennes une assurance sur la vie, et que tu mettes de l'argent de côté pour ta retraite !

Nous éclatâmes de rire.

De l'argent ! Nous vivions comme des ombres fugitives. Pire que des Tziganes. Cela explique peut-être pourquoi je me suis si bien adapté à la vie dans un kibboutz. Au cours de mes années d'errance, j'ai appris qu'il suffit de peu de choses pour vivre.

Les gens se mirent à danser en chantant. Ils se tenaient par le bras, et formaient des cercles. Sasha m'étreignit :

— Nous survivrons à ces salauds qui veulent nous tuer. Et nous prendrons bientôt notre revanche. Toi et Hélèna, et les autres, jeunes, vivrez de nouveau dans la paix, je le jure !

Nadia prit Hélèna par le bras :

— Nous regrettons de ne pas avoir une oie rôtie pour le repas de noce. Il n'y a pas même un hareng dans le camp !

— C'est très bien comme cela ! répondit Hélèna. Nous sommes heureux.

Lorsque l'assistance fit un cercle autour de nous, et se mit à danser, je me sentis un peu embarrassé, car je n'ai jamais aimé attirer l'attention sur moi en dehors d'un terrain de football.

Dix minutes plus tard, la cérémonie de mariage était terminée. Aram, l'une des sentinelles, arriva en courant au camp. Un fermier ukrainien, un de ceux qui se conduisaient décemment avec nous, qui vendait des produits à oncle Sasha, avait vu des patrouilles nazies sur la route.

— Démontez le camp ! ordonna Sasha. Eteignez les feux et roulez les tentes. Nous repartons.

Hélèna et moi rassemblâmes nos maigres possessions : le quart et l'assiette de métal, le couteau et la cuiller, nos couvertures.

— Cela n'est guère une lune de miel, lui dis-je.

— Tu m'en dois une, Rudi !

Je la pris dans mes bras.

— Je te dois beaucoup plus encore.

Youri vint nous chercher pour que nous aidions à démonter les tentes et à faire les ballots.

Ainsi s'acheva le jour de mon mariage. Nous partîmes bientôt, dans la nuit, pour nous enfoncer plus avant dans la forêt ukrainienne.

Le journal d'Erik Dorf

Minsk
Février 1942

Depuis le commencement de ce maudit incident, Heydrich et moi avons eu des craintes. (Je ne veux pas dire sur notre opération dans son ensemble ; mais sur cet incident particulier qui met en cause notre Reichsführer Himmler.)

J'ai deux versions sur les circonstances qui sont à l'origine de cette affaire.

L'une est qu'Himmler a demandé au colonel Arthur Nebe, qui commande l'Einsatzgruppe B (l'unité d'action chargée de la région de Moscou) de lui présenter une « liquidation » échantillon, de manière à ce qu'il puisse se rendre compte, par lui-même, du déroulement de notre travail.

L'autre version est que tout partit d'une idée de Nebe. Dans l'intention de s'attirer la faveur de son supérieur.

Quoi qu'il en ait été, ni Heydrich ni moi n'appréciâmes ce principe. Nous en discutâmes à mots couverts, tandis que nous traversions un champ gelé, dans les environs de la ville russe de Minsk. Puisqu'il ne s'agissait que d'une petite démonstration, les hommes de Nebe s'étaient contentés de ramasser une centaine de Juifs, tous de sexe masculin, à part deux femmes.

— Nebe est un imbécile, me souffla Heydrich. Je connais notre estimé Reichsführer mieux que lui. Il est plein de théories, et se plaît à mesurer les crânes des Juifs. Mais il supporte mal la vue du sang.

— Je me trouve dans le même cas, fis-je.

— Mais vous avez eu l'occasion de vous y faire, me dit le chef.

Je ne répondis pas. Mais j'ai l'impression de m'y être bien

habitué, en effet. Dans la perspective de notre grand objectif, la nécessité, en cette période de guerre, d'isoler les Juifs pour réduire leur influence, nous devons avoir le courage d'assumer des tâches qui sont pénibles.

La centaine de Juifs se trouvait massée le long d'une tranchée profonde. Ils étaient tous nus. Nebe expliqua à Himmler que ses hommes avaient déjà exécuté 45 000 Juifs dans la région de Minsk.

Le colonel Paul Blobel, qui marchait à côté de moi, murmura :
— Quelle mauviette ! Nous en avons liquidé 33 000 en deux jours à Babi Yar.

Notre groupe fit halte à une vingtaine de mètres de l'endroit où se tenaient les Juifs, et il se produisit alors une chose curieuse. Les yeux d'Himmler tombèrent sur un jeune Juif très grand, bien bâti, qui avait des cheveux blonds et des yeux bleus.

A notre stupéfaction, le Reichsführer s'avança jusqu'au jeune homme et lui demanda s'il était juif, se refusant à croire qu'un être d'aspect aussi germanique pût appartenir à cette race.
— Oui, dit le jeune homme. Je suis juif.
— Vos deux parents sont-ils juifs tous les deux ?

Heydrich et moi échangeâmes un regard à la fois critique et consterné.
— Oui.
— Avez-vous des ancêtres qui n'étaient pas juifs ?
— Non.
— Alors, je ne peux rien pour vous.

Heydrich me glissa à l'oreille :
— Au moins, en voilà un qui ne renie pas son ascendance. Cela demande pas mal de courage.

Je me demandai si inconsciemment Heydrich ne pensait pas aux rumeurs qui circulaient sur son propre sang juif.
— Quand vous serez prêt, mon Reichsführer, dit Nebe.
— Oui... oui...

Les soldats ouvrirent le feu avec leurs mitraillettes, et les Juifs tombèrent en tas dans la fosse. Nous regardâmes Himmler. Il tremblait, était couvert de sueur, et se tordait les mains. Incroyable. Cet homme qui lançait chaque jour des ordres pour l'exécution massive de milliers d'individus était incapable d'en voir fusiller une petite centaine !

Par une étrange coïncidence, les deux seules femmes du groupe n'étaient pas mortes. Elles n'avaient reçu que des blessures légères, et tendaient, implorantes, leurs bras nus vers le ciel.
— Tuez-les, cria Himmler. Ne les torturez pas comme cela ! Sergent, tuez-les. Tuez-les.

Sur-le-champ, les femmes furent achevées d'une balle dans la nuque.

Himmler chancela comme s'il était sur le point de s'évanouir.

— C'est la première fois... vous comprenez...

Sa voix s'étrangla dans sa gorge.

— Quelle minable poule mouillée, cet ancien éleveur de volailles! me dit Blobel. Nous tuons les Juifs par centaines de milliers, et il tourne de l'œil quand il en voit une poignée retourner à leur Créateur juif!

Nebe rendit la situation pire encore en racontant au Reichsführer qu'il ne s'agissait là que d'une petite centaine de Juifs, et que les bons soldats allemands qui devaient en tuer des milliers chaque jour s'en trouvaient affectés. Naturellement, ils obéissaient, conscients qu'ils étaient de leurs devoirs envers le Reich et envers Hitler, mais certains d'entre eux craquaient; ils étaient « finis » pour la vie. (Je ne suis pas d'accord avec cette façon de voir, mais je gardai le silence. C'est étonnant comme de grosses quantités de cigarettes, de cognac et de butin provenant des Juifs morts peuvent tenir nos hommes en forme. Cela et aussi l'assurance que tant qu'ils tueront des Juifs, ils ne risqueront pas de se faire tuer par l'armée rouge.)

Himmler, troublé jusqu'au tréfonds de l'âme, prononça alors un petit discours devant les officiers qui étaient rassemblés là.

— Je n'ai jamais été aussi fier des soldats allemands, dit notre Reichsführer.

Une forte odeur de poudre flottait dans l'air. Déjà, une équipe de Juifs commençait à recouvrir les morts avec des pelletées de terre.

— Les hommes apprécient votre éloge, mon Reichsführer, dit Heydrich.

Le regard d'Himmler paraissait très froid et comme perdu derrière son pince-nez d'instituteur.

— Vos consciences peuvent être légères. J'assume l'entière responsabilité de tous vos actes, devant Dieu et devant le Führer. Nous devons tirer des leçons de la nature. La lutte pour la vie est universelle. L'homme primitif comprenait que les scorpions étaient un mal, et le cheval un bien. Vous pourriez soutenir que les scorpions, les rats, et les Juifs, ont le droit de vivre, et je pourrais être d'accord avec vous. Mais un homme a aussi le droit de se défendre contre la vermine.

Sa voix fluette et appliquée de maître d'école se tut. Dans l'intimité de ce journal, je suis bien obligé de noter qu'Himmler, avec son visage pincé, ses cheveux rares, son gros ventre et sa voix de fausset ne ressemble guère au héros aryen. Reinhart Heydrich, lui, est infiniment plus proche de cet idéal ! Rien d'étonnant à ce qu'ils se détestent réciproquement, et ne se fassent nullement confiance.

Himmler embrassa du regard tout notre groupe.

— Heydrich, Nebe, Blobel... tous mes valeureux officiers. Cette exécution n'est pas la bonne solution. Nous devrons rechercher des moyens plus efficaces pour accomplir notre mission.

Un peu plus tard, Himmler fut emmené visiter un asile d'aliénés. Il dit à Nebe d'achever tous les pensionnaires, mais d'une façon propre et efficace, qui fût plus « humaine » qu'un mitraillage. Nebe suggéra d'employer de la dynamite.

Dans le courant de cet après-midi-là, j'allai trouver les colonels Nebe et Blobel au quartier général de l'Einsatzgruppe de Minsk. Heydrich avait été bouleversé par les événements de la journée, et je fis part à Nebe de la désapprobation d'Heydrich et de la mienne, en l'accusant de saboter toute notre activité. J'omis délibérément son titre en lui adressant la parole, et cela le froissa.

— Pour vous, Commandant Dorf, je suis le colonel Nebe.

— Vous avez de la chance de ne pas être un simple sergent après cette lamentable affaire d'aujourd'hui ! Pourquoi n'avez-vous pas ôté de la tête du Reichsführer cette folle idée d'assister à une exécution ? Et ne pouviez-vous pas trouver des tireurs capables de les tuer tous sur-le-champ ?

Lui et Blobel furent pris de court par mon attaque.

— Suffit, Dorf ! Vous n'allez pas m'engueuler ! dit Nebe.

— Votre démonstration a été une vraie catastrophe, fis-je.

Blobel, les bottes bien étalées sur le bureau de Nebe, un verre de vodka à la main, me foudroya du regard.

— Fermez-la, Dorf ! Nous sommes quelques-uns à en avoir assez de vous voir fourrer le nez dans nos affaires.

— Vraiment ? Eh bien, sachez, Blobel, qu'Heydrich n'est pas satisfait des résultats de Babi Yar. Nous avons appris qu'il y a tant de corps enterrés là qu'une odeur pestilentielle se dégage de la terre. Nous voulons que ces corps soient déterrés et brûlés. Qu'il n'en reste plus trace du tout.

— Quoi ? Tous ces cadavres ? Qui diable êtes-vous pour...

Je lui coupai la parole. Ces hommes, au plus profond d'eux-mêmes, sont des lâches.

— Hâtez-vous de ramener votre grosse carcasse en Ukraine, Blobel, pour faire ce qu'on vous dit.

Nebe arpentait son bureau d'un pas nerveux. Dehors, par la fenêtre, je pouvais voir ses hommes, assistés de « volontaires » lituaniens, qui entraînaient de nouvelles colonnes de Juifs vers la campagne.

— Commandant Dorf, vous n'avez pas le droit de nous parler sur ce ton insultant.

— Bien sûr que si, fit Blobel. C'est le favori d'Heydrich. Son cher petit avocassier. Vous et ce demi-Juif croyez peut-être que vous...

— C'est un mensonge. Et quiconque colporte ces misérables ragots devra en répondre.

— Allez vous faire foutre ! me lança Blobel.

Il agita sa bouteille de vodka pratiquement vide, et ajouta :

— Il me faut quelque chose à boire.

Tous deux se levèrent. Je ne fus pas invité à les suivre. Mais Nebe essaya encore de m'apaiser. C'est un être faible.

— Ecoutez, Commandant. Je crois que j'ai mon idée sur ce qu'Himmler a en tête comme projet. Je lui ai parlé de dynamiter en grand nombre les indésirables. Mais il existe d'autres moyens. Des injections. Des gazages. Cela a été expérimenté dans certains endroits, vous savez.

— Qu'il aille donc au diable, Nebe ! fit Blobel.

Au moment où ils quittèrent la pièce, je pus entendre Blobel lancer exprès d'une voix forte à son collègue :

— Nous allons devoir nous occuper de ce petit salopard, avec ses manigances.

Berlin
Mai 1942

Je suis de retour à Berlin, épuisé par cette dernière tournée dans les territoires occupés. Enfin, je peux serrer Marta sur mon cœur, couvrir de baisers son beau visage chéri, caresser ses cheveux, et joindre nos deux corps dans la plus douce des unions.

J'avais hâte de voir les enfants. Peter s'entraîne actuellement dans une équipe, une organisation de préparation aux Jeunesses Hitlériennes. Il dit qu'il s'enrôlera dans les SS quand il aura l'âge requis, dans une unité combattante, comme une division de Panzers. Je lui ai répondu que d'ici là, notre guerre sera finie depuis longtemps, sur la victoire de l'Allemagne. La petite Laura a de bonnes notes en classe. Ses professeurs l'adorent, elle est si jolie, si vive, et si obéissante.

Mon travail gagne en importance. Le champ de mes activités s'étend un peu plus chaque jour. Heydrich dit que je suis un véritable bourreau de travail. J'en abats plus en une journée que n'importe quel autre de ses assistants en une semaine. Il m'appelle son commandant toujours « à pied d'œuvre ».

Ce matin du 21 mai, dans son bureau, nous avons étudié la question des nouvelles méthodes que nous pourrions utiliser.

Voilà deux mois, le nouveau camp de Belzec a commencé à employer comme gaz l'oxyde de carbone, mais les résultats ne sont pas très fameux. Heydrich veut un rapport complet. Et à Chelmno, près de Lodz, on expérimente à l'heure actuelle une méthode ingénieuse : d'immenses roulottes mobiles dans lesquelles sont envoyés les gaz d'échappement des camions qui les remorquent. Mais on se pose également quelques questions sur l'efficacité de ce nouveau moyen. Nous avons bien ri au sujet de Blobel. J'ai dû lui flanquer une peur bleue. Il est retourné à Babi Yar, a déterré un grand nombre de cadavres, et les a réduits en cendres sur des bûchers géants constitués par des traverses de voie ferrée arrosées d'essence. C'est stupéfiant qu'avec les pénuries du temps de guerre, et l'armée qui exige tant de carburant, Blobel ait pu obtenir toute cette essence. Il est vrai que l'armée s'incline quand nous donnons des ordres. Et il se peut que j'aie sous-estimé Blobel. Sa méthode de suppression des corps est remarquable, de sorte que « même les cendres ont disparu », selon les instructions d'Himmler.

Comme j'allais sortir du bureau, Heydrich m'a rappelé pour me tendre une feuille de papier.

— Comment prendre cela, Dorf ?

Je lus, et ce faisant eus de la peine à conserver mon sang-froid.

— A voix haute ! dit Heydrich.

— « Le Commandant Erik Dorf, qui fait partie de vos collaborateurs, a été, au début des années 1930, un membre des Jeunesses communistes à l'université de Berlin. Son père était un membre du parti communiste qui se suicida dans un scandale où il était question d'argent. La famille de la mère de Dorf a peut-être un Juif dans ses ancêtres. Tous ces points méritent d'être éclaircis. »

— Alors ?

— Ce n'est pas signé, dis-je.

— Ces messages ne le sont jamais. Qu'en pensez-vous, Erik ?

— C'est un ramassis de mensonges. De fait, mon père a été socialiste durant une courte période. Rien de sérieux. Lui et son frère. Ils en sont vite revenus. Oh, excusez-moi, il y a un peu de vrai. Mon père s'est suicidé, mais sans aucun scandale financier. Il s'est trouvé ruiné par la dépression économique. La famille de ma mère est au-dessus de tout soupçon.

— En êtes-vous certain ?

— Le contrôle habituel a été fait sur moi en 1935. Mon Dieu,

Monsieur, comment, après sept ans de bons et loyaux services, une chose comme celle-ci peut-elle faire surface ?

— Je suis bien d'accord avec vous. Malheureusement Himmler a également reçu une lettre comme celle-ci. Je regrette, mais il exige un autre rapport sur vous. Avec recherches sur votre famille, et ainsi de suite...

— Ne l'avez-vous pas rassuré sur mon compte ?

— Vous savez comment cela se passe dans son service. Himmler et moi avons nos rivalités. J'ai bien peur que vous ne vous trouviez pris là-dedans.

— Avez-vous une idée sur celui qui a envoyé ces lignes venimeuses ?

— J'ai l'embarras du choix parmi une bonne douzaine de gens. C'est une façon de me porter un coup à moi.

Je fus ébahi.

— Mais vous êtes le second dans la hiérarchie ! Tout le monde sait que vous dirigez les SS et le S.D., ainsi que le programme de réinstallation des Juifs.

— C'est bien la raison pour laquelle ils se méfient de moi. Voyez-vous, Erik, j'en sais très long sur chacun d'entre eux. Du haut en bas de l'échelle. Je sais quelle belle collection de salauds il y a parmi eux. Ils nous sont utiles, mais ne répondent pas au goût de gens tels que nous autres. Nous sommes des intellectuels, Erik. Des intellectuels armés, si vous voulez. Mais la plupart d'entre eux... quelle galerie de portraits patibulaires !

Heydrich se leva de son bureau.

Des photographies de certains de nos dirigeants ornaient le mur, et Heydrich s'arrêta devant chacune d'elles.

— Göring, il se drogue, et accepte tous les pots-de-vin. Il faudrait que vous le voyiez dans sa toge romaine, parfumé, avec du vernis à ongles aux doigts de pied, du rouge aux joues. Rosenberg... il a une maîtresse juive. Goebbels... un scandale chasse l'autre chez lui. Himmler ? Quelque chose de louche du côté de sa femme. Et nous en arrivons à des dignitaires tels que Streicher et Kaltenbrunner, qui ne valent guère mieux que des criminels de droit commun. C'est la raison pour laquelle le Führer a besoin de quelques cerveaux autour de lui, Erik. Des gens comme nous.

— Je suis sûr que je ne ferai jamais partie de notre galerie de portraits patibulaires, dis-je.

Il retourna à son bureau, sourit, et laissa tomber la feuille d'accusations mensongères contre moi.

— Comment pourriez-vous en faire partie !

Et alors que je tremblais intérieurement, il ajouta :

250

— Assurément, cette lettre n'est qu'un ramassis de mensonges, comme vous dites.

Je suis troublé. Autant par la campagne de calomnies qui s'est déchaînée contre moi que par les révélations d'Heydrich sur nos dirigeants.

Quelle est la part de la vérité là-dedans ? Dans quelle mesure a-t-il cherché à m'inquiéter ? Pour me montrer toute l'étendue de son pouvoir ? Il m'est impossible de trouver une réponse à ces questions. Je me dis que tous les grands hommes ont leurs faiblesses. Par exemple, dans les cercles SS, on croit fermement que Roosevelt est syphilitique. D'où son obligation de circuler en fauteuil roulant. Le monde entier sait que Churchill est un ivrogne.

Mais j'ai trouvé bizarre qu'Heydrich me parle avec une telle liberté de ton, une telle ironie, de nos chefs. Ils détiennent le pouvoir de vie et de mort sur des milliers d'individus.

Existe-t-il la moindre possibilité qu'il y ait quelque chose de sanguinaire chez certains de ces dirigeants, qui se concrétiserait dans le genre de guerre qu'ils déclenchent, et dans le type de gouvernement qu'ils ont instauré ? Mais il faut voir comme nous avons gagné le soutien de toutes les couches de la vie publique allemande. Les Eglises, l'industrie et le commerce, les syndicats ouvriers, les enseignants ! Le peuple allemand, héritier de Goethe et de Beethoven, ne se permettrait pas de prendre des criminels pour prophètes et souverains. Heydrich a exagéré, sans doute pour m'effrayer un peu. Ou bien devrais-je voir là une manifestation de la part secrète de Juif qui se cache en lui ?

Chelmno, Pologne
Mai 1942

Aujourd'hui, 19 mai, j'ai suivi en compagnie du colonel Nebe l'un des prototypes de roulottes à gaz. Quelle expérience ! Elle m'a impressionné au point que j'en ai oublié le malaise que me cause la campagne de calomnies lancée contre moi.

La voiture d'état-major avec chauffeur, dans laquelle Nebe et moi avions pris place, nous mena sur une route secondaire et poussiéreuse. A quelque distance devant nous se traînait un gros véhicule gris-vert, dépourvu de vitres, qui portait une plaque indiquant AUTOBUS DU GHETTO.

— Il a du mal à monter la côte, dit Nebe. Il y a plus de quarante Juifs dedans. C'est trop.

— Combien de temps faut-il pour les traiter ?

— Oh, cela dépend des fois. Dix, douze minutes. Plus longtemps, lorsque le véhicule est aussi lourdement chargé qu'aujourd'hui. La pression du gaz peut être irrégulière, et il faut parfois davantage de temps pour les achever.

— Et c'est là votre méthode la plus efficace ?

— Nous n'en sommes qu'aux essais, Dorf. Aux essais. Peu m'importe. Cela m'a l'air d'être un bien mauvais expédient pour résoudre notre problème. Des roulottes et des camions sillonnant les routes de Pologne et de Russie, à petite vitesse dans les campagnes ? Au lieu de laisser l'oxyde de carbone s'échapper dans l'atmosphère, on peut le diriger sur un espace hermétiquement clos, et l'utiliser à « ré-installer » les Juifs. Il existe des prototypes fixes, dans plusieurs camps, qui fonctionnent ainsi avec l'oxyde de carbone produit par des moteurs diesel, mais ils en sont encore tous plus ou moins à un stade expérimental. Presque tous les Juifs de Lublin, par exemple, ont reçu ce traitement spécial avec des gaz d'échappement de moteurs dans le camp de Belzec. D'autres centres de ce type commencent en ce moment à fonctionner à Treblinka, Auschwitz, et Sobibor. Mais, jusqu'à présent, nous n'avons pas trouvé la méthode parfaite, qui combine la vitesse, l'efficacité, et la commodité, plus, si je peux me permettre de faire preuve de candeur, un certain élément d'humanité, de façon à mettre une fin rapide aux souffrances des Juifs.

— La conception de ces roulottes devra être changée, fis-je.

— Elles n'ont pas été construites pour ce genre d'usage, dit Nebe.

De nouveau, le camion eut du mal à avancer, et faillit s'arrêter alors que son chauffeur enclenchait la vitesse inférieure.

— A quoi est-ce que ça ressemble, à l'intérieur ? demandai-je.

— Bah ! Il y a pas mal de coups d'ongles et de grattements. On les entend parfois taper contre les parois.

Je mis ma main en cornet autour de mon oreille.

— On n'entend rien pour le moment. Le moteur est trop bruyant.

Encore cinq minutes de trajet sur la route poudreuse — la pente était devenue moins forte, de sorte que le chauffeur du camion allait un peu plus vite à présent — et la grosse roulotte tourna pour s'engager dans un champ, en direction d'un petit bois. Une puanteur familière assaillit mes narines : des cadavres en décomposition. Des essaims de mouches bourdonnaient autour de nous. Nebe jeta un coup d'œil sur sa montre.

— Ce n'est pas mal ! Une demi-heure depuis notre départ du camp de Chelmno. Ils sont certainement tous liquidés.

J'eus un hochement de tête.

— Cela ne correspond pas à ce que nous avons comme projet. Nous n'allons pas bousiller ainsi des moteurs de camion sur toutes les routes de Pologne. C'est trop coûteux pour un si faible rendement. Nebe en convint.

— Oui. Il nous faut de nouvelles méthodes. Le colonel Blobel, le colonel Ohlendorf et moi discutons souvent de cette question.

— Vraiment? Et de quoi d'autre discutez-vous donc à vos réunions?

— De beaucoup de choses.

— Vous arrive-t-il de composer des lettres anonymes pour Himmler et Heydrich sur certains de vos collègues?

— Je ne sais pas à quoi vous faites allusion, Commandant.

— En êtes-vous sûr?

Nebe ne voulut pas poursuivre cette conversation. Il me fit signe de le suivre jusqu'à la roulotte. Le chauffeur et un autre SS, secondés par des Polonais, sortaient des corps nus par l'arrière du véhicule. Nous nous couvrîmes le nez et la bouche de nos mouchoirs. Une épouvantable odeur de sang et d'excréments empuantissait l'air chaud. Les corps avaient des allures grotesques. Ils étaient maculés de brun et de rouge, avec des yeux exorbités, des bouches tordues par d'affreuses grimaces, comme s'ils étaient morts dans d'horribles souffrances.

Tout à coup, je vis le sergent tirer d'un coup sec quelque chose d'assez petit pour le détacher d'un cadavre. Il répéta ce geste une autre fois. Il s'agissait de deux enfants, de six ou sept ans peut-être. L'un d'eux était de sexe masculin, avec un crâne bizarrement rasé, et des cadenettes frisées comme j'en avais vu sur des Juifs orthodoxes dans l'Est. Ils étaient encore vivants, et rampaient en marmonnant quelques paroles.

Le sergent eut tôt fait de les tuer tous les deux d'une balle qu'il leur logea à la base du cou.

Il revint jusqu'au colonel Nebe, se mit au garde-à-vous, et dit :

— Tous morts, mon Colonel, sauf les deux enfants. Il arrive que leurs mères trouvent le moyen de les protéger.

Nous retournâmes à notre voiture d'état-major.

— C'est du vilain travail, dis-je.

— Oui, on peut en être affecté, même si ces gens-là sont des Juifs. Certains de nos hommes font des dépressions nerveuses.

Je regardai Nebe avec mépris. Il avait ordonné le massacre de centaines de milliers de personnes. Et il allait maintenant verser des larmes de crocodile! Dur et froid comme mes supérieurs, j'avais supprimé en moi tout sentiment de pitié. Il m'était devenu relativement facile de faire abstraction de la qualité d'humains de ces êtres dont nous purgions le monde. Avec de la volonté, on peut accomplir des miracles.

— Ce n'est pas ce que je voulais dire, repris-je. C'est une méthode beaucoup trop coûteuse et inefficace.

Le récit de Rudi Weiss

A Theresienstadt, Karl faisait maintenant partie du cercle d'artistes qui travaillaient dans le secret, en prenant de gros risques pour eux-mêmes et pour leurs familles, afin de laisser un témoignage véridique sur l'existence dans le camp.

Aux côtés de Frey, de Felsher et d'autres, il mit en œuvre toute sa vigueur et les qualités artistiques dont il était doué. Il n'avait plus de nouvelles d'Inga, et faisait semblant de ne pas s'en soucier.

Maria Kalova, l'une des artistes-peintres, se souvient de la fureur de mon frère un jour d'inspection du camp par une nouvelle équipe de contrôle qui acheva sa visite en concluant que les Juifs n'avaient vraiment aucune raison de se plaindre.

Karl eut un rire amer.

— Ah! Ils s'y entendent pour tromper le monde! Ou alors le monde se désintéresse complètement de notre sort. Ce que je trouve ahurissant, c'est que personne n'ait l'air de se demander de quel droit ils nous mettent ainsi en prison. Il semble communément accepté qu'on prive les Juifs de leur liberté, et qu'on les traite comme des chiens, à condition de leur laisser la vie sauve.

Frey fit quelques pas jusqu'à la fenêtre de l'atelier.

— Je ne suis pas si certain qu'on n'exécute pas les Juifs... Et je ne parle pas des morts d'ici, causées par la maladie et la faim. Ni des pendaisons punitives...

— Que veux-tu dire? demanda Karl.

— Un massacre systématique. De grandes quantités de gens. Un membre de la police tchèque m'a parlé des trains qui partent, remplis de Juifs, à destination de la Pologne... des nouveaux camps qui se construisent là-bas.

Ils retournèrent à leurs dessins et à leurs peintures.

Karl travaillait à une grande affiche. Des visages heureux. Des gens en pleine activité. Avec la légende : *Travaille, obéis, et sois reconnaissant.* Soudain, il jeta son pinceau et prit sa tête à deux mains.

Maria tenta de le réconforter.

— Je te comprends. Nous passons tous par là quelquefois.

— Pourquoi ont-ils pu réussir comme ils ont réussi ? Y a-t-il jamais personne pour leur résister ?

Il leva les yeux, et poursuivit :

— Vous ai-je déjà parlé de mon jeune frère Rudi ?

— Non. Seulement de tes parents et de ta petite sœur.

Elle hésita avant d'ajouter :

— Et d'Inga.

— Ce Rudi. Il s'est enfui de Berlin. Plus brave qu'aucun d'entre nous, à moins qu'il ne fût un peu cinglé. Il doit être mort, à l'heure qu'il est. Ou peut-être en a-t-il tué quelques-uns. Il avait quatre ans de moins que moi, mais il savait me défendre dans les combats de rue. Je pense beaucoup à lui.

— On dirait que tu avais une famille merveilleuse. Je voudrais l'avoir connue.

— Je ne reverrai plus aucun d'entre eux. Et qu'on ne me reparle plus d'Inga. Je ne veux plus jamais la revoir.

Maria Kalova effleura sa main. C'était une femme qui approchait de la cinquantaine. Elle était encore belle, avec un visage compatissant. Son mari avait été un dirigeant de la communauté juive de Bratislava. Il avait été arrêté et exécuté au premier jour de l'occupation allemande. (Elle vit désormais à Ramat Gan, près de Tel Aviv, et dirige une école de dessin. Nous sommes devenus amis.)

— Karl, tu ne dois pas la condamner pour la simple raison qu'elle est aryenne et chrétienne.

— Ce n'est pas cela. Elle m'apportait des lettres quand j'étais à Buchenwald, et elle recevait les miennes. Il y avait là un sergent SS qu'elle avait connu avant la guerre, un ami de sa famille. Il nous servait de facteur.

— Ce n'est pas un crime.

— Il lui faisait payer ses services. Elle acceptait.

— C'est pour toi qu'elle a fait cela, Karl. Afin d'obtenir des nouvelles de toi, et de pouvoir t'écrire. D'après ce que tu me dis, c'était là son unique raison.

Karl soupira, se pencha en arrière.

— Le pire, pour moi, Maria, c'est qu'elle a toujours été la plus forte de nous deux. Alors, quand je pense qu'elle a cédé à cette crapule de Muller...

— Tu n'es pas aussi faible que tu crois l'être, lui dit Maria Kalova. Tu es un grand artiste.

— Bah ! je ne suis qu'un barbouilleur. J'ai déçu mes parents, surtout papa. Et Rudi aussi. Nous n'avons pas été à la hauteur de leurs espérances, ni l'un ni l'autre.

— Je suis sûre qu'ils t'aimaient beaucoup. Tout comme Inga t'aime encore.

— Elle aurait dû envoyer promener Muller !

— Tu ne dois pas la maudire pour cela. Lorsque tu la reverras, et je sais que ce jour viendra, tu devras lui dire que tu as pardonné.

Karl restait inconsolable. Et il était impossible de lui remonter le moral.

— Tu as entendu ce qu'a dit Frey, Maria ! Nous mourrons tous. Il n'y aura plus d'heureuses réunions de famille.

— Tu ne devrais pas tant désespérer.

Karl souleva l'affiche qu'il était en train d'achever. Dessous se trouvait une esquisse au fusain, l'un des dessins que les artistes exécutaient en cachette, et qui témoignaient des épouvantables conditions de vie dans les camps, de l'inhumanité bestiale des Allemands.

Cette esquisse était intitulée *Visages du ghetto*. Elle représentait une foule d'enfants affamés, aux yeux cernés de noir, qui tendaient leurs assiettes, quémandant un peu plus à manger. C'était un tableau atroce, d'une intensité obsédante. Je le vis à Theresienstadt, lors de la visite que je fis à ce camp, après la guerre.

— Sois prudent, Weiss, dit Frey.

— Qu'ils viennent donc me prendre !

— Il ne s'agira pas que de toi, reprit Frey. Plusieurs d'entre nous sont impliqués là-dedans. Quand tu t'es joint à notre groupe, tu as accepté de tenir cette activité secrète, de ne travailler que la nuit.

Karl contemplait fixement les visages qu'il avait dessinés. Maria jure qu'elle se rappelle l'avoir entendu dire :

— Ah, Rudi, mon frère, où es-tu à présent ?

Vers le mois de juillet 1942, nous eûmes assez de fusils pour lancer des attaques-surprises contre l'ennemi. Ou plutôt contre nos ennemis. Des milices locales patrouillaient sur une grande partie du territoire de l'Ukraine. Leurs membres portaient les mêmes uniformes que les SS, avec un badge spécial, et ils participaient activement au massacre et à la torture des Juifs ainsi que de tous ceux que les nazis jugeaient dangereux dans leur conquête du pouvoir en Union soviétique.

Par une nuit humide, je me trouvai tapi dans un bosquet d'arbres, sur le bord d'une route qui menait à la ville la plus proche, en compagnie d'oncle Sasha, de Youri et de quatre autres hommes de notre bande. Nous avions noirci nos visages avec du noir de fumée.

Et nous étions chacun en possession d'un vieux fusil à chargement manuel.

— Tu as peur ? demanda Sasha.

— Oui, dis-je. Je n'ai jamais eu aussi peur de ma vie.

— Ne te laisse pas attraper. Tu te rappelles ce que je t'ai dit ?

— Ils me tortureront pour me forcer à révéler où est notre camp.

— C'est cela. Suicide-toi s'il le faut.

Je ne tenais pas du tout à être pris, et n'avais aucune envie de me suicider. En dépit de mes vantardises en présence d'Hélèna, et de mon insistance pour participer à la lutte, j'étais terrifié, et me demandais si je serais capable de tuer quelqu'un. Il y avait de la haine en moi, beaucoup de haine. Mais j'y puisai infiniment moins de courage que je ne l'avais imaginé. Au cours de ces moments d'attente, je sentis que j'éprouvais moins de mépris à l'égard de ces Juifs que j'avais vus se rendre pacifiquement, obéir docilement aux ordres, et rester debout, nus, dans les fossés, sans élever de protestations.

— Encore combien de temps à attendre ? demandai-je.

Sasha mit un doigt sur ses lèvres.

— Chut ! Je les entends venir.

Nous les entendîmes aussi. Un bruit de bottes sur la route. Un homme chantait. Des voix montaient dans la nuit.

— Des Allemands ? questionnai-je.

— La milice ukrainienne, dit Sasha.

— Qu'est-ce que nous leur voulons ?

— Nous voulons leurs fusils, leurs balles, et leurs bottes, mon garçon. De plus, ils tuent des Juifs depuis l'arrivée ici des premiers Allemands. Sais-tu que ces salopards ont constitué une armée, *toute une armée,* qui se bat pour les nazis ?

Je sentis mes mains trembler sur la crosse et la détente de mon fusil. Nous avions si peu de munitions que nous n'avions même pas la possibilité de nous entraîner au tir. Nous faisions semblant de décharger nos fusils vides sur des cibles en papier. Et puis je souffrais de la faim. Nous mangions très peu dans le camp de familles.

Six hommes en uniformes de SS descendaient la route. De toute évidence, ils ne s'attendaient pas le moins du monde à une attaque, car ils marchaient tout près les uns des autres, en bavardant. L'un d'eux chantait. Leurs fusils étaient en bandoulière sur leurs épaules. Un homme paraissait ivre, et s'appuyait sur son voisin pour avancer.

— Feu ! cria Sasha.

Il me fallut un moment pour réagir. Cela ne me semblait pas

juste. Nous allions les tuer de la même manière qu'ils tuaient les Juifs. Trop de matches de football, de poignées de main à l'équipe adverse, de notions de sportivité, et d'idéaux d'écolier, diagnostiqua Sasha par la suite.

Notre tir les faucha. Trois hommes s'effondrèrent immédiatement. Un autre cria et commença à sautiller sur un pied. Le cinquième courut se mettre sous le couvert des arbres, et fit cracher sa mitraillette sur les buissons où nous étions dissimulés. Le dernier prit la fuite à toutes jambes.

Youri sortit en rampant de son buisson. Lui et Sasha entreprirent d'encercler celui qui tirait avec sa mitraillette Schmeisser. Sasha me lança :

— Rattrape le fuyard !

Je le vis qui s'éloignait au petit trot sur la route conduisant au village. Sa course était maladroite. Son fusil et son équipement le ralentissaient. Des balles crépitèrent et tracèrent des traînées jaunes dans la nuit. Par bonheur, l'homme à la mitraillette — ce devait être le chef de l'escouade — avait fort à faire avec ses attaquants. Sinon, il aurait pu m'avoir sans difficulté alors que je m'élançai à la poursuite du fuyard.

Je savais que je le rattraperai. J'ai toujours su courir. Lorsque je fus à un mètre de lui (j'entendais sa respiration laborieuse) je lui assenai un violent coup dans le dos avec la crosse de mon fusil. Il tomba, et se mit à gémir. Je le forçai à se relever, et le contemplai. Un gosse. Seize ans peut-être. Il avait de grosses joues roses, des yeux stupides, et de longs cheveux roux. Je le traînai contre la haie. Le tir avait cessé. Tous les autres Ukrainiens étaient morts. Youri et mes compagnons commençaient à dépouiller les corps de leurs bottes, de leurs fusils, de leurs ceintures de munitions, et de tout ce qui pouvait encore nous servir.

Je désarmai mon prisonnier, et le fis revenir jusqu'à Sasha. Il tomba sur la route, et tenta en pleurant de se tourner vers mes bottes. Il gémissait en ukrainien, mais je ne comprenais pas un mot de ce qu'il disait.

— Emmène-le dans les buissons, et tue-le ! dit Sasha.

— Le tuer ?

— J'ai dit « tue-le » !

— Pourquoi ? C'est un gosse. Ne pouvons-nous pas le laisser repartir ?

Sasha mit la main sur mon fusil.

— Si tu ne le fais pas, je le ferai. Cette petite ordure a tué des Juifs comme s'il s'agissait de mouches. Si tu lui laisses la vie sauve, il rentrera au village et nous amènera les SS. Tue-le.

C'était juste. Nous étions en pleine guerre d'extermination. Je traînai le jeune milicien jusque dans le bois, et passai derrière son dos en murmurant que j'allais l'attacher. Je levai alors mon fusil contre sa tête, et lui fis sauter l'arrière de la boîte crânienne.

Mes mains se mirent à trembler. Des larmes m'emplirent les yeux.

Sasha ne me prêta aucune attention lorsque je sortis du bosquet. Il lançait des ordres au groupe, leur disant de se dépêcher.

— Ça suffit comme ça. Nous n'avons pas besoin de leurs sous-vêtements. Juste les bottes, les ceintures, les armes. Allons-nous-en.

Nous rentrâmes en courant dans le bois, en restant à une certaine distance les uns des autres. Nous marchions vite. Le camp était à plus de deux heures de là.

J'avançais seul, dans la forêt sombre. Je me traînais et trébuchais en gardant un œil fixé sur Youri qui me précédait. Je n'avais jamais tué personne. Oh ! je m'étais beaucoup vanté, j'avais mille fois répété à Héléna que je voulais me venger. Mais la vue des yeux affolés de ce gamin à l'air stupide, l'idée qu'il était mort, qu'il ne reverrait jamais plus le soleil se lever, ni un visage de fille lui sourire, qu'il ne nagerait plus jamais dans un cours d'eau, tout cela me hantait l'esprit, et je me demandai si j'étais réellement le vengeur assoiffé de sang que je m'étais figuré être.

Ce que je savais, pour en avoir fait l'expérience, c'était que tuer est un acte indécent, dépravé, auquel je ne m'habituerais jamais. On tuait pour survivre, pour conserver en vie ses êtres chers. Mais aucun bien ne pouvait s'attacher à l'exécution d'autrui. Ce gamin ukrainien avait des parents, des espérances. Comme les millions d'entre nous qui mourraient à présent sans raison.

Je me consolai. Il y avait des meurtriers notoires, des tueurs à gages qui poursuivaient sans merci les Juifs pour les massacrer. Il aurait dû y avoir du triomphe, de l'exaltation dans mon cœur. Mais je n'étais pas un guerrier à l'image du roi David, qui exultait à tuer des milliers d'ennemis. Je me sentais malheureux. J'avais froid, et j'étais épuisé. Dans mon désarroi, j'en vins à me demander si notre résistance avait un sens, et à quoi pouvait bien rimer le camp de familles de Sasha, sa détermination inébranlable à se sauver, à frapper, à tuer. Enfin, décidai-je, il doit avoir raison. Nous étions tous condamnés à disparaître par les nazis, et la mort que Sasha avait choisie était préférable à celle qu'ils avaient prévue pour chacun des Juifs d'Europe.

De retour au camp, vidé de mes forces, je m'affalai sur notre couche, dans la cabane que je partageais avec Héléna et un autre couple, et me mis à contempler les planches du toit qui s'affaissaient juste au-dessus de ma tête.

— C'était un gamin, il pouvait avoir seize ans, répétai-je à Hélèna.

— Rudi, ne me parle plus jamais de cela.

— Youri dit que c'était le genre de type à tuer des Juifs pour de l'argent, pour une miche de pain.

— Je t'en prie, Rudi, n'en parle plus !

— Je n'avais jamais tué personne auparavant.

— Tu as fait ton devoir.

— L'arrière de son crâne. On aurait dit qu'il se volatilisait. Regarde, j'ai du sang sur ma tunique.

Hélèna s'empara vivement d'un chiffon humide, et se mit à frotter la tache sombre.

— Il t'aurait tué. Il a tué des centaines de gens.

— Oui. Je devrais me réjouir. Danser. Mais nous ne sommes pas faits comme ces types-là. Nous ne pouvons pas agir ainsi et être heureux. Ils doivent se saouler, certainement, et danser, et faire l'amour après avoir tué des Juifs.

Nous nous tûmes. Au-dehors, je pouvais entendre Sasha, infatigable, qui procédait à l'inventaire de ce que nous avions rapporté de notre raid. Notre plus beau trophée était la mitraillette. Désormais, nous pourrions nous en prendre aux Allemands.

— Mon bébé, mon bébé, dit Hélèna. Pourquoi faut-il que nous menions une vie pareille ?

— Je ne le comprends pas. Mes parents non plus n'avaient pas compris, et ils sont probablement morts à présent. Peut-être Sasha le sait-il ? Peut-être est-il le seul qui comprenne quelque chose. Tuer ou se faire tuer : tout est là, dirait-on.

— Nous voulons vivre, Rudi. Un point c'est tout. Tu l'as dit toi-même.

— Non, ce n'est pas tout. Où irons-nous ? Qui voudra de nous ?

— Oh, Rudi... En Palestine. Eretz-Israël. M. et Mme Weiss vivront en Israël.

— Hélèna, tu me vois cueillir des oranges ?

— Je t'apprendrai. Je suis ta femme. Embrasse-moi.

— Oui, tu es ma femme.

Nous nous enlaçâmes. Elle me couvrit de baisers les yeux, le nez, les oreilles, le cou.

— Des orangeraies et des cèdres. Des villages de cultivateurs. Et la mer bleue.

— Je te crois presque. Pas tout à fait, mais presque.

— Tu dois me croire.

Je me redressai. Elle venait, un court instant, de me faire oublier le gamin que j'avais tué.

260

Des rires fusèrent à l'extérieur de notre cabane. Des Juifs armés de fusils ! Je me sentis de nouveau solidaire de tous les combattants de notre groupe. Curieusement, mes doutes et mes craintes venaient de se dissiper.

— Tu m'as sauvé la vie à Prague, dis-je. Je te dois un voyage dans cette grande patrie sioniste dont tu me parles sans cesse.

— Pas un voyage, Rudi. Nous y ferons notre vie. Là-bas, personne ne pourra plus nous mettre en prison, ni nous battre, ni nous tuer. Ni même nous lancer des injures.

Je plongeai mon regard dans ses yeux sombres, qui étaient légèrement fendus en amande.

— Ma belle petite femme brune de Tchécoslovaquie. Te rappelles-tu la première fois que nous avons fait l'amour à Prague ? Dans ta chambre sans chauffage ?

— Tu me gênes à parler de ça, Rudi. Tu me donnes l'impression d'avoir agi comme... comme une femme des rues.

— C'était beau. Je n'ai rien connu de meilleur de ma vie.

— Moi non plus, Rudi.

— Chaque fois que nous sommes ensemble, le même émerveillement m'envahit tout entier. Nous sommes si proches l'un de l'autre ! Et pas seulement nos corps, Hélèna. C'est comme si nous devenions un seul être à nous deux... je ne sais pas... comme si Dieu, ou la nature, ou quelque chose, avait décidé qu'il en serait ainsi. De la même manière qu'une fleur doit s'épanouir à un moment donné.

— Je sais, mon amour, dit-elle. C'est pourquoi nous ne mourrons pas. Nous ne mourrons jamais.

Le journal d'Erik Dorf

Berlin
Juin 1942

Heydrich est mort aujourd'hui. Nous sommes le 4 juin 1942. Mon patron, mon héros, mon idole. L'homme le plus brillant que j'aie jamais connu. C'est un coup terrible pour moi. Je suis inconsolable.

Il y a six jours, une bombe a été lancée sous sa voiture par des terroristes tchèques, tandis qu'il traversait Prague.

Je proposai de me rendre immédiatement à son chevet, mais

Himmler m'en dissuada. Le fonctionnement de nos bureaux devait être assuré comme de coutume. Heydrich avait eu la colonne vertébrale brisée, et il mourut dans de terribles souffrances. Le bruit court que sur son lit de mort, il manifesta un profond repentir pour ses activités passées.

Himmler n'a pas perdu de temps pour châtier les coupables. Plus de 1 300 personnes ont été sommairement exécutées à Prague et à Brno pour venger la mort de notre grand dirigeant. Un village du nom de Lidice a été entièrement rasé, et tous ses habitants ont été tués ou emprisonnés. Goebbels (qui ne fut jamais très lié avec mon défunt chef) a fait fusiller 152 otages juifs à Berlin. Désormais, le programme de ré-installation mis au point pour les Juifs portera le nom de « Opération Reinhart », en souvenir de lui.

J'ai été tellement secoué par cet événement que je suis resté incapable de tenir mon journal durant plusieurs jours. Personne n'a encore été désigné pour succéder à Heydrich (qui donc serait capable d'être à la hauteur de cet homme ?) et, avec les ennemis que je me suis faits dans diverses branches du service, je m'inquiète aujourd'hui pour mon avenir, moi qui, sous la protection d'Heydrich, étais si sûr de ma position.

Le jour même de l'attentat contre mon patron, le 29 mai, Marta et moi eûmes une scène pénible. L'atmosphère est devenue tendue à la maison. Ma femme est dévouée, aimante... mais elle a toujours eu l'impression que je manque d'ambition. Et je dois avouer que mes appétits sexuels, mon intérêt pour elle, ont faibli. Un psychologue pourrait peut-être expliquer cela. Mais j'ai eu l'occasion de voir tant de corps nus — de ces corps de Juifs répugnants, usés, sales, condamnés — passer en moins d'une minute de vie à trépas en se couvrant de sang que, d'une manière bizarre, je me sens maintenant dégoûté à la seule idée du corps humain. Du corps *de qui que ce soit*. La vie n'est-elle pas plus importante dans l'abstrait, dans nos esprits et dans nos cœurs ? Les saints et les ermites vénérables, qui n'attachaient aucune importance à leurs corps, n'étaient-ils pas plus proches que nous de quelque noble vérité ?

Dans ces conditions, en cette chaude nuit de mai, avant d'être informé de l'attentat contre la personne d'Heydrich, j'étais assis dans mon lit, à fumer, incapable de dormir. Je songeais à ces monceaux de cadavres, à la manière dont les Juifs tombaient les uns sur les autres à Minsk, Shitomir, Babi Yar, et une centaine d'autres lieux.

Marta s'éveilla.

— Erik, il y a quelque chose qui ne va pas ?

— Non, ma chérie. Je suis désolé que ma cigarette t'ait éveillée.

— J'ai remarqué que tu dors mal depuis ton dernier voyage dans l'Est.

— Pourtant, je n'ai rien. Je suis seulement un peu fatigué. C'est toi, ma chérie, qui dois ménager ta santé. Pour les enfants.

— Je me porte bien.

Elle posa la tête sur ma poitrine. Un de ses bras descendit enlacer mes hanches. J'éprouvai alors un sentiment de répulsion, mais ne fis pas un geste.

— Tu n'as pas à faire un mystère de ta santé, Marta. Depuis ce jour où j'ai appris que tu avais un souffle systolique, dans le cabinet du docteur, cela fait sept ans, déjà, tu as toujours minimisé ta maladie, et je t'admire. Sais-tu que tu es plus brave que ton mari, avec son uniforme noir et son gros Lüger ?

— Comment peux-tu dire cela ? Avec toutes les missions dangereuses que tu accomplis. Toutes les choses importantes que tu fais pour Heydrich.

Je détachai son bras de mon corps, m'assis sur le bord du lit, et allumai une autre cigarette.

— Marta, j'ai bien peur que la guerre ne soit perdue pour nous. Peut-être a-t-elle été perdue dès le jour où les Américains sont entrés dans le conflit. Leur industrie, leurs armées auront le dessus à la longue. Ils vont équiper les Russes, et ceux-ci n'auront aucune pitié pour nous.

— Non. Je ne le crois pas.

— J'ai entendu les grands pontes. Ils envisagent déjà des tractations. Ils essaieront de jouer l'Ouest contre les Soviétiques. Mais cela ne marchera pas.

— Nous allons remporter la victoire.

— Ma chérie, crois-le si cette idée peut te réconforter. Mais je vois bien ce qui se passe.

— Erik, tu ne dois jamais parler de la sorte.

Marta est une femme d'acier.

— Ecoute-moi, Marta...

J'écrasai ma cigarette dans le cendrier, et me tournai vers ma femme. Mais je fus incapable de parler.

Voilà une semaine, j'ai vu des hommes de Nebe pousser une jeune femme dans la roulotte à gaz. Elle était blonde et belle. Plus belle que Marta. Elle avait refusé de se déshabiller. Ils lui avaient arraché ses vêtements avant de la pousser à coups de pied dans les fesses, comme si elle était une bête, et à coups de matraque en caoutchouc, dans le fourgon de la mort. L'espace d'une seconde, je vis le visage de cette femme au lieu de celui de Marta.

— Ecoute-moi, dis-je. Un jour, il se pourrait que des gens répandent des mensonges monstrueux sur notre compte. Ce que nous avons fait en Pologne et en Russie. Beaucoup de mensonges.

— Je ne les écouterai pas.

— Ils essaieront de t'obliger à écouter. A ce moment-là, tu devras dire aux enfants que j'ai toujours été un fidèle et honorable serviteur du Reich, que je n'ai fait qu'obéir aux ordres comme un soldat du front... aux ordres d'en haut.

— Je ne laisserai personne mentir sur ton compte.

Nebe... Ohlendorf... Eichmann... Blobel... Leurs visages surgirent devant mes yeux. Sûrs d'eux-mêmes. Ne cherchant pas d'excuses. N'éprouvant aucune hésitation à agir. Ils recevaient des ordres et les exécutaient. Quelqu'un, en plaisantant, demanda un jour au Colonel Biberstein, notre ancien ecclésiastique, s'il disait parfois des prières pour les Juifs sur le point d'être tués, et il répondit avec un regard amusé : « On ne doit jamais jeter de perles aux pourceaux ! »

J'eus envie de parler à Marta de mes camarades, mais ne parvins qu'à émettre des propos décousus sur Hans Frank qui se vantait des millions de Juifs dont il allait se charger, sur Hoess, qui obéissait scrupuleusement aux ordres reçus, et construisait son usine de traitement à Auschwitz.

— Tu dois obéir scrupuleusement, toi aussi. C'est comme cela que tu arriveras.

— Oui. Oui. Hoess, un type incroyable. Il a passé huit ans en prison pour meurtre. Dans l'intérêt du parti, évidemment. Il avait été victime d'une cabale juive. Il adore sa femme et ses enfants. C'est un naturaliste. Il aime les animaux. Un Allemand idéal. Et pourtant, ce qu'il est en train de faire à l'heure qu'il est...

— Tais-toi ! Je ne veux pas entendre parler de ces gens-là. Tu vaux mieux qu'eux. Tu es cultivé, raffiné, intelligent. Tu es même mieux que les grands pontes.

Brusquement, je fus pris d'un tremblement et demandai à Marta de me prendre dans ses bras. Nous nous blottîmes tous deux dans le creux du lit pendant quelques minutes. Elle semblait disposée à faire l'amour, mais je ne me sentais pas en mesure de la satisfaire.

— Oh, Erik, mon petit, comme tu trembles !

— Serre-moi fort, Marta.

— Tu ne dois jamais douter de toi-même. Ni de ce que tu fais.

Dans quelle mesure est-elle au courant de mon travail ? Certaines de nos épouses savent tout. La femme de Hoess vit bien à Auschwitz auprès de son mari. D'autres restent de bonnes épouses allemandes ignorantes, axées sur *l'église, la cuisine, et les enfants,* et ne posent pas de questions.

Ce fut à ce moment-là que le téléphone sonna. C'était le bureau d'Heydrich qui m'annonçait qu'il venait d'être gravement blessé dans une tentative d'assassinat, et qu'on l'avait transporté à l'hôpital de Prague. J'étais prié de venir immédiatement au quartier général.

Je m'attendais à ce que Marta pleurât, ou poussât des cris, mais au lieu de cela, elle m'empoigna fermement aux épaules, et me dit :

— Montre-toi agressif, audacieux ! Il faut que tu saches saisir ta chance !

Tout en m'habillant, je ne dis pas un mot. Je me refusais à croire qu'Heydrich pût mourir. Pas cet homme vibrant, dont l'esprit était si créateur.

— Tu peux lui succéder ! me lança Marta.

Hitler qualifie la mort d'Heydrich de « bataille perdue ». Mais on soupçonne le Reichsführer Himmler d'en être secrètement soulagé. Il prononça lui-même l'éloge funèbre d'Heydrich lors de son enterrement, et se montra prodigue en compliments. Il le qualifia de noble, de valeureux, de distingué ; c'était « un maître », « un éducateur ». Il suivit le cercueil, immédiatement derrière la veuve de mon ancien chef, en tenant les fils d'Heydrich par la main. On a raconté depuis qu'Himmler confia à quelqu'un qu'il « éprouva une drôle d'impression à tenir deux bâtards par la main » — allusion aux rumeurs qui circulent sur le sang juif d'Heydrich.

A présent, je n'ai plus de protecteur, ni de chef. On croyait dans de nombreux milieux qu'une fois la guerre finie, lorsque viendrait pour Hitler le temps de se retirer du devant de la scène politique, Heydrich serait un successeur logique — tellement sa supériorité sur les autres, en intelligence et en imagination était éclatante. Tout cela est fini. Et j'ai bien peur aussi que ce ne soit la fin de l'Allemagne.

Le récit de Rudi Weiss

Petit à petit, l'Organisation juive de combat prenait corps à Varsovie.

Mon oncle Moïse se consacra à fond à son développement.

C'était un des membres les plus âgés. Il avait plus de cinquante ans à l'époque. Sans jamais se montrer téméraire, avec son humour tranquille, il lia son sort à celui des plus jeunes, des Sionistes, et des activistes politiques. Mon père apporta également son soutien aux combattants de la résistance, en confiant peu de choses à ma mère là-dessus.

Un peu plus haut, dans ce récit, j'ai parlé d'Aaron Feldman, un élève de ma mère dans une école du ghetto. Ce garçon d'environ treize ans, petit, mince, et intrépide, qui avait été un habile contrebandier, avait, lui aussi, rejoint les rangs de la résistance. Sa connaissance des tunnels, des égouts, des passages dans le mur, et de tous les chemins, ainsi que des horaires et des habitudes des divers gardes — police du ghetto, police polonaise, SS — se révéla extrêmement précieuse.

Le besoin primordial de la résistance était de se procurer des armes. Aussi des contacts furent-ils pris avec des groupes de résistants polonais, de l'autre côté de la muraille du ghetto, afin de voir s'ils pouvaient fournir de l'aide.

Oncle Moïse se proposa comme volontaire pour suivre le jeune Feldman du côté « aryen » afin d'acquérir les premières armes, à la suite des contacts qui avaient été établis au moyen d'un échange de messages. (Les Juifs qui se faisaient arrêter à l'extérieur du ghetto étaient immédiatement fusillés par un peloton d'exécution.)

Moïse avait un paquet de médicaments. S'il s'était fait prendre il aurait prétendu se rendre auprès d'un grand malade pour lui porter des produits pharmaceutiques indispensables. Ce prétexte ne l'aurait pas sauvé, mais cela valait tout de même mieux que de n'avoir aucune excuse.

Mon père tâcha de le dissuader.

— Tu es trop vieux pour faire cela !

— Je suis trop vieux pour presque tout ! dit Moïse. Si j'y reste ce ne sera une perte que pour la pharmacie moderne.

— Va, dit Zalman.

Et Moïse suivit le jeune garçon dans la nuit.

Ils montèrent des escaliers, marchèrent sur des toits, descendirent le long d'échelles, se cachèrent derrière des poubelles. A un endroit, ils s'arrêtèrent, le temps de voir passer la charrette brinquebalante de la mort qui parcourait chaque jour les rues du ghetto. Son plateau était chargé d'une douzaine de cadavres squelettiques. La nourriture manquait, et chacun pensait à soi avant de s'inquiéter du sort du voisin. Qui aurait pu les en blâmer ? Les Allemands avaient parqué un demi-million de gens dans un quartier de Varsovie qui était conçu pour en loger 25 000. Ils vivaient à neuf et dix par pièce, se transmettaient le typhus et le choléra de proche en proche, et attendaient la mort.

Aaron savait très précisément de quelle façon éviter un policier qui faisait sa ronde, en passant d'une cachette — une cave, une cabane abandonnée, un tas de détritus — à la suivante.

Pour finir, dans une petite ruelle, il demanda à Moïse de l'aider à soulever une dalle, puis une seconde. Ils eurent juste assez de place pour se laisser glisser au-dessous. Ils remirent les dalles comme elles étaient. Moïse alluma sa lampe et vit qu'ils se trouvaient dans un tunnel. Ils marchèrent environ dix minutes et Moïse comprit qu'ils étaient en train de passer sous le mur de la honte, et de gagner le secteur chrétien de la ville. A un moment, le jeune garçon sembla ne plus bien savoir où il était et Moïse (comme il le raconta à Eva par la suite) imagina alors qu'ils allaient tous deux périr étouffés dans le tunnel, ou bien errer jusqu'à ce qu'ils meurent de faim. Mais soudain Aaron fit halte, et montra du doigt une plaque de métal rouillée au-dessus de leurs têtes.

— Il faut la soulever, dit-il. Elle s'en va.

Tous deux poussèrent la plaque de métal qui fermait le tunnel. Il parut évident à Moïse que le jeune garçon avait utilisé ce passage à de nombreuses reprises.

Avec un sonore claquement métallique, qui terrifia le vieil homme, le couvercle bascula sur le côté, et tous deux sortirent pour se retrouver dans une petite rue pavée en cailloutis. Dans le quartier aryen de la ville.

— Nous voici hors du ghetto, dit Moïse. J'ai l'impression que tu es venu plus d'une fois par ici.

Mais le jeune garçon ne l'écoutait pas. Avec un sixième sens que mes années d'errance me permettent de comprendre, il saisit Moïse par la manche, et l'entraîna sous un porche où ils se tapirent dans l'obscurité. Une seconde plus tard, une voiture de SS vint lentement patrouiller dans la rue. Les soldats promenaient des torches sur les murs, les boutiques, dans les recoins et les impasses. Puis leur véhicule s'éloigna.

— Comment savais-tu qu'ils arrivaient ? demanda Moïse.

— Je les sens à l'odeur.

Mon oncle aurait été incapable de dire si Aaron plaisantait ou non. Encore des petites rues et des passages cachés pour arriver à un immeuble d'habitation. Aaron conduisit mon oncle dans l'entrée, descendit quelques marches, et frappa quatre coups à la porte d'un appartement du rez-de-chaussée.

La porte s'ouvrit, et un jeune Polonais, que mon oncle connaissait pour son activité dans des groupes de patriotes, les fit entrer. Il s'appelait Anton. Il y avait un autre homme plus âgé dans la pièce, dont Eva a oublié le nom.

— Vous êtes Anton, dit oncle Moïse.

— Oui. Je ne veux pas savoir qui vous êtes. Mais lui, je le connais, fit-il en désignant le gamin aux oreilles décollées qui flottait dans une veste trop grande pour lui. Je l'ai déjà vu dans le coin.

— Oui. Il connaît son chemin, dit Moïse. Eh bien, voici l'argent.

Et il remit à Anton une grosse enveloppe.

Anton compta les billets. Puis son compagnon plus âgé lui tendit une boîte en bois qu'il posa sur la table.

Moïse souleva le couvercle. A l'intérieur se trouvait un seul revolver, qui avait l'air d'être une arme ancienne.

— On m'a dit que vous en auriez une douzaine, dit mon oncle.

— En voici un. C'est tout ce que nous pouvons faire.

— Je vous ai donné de l'argent pour douze.

— Nous vous devrons les autres, dit Anton.

— Ce n'est pas juste. Rendez-moi le reste de l'argent. Nous avons un accord.

— Il tient toujours. Si vous ne voulez pas du revolver, laissez-le-nous. Vous avez ma parole. Quand nous aurons d'autres armes, nous vous les remettrons.

Moïse comprit qu'il n'avait pas le choix. Il leva les bras.

— Pourquoi ne nous aidez-vous pas davantage ? Nous avons le même ennemi. Les Allemands ne font pas mystère de leurs projets en ce qui vous concerne. Vous serez leurs esclaves, à peine mieux traités que les Juifs. Je sais que vous ne nous avez pas beaucoup aimés par le passé. Mais une chose est sûre, c'est qu'à présent...

Anton restait silencieux, et Aaron tira sur la manche de Moïse, comme pour lui dire : « Nous n'avons plus rien à attendre ici. Allons-nous-en. »

— Nous vous aiderons à combattre les Allemands, plaida Moïse. Si nous unissons nos efforts, nous parviendrons à les chasser, à aider les Alliés.

Anton le regarda avec ce qui ressemblait presque à de la pitié.

— Mais les Juifs ne sont pas des combattants ! dit le Polonais. Vous ne l'ignorez pas. Vous savez gagner de l'argent, faire des affaires, vous priez beaucoup ; mais vous ne savez pas lutter.

— Nous le ferons désormais, dit Aaron. Vous verrez.

Anton caressa la tête du jeune garçon, premier signe d'humanité que Moïse observa chez lui.

Le Polonais plus âgé dit alors :

— Allez-vous-en tous les deux, maintenant. Plus vous restez, et plus nous courons de risques.

Ils retournèrent au ghetto comme ils en étaient venus. Le danger les menaçait à tout instant. Mais Aaron connaissait les chemins secrets, et ils revinrent au quartier général de la résistance avec leur unique revolver.

Quelques jours plus tard, Mordechai Anelevitz rassembla un groupe de résistants à son quartier général secret. Les membres les plus importants de la réunion étaient les jeunes sionistes, des garçons et des filles d'environ dix-huit ans.

Les membres les plus âgés — tels qu'oncle Moïse, mon père, et Zalman — restèrent assis contre le mur, à observer la scène. Anelevitz lui-même était un sioniste actif, et dirigeait depuis de nombreuses années un groupe appelé Haschomer Hatzair. Mais, pour l'heure, la politique ne l'intéressait plus. Il s'agissait désormais, selon lui, de former des soldats, des combattants.

Avec un unique revolver.

Debout devant le groupe de jeunes, il leur montra comment fonctionnait le revolver. La gâchette, le barillet, le canon. Son regard parcourut ensuite l'assistance.

— Qui veut commencer? demanda-t-il.

Un garçon s'avança. Il ne devait pas avoir plus de seize ans.

— Il me rappelle Rudi, fit mon père à Moïse.

Eva qui se trouvait à proximité se souvient de sa réflexion d'alors.

Sur le mur d'en face, la silhouette d'un soldat allemand était découpée dans du papier : un casque qui ressemblait à un seau à charbon, une tunique, un grand svastika.

Anelevitz montra la cible au jeune garçon et lui mit le revolver dans la main.

— Vise le long du canon. Il y a un petit guidon qui doit s'aligner dans le cran de mire, le haut du guidon venant sur la cible.

Le garçon allongea le bras.

— Respire un bon coup avant de viser, dit Anelevitz. Et après, n'actionne pas la gâchette avec brusquerie, mais presse-la doucement comme si peu t'importe quand la balle part.

Le jeune suivit les instructions. Toute l'assistance avait les yeux braqués sur lui. Il appuya sur la gâchette, et, bien sûr, il n'y eut qu'un claquement sec. Faute de munition.

Mais tout le monde applaudit et rit.

Oncle Moïse dit à mon père :

— C'est une armée typiquement juive : une seule arme, pas de balles, et une grande diversité d'opinions !

— C'est un commencement, fit mon père.

Le journal d'Erik Dorf

Auschwitz
Octobre 1942

Depuis la mort d'Heydrich, je ne sais plus trop sur quel pied danser. Himmler, dans sa crainte de voir un nouveau rival se dresser devant lui, n'a pas encore nommé de successeur, et s'efforce de tout diriger lui-même : les transports, les camps de travail, et les nouvelles installations.

J'ai passé toute la journée à Auschwitz, l'ancien bourg polonais d'Osweicim, en compagnie d'Himmler. Ce camp constituera pour nous le champ d'application principal de la solution finale. Il est à proximité d'un nœud ferroviaire, sur une grande ligne. Des forêts et des marécages l'entourent. Beaucoup de ghettos ne sont pas loin de là. Et il y a tout un complexe d'usines de guerre dans les environs : I.G. Farben, Siemens, et d'autres.

Rudolf Hoess, le commandant, écouta avec une extrême attention Himmler qui venait de dérouler un grand plan du futur camp et qui lui exposait ses désirs.

— La superficie d'Auschwitz va être doublée. Et les nouveaux systèmes déjà existants doivent être immédiatement agrandis.

Ces systèmes en question sont ingénieux : une salle d'attente, de grandes pièces carrelées pour le traitement proprement dit, et des courroies transporteuses pour acheminer les corps jusqu'aux fours crématoires. Naturellement, ils fonctionnent déjà, mais sur une petite échelle.

— D'où viendra la main-d'œuvre pour la construction ? demanda Hoess.

— Vous aurez plus de travailleurs qu'il ne vous en faudra. A tel point que vous devrez instaurer un processus de sélection. Les Juifs qui auront l'air aptes au travail seront épargnés, et employés à des corvées du genre nettoyage, entretien, etc. Tous les inutiles, c'est-à-dire les vieux, les mal portants, les infirmes, et les enfants pourront être immédiatement expédiés du quai de débarquement au « bâtiment de l'épouillage ».

C'est là un autre de nos euphémismes, l'épouillage désignant une chose bien différente.

— Je vais avoir à me battre avec la direction de l'I.G. Farben pour obtenir des travailleurs, déclara Hoess.

— Ne vous inquiétez pas. L'I.G. Farben fera ce qu'on lui dira de faire. Ce travail a la priorité sur toutes les opérations de fabrication.

— Même pour le matériel de guerre ?

— Oui, dis-je. Eichmann réquisitionne régulièrement des trains de l'armée pour nos transports, et celle-ci n'élève jamais la moindre protestation.

— Hoess, reprit le Reichsführer, nous allons vers une destinée grandiose, qui nous a été assignée par la fatalité, ou Dieu, ou l'Histoire. L'on m'a dit que votre famille vous destinait à la prêtrise, aussi est-ce là une chose que vous pouvez comprendre.

— Je ne vous décevrai pas dans cette tâche. Dès mon enfance, mon Reichsführer, j'ai appris à obéir.

Ils parlèrent ensuite tous les deux de la mort d'Heydrich, de cette perte tragique pour le parti, et se trouvèrent d'accord pour dire qu'un fonctionnement efficace du camp d'Auschwitz agrandi, ainsi que des centres de Chelmno, de Belzec, de Treblinka et de Sobibor, honorerait comme il convient la mémoire de notre grand disparu.

Soudain Himmler, qui contemplait le plan d'Auschwitz, leva la tête si brusquement que son pince-nez d'instituteur faillit tomber. Les narines de son nez frémissaient. On aurait dit un nez de lapin.

— L'odeur ! dit-il. La puanteur qui sort des cheminées. Hoess, voyez si l'on peut faire quelque chose afin d'y remédier. Après tout, aussi noble que soit notre tâche, nous voulons la tenir secrète. Nous seuls serons au courant.

Cette déclaration me donna envie de rire. Comment peut-on exterminer onze millions de gens, comme Hitler et Himmler ont ordonné de le faire, sans que personne en sache rien ?

Le récit de Rudi Weiss

Une fois de plus, Inga perdit la trace de Karl. Elle savait qu'il était à Theresienstadt, ce camp qu'on prétendait être *le paradis des ghettos,* et qui se situait dans les environs de Prague, mais elle n'avait plus aucun moyen de le joindre.

Elle refusa de communiquer avec Muller, et de le voir quand il venait à Berlin. Il se vantait d'avoir contribué à faire envoyer Karl en Tchécoslovaquie, dans ce qu'il appelait une « station de vacances » pour les Juifs ; mais il ne pouvait plus désormais lui transmettre de lettres. Et Inga ne prêtait plus son corps à cet individu qu'elle haïssait.

Mais, lors de ses séjours à Berlin, Muller venait régulièrement lui rendre visite à son domicile pour lui parler de son amour, et lorsqu'elle tentait de se débarrasser de sa présence en s'en allant de chez elle, il la suivait dans la rue.

Un jour, alors qu'elle s'apprêtait à entrer dans la cathédrale Sainte-Hedwige (sans être une catholique pratiquante, elle éprouvait parfois le besoin de parler au Père Lichtenberg), Muller l'aborda.

— Je vous ai dit de ne pas me suivre, fit-elle.

— J'essaie de vous venir en aide. Les prières n'arrangeront pas vos affaires.

Elle le haïssait. Mais elle était également femme de tête.

— Que voulez-vous dire ? interrogea-t-elle. Pourriez-vous tirer Karl de cet autre camp ?

— Non. Je ne voudrais pas vous mentir, fit-il en s'emparant de sa main. Je vous aime. J'ai droit à votre amour.

— Laissez-moi tranquille !

— Vous pouvez obtenir le divorce d'avec lui. C'est un ennemi du Reich. Il ne vaudra plus rien du tout quand ils le laisseront sortir de Theresienstadt, au cas où cela se produirait un jour. Vous êtes une chrétienne, une aryenne, vous pouvez vous débarrasser de lui dès maintenant. Ecoutez-moi. Depuis vos visites dans ma chambre à Buchenwald... je n'arrête pas de penser à vous. Je vous aime.

Inga se dégagea de son étreinte.

— Allez-vous-en. Ne vous approchez plus de moi.

— Vous me suppliiez alors de lui porter vos lettres. Maintenant c'est moi qui vous supplie.

Elle répondit :

— Je vous hais. Vous êtes incapable d'amour. Tout ce que vous connaissez, c'est la brutalité. La manière de causer de la souffrance à autrui. Vous vous en glorifiez. Le pire de tout, c'est que nous vous ayons laissé prendre le pouvoir, sans nous opposer à vous. Une nation entière, ma nation, qui éprouve du plaisir à faire souffrir les gens, à infliger la souffrance et la mort ! Muller, je ne vaux pas mieux que vous. Je suis responsable, moi aussi.

— Mais non, Inga, nous sommes en période de guerre. Bien sûr, la guerre est cruelle, et il y a des gens qui souffrent. Je n'avais rien contre Karl, moi. Je n'ai personnellement rien contre les Juifs.

— Laissez-moi seule. Allez-vous-en.

Inga pénétra dans la cathédrale. Muller la regarda entrer, mais ne la suivit pas. Il attendit dehors.

Comme je l'ai dit, Inga n'était pas une catholique pratiquante. Elle et Karl n'assistaient jamais à aucun office religieux, quel qu'il fût. Mais elle se souvenait des sermons que faisait le père deux ans plus tôt, et se demandait s'il ne pourrait pas lui donner un conseil.

Dans la sacristie, elle trouva le vieux sacristain, dont elle avait conservé le souvenir. Il était en train d'allumer des cierges. La nuit commençait à tomber.

— Vous cherchez quelque chose, Mademoiselle ? demanda-t-il.

— Le Père Lichtenberg est-il ici ?

— Oh, non, Mademoiselle. Le Père est parti.

— Parti ?

— Oui. Ils l'ont emmené.

— Qui ça « ils » ?

Il baissa la voix pour expliquer :

— Ceux de la Gestapo. Ils lui avaient dit de ne plus parler tout le temps des Juifs. Cela ne le regardait pas. Ils ont fait une perquisition dans sa chambre, et ont trouvé des sermons qu'il s'apprêtait à prononcer sur les Juifs, dans lesquels il déclarait qu'on ne devait pas s'attaquer à eux.

— Où l'ont-ils emmené ?

— Dans un endroit qu'on appelle Dachau.

— Oh, mon Dieu ! Un homme si bon !

Le sacristain tourna le dos à Inga, comme s'il n'avait plus rien à ajouter, et continua à allumer des cierges, en marmonnant pour lui-même :

— Je lui avais bien dit, moi aussi, mais il n'arrêtait pas de déclarer que quelqu'un devait prendre la défense des Juifs. Pourquoi lui ? Je me le demande un peu. D'autres prêtres ont été plus malins. Ils n'ont rien dit. J'ai appris qu'à Brême, on a consacré une église au nom du Führer. Et puis, tout le monde sait que nous faisons des prières pour que notre armée batte les Bolcheviques. Alors, pourquoi ne pas oublier cette question des Juifs ?

Inga s'arrêta devant l'autel, s'agenouilla, et fit un signe de croix. Deux photographies, dont l'une représentait le chanoine Bernard Lichtenberg et l'autre le pape Pie XII, se trouvaient de chaque côté du crucifix, sur l'autel.

Muller n'était pas parti. Il attendait Inga.

— Laissez-moi vous raccompagner jusqu'à chez vous, lui dit-il lorsqu'elle sortit de la cathédrale. Maintenant que vous avez prié, vous serez peut-être plus charitable.

Comme ma belle-sœur me le raconta par la suite, ce fut en cet instant précis que l'idée lui frappa l'esprit, comme un coup de tonnerre dans un ciel serein. Si un prêtre courageux acceptait d'endurer personnellement le sort des Juifs, elle serait elle-même capable d'en faire autant.

— Vous pouvez m'accompagner, Muller, et même faire plus que cela pour moi.

— Tant mieux ! Si c'est l'église qui vous fait cet effet-là, je deviendrai peut-être croyant moi aussi.

— Ne vous méprenez pas sur mes intentions.

— Inga, ma chérie, vous connaissez mes sentiments pour vous. Je ferais n'importe quoi pour vous satisfaire.

Elle s'arrêta.

— Dénoncez-moi. A la Gestapo. Ce ne sont pas les prétextes qui vous manquent : diffamation du Führer, assistance à des Juifs, mensonges sur nos efforts de guerre.

— Vous serez emprisonnée.

— C'est ce que je désire. Je veux être envoyée à Theresienstadt. J'ai appris qu'ils ont aussi là-bas une section pour les prisonniers chrétiens. Il n'y a pas que des Juifs.

Muller restait immobile, comme s'il avait reçu une tuile sur le crâne. Il ne pouvait pas comprendre la profonde impression que le sort du chanoine Lichtenberg avait faite sur Inga. L'exemple donné par ce prêtre l'avait frappée tout d'un coup. Certains chrétiens se devaient de protester, de manifester leur soutien aux Juifs. Elle pensa à ce bon prêtre intelligent, aux cheveux grisonnants, qui était à présent enfermé dans un camp de concentration, pour avoir seulement vécu sa foi selon sa conscience, et pour avoir prononcé des paroles de mansuétude. Elle suivrait son exemple.

Son existence actuelle était devenue insupportable sans Karl. Elle était vraiment seule désormais. Plus rien ne l'attachait à sa famille. Elle était devenue indifférente à ce qui l'entourait, et menait une vie de robot : travail, courses, sommeil. Non, décidément, se dit-elle, elle n'aurait rien à regretter en se retrouvant dans un camp de concentration.

— Lichtenberg était un vieil imbécile ! dit Muller. Vous essayez de vous montrer aussi stupide que lui. Mais je vous préviens, Inga, Theresienstadt a beau être le meilleur de tous les camps, ce n'est pas un endroit de rêve. On y tombe malade et on y meurt de faim. Vous n'y aurez pas un meilleur sort que les Juifs, loin de là !

— Cela m'est égal. Ma décision est prise.

— Vous renonceriez à votre liberté pour Karl Weiss ?

— Oui.

Muller tenta de l'enlacer, mais elle se déroba à son étreinte Il n'insista pas, et ne dit rien. Il se contenta de la contempler en hochant lentement la tête.

Le journal d'Erik Dorf

Hambourg
Janvier 1943

Sur les ordres de mon nouveau chef, Ernst Kaltenbrunner, qui a été désigné pour succéder à Heydrich, je me trouve ici, pour une mission des plus importantes.

Hoess agrandit le camp d'Auschwitz avec beaucoup de rapidité. Il est en train d'en faire le plus vaste camp de ce type dans le monde entier. Je ne veux pas parler des baraquements habituels, des usines, des ateliers, et des cuisines. Mais des centres destinés au traitement spécial. (Je ferais aussi bien ici de les appeler sans détour par leur nom : ce sont *des usines conçues pour une exécution massive.*)

En plus des constructions primitives dites « d'épouillage », avec leur capacité limitée, Hoess a fait édifier deux grands ensembles qui comprennent des salles d'arrivée, des chambres à gaz, et les fours crématoires pour faire disparaître les cadavres. La grande firme bien connue d'Erfurt, la Topf et Fils, qui s'est spécialisée dans la construction des fours, est en train d'installer nos fours crématoires. Les plus grosses compagnies et sociétés d'ingénierie privées apportent leur concours à l'entreprise de Hoess, et, je pourrais ajouter, réalisent ainsi de substantiels bénéfices.

J'ai vu les plans et les diagrammes. La réalisation la plus impressionnante est la salle souterraine, ou *Leichenkeller,* qui sera équipée d'un monte-charge électrique pour conduire les morts jusqu'aux fours crématoires.

Hoess a également le souci de tenir les curieux éventuels — des Polonais, la population locale, toute personne qui n'est pas directement concernée par notre activité — à l'écart de ces installations. A cet effet, une jolie « ceinture verte » de grands arbres a été préservée et aménagée tout autour des nouvelles constructions.

Mais un gros obstacle reste encore à surmonter pour la mise en œuvre de la solution finale.

C'est la question de l'agent, du gaz à utiliser. L'oxyde de

carbone vient de se révéler inefficace. Il demande trop de temps. En outre, les corps sortent horriblement convulsés des roulottes à gaz, ce qui rend difficile d'extraire l'or dentaire, et même de raser les crânes.

Dans ces conditions, j'ai été envoyé dans la firme Tesch & Stabenow de Hambourg, afin de recueillir des informations sur quelque chose de plus efficace. Des expériences ont été menées ces temps-ci, sur une petite échelle, avec un nouvel agent, appelé Cyclon B, à base d'acide prussique, qui serait, paraît-il, d'un emploi facile. M. Bruno Tesch m'a conduit dans son laboratoire de dimensions modestes, en m'expliquant que sa firme s'occupe surtout de vente en gros et de distribution, et qu'un grand cartel, du nom de Degesch, qui regroupe plusieurs entreprises privées, s'occupe de la fabrication proprement dite du produit, et en a développé les applications possibles, destinées à la lutte contre les rats, les poux, et autre vermine.

Nous marchâmes au milieu des creusets, des cornues et des becs Bunsen, parmi des chimistes en blouses blanches. Tesch me présenta une boîte métallique de la taille d'une boîte de conserves, qu'il souleva en m'expliquant que le Cyclon B contenu à l'intérieur devait être mis dans des conteneurs d'une étanchéité absolue, non seulement en raison de sa nature mortelle, mais aussi du fait qu'il se vaporise dès qu'il se trouve au contact de l'air.

De but en blanc, je lui demandai si ce gaz avait déjà été expérimenté sur des êtres humains. Tesch prétendit ne pas être au courant, arguant que j'étais certainement mieux placé que lui pour savoir une chose pareille. Il n'était, pour sa part, qu'un homme d'affaires. J'insistai, en me basant sur des renseignements qui m'avaient été communiqués par la Section d'Hygiène SS. Des gens n'étaient-ils pas morts dans des souffrances atroces au cours des essais ? De nouveau, il affirma ne rien savoir sur cette question. Tout ce qu'il pouvait faire, me dit-il, c'était recommander ce produit qui est un gaz mortel propre et efficace, utilisable sans gros équipement, contrairement à l'oxyde de carbone qui exige le fonctionnement de moteurs diesel.

Je lui demandai la raison d'une telle allusion à l'oxyde de carbone, et il me répondit tranquillement qu'il avait entendu des bruits qui couraient. Rien de confirmé, bien sûr, seulement des rumeurs. Je pris la boîte métallique dans mes mains, et jouai un peu avec elle en la faisant sauter en l'air. Elle paraissait aussi innocente qu'une boîte de Banania.

Je passai alors une commande à Bruno Tesch. Les feuilles d'expédition devaient spécifier que ce produit était uniquement destiné à la « désinfection ». L'envoi devait être adressé à notre Section d'Hygiène de Berlin. Il comprit.

Devant une table en ardoise grise, il s'arrêta pour me montrer un récipient de verre de petite taille. Voulais-je avoir une démonstration de l'action du Cyclon B ? Je dis oui. Y avait-il un danger ? Non, répondit-il. Il ne s'agissait que d'un seul grain. Il se dissiperait sans risque pour nous. De plus, il ouvrit la fenêtre voisine de la table.

Tesch souleva le couvercle de verre. Du minuscule grain de couleur bleue, montèrent des filets de vapeur grise, qui dégagèrent dans l'air une odeur acide très forte. J'appliquai mon mouchoir contre mon nez.

Berlin
Janvier 1943

Hoess est venu se plaindre aujourd'hui à notre quartier général. Il trouve injuste que nous renoncions à l'oxyde de carbone, après tout le travail dont nous l'avons chargé. Mais il finit par se montrer satisfait de mon rapport sur le Cyclon B.

Il me présenta des photographies de l'intérieur d'une chambre à gaz type : pommes de douches (factices), robinets, tuyauterie, sol et murs carrelés. Avec, à l'extérieur, des plaques indiquant : BAINS — ÉPOUILLAGE.

Il m'expliqua les différences entre les quatre salles. Les deux souterraines, avec leur équipement compliqué, et les deux du dessus. Des ouvertures étaient prévues dans le toit ou sur le côté, par lesquelles les cristaux de Cyclon B pourraient être introduits. Je lui suggérai de prévoir également l'aménagement d'un judas vitré, destiné à l'observation par nos hommes de l'application du traitement. Sinon, comment saurait-on ce qui se passe exactement à l'intérieur ? Il fut d'accord sur ce principe.

Il avait établi des plans pour un fonctionnement intensif de ses énormes moteurs diesel et, en fait, des milliers de Juifs ont déjà été réinstallés avec ce système. Je lui expliquai alors qu'il n'aurait plus à se servir de ces moteurs qui étaient encombrants et inefficaces, et que nous avions désormais une meilleure méthode à notre disposition.

Hoess m'écouta avec docilité.

— Vous feriez bien de commander de gros stocks de ce Cyclon B, me dit-il en hochant la tête. Dans tous les camps d'Auschwitz, de Chelmno, de Maidanek et de Treblinka, nous allons en consommer à tour de bras.

Je pris note de cette déclaration. Nous devrons en effet résoudre le problème d'un approvisionnement régulier. Tesch m'a appris que le Cyclon B en boîte a une durée de conservation de trois mois seulement. Pas question d'avoir en réserve un produit périmé. Il nous faudra organiser un système d'expéditions, qui permettra aux centres de fabrication de nous assurer un approvisionnement permanent de cristaux frais.

Alors que je tentais mentalement de résoudre ce problème — peut-être un dépôt central au quartier général de l'Hygiène SS ferait-il l'affaire ? — Ernst Kaltenbrunner entra dans mon bureau.

C'est un gros colosse, qui mesure environ deux mètres, avec une balafre en travers de la figure, qui ne provient pas d'un duel d'étudiant, ni d'un combat sur le front, mais est une séquelle d'accident de voiture. Pourquoi Himmler l'a-t-il choisi pour succéder à un esprit créateur, à un intellectuel tel que Heydrich, je n'en sais rien. Il est vrai que Kaltenbrunner était un juriste, mais il n'y a aucune finesse en lui, aucune subtilité. C'est un homme que je redoute.

— Dorf. Hoess.

Il jeta un coup d'œil sur les photographies que Hoess avait apportées.

— Mon Général, dis-je, le Commandant Hoess et moi venons de revoir les problèmes du traitement spécial.

— Le traitement spécial !

Kaltenbrunner se mit à rire.

— Mon Dieu, Dorf ! On m'a prévenu, quand j'ai pris ce poste, que j'avais un maître du langage dans mon personnel. Vous voulez parler des centres d'exécution, n'est-ce pas ?

— Naturellement, Monsieur.

— Hoess, dit-il, voudriez-vous bien nous laisser seuls un instant ?

Hoess salua, ramassa ses plans et ses photos, et sortit de la pièce.

Kaltenbrunner était entré dans mon bureau avec un assez joli carton à dessin. Article plutôt inattendu de la part d'un individu apparemment peu sensible aux arts.

Il me sourit. D'un sourire d'ours polaire, ou de requin.

— Vous avez eu le temps d'apprendre, je présume, que je ne ressemble pas à ce joueur de violon métèque pour lequel vous avez travaillé !

Je lui dis qu'il était injuste envers la mémoire de Heydrich.

— Oh ! Il est mort et bien mort. Quand je pense à ses

déclamations sur son lit de mort ! Il demandait pardon pour ce qu'il avait fait aux Juifs. Lui-même était un youpin.

— Il souffrait affreusement. Sa colonne vertébrale avait été brisée. Il délirait.

— Ne vous fatiguez pas à le défendre. Inquiétez-vous plutôt de vous-même.

Quelle est la vérité sur Heydrich ? Il avait toujours conservé, pour moi, un côté énigmatique. Est-il vrai, comme le prétendent certains, qu'il ne vivait que pour « tuer le Juif en lui » ? Qui détient la vérité ? Cela n'importe plus, à présent. Nous sommes dans le sang jusqu'aux genoux. Toute pause, toute défaillance actuelle dans notre action impliquerait — comme le firent les prétendues confessions de Heydrich sur son lit de mort — que nous doutons du bien-fondé de notre mission.

Autant j'ai peur de Kaltenbrunner, autant j'ai besoin de lui. C'est mon supérieur, et un homme qui ne connaît pas le doute. Je me suis consacré à notre cause, à la grande campagne qui changera la face de l'Europe, à la sainte croisade. La flatterie me mena loin avec Heydrich. Je tentai d'user de la même tactique avec ce géant hideux.

— Pourquoi m'inquiéterais-je ? Le travail se fait, grâce à vos directives excellentes. L'effectif des ghettos est en train de diminuer. Et les nouveaux camps s'apprêtent à fonctionner sur une grande échelle.

— Assez de bavardages !

Il pointa sur moi un doigt de la grosseur d'une saucisse.

— Des charges pèsent sur vous, Dorf ! J'ai vu les lettres de votre dossier. Votre père était peut-être un rouge.

— J'ai fait l'objet d'une enquête qui m'a lavé de tout soupçon.

— Blobel, Nebe et quelques autres se plaignent de vous ; de ce que vous êtes un intrigant, un délateur.

Je ne répondis pas. A quoi me servirait-il de lutter contre des menteurs ? Ils ont eux-mêmes des ennuis. Les Einsatzgruppen sont en train de céder la place à un programme autrement plus expéditif.

Kaltenbrunner abandonna le sujet de mon dossier. Il ouvrit le carton à dessin sur mon bureau, et ses mains de géant en tirèrent cinq grandes œuvres, exécutées à la plume ou au fusain, qu'il étala les unes à côté des autres.

— Que pensez-vous de ces maudits dessins ?

Je les étudiai avec attention. Ils ne portaient pas de signature. C'étaient des professionnels, des hommes de talent qui avaient fait cela.

Tous ces dessins avaient un titre, et dépeignaient manifestement la vie à l'intérieur d'un de nos camps de concentration. Le style était effrayant, satirique, un peu à la manière de George Grosz dans ses périodes les plus noires. Des images chargées de colère et d'amertume. Une vision déformée de la condition humaine.

Une feuille était intitulée *L'Attente de la fin*. Des vieillards. Et celle-là? *Punition de routine*. C'était le dessin d'une potence, avec quatre corps de Juifs pendus. Des gardiens SS, dépeints comme des créatures grasses et simiesques, se tenaient à proximité, arborant un large sourire.

Sur une autre feuille, qui avait pour titre *La Race des maîtres,* on voyait des humanoïdes qui ressemblaient à des porcs. Une autre, *Les Enfants du ghetto,* représentait des enfants mourant de faim, au regard halluciné. Le dessin baptisé *L'Appel* montrait une marée humaine assez terrifiante, debout sous un gros nuage menaçant, tandis que des SS inspectaient les rangs.

— L'un de nos agents les a trouvés à Prague, dit Kaltenbrunner. Comme si nous avions besoin que la Croix-Rouge tombe sur ce genre d'ordures!

J'étais à même de comprendre son inquiétude. Nous déployons de gros efforts, et ne regardons pas à la dépense, pour présenter Theresienstadt comme un charmant camp de vacances pour les Juifs. Récemment, l'un de nos meilleurs cinéastes de documentaires a tourné là-bas un film intitulé *Le Führer donne une ville aux Juifs.* Il était superbe! Des femmes juives souriantes, heureuses, dans des magasins de vêtements, des orchestres juifs, une boulangerie où l'on pouvait presque sentir l'odeur du pain de seigle tout chaud, des concours d'athlétisme. Le tout dans un cadre des plus attrayants. Ce film a pour but de décider les quelques Juifs qui restent encore en Allemagne — des personnalités influentes et des héros de guerre décorés — à se porter volontaires pour aller vivre à Theresienstadt. En outre, nous projetons de le montrer à ceux qui protestent contre les prétendus mauvais traitements que nous infligeons aux Juifs. Mais ces dessins affreux, quelle propagande d'horreur! S'ils tombaient dans la circulation, ils seraient capables de réduire à néant tous nos efforts en ce sens.

— Dorf, vous allez vous rendre immédiatement en Tchécoslovaquie, et prendre contact avec Eichmann. A vous deux, vous devriez pouvoir trouver le ou les responsable(s) de ces ordures.

— Je vous assure, Monsieur, que je trouverai.

— Vous avez fichtrement intérêt à réussir!

Sa carcasse d'ogre se pencha en avant sur le bureau, et il lança un regard furieux aux dessins.

— Ces salopards ne se sont peut-être pas contentés de

produire ces cinq-là ! Ils ont pu en faire cinquante ! Peut-être ont-ils l'intention d'en écouler des quantités en contrebande, pour flanquer par terre tout notre travail ?

— Puis-je emporter ceux-ci ? demandai-je.

— Oui. Et trouvez qui les a dessinés, Dorf. Sinon, je me remettrai à étudier tout votre dossier.

Je fis une petite inclinaison de la tête, essayant de dissimuler mes craintes.

Kaltenbrunner s'en fut alors critiquer vertement Hoess qui selon lui ne s'activait pas assez dans le camp d'Auschwitz.

Le récit de Rudi Weiss

Karl était devenu un membre éminent de la « cabale des artistes » de Theresienstadt qui avait Emile Frey à sa tête.

Chaque soir, derrière les rideaux tirés, en compagnie de Felsher, de Frey, et de quelques autres, mon frère travaillait à la constitution d'un dossier accablant, à la plume, au fusain et à l'aquarelle, sur l'existence qu'on menait dans ce camp infernal. Tout l'atelier était au courant du film mensonger que les nazis avaient tourné. Les peintres et les dessinateurs avaient décidé de se servir de leur talent pour leur infliger un démenti. (La plupart des gens qui apparaissent dans ce documentaire intitulé *Le Führer donne une ville aux Juifs* furent en définitive gazés à Auschwitz.)

Un soir, alors qu'ils travaillaient ainsi, Frey se mit à inspecter l'un des cartons à dessins. Quelque chose n'allait pas. Il se tourna vers Felsher.

— Les dessins que nous avons faits la semaine dernière, tu sais, celui de Karl sur les enfants. Celui qui est baptisé *La Race des maîtres* ? Je n'arrive pas à mettre la main dessus.

Felsher, nerveux, lança un coup d'œil inquiet autour de lui. Il savait que si les SS venaient à découvrir ces dessins, le résultat serait catastrophique pour eux.

— Je... je les ai vendus, dit-il.

Tous les autres s'arrêtèrent immédiatement de travailler pour le regarder.

— Tu les as vendus ? demanda Frey.

— Oui... Oui. L'un des policiers tchèques en voulait quelques-uns. C'est un type bien. Il nous est favorable. Je lui en ai vendu cinq. Frey en fut bouleversé.

— Felsher, il était pourtant bien entendu que ces dessins resteraient cachés dans le camp. Si les nazis s'en emparent, nous sommes perdus. En outre, tu n'as pas vendu que les tiens. Mais aussi des dessins de Weiss et de moi.

Pauvre Felsher! Maria Kalova se souvient de son expression pitoyable. Le vieil homme avait envie de pleurer.

— Tu sais, Frey, j'avais tellement besoin de cigarettes, et d'un pot de confitures. Je... je ne recommencerai plus. Je vais partager mes cigarettes...

— Je me fous de tes cigarettes! dit Frey.

Maria fit un pas en avant.

— Tu nous fais courir un grand danger, dit-elle.

Karl parla :

— Bah! La belle affaire! Nous jouons ce jeu avec l'idée qu'un jour nos dessins seront connus au grand jour. Ne t'en fais pas, Felsher! Tu n'as pas à te sentir coupable de quoi que ce soit.

Mais Frey était très ennuyé.

— Pourvu que la Gestapo ne mette pas la main dessus! Prions tous dans cette intention!

Felsher prit peur. Il marmonna :

— Est-ce un crime d'avoir besoin d'un paquet de cigarettes?

Les artistes retournèrent à leur travail.

— Pauvre type! dit Karl. Je me demande parfois si tout notre travail secret vaut bien la peine d'être fait!

— Moi aussi, soupira Maria.

Karl faisait un dessin intitulé : *Transport vers l'Est.* De plus en plus souvent, les personnes âgées, ou malades, celles qui étaient officiellement considérées comme « non productives », se trouvaient envoyées en Pologne, vers une destination inconnue. Dans des maisons de repos, leur disait-on. Des endroits où ils recevraient une meilleure assistance médicale. Le dessin montrait une file de Juifs, à l'air accablé et vaincu, tous marqués de l'étoile jaune, s'embarquant dans un train.

— Qu'est-ce que cela peut bien signifier? interrogea Karl. Pourquoi les renvoie-t-on d'ici?

Maria contemplait l'esquisse qu'elle était en train de faire.

— Je ne sais pas trop, fit-elle. Mais on raconte de drôles d'histoires à ce sujet... Naturellement, personne ne les croit.

Il y eut un bruit de pas à l'extérieur. Normalement, les gardiens et la police du ghetto ne surveillaient pas l'atelier le soir. Ils laissaient travailler les artistes à leur guise, en supposant qu'ils aimaient leur art au point de faire des heures supplémentaires.

282

Tous se mirent à cacher leurs œuvres en cours d'exécution dans des cartons à dessin et des tiroirs.

— Vas-y, Weiss. Va voir qui c'est, dit Frey.

Karl alla jusqu'à la porte, l'ouvrit... et se trouva nez à nez avec sa femme, Inga.

— Inga...

— Karl, mon amour !

Ils ne s'étreignirent pas tout de suite, tellement Karl était frappé de stupeur. Inga portait une valise. Un foulard retenait ses cheveux. Elle venait d'arriver avec un petit groupe de chrétiens « ennemis de l'Etat ». Il y avait une section spéciale du camp de Theresienstadt qui était réservée à des non-Juifs ; parmi ces prisonniers, l'on comptait de nombreux prêtres tchèques qui avaient protesté contre les mesures imposées par les nazis.

Pendant un moment, elle resta dans la pénombre de l'entrée, les yeux fixés sur le visage décharné de son mari. Elle dut faire le premier geste d'affection. Elle s'approcha de lui, et le prit dans ses bras. Ils s'embrassèrent. Mais Karl était comme un automate, comme un robot ; il réagit à peine. Il semblait presque avoir peur d'elle.

— Comment... comment es-tu arrivée ici ?

— Arriver *à l'intérieur* de ce camp n'est pas un problème. J'ai décidé de ne pas te laisser sans moi. Comme je ne pouvais pas te faire sortir d'ici, j'y suis venue moi-même.

Il voulut dire quelque chose, mais il avait la gorge sèche.

— Oh, mon chéri ! s'exclama Inga. Tu es pâle. Tu es maigre. Tes cheveux sont gris. Mais tu es toujours aussi beau.

Embarrassé, Karl la fit entrer dans la grande salle de l'atelier.

— Je vais bien. Tu peux voir. J'ai un travail qui n'est pas pénible. Des amis.

Il lui présenta les artistes :

— Frey, Felsher, Maria Kalova,...

Maria s'avança, et serra Inga dans ses bras.

— Karl nous a beaucoup parlé de vous. Il ne vous a jamais oubliée.

Inga sourit.

— Je suis heureuse de faire votre connaissance, à tous.

Frey fit un effort pour se montrer enjoué.

— J'ignore ce que vous savez sur cet endroit. Mais il vaut mieux que d'autres camps, si vous trouvez à vous occuper. Et nous sommes tous très occupés ici.

— C'est vrai, dit Felsher. Nous n'arrêtons pas.

Frey donna à Karl la clé de la réserve. Il y avait là un lit de camp que les policiers du ghetto utilisaient parfois pour faire un petit somme durant leurs heures de service.

— Vas-y ! dit-il. Tu dois avoir tant de choses à lui dire.

— Peut-être même reste-t-il du thé, ajouta Maria. Allez-y tous les deux. Pour fêter vos retrouvailles.

Dès qu'ils furent dans la petite pièce sombre, Inga prit Karl dans ses bras, et l'embrassa avec passion. Elle s'était languie de lui. C'était comme si elle voulait effacer la souillure de Muller avec son amour pour Karl. Il commença par résister — pas tant résister, à vrai dire, que rester froid, distant — puis, lorsque la bouche d'Inga explora la sienne, avec son visage contre le sien, et ses mains qui caressaient son dos maigre, il répondit avec élan à son ardeur.

— Oh, Inga, ma chérie ! sanglota-t-il. Je n'aurais jamais cru te revoir un jour. Ils tuent l'espoir en nous. Ils nous portent à nous haïr nous-mêmes, à maudire la vie...

— Je te disais de ne pas désespérer, Karl !

— Oui, je me souviens de tes lettres à Buchenwald. Toujours pleines d'espoir, de paroles réconfortantes.

Il se dégagea de son étreinte, et tourna son visage vers le mur.

— Et je me rappelle qui me les apportait.

— Muller t'a dit.

— Il s'en est vanté.

— Je savais qu'il le ferait. Je n'y pouvais rien.

Karl, le visage toujours tourné contre le mur, se mit à pleurer doucement.

— Inga... pourquoi ?

— Pour communiquer avec toi. Pour que nous restions ensemble.

— Tu as choisi une curieuse méthode. Quand je pense à cette crapule, à ce cochon... avec toi, Inga... avec ton corps...

— Karl, tu dois me croire. J'ai fait tout ce que j'ai pu pour éviter cela. Je l'avais toujours détesté. Quand j'étais avec lui, j'avais l'impression d'être une prostituée. Je le hais encore plus à l'heure qu'il est.

— Mon Dieu, j'aurais encore préféré ne pas avoir de tes nouvelles...

— Vraiment, Karl ?

— D'autres ont été assez braves pour rester seuls. Sans lettres, sans famille. Et ils ont survécu. Le vieux Felsher n'a personne au monde. Le mari de Maria Kalova a été exécuté par la Gestapo le jour où les Allemands ont pris sa ville.

— J'avais l'impression que tu ne ressemblais pas aux autres gens. Que tu avais besoin de mon amour, ne serait-ce que dans une lettre.

284

— Tu veux dire que je suis plus faible que d'autres. Oui, il y a du vrai là-dedans. Le pauvre Karl, l'artiste vulnérable, qui ne pouvait pas survivre sans un mot de sa femme.

— Karl... Le passé est le passé. ˙

Elle effleura ses lèvres d'un baiser.

— Te souviens-tu, Karl, tu m'appelais ta Saskia ? La femme de Rembrandt. Nous survivrons à tout cela, et un jour, nous serons libérés. Je le sais.

— Non. Ils se débarrasseront de nous bien avant de se rendre. On raconte ici que toute une armée allemande a été faite prisonnière à Stalingrad. Mais ils se battront jusqu'à la fin, et quand ils commenceront vraiment à perdre la guerre, ils en rejetteront la faute sur nous, et nous liquideront !

— Nous ne perdrons pas espoir, Karl. Pas tant que je serai ici !

— Mais pour qui me prends-tu donc ? Je ne suis qu'un dessinateur de second plan. Avec un morceau d'argile à la place du cœur. Ces camps ne rendent pas les gens meilleurs, loin de là ! Les artistes d'ici sont une exception. Nous avons une sorte de... camaraderie qui nous unit. Mais la plupart des prisonniers s'entre-tueraient pour une bouchée de pain. J'ai failli le faire moi aussi, une fois, il y a longtemps de cela.

Inga s'assit sur le bord de la couche, et fit signe à son mari de venir s'asseoir auprès d'elle. Comme un enfant docile, Karl obéit.

— Souviens-toi, lorsque ton père a quitté Berlin pour la Pologne, il a embrassé ta mère, et enjoint à ses enfants d'être courageux. Ensuite, il a pris sa femme dans ses bras, et lui a dit de ne pas oublier son latin : *Amor vincit omnia.* L'amour surmonte tout.

— Tout l'amour du monde ne peut pas l'emporter sur des fusils, des matraques et des chaînes. Ni, ce qui est pis que tout, sur leur astuce diabolique.

— Je sais ce que tu as souffert, Karl. Je suis au courant. Mais nous sommes de nouveau réunis l'un et l'autre. Je sens que je peux t'aider.

Il se leva du lit, se tourna contre le mur, et s'y appuya, la tête dans les bras.

— Ah ! Tu n'aurais pas dû venir. Laisse-moi me débrouiller tout seul avec ce qui me reste. Toi et cette crapule de Muller...

— Je te prie de ne plus jamais parler de lui, Karl. Tu sais que ces camps font surgir en l'homme ses plus mauvais instincts. Tu sais qu'on s'y tue pour une bouchée de pain. Toi et moi serons différents.

— Comme si tu étais différente quand...

Il s'apprêtait à reprendre ses accusations sur ses relations avec

Muller, mais il se tut. Assise sur la couche étroite, le dos très droit, les bras croisés, Inga était aussi belle dans sa plénitude sereine que le jour où il l'avait remarquée à l'école pour la première fois, alors qu'elle était une secrétaire efficace, dans l'éclat de sa prime jeunesse. Karl avait dû lutter sans faiblir contre nos parents afin de l'épouser. A cette occasion, il avait su faire preuve de détermination, et avait refusé de se plier à la volonté de maman. (Anna et moi l'avions encouragé, de toutes nos forces.)

A présent, il se rappelait combien il avait dû lutter pour son amour. Et combien Inga avait été bonne pour lui. Ensemble, ils avaient infatigablement parcouru les musées. Jamais ils n'avaient manqué une exposition de peinture. Ils suivaient les conférences quand leurs moyens le leur permettaient. Dès le début de leur vie conjugale, ils avaient envisagé de faire un voyage en Italie. A cette époque, le bien le plus précieux de Karl était un livre sur l'art de la Renaissance, que lui avait offert Inga pour ses vingt-deux ans. Peut-être tous ces souvenirs du passé lui revinrent-ils alors à l'esprit.

La faute (si faute il y avait) qu'elle avait commise avec Muller devait être considérée comme un effort de sa part pour le joindre, et lui apporter le réconfort de ses lettres, en lui faisant savoir qu'elle l'aimait toujours. Mon frère commençait à la comprendre.

— Karl, je sais qu'un jour nous retrouverons la liberté, dit-elle. Tu as souffert infiniment plus que moi. Je veux désormais partager tes souffrances. Je veux avoir faim, et froid, et me trouver en butte au mépris. Nous partagerons le pire, comme nous avons si bien su partager le meilleur. Te souviens-tu des vacances que nous avons passées à Vienne? Quand je ne parvenais plus à t'arracher aux salles pleines de tableaux de Rembrandt?

Il souriait. Ces souvenirs ranimèrent son désir de vivre et ses sentiments envers Inga. Ils avaient partagé beaucoup de choses. Ils avaient tant de fois éprouvé cette communion, cette élévation d'esprit qui vous vient en présence d'une grande œuvre. Karl m'avait raconté qu'une fois, à Amsterdam, il s'était assis avec Inga devant *La Ronde de nuit* de Rembrandt, et qu'ils étaient restés un long moment, la main dans la main, à méditer en silence.

— Tu es mon mari, et je t'aime, dit-elle. Viens t'asseoir auprès de moi. Je ne te quitterai jamais.

Karl tomba à genoux devant elle, et enfouit son visage contre sa poitrine. Dans la pénombre, ils redevinrent mari et femme.

Mais, comme le savait Karl, et comme Frey l'avait redouté, la vie à Theresienstadt était une gigantesque duperie. Inga dut aller vivre dans un baraquement de femmes chrétiennes. Karl resta avec les peintres juifs qui dormaient à quatre sur une même paillasse étroite, à raison de plusieurs centaines de détenus dans un bâtiment conçu pour en contenir quarante.

Un jour, il y eut une grande agitation dans les rues du camp. Frey s'approcha de la vaste fenêtre, et vit un peloton de SS, l'arme au poing, qui fonçaient droit sur l'atelier au pas de charge. La porte s'ouvrit sous une violente poussée, et le peloton se précipita dans la grande pièce. Les prisonniers reçurent l'ordre de se coller contre le mur. Aucun d'eux n'osa prononcer une seule parole.

Maria se rappelle que plusieurs artistes regardèrent alors Felsher, comme pour lui dire : « Tu nous as trahis, les dessins ont été découverts ».

Les tables furent fracassées, les planches murales arrachées, les chevalets culbutés. La réserve fut explorée de fond en comble, les tiroirs dans lesquels Frey conservait les peintures, les pinceaux, et les autres fournitures, furent tirés à coups secs, et leur contenu éparpillé sur le sol.

Un soldat fouilla le bureau de Karl, ouvrit chacun des cartons à dessins, et jeta toutes ses affiches par terre. Le sergent qui commandait le groupe se tenait au milieu de l'atelier, mitrailleuse au poing, et criait : « Trouvez-les ! Trouvez-les, nom de Dieu ! »

Ce que les SS ne pouvaient pas savoir, c'était que les dessins incriminés avaient tous quitté l'atelier la veille. Ils étaient désormais en lieu sûr, et ne risquaient plus d'être découverts. Sans pour autant avoir quitté le camp.

Le journal d'Erik Dorf

Theresienstadt
Avril 1943

Eichmann, à ma surprise, ne se montra pas ému outre mesure par cette affaire des dessins clandestins. Je connais la raison de son attitude désinvolte. Il est dans les bonnes grâces de Kaltenbrunner, à cause de son système de transport des Juifs. Auschwitz les reçoit en grand nombre et marche à merveille. Et si la question de ces dessins de « propagande d'horreur » ne se résout pas au mieux, c'est moi, et moi seul, qui aurai à en subir les conséquences. Eichmann sait parfaitement que c'est à moi qu'incombe la responsabilité de mettre la main sur les artistes coupables, ainsi que sur leurs autres œuvres de la même veine.

Rahm, le commandant de Theresienstadt, me regarda en silence étaler sur sa table les dessins que j'avais apportés de Berlin.

— Avez-vous une petite idée sur le, ou les auteurs, de cela ? lui demanda Eichmann.

— J'ai l'embarras du choix entre une douzaine d'artistes ! Nous gâtons trop ces salauds, nous leur octroyons des privilèges, et voyez comment nous en sommes remerciés ! J'ai bien envie de les faire tous pendre.

— Calmez-vous, Commandant, dit Eichmann, qui se mit alors à étudier les dessins avec un œil de connaisseur.

Eichmann est doué d'un sang-froid impressionnant. Au moment où il contribue à l'exécution de milliers d'individus, il trouve encore le moyen de savoir apprécier un beau paysage, ou une porcelaine rare.

Rahm se demandait, comme moi, pourquoi Berlin faisait une telle histoire autour de cinq malheureux dessins. Eichmann, pour sa part, semblait rester assez indifférent.

— De fait, ce ne sont pas de mauvais dessins, dit-il. C'est le genre George Grosz dans sa période de décadence, mais il y a là un talent certain.

— Berlin exige l'identité de chacun des artistes impliqués, fis-je. Avec toutes les autres œuvres clandestines de même nature qui ont pu être exécutées. Et le nom des conspirateurs qui les ont fait sortir du camp. Nous ne pouvons pas nous permettre de laisser le monde extérieur voir des choses pareilles. Theresienstadt ne saurait être diffamé par des images aussi ignobles que celles-ci !

Rahm secoua sa tête, qui était aussi puissante qu'une tête de taureau :

— Quel chambardement pour quelques misérables dessins !

— Il faut que les Juifs continuent à se tenir tranquilles, sans se douter de rien, expliquai-je. Nous devons appliquer la solution finale d'une façon rapide, bien réglée, et sans histoires. Il y a eu quelques petites rébellions dans les camps de l'Est.

Eichmann donna un coup sec sur le bureau avec le manche de sa cravache.

— Amenez-les ici, ordonna-t-il.

Rahm nous quitta.

Eichmann me fit un clin d'œil et dit :

— On sent que vous êtes un peu sous pression, Commandant !

— Sous pression ?

— Connaissez-vous bien l'Ancien Testament ? « Un nouveau souverain vint alors à régner sur l'Egypte, un souverain qui ne connaissait pas Joseph. » Kaltenbrunner est notre nouveau souverain, n'est-ce pas, Dorf ?

Je compris ce qu'il entendait par là, mais ne répondis rien. Ma carrière a connu une ascension constante tant qu'Heydrich a vécu. Et maintenant...

— Mais vous avez entièrement raison, reprit-il. Il ne doit pas se dresser d'obstacles dans l'application de notre programme de réinstallation. Avez-vous une idée des pressions auxquelles je suis moi-même soumis ? Nous nous apprêtons à liquider le dernier ghetto de Pologne. Varsovie est le seul gros point noir qui reste. Tous les Juifs qui vivent encore à Vienne, à Prague, au Luxembourg, et en Macédoine, sont expédiés directement à Treblinka pour y retrouver leur Dieu juif. Nous sommes en train de donner au Führer son Europe « libérée des Juifs », Dorf !

— Et c'est à vous, Eichmann, que revient une grande part de ce mérite !

Rahm et un caporal SS entrèrent dans le bureau, avec trois prisonniers.

Je fus étonné de voir à quel point ces individus avaient l'air ordinaire. Contrairement aux détenus des autres camps de concentration qui ont des costumes à rayures, ceux-ci portaient des chemises et des pantalons de civils (marqués devant et derrière, bien sûr, de l'étoile jaune), et semblaient plutôt en meilleure santé que le prisonnier habituel d'un camp. Tous trois étaient des artistes-peintres. Des soupçons pesaient sur eux trois.

Eichmann se présenta, et leur dit qui j'étais. Son attitude était courtoise, mais empreinte d'autorité.

— A votre tour, veuillez indiquer vos noms, les villes d'où vous venez, et autres renseignements utiles.

— Otto Felsher, de Karlsruhe, annonça le plus petit et le plus vieux du trio.

— Emile Frey, de Prague.

— Ce salaud-là est leur chef, dit Rahm. Laissez-le-moi une heure, et nous aurons toutes les réponses à vos questions.

— Karl Weiss, de Berlin.

Ce dernier était grand et mince, quoique voûté, avec un visage triste. Un homme sombre, apparemment porté sur la méditation.

— Bien, dit Eichmann. Maintenant, veuillez vous avancer à tour de rôle, et me préciser lequel d'entre vous est le responsable de chacun de ces dessins d'horreur.

Rahm poussa violemment Frey dans le dos

— Vas-y ! ordonna-t-il.

Les trois hommes avancèrent jusqu'au vaste bureau (toute la pièce est richement aménagée, avec de beaux meubles qui proviennent des anciens domiciles des Juifs de Prague les plus fortunés).

J'étalai bien les dessins sur toute la largeur du bureau,

L'Attente de la fin, *La Race des maîtres*, *Les Enfants du ghetto*, et les autres.

— Eh bien? demanda Eichmann.

A ma surprise, Frey, le gros gaillard qui m'avait été présenté comme leur chef, pointa son index sur deux dessins.

— Voici les miens, dit-il.

Felsher en indiqua un :

— C'est le mien.

Et Weiss mit la main sur les deux derniers.

— J'ai fait ceux-là.

— Parfait, fit Eichmann. Nous savons où nous en sommes, à présent. Asseyez-vous, tous les trois.

Les hommes s'assirent. Eichmann leur offrit des cigarettes, et leur sourit. Ils avaient manifestement très peur, car ils savaient ce qui se passait dans la Petite Forteresse du camp, et semblaient plus que désireux de coopérer.

— Venons-en au vif du sujet, reprit Eichmann. Le Commandant Dorf a été envoyé de Berlin afin d'établir combien il reste encore de ces affreux dessins, où ils sont cachés, et quels sont vos contacts avec l'extérieur qui vous ont permis de les écouler. A coup sûr, il y en a d'autres que ces cinq-là, et votre intention doit être d'en inonder le monde pour répandre des mensonges sur notre compte. Frey?

— Il n'y a pas d'autres dessins.

— Weiss?

Cet homme, qui me semblait vaguement familier, baissa la tête.

— Il n'en existe pas d'autres. Ce sont les seuls que nous ayons faits.

Je vis néanmoins qu'il avait très peur. Les réponses pourraient nous venir de lui.

— Felsher? interrogea Eichmann.

— Ils... ils...

— Poursuivez, dis-je. Racontez-nous tout, je vous prie.

— Ils... sont les seuls dans ce style. Le commandant connaît notre travail. Des affiches, des portraits.

Rahm frappa le visage de Frey d'un revers de la main.

— Tu mens, sale youpin. Parle!

— pas... pas... d'autres.

Eichmann fit signe à Rahm de cesser de le frapper, et se mit à marcher de long en large devant les trois hommes, à la manière d'un maître d'école.

Il s'arrêta devant Weiss, et lui demanda :

— Vous, dites-moi quelle est la fonction de l'art?

Eichmann prenait un plaisir évident à jouer son rôle d'homme cultivé, de critique d'art, de collectionneur.

— La fonction de l'art ? reprit Weiss sur un ton interrogateur. Berenson a dit que la fonction de l'art était d'embellir la vie.

Le visage d'Eichmann rayonna de satisfaction.

— Superbe ! Merveilleux ! D'embellir la vie !

Il désigna du geste les dessins.

— Vous trouvez que ce que vous avez fait là embellit la vie ? Ces ordures, ces horreurs ? Comment pouvez-vous déformer la réalité à ce point, et oser qualifier cela d'œuvre d'art ?

— C'est la vérité, dit Weiss.

Il parlait d'une voix douce et persuasive, et cela me rappela soudain le médecin juif de la Groningstrasse que j'avais connu des années auparavant. Mais Weiss est un nom très répandu ; il y en avait des milliers à Berlin.

— Alors, dites-moi pourquoi la Croix-Rouge qui a inspecté ce camp une bonne dizaine de fois n'a jamais trouvé un tel état de choses ?

— Elle a été trompée, dit Weiss.

Ce fut *lui* que Rahm frappa alors en pleine figure. Un mince filet de sang coula de son nez.

Je me levai.

— Weiss, soyez raisonnable. Je suis un Berlinois, comme vous-même. Et nous autres, Berlinois, sommes des gens réalistes. Vous ne serez pas punis. Votre peuple bénéficie des privilèges dans ce camp. Dites-nous simplement quels sont vos contacts avec l'extérieur. Et comment vous vous organisez pour faire sortir ces dessins.

— Nous n'avons pas de contacts avec l'extérieur.

— Alors, dites-nous où sont cachés les autres dessins.

— Il n'y en a pas d'autres.

Rahm était en train de parler tout bas à Eichmann. Il lui disait :

— Laissez-moi une heure avec ces salauds de menteurs, et nous saurons tout. Avec tout le respect qui vous est dû, mon Colonel, permettez-moi de vous dire qu'ils ne sont pas sensibles à vos discours sur l'art.

— Weiss ? Et vous deux ? demandai-je. Vous ne voulez pas changer d'avis ?

Ils ne répondirent pas. Frey, le gros gaillard, lança un regard ferme aux deux autres.

J'essayai une nouvelle tactique.

— Weiss, le commandant m'a appris que vous avez une ravissante épouse aryenne qui est arrivée ici tout récemment.

Il se redressa, et son visage pâlit.

— Je suis certain qu'elle voudrait que vous disiez la vérité, fis-je.

— Mais je dis la vérité.

— Felsher ? interrogeai-je.

C'était lui, assurément, le maillon faible.

— Je... je...

A mon grand étonnement, mon compatriote de Berlin, ce Weiss, lui saisit le bras et lui souffla :

— Il n'y a rien à dire.

— Laissez-le répondre ! cria Rahm.

— Non... rien, dit Felsher.

M'approchant d'Eichmann, je lui glissai à l'oreille que j'aimerais m'entretenir seul à seul avec Weiss. Beaucoup de Juifs, malgré leurs tentatives pour se montrer courageux, se laissent souvent persuader par une *argumentation* habile de se soumettre à notre volonté. Cela fait peut-être partie de leur atavisme, de leur longue expérience des discussions talmudiques.

J'entraînai Weiss dans un coin de la pièce.

— Est-il possible que nous nous soyons déjà rencontrés ? demandai-je.

— J'en doute.

— Ecoutez-moi, Weiss. Oubliez ces Autrichiens et ces Tchèques. Nous sommes entre Berlinois.

— Ce sont des Berlinois qui me retiennent prisonnier depuis quatre ans. Ce sont des Berlinois qui ont envoyé mes parents à Varsovie.

— Eh bien, il y aurait peut-être moyen de remédier à cela. Dites-moi où sont les dessins. J'essaierai de faire quelque chose pour vous.

— Serai-je remis en liberté ?

— Je pourrais y songer. Sinon, vous serez laissé entre les mains de Rahm. Et votre épouse n'aura plus envie de vous regarder quand ses hommes en auront fini avec vous.

Pendant un moment, la vieille peur du ghetto assombrit son visage : la peur de la douleur, des souffrances, de l'humiliation. Cette peur que nous avons su exploiter, dont nous avons fait une arme politique à l'échelle de la nation. (Heydrich, mon mentor, comprenait cela à merveille. L'Etat moderne absolu, l'utilisation de la technologie, le refus de se détourner de l'emploi de n'importe quelle méthode afin de conserver la maîtrise totale, de plier toutes les volontés, d'imposer nos solutions.)

Mais tout de suite après, il parut reprendre courage, et il dit, avec le même entêtement qu'auparavant :

— Il n'y a pas d'autres dessins.

Je secouai la tête et revins auprès d'Eichmann qui était maintenant assis au bureau.

— Aucun résultat, fis-je.

Eichmann donna à Rahm l'ordre de les emmener. On les fit sortir.

Felsher, le vieux, pleurait silencieusement.

— Vous avez l'air aussi pâle qu'eux trois, me dit Eichmann.

— Vraiment?

— Ne vous en faites pas trop. Les gardiens de Rahm nous fourniront les informations qu'il nous faut. Et vous pourrez retourner à Berlin en héros. Avec toute une collection d'œuvres d'art du ghetto sous le bras!

Le récit de Rudi Weiss

En août 1943, Karl et deux autres artistes furent soumis à un interrogatoire par Eichmann et d'autres grands pontes SS. Aucun d'entre eux n'accepta de parler. Mon frère qui, étant enfant, fuyait les combats de rue, et jusqu'aux gamins qui lui lançaient des injures, défiait ces meurtriers sadiques.

Inga revit Karl et les deux autres, Emile Frey et Otto Felsher, qu'on fit sortir du bureau du commandant du camp pour les embarquer brutalement dans un fourgon qui se dirigea sur la Petite Forteresse, où ils connaîtraient l'isolement et le châtiment.

Elle et Maria, suivies de quelques autres femmes, se précipitèrent à l'arrière du fourgon et tentèrent d'en sortir les prisonniers. Elles furent battues par des kapos. Un caporal SS tira des coups de revolver au-dessus de leurs têtes.

Inga criait que son mari n'avait rien fait, qu'on devait le relâcher, mais le fourgon démarra. Karl lui sourit, tâchant de lui faire comprendre que les choses allaient bien. Mais tous s'attendaient au pire. Peu de gens ressortaient vivants de la Petite Forteresse. Un ecclésiastique hussite, un Tchèque soupçonné d'avoir pris des contacts avec la résistance avaient été torturés à mort quelques semaines plus tôt.

Les trois hommes furent enfermés dans des cellules séparées mais voisines, derrière des portes métalliques avec des fentes pour passer la nourriture, et d'épais murs de pierre percés de minuscules fenêtres, très haut, près du plafond.

Ils constatèrent qu'ils pouvaient s'entendre d'une cellule à l'autre.

— Que vont-ils nous faire ? cria Felsher.

— Nous battre, j'imagine, dit Frey. Felsher souviens-toi de notre accord.

— Tout ça, c'est ma faute... je n'avais pas le droit de vendre les dessins.

— Tu peux te racheter maintenant, dit Karl. Il suffit que tu te taises.

— Mais je ne supporte pas la douleur, Weiss !

— Moi non plus ! répondit Karl. Mais nous apprendrons à le faire.

— J'ai plus de soixante ans, pleura Felsher. Et je souffre des reins. Je ne suis pas un héros.

Par la suite, Inga me raconta que Karl eut la surprise de constater qu'à soutenir Felsher, son propre courage s'affermissait. Sans la nécessité de rassurer Felsher et de lui remonter le moral, il aurait pu craquer.

— Ils ne nous tueront pas, dit Frey.

— Certainement. Et il paraît qu'après un certain temps, on ne sent plus la douleur, ajouta Karl.

Felsher n'arrêtait pas de sangloter.

Karl tapa sur la porte de métal afin d'attirer l'attention du vieil homme.

— Ecoute, Felsher, as-tu déjà été en Italie ?

— Non.

— Et toi, Frey ?

— Non, Weiss, mais j'en rêve depuis des années.

— Eh bien, prenons un engagement tous les trois. Lorsque ceci sera fini, nous ferons ensemble un voyage là-bas. Venise, Florence, Rome, Sienne. J'ai toujours eu envie de voir le *David* de Michel-Ange ; pas une reproduction, le vrai, la grande statue de marbre blanc.

Frey entra dans le jeu.

— Je suis d'accord, Weiss. Nous irons tous les trois, avec nos femmes. L'Italie ! Un voyage d'une richesse artistique extraordinaire !

Il ne faudra pas oublier Arezzo. Je suis un admirateur de Piero Della Francesca. Weiss, c'est une des plus grandes figures du Quattrocento.

Mon frère se mit à rire. Felsher avait cessé de pleurer.

— Moi, j'ai une prédilection pour le Pinturicchio, dit Karl.

— Bah! dit Frey. Un illustrateur! Loin d'avoir la classe de Piero!

Felsher fut battu le premier.

Les gardiens l'obligèrent à se lever, et le poussèrent, le visage tourné vers le mur. Avec une lenteur méthodique, ils le frappèrent à coups de matraque de caoutchouc dur, depuis l'arrière du crâne jusqu'aux pieds.

Il poussait des cris, évidemment. Mon frère et Frey n'arrêtaient pas de lui prodiguer des encouragements à ne pas céder.

— Qu'ils aillent au diable! lui lança Karl. Nous avons cédé trop longtemps. Felsher, dis-leur d'aller au diable!

A la longue, les cris de Felsher faiblirent, puis se turent. Il devait avoir perdu connaissance.

Ce fut ensuite le tour de Karl.

Les deux gardiens SS entrèrent dans sa cellule.

— Alors, youpin? Tu veux retourner dans le bureau du Commandant pour lui parler? Tu es au courant de ce que nous avons fait au vieux!

— Cela vaudrait mieux pour toi que de te faire battre, dit l'autre.

— Je n'ai rien à dire.

Le même châtiment fut infligé à Karl. Ils lui arrachèrent sa chemise, le tournèrent contre le mur, menton et poitrine bien appuyés contre la paroi de pierre, et les bras le long du corps, comme pour une radio de la cage thoracique.

Ils le frappèrent pendant quinze minutes, à petits coups assenés avec force, contre son crâne, son dos, ses reins, ses cuisses, son sexe, ses jambes, et ses pieds. Il cria aussi. Frey lui ordonna de ne pas parler, de ne pas céder. Et Karl ne parla pas. Il ne dit rien sur les dessins et les tableaux qualifiés de « propagande d'horreur » par les nazis, et qui étaient cachés dans le camp, au nombre de plusieurs centaines. Les artistes étaient résolus à ce qu'on ne les trouvât pas.

Frey criait, essayant de se faire entendre de Karl, à travers les hurlements que poussait mon frère.

— Venise! cria-t-il. Ecoute-moi, Weiss. Pérouse! Florence! Nous passerons une journée entière dans la Galerie des Offices. Un jour au Bargello.

Finalement, Karl glissa à terre, inanimé. Son dos n'était plus qu'une masse de contusions sanguinolentes.

— Tu parles? demanda un gardien.

— Non.

— Tu vas le faire. Remettons-le sur ses jambes.

Ils recommencèrent à le battre, et Karl s'effondra de nouveau.

Ils infligèrent ensuite le même traitement à Emile Frey. Et lui aussi refusa de divulguer la moindre information sur les dessins.

Lorsque les gardiens retournèrent dans la cellule de Felsher, en supposant qu'une seconde volée de coups lui délierait la langue, ils constatèrent que le vieil homme était mort.

Il semble qu'il y ait alors eu une pause, pendant que les SS se rendaient au bureau de Rahm pour l'informer de la mort de Felsher.

Inga et les autres femmes qui attendaient dehors devant le bureau du commandant, repoussées par les kapos, crièrent aux SS de ne plus frapper les hommes. Elles n'apprirent pas immédiatement que Felsher venait d'être battu à mort.

Un des gardiens sourit à Inga :

— Ils vont parler maintenant. C'est ça ou Auschwitz !

Dans la Petite Forteresse, Karl et Frey, ruisselants de sang, souffrant au point d'être dans l'incapacité totale de bouger, entendirent les gardiens qui revenaient.

— Ils ne vont pas nous tuer, s'efforça d'articuler Frey d'une voix audible pour Karl. La pensée de ces dessins les rend fous. Il faut qu'ils les aient, Weiss. Les salauds ont une peur terrible d'être découverts. Dans leurs âmes viles, ils savent qu'ils font le mal, et qu'ils en seront un jour punis. Ils sont donc obligés de nous laisser en vie.

— Je n'en peux plus, murmura Karl.

— Je ne suis pas sûr de pouvoir tenir non plus. Faisons un concours, Weiss. A celui qui tiendra le plus longtemps... avec une promenade en gondole à Venise comme prime.

Ils furent battus de nouveau. Toutes les heures, les gardiens revenaient les frapper. A la fin de la journée, Karl et Frey n'étaient plus que deux tas de chair inanimée, terriblement déformée. Leurs visages étaient tordus comme des gargouilles, leurs corps souffraient de partout. Mais ils n'avaient pas parlé.

Pendant que se déroulaient ces événements, Inga et Maria Kalova avaient enterré les derniers tableaux clandestins de la vie dans le camp. Ils étaient soigneusement roulés dans un papier imperméable, et enfermés dans des récipients conteneurs de métal étanche. Puis ils avaient été enfouis dans une dizaine de lieux différents : dans le jardin potager, dans des massifs de fleurs, dans une carrière de sable abandonnée, etc. Inga était certaine qu'on ne les trouverait pas avant la fin de la guerre.

Comme les femmes achevaient de recouvrir de terre le dernier dessin, *Les Artistes de Terezin,* Inga se mit à pleurer.

— Oh, Maria ! dit-elle. A quoi bon ? Faut-il qu'ils souffrent autant pour ces œuvres ? Pourquoi ne les donnons-nous pas tout simplement aux SS ?

— Karl croit à la valeur de ces témoignages, Inga. Ce sont des œuvres qui devront être montrées au monde.

— C'est aussi ce que je crois. Mais je t'assure que j'ai grande envie de me précipiter dans le bureau du commandant pour lui dire : « Tenez, prenez-les, et rendez-moi mon mari ! »

— Lui et Frey préfèrent que nous les ayons enterrées, j'en suis sûre.

— Je l'espère ! Oh, comme je l'espère !

Pendant quatre jours, Frey et mon frère furent roués de coups.

Le dernier jour, Karl entrouvrit ses lèvres tuméfiées, et appela Frey d'une voix rauque.

— Ils m'ont brisé les os des mains... de tous les doigts.

— A moi aussi, dit Frey.

— Nous ne pourrons plus dessiner ni peindre.

— Ils nous laisseront bientôt tranquilles. Ils ont compris que nous ne parlerons pas. Ils en auront assez de ces maudits dessins, et s'intéresseront à autre chose.

— Ou bien ils nous tueront ! Parfois, je souhaite qu'ils le fassent.

— Non, Weiss, non ! Il faut tenir bon.

— Frey, tu m'entends ? J'étais un lâche quand j'étais enfant. Toute ma vie, j'ai été un lâche. J'ai pleuré le premier jour où ma mère m'a emmené à l'école. Peut-être suis-je en train de me racheter ?

— C'est certain, Weiss. C'est certain.

Ils revinrent sur le sujet de l'Italie, discutèrent d'itinéraires à suivre, et décidèrent que Ravenne serait une étape à ne pas manquer.

Frey avait vu juste. On finit par ne plus les battre. Mais ils restèrent dans l'isolement le plus complet, et ne furent jamais autorisés à retourner dans l'atelier de peinture du camp.

Le journal d'Erik Dorf

Theresienstadt
Avril 1943

Cette ridicule affaire avec une poignée d'artistes juifs est terminée, Dieu merci. Aucun d'eux n'a parlé. Peut-être n'avaient-ils rien à avouer. Peut-être n'y a-t-il pas d'autres dessins de ce genre, et peut-être n'ont-ils pas de contacts avec l'extérieur.

Mais quoi qu'il en soit, j'ai échoué.

Eichmann n'arrête pas de me taquiner en me rappelant que je vais devoir affronter « le gros ours » — Kaltenbrunner — lorsque je rentrerai à Berlin. C'est une perspective qui ne m'enchante pas, et il le sait fort bien. Ne nous sommes-nous pas laissé avoir par tous ces misérables barbouilleurs juifs ?

Mais Kaltenbrunner aura certainement d'autres sujets en tête, ce qui pourrait sauver ma situation. Les nouveaux camps se construisent plus vite que prévu. On m'a dit que Hoess a perfectionné un système qui peut traiter 2 500 personnes à la fois ; la crémation des corps et l'enfouissement des cendres dans des champs s'effectuant tout de suite après.

Notre dernière offensive en Russie a échoué. Les Alliés occupent toute l'Afrique du Nord. Ils ont débarqué en Sicile, et répandent le bruit qu'ils vont envahir l'Europe.

Pour notre part, nous obéissons aux ordres, faisons notre devoir envers le Führer et la patrie, et procédons à l'application de la solution finale.

Est-ce que j'y crois vraiment, oui ou non ? Il le faut bien. Je ne peux plus m'arrêter à présent. Impossible désormais de me laisser aller à des arrière-pensées ni au repentir ; ni d'émettre le moindre doute sur notre mission.

Mais ce voyage de retour à Berlin est loin de me satisfaire. Même mes relations avec Marta souffrent actuellement de la tension à laquelle je suis soumis dans mon travail.

Et pourtant, je suis toujours heureux de voir mes enfants. Ce sont de bonnes natures, droites, et toujours gaies. Je voudrais pouvoir leur dire que nous sommes en train de gagner la guerre.

QUATRIÈME PARTIE

LES RESCAPÉS

Le récit de Rudi Weiss

Je dois maintenant revenir en arrière dans le cours de mon récit, afin de retracer quel fut le sort de mes parents à Varsovie, et de relater leur action au cours de la déportation massive des Juifs de cette ville (comme de tous les ghettos polonais) dans les camps d'extermination.

Pendant l'été 1942, les premiers ordres furent donnés par le commandant SS Hoefle au Judenrat. Six mille Juifs par jour devaient se présenter au départ pour être transférés dans l'Est.

Mon père, oncle Moïse, et le Dr Kohn faisaient partie des notables auxquels il incombait de fournir ces hommes.

— Mais, qu'allons-nous dire à ces gens-là ? demanda mon père.

— La vérité, dit Hoefle. Nous les dirigeons sur un camp de familles en Russie. Un camp de travail. De l'air pur. Une meilleure nourriture. Les parents et les enfants vivront ensemble. Cela vaudra mieux pour eux que de rester dans ce trou infect que vous avez laissé Varsovie devenir.

Mon oncle Moïse prit la parole :

— Les gens peuvent résister.

Hoefle eut une grimace méprisante.

— Votre peuple n'a encore jamais résisté. Vous ne savez pas ce que c'est de se battre. Et vous comprendrez que depuis l'assassinat d'Heydrich, nous ne pouvons plus nous montrer aussi généreux et bienveillants que par le passé.

Mon père procéda à un petit calcul mental, et dit :

— Mais, à raison de six mille personnes chaque jour, le ghetto finira par être entièrement vidé de sa population.

— C'est une idée absurde, dit Hoefle. Nous ne voulons que

vous débarrasser de l'excédent de population, et vous faciliter la vie à tous.

— Comment se fera la sélection ? demanda le Dr Kohn.

— C'est votre affaire, et non la mienne. Mais je veux six mille personnes par jour. Vous nous fournirez une liste complète de ces gens, avec leur nom et leur prénom. Et s'ils ne se présentent pas au départ, nous procéderons à des rafles dans les rues, au hasard.

Il esquissa un sourire et conclut :

— A moins que nous ne commencions par pendre quelques-uns d'entre vous.

Ce fut ainsi que des trains remplis de Juifs se mirent à quitter Varsovie. Et le ghetto commença à se vider à une vitesse surprenante. En l'espace d'un mois, 180 000 personnes furent envoyées dans « l'Est ». Mais la vie n'en devint pas plus facile pour autant. Les Allemands avaient mis un terme à tout commerce avec l'extérieur ; la nourriture était plus rare, et les morts causées par la maladie et la malnutrition se firent plus nombreuses.

Une nuit de septembre, oncle Moïse attendait, à la gare du ghetto, caché dans une cabane à outils.

Un train en provenance de « l'Est » revint dans un bruit de ferraille et s'arrêta. Zalman, le dirigeant syndicaliste, quitta sa cachette sous un wagon de marchandises, se glissa le long de la voie, et rejoignit Moïse.

— Alors ? interrogea mon oncle.

Zalman prit le temps de retrouver son souffle. Il dit ensuite :

— Les trains ne vont pas en Russie.

— Où vont-ils donc ?

— Dans un endroit appelé Treblinka. C'est à trois heures d'ici. J'ai vérifié les numéros sur les wagons. Les trains qui sont partis hier sont de retour aujourd'hui.

— Treblinka ? Un camp de travail ?

Zalman fit non de la tête.

— C'est une usine de mort. Ce sont les chrétiens de Pologne qui sont envoyés dans un camp de travail. Mais les Juifs sont dirigés sur un grand bâtiment. Les SS leur disent que c'est pour l'épouillage.

— Dieu du ciel ! C'est bien ce que nous soupçonnions !

— Il y a partout de fausses plaques indicatrices, comme s'ils allaient enregistrer les Juifs pour leur assigner un poste après l'épouillage : des tanneries, des chapelleries, des serrureries. Ils leur disent « quand vous aurez pris votre douche, nous vous indiquerons votre travail ». Mais on ne voit jamais ressortir ces gens. Ils entrent et ils sont gazés.

— Tu... tu as vu cela toi-même ?

Zalman hocha la tête.

— C'est un kapo qui me l'a dit. Il ne savait pas qui j'étais. Il fait partie de ceux qui les obligent à se dévêtir, à attendre, puis à entrer dans les chambres à gaz. Toutes les femmes, tous les enfants, et tous les vieillards. Le ghetto de Varsovie sera liquidé, dans sa totalité.

Moïse lui prit le bras.

— Toi, Anelevitz, Eva, vous avez toujours vu juste. Vous aviez compris.

Zalman remit sa casquette sur sa tête.

— Allons, dit-il. Nous devons avertir la résistance.

Quelque temps plus tard, au quartier général d'Anelevitz, dans la rue Lesano, une réunion se tint pour discuter du rapport de Zalman. Ils étaient peu nombreux, les membres de l'Organisation Juive de Combat — dont faisaient partie Kovel, Zalman, Eva, Lowy, et tous les jeunes — qui n'avaient jamais cru aux mensonges des nazis. Mais les habitants du ghetto, dans leur majorité, avec leur capacité infinie à se bercer d'illusions, à toujours espérer que « les choses s'arrangeraient », mettaient encore toute leur confiance dans les « camps de travail » et la « ré-installation ».

Les résistants écoutèrent avec espoir l'émission de la B.B.C. sur les petites ondes, en espérant qu'on ferait allusion à leur sort, qu'on le rendrait public.

La voix parla du terrain gagné en Afrique du Nord, sur le front de Libye, et des 140 sorties des avions alliés de l'autre côté de la Manche.

« Nous avons appris par la résistance polonaise que les nazis commettent des atrocités contre des civils polonais, et arrêtent les prêtres, les enseignants, et toutes les personnes susceptibles de prendre une position de chef. Il arrive chaque jour qu'on fusille des civils polonais pour des infractions mineures. »

La voix de la T.S.F. se tut.

C'était vrai, évidemment, ce qu'elle disait. Mais pas un mot n'avait été prononcé sur le sort des Juifs en Pologne.

— Ils savent depuis des semaines ce qui se passe à Treblinka, dit oncle Moïse, et ils n'en disent rien. Les nazis ont commencé en juillet à liquider le ghetto de Varsovie, et pas un mot là-dessus. Il y a quelque chose qui ne marche pas à la B.B.C., mais quoi ?

— Maintenant, tu comprends la raison pour laquelle nous sommes des sionistes, dit Anelevitz. Nous nous battons pour nous, parce que personne ne le fera à notre place.

— Peut-être ne peuvent-ils pas croire les rapports, fit mon père.

Eva ajouta :

— A moins qu'ils ne se refusent à y croire.

— Nous avons réussi à informer le monde libre de notre sort par l'intermédiaire des Suédois, dit Zalman. « Les Juifs de Pologne sont exterminés de façon systématique. Diffusez la nouvelle », leur avons-nous demandé. Vous savez ce qu'ils nous ont répondu ? « Toutes ces informations communiquées par radio ne se prêtent pas à la diffusion ! » Que diable cela signifie-t-il donc ?

Anelevitz ferma le poste de T.S.F.

— Cela signifie qu'ils ont choisi de ne pas nous croire. Ou bien ils supposent que nous mentons. Le crime est tellement énorme qu'ils n'arrivent pas à le croire. Et les Allemands comptent précisément là-dessus.

Kovel hocha la tête.

— Il n'y a qu'une façon de répondre. Nous armer davantage. Le ghetto se réduit de jour en jour. Si seulement nous étions une centaine à nous battre, notre résistance prendrait un sens.

Il fut décidé que mon oncle Moïse et le jeune Aaron feraient un second voyage, et au besoin plusieurs, de l'autre côté du mur, pour essayer d'obtenir de l'aide de la part de la résistance polonaise.

Mon père — que ma mère avait accompagné à cette réunion, Eva en a gardé le souvenir — eut alors l'idée de monter un petit dispensaire sur les lieux mêmes de l'embarquement, autrement dit sur « l'Umschlagplatz ». Il s'efforcerait de détourner des trains les jeunes gens robustes qui pourraient être utiles dans la résistance, et qui rejoindraient ses rangs.

— Cela serait déjà quelque chose, dit Zalman d'un air sombre. Mais la seule réponse valable consiste à nous armer.

Quelqu'un vint les prévenir. Les nazis faisaient une rafle. Plusieurs combattants de la résistance montèrent dans une pièce du haut, et, à travers les fentes des volets d'une fenêtre condamnée, purent voir des gardes SS emmener les gens destinés à finir à Treblinka. A un endroit, deux jeunes gens s'éloignèrent de la colonne en courant. Le premier lutta réellement contre un SS avant d'être tué, l'autre fut traîné au-dehors de l'immeuble où il cherchait refuge, et abattu à son tour.

— Au moins ne sont-ils pas tous si disposés que cela à partir ! dit Anelevitz.

— Mais pourquoi ne se défendent-ils pas tous ? demanda Zalman. Nous sommes des centaines de milliers, et il n'y a qu'une poignée de SS. De toute façon, nous sommes condamnés à mourir.

Ma mère porta une main devant sa bouche.

— Oh, Joseph ! Le garçon avec le cartable. C'est un de mes élèves. Il a treize ans !

— Tu n'es pas obligée de regarder, Berta, lui fit remarquer mon père.

— Pourquoi pas ? dit Kovel, sans aucune cruauté de sa part.

Ainsi, jour après jour, six mille Juifs furent-ils emmenés du ghetto de Varsovie vers leur destin fatal dans un camp d'extermination. Ils ne résistaient que de loin en loin, de façon sporadique. C'était là des actes de rébellion sauvage, sans aucune chance de succès. La grande majorité des gens partaient tranquillement, avec l'idée qu'ils trouveraient mieux ailleurs. De meilleures conditions d'existence.

La tentative que fit mon père de monter un dispensaire sur les lieux mêmes de l'embarquement, afin de sauver une poignée de Juifs des chambres à gaz, peut être rétrospectivement considérée comme téméraire... et dérisoire dans la perspective du crime perpétré à si grande échelle.

Ma femme Tamar, qui est une réaliste, une vraie sabra, ne voit pas beaucoup d'intérêt à ce que je relate cet épisode. « Ce n'est pas important ! m'a-t-elle dit. Le monde a eu suffisamment d'exemples de tentatives symboliques de la part des Juifs. Ce qui compte, c'est l'action de masse. La puissance. La force. Une politique ferme. » Quoi qu'on puisse en dire, à l'époque de ces déportations vers Treblinka, un matin d'été, une boutique fermée, à deux pas de la gare, fut rouverte. Ses vitres étaient ornées de rideaux blancs tout propres, et sa porte était surmontée d'un panneau sur lequel on pouvait lire « Hôpital du ghetto, annexe de la gare ».

Max Lowy et son épouse furent parmi les premières personnes que mon père parvint à sauver.

Lowy avait une grande importance pour la résistance. En tant qu'imprimeur habile, il était essentiel pour la presse clandestine. Lorsque mon père le vit assis, l'air désolé, sur son bagage, avec une foule d'autres Juifs qui attendaient le train vers « l'Est », il entra en action.

Dans sa veste blanche, avec un stéthoscope autour du cou, et un carnet à la main, mon père s'approcha des Lowy.

— Hé bien, Doc, qu'est-ce que vous faites ? demanda l'imprimeur.

— Montrez-moi votre langue, dit papa. Votre pouls maintenant... Vous êtes trop mal pour voyager. Votre femme également. Allez dans mon dispensaire.

— Comment ça ? Les SS vont le voir.

— Ne vous en faites pas. Vous savez ce qui vous attend si vous montez dans ce train. Allez, venez.

— Mais...

— Prenez l'air malade. Tenez-vous la tête. Vous avez le typhus.

Lowy sauta sur la chance qui lui était offerte :

— Pas besoin de me le répéter deux fois ! Viens, Chana.

De cette façon, mon père sauva trois membres d'une même famille, deux jeunes gens robustes — des soldats possibles pour l'Organisation juive de Combat — et quelques autres personnes.

Tandis qu'il faisait entrer ses derniers rescapés dans le dispensaire, un kapo nommé Honigstein le suivit à l'intérieur. Là, ma mère en costume d'infirmière installait les gens sur les lits, et leur mettait un thermomètre dans la bouche. Oncle Moïse se tenait auprès d'une petite armoire à pharmacie.

Le kapo avança de quelques pas derrière mon père.

— Qu'est-ce que vous foutez-là ? demanda-t-il.

Mon père fit semblant de ne pas l'entendre.

— De l'aspirine pour ces deux-là, dit-il. L'homme dans le coin doit avoir le choléra. Il faudra le mettre en quarantaine.

— Qu'est-ce que vous foutez là ? demanda-t-il.

Mon père répondit sans même lui accorder un regard :

— Le dispensaire de la gare. Pour être sûr que les transports ne seront pas contaminés.

— S'il manque des gens, vous aurez des ennuis, Docteur Weiss, et moi aussi.

— Nous avons reçu toutes les autorisations nécessaires. Sortez d'ici. Nous avons l'ordre de ne pas laisser monter dans les trains les personnes susceptibles de propager des maladies contagieuses.

Le kapo s'en alla, mais ma mère qui se tenait à côté de la fenêtre, le vit tout de suite après s'adresser à un SS.

— Oh, mon Dieu !... Il lui raconte tout ! s'exclama-t-elle.

— Lowy, dit mon père. Vous et votre femme, sortez tout de suite par la porte de derrière.

Moïse tendit des comprimés d'aspirine et un verre d'eau à la famille de trois personnes. Les deux jeunes gens robustes restèrent sur leurs lits, et s'efforcèrent de paraître souffrants.

Le kapo Honigstein revint avec le SS.

— Il dit que c'est un dispensaire spécial, fit-il.

Le SS, un lourdaud à l'œil stupide, sembla perplexe. Il regarda les gens allongés sur les lits, ma mère dans son uniforme blanc, et Moïse qui circulait d'un air compétent avec ses médicaments.

— Cette femme a le typhus, et il est fort possible que ses enfants l'aient également, dit papa. J'ai reçu des ordres pour interdire l'accès des trains aux personnes contagieuses.

Il s'expliquait d'une manière qui paraissait logique. Le SS se gratta le front, et eut l'air de réfléchir. Tout le monde savait que si la ruse était éventée, mes parents et Moïse feraient partie du prochain convoi de victimes pour Treblinka.

— Infirmière, dit mon père. Couvrez bien cette femme. Et il faudra que les jeunes aillent à l'hôpital.

Il se tourna vers Moïse.

— Pouvez-vous me trouver du savon désinfectant ?

— Je vais essayer.

Cette mise en scène sembla réussir. Au-dehors, le haut-parleur donna l'ordre aux Juifs de monter dans les wagons. Il conseillait aux gens de rester groupés, de façon à se retrouver ensemble dans les « camps de familles ».

Le SS et le kapo, qui voulaient activer l'embarquement des Juifs dans les trains, sortirent alors du dispensaire. Tout le monde poussa un soupir de soulagement.

Mes parents et oncle Moïse contemplèrent le spectacle des Juifs de Varsovie montant dans les trains qui les acheminaient vers leur mort.

— Dire qu'ils s'en vont comme cela ! dit papa. Six mille aujourd'hui, six mille demain.

— Joseph, fit Moïse, cela a-t-il un sens d'en sauver cinq ou six ?

— Il faut bien que je le croie, répondit mon père.

Le journal d'Erik Dorf

Auschwitz
Mai 1943

En un sens, je me trouve puni.

Mon échec à recueillir les aveux des artistes-peintres de Theresienstadt n'a pas amélioré ma réputation aux yeux de Kaltenbrunner. Il se montra furieux de voir que ces conspirateurs juifs ont pu nous défier. Mais il a de plus gros problèmes en ce moment : l'extermination des Juifs est une affaire pressante, maintenant que les Russes sont passés à l'offensive.

Brouillon et paranoïaque comme il l'est, Kaltenbrunner n'était absolument pas fait pour succéder à Heydrich, et pourtant il assume désormais toutes ses fonctions — les Services de Sécurité, la Gestapo, et le R.S.H.A., qui s'occupe essentiellement des questions juives.

Cet homme sent que je le redoute. Il m'a affecté aux centres d'extermination, en tant qu'observateur itinérant, afin que je lui envoie des rapports sur ce qui se passe à Maidanek, à Sobibor, à Belzec, et surtout à Auschwitz. Ce camp est en train de concentrer tous nos efforts.

Hoess, qui en est le commandant, s'est révélé être un hôte plein de prévenances pour moi, ainsi que pour un certain professeur Pfannenstiel, un expert en hygiène de l'université de Marburg. Il nous expliqua que chacun des divers camps d'Auschwitz est entouré de barbelés, et qu'en outre, à *l'intérieur* de chaque camp, chacun des divers blocks qui le composent, et qui renferme à peu près quatre mille détenus, possède sa propre enceinte de barbelés. L'ensemble du camp est entouré d'un double mur de béton surmonté de barbelés, et l'espace entre les deux murs est sans cesse parcouru par des patrouilles de gardes armés et accompagnés de chiens policiers.

— Himmler redoute une attaque aérienne des Alliés, nous confia Hoess. Il a peur que certains de nos prisonniers ne parviennent à s'échapper.

Je l'interrogeai sur certains rapports d'actes de sadisme délibérément commis par des gardiens. (C'est triste à dire, mais nos rangs inférieurs n'attirent pas toujours la fine fleur des soldats allemands). Hoess reconnut que le fameux sergent Moll, dont la fonction est d'introduire les cristaux de Cyclon B dans les chambres à gaz, a procédé un jour à un exercice de tir sur un groupe de femmes qui lui servirent de cibles vivantes. Les femmes étaient nues, et très belles, spécifiait le rapport qui m'avait été transmis, et toutes ne moururent pas immédiatement de leurs blessures. Moll fut réprimandé.

Une gardienne du nom d'Irma Grese, une créature manifestement dénaturée, a, dit-on, fendu les seins de plusieurs femmes juives avec son fouet. Ces femmes furent ensuite opérées sans anesthésie par un médecin, tandis que mademoiselle Grese les observait. Hoess m'a promis de faire sa propre enquête là-dessus, mais de telles activités, a-t-il expliqué, sont qualifiées de « divertissement » dans le camp.

Lorsque j'ai abordé le sujet des expériences médicales qui se poursuivent à Auschwitz, Hoess a haussé les épaules. Ce n'est pas de son ressort. Il a reçu des ordres d'en haut, prétend-il, pour laisser les recherches s'effectuer en toute tranquillité. Mon vieil ami (et dénonciateur) Arthur Nebe, a livré au camp des Tziganes qui ont servi à des expérimentations sur l'eau de mer au cours desquelles ils ont été forcés de boire de l'eau salée, et ils ont fini par mourir dans des souffrances atroces.

Je suis au courant du processus de sélection, et n'ai pas tenu à le voir dans la pratique. Les Juifs arrivent de toute l'Europe dans des wagons bondés et répugnants. Le triage s'effectue sur le quai de débarquement. Ceux qui sont aptes au travail sont envoyés dans les baraquements ; les vieux, les infirmes, les enfants, les mères avec des bébés, et tous les fauteurs de troubles en puissance, sont immédiatement acheminés sur une des quatre installations de Hoess.

Par cette belle matinée de mai, je me retrouvai avec Pfannenstiel sur le toit d'une des chambres à gaz. D'un côté, dans un joli cadre de verdure, un orchestre de prisonnières vêtues d'uniformes bleus jouait des airs de *La Chauve-Souris*.

Une pelouse et des haies ont été plantées sur le toit du bâtiment, et sont parfaitement entretenues. A quelque distance de là, s'élèvent les fameuses plantations d'arbres dont on m'a parlé, où l'on fait attendre les Juifs avant qu'ils ne passent à leur tour dans les chambres à gaz.

Hoess et Pfannenstiel se lancèrent dans une discussion technique sur les problèmes d'évacuation des cendres. Ils ont parlé des grands fours crématoires nouveaux, dans lesquels les corps sont immédiatement brûlés, et qui diffèrent du système pratiqué dans les anciennes installations où les corps doivent être sortis par les hommes des Sonderkommandos — équipes spéciales composées de prisonniers juifs qui finissent par être gazés à leur tour — pour être ensuite brûlés en plein air.

— La graisse humaine est un combustible remarquable, déclara Hoess. Nous nous en servons pour le nettoyage de nos chaudières, et pour l'allumage des nouveaux feux. Naturellement, dans les fours crématoires, tout se consumme instantanément.

Derrière nous, les cheminées dégageaient de la fumée, et je dus me couvrir le visage avec mon mouchoir. L'odeur était très forte. La population polonaise qui habite à des kilomètres à la ronde peut la sentir. Apparemment, notre technologie, pour perfectionnée qu'elle soit, n'a pas encore trouvé le moyen d'empêcher le dégagement de cette puanteur de la chair qui brûle.

Je vis alors approcher la première colonne de Juifs. On les faisait courir de la zone des baraquements jusqu'au petit bois. Les femmes s'efforçaient de cacher leur poitrine et leur sexe. J'en aperçus une qui n'avait pas ôté sa culotte, et qui suppliait un gardien de l'autoriser à la conserver sur elle. Furieux, il la frappa au visage, puis la lui déchira et lui arracha des cuisses les lambeaux d'étoffe.

Des voix s'élevèrent du groupe et montèrent jusqu'à moi.

— Restez bien calmes, et ne vous faites pas de mauvais sang, disait un gardien en polonais. C'est une simple opération d'épouillage. Une fois que vous aurez pris votre douche, et que vous serez propres, on vous donnera un travail.

Je contemplai un moment une femme qui tenait un enfant dans les bras. Deux vieillards qui en soutenaient un troisième. Une très belle jeune fille aux yeux expressifs. Soudain, elle se mit à crier à l'adresse d'un gardien : « J'ai vingt-deux ans ! J'ai vingt-deux ans ! » Il la fit taire d'un coup de matraque en caoutchouc. Je m'étonnai qu'une femme si pleine de charme n'ait pas été épargnée afin de servir dans un bordel du camp. L'on sait, ce n'est un secret pour personne, que des établissements de cette nature existent ici — l'on en compte plusieurs — et qu'ils sont destinés à la fois aux officiers et aux simples soldats. Mais les femmes sont surtout des Polonaises et des Russes. Himmler est extrêmement strict en matière de « pollution de la race aryenne ». Ce doit être la raison pour laquelle même une Vénus juive ne peut échapper au four crématoire.

Pfannenstiel s'éloigna de nous pour aller étudier la lourde porte de métal, et regarder par le judas vitré — la chambre ne fonctionnait pas encore — et Hoess me prit à l'écart.

— Kaltenbrunner s'est débarrassé de vous.

— Ce n'est pas exact.

— On m'a dit qu'il veut vous coller une belle indigestion avec nos exécutions massives. Il paraît que votre estomac n'est pas très résistant. Trop de travail de bureau à Berlin.

— Mon estomac est assez résistant comme cela, Hoess.

— Oui, je le suppose. C'est vous qui avez contribué à nous procurer le Cyclon B.

Le professeur revint auprès de nous, et Hoess nous fit entrer dans la grande chambre à gaz. Ils nous montra les pommes de douche, les tuyaux, les robinets, et les murs carrelés.

— Nous en traitons douze mille par jour ici, déclara-t-il.

Pfannenstiel était impressionné :

— C'est incroyable ! A Treblinka, on m'a dit que vous en traitiez simplement quatre-vingt mille en six mois.

— C'était avec cette saleté d'oxyde de carbone, répondit Hoess. Cela ne valait pas grand-chose, c'était lent. Nous avions parfois des rébellions. Les Juifs se doutaient du sort que nous leur réservions, et ils se soulevaient. Mais maintenant, tout se passe très vite, et ils restent abusés jusqu'à la fin.

— Ou bien ils veulent garder les yeux fermés jusqu'à la fin, dis-je.

— Où est la différence ? Tant que le travail est fait, et bien fait ?

Il nous montra alors le système de courroies transporteuses, les fours équipés de brûleurs à gaz à l'intérieur. Une odeur écœurante flottait dans l'air.

— Nous avons quarante-six fours comme celui-ci en activité, poursuivit Hoess, en plus des foyers en plein air qui brûlent également les cadavres. Cela vous donne une idée de la grande échelle sur laquelle nous opérons !

— Combien celui-ci peut-il contenir de corps ? demandai-je. Hoess réfléchit une seconde.

— Un maximum de deux cent cinquante, sans compter les petits enfants. C'est du beau travail. Vous le verrez, si vous voulez.

— D'où viennent ces gens ? fis-je alors que nous venions de regagner la chambre à gaz.

Cette fois, je remarquai les rigoles, tout autour de la pièce, pour l'écoulement du sang et autres liquides, je suppose, et pour faciliter le nettoyage. Il y avait un gros ventilateur électrique dans un coin qui, Hoess nous l'expliqua, servait à évacuer le gaz mortel dès qu'une opération était terminée. Les hommes des Sonderkommandos devaient alors se précipiter à l'intérieur, et, à l'aide de crochets qui leur permettaient de traîner les cadavres par le menton, ils empilaient les corps sur les courroies transporteuses.

— Ils sont directement amenés ici, à leur descente du train, dit Hoess. Ce sont les arrivants de ce matin. Il en vient de toute l'Europe : de France, des Pays-Bas, de Pologne et d'Allemagne. Le Führer réalise ses désirs.

— Et ceux qui sont épargnés ? demandai-je.

— Ils finiront par y passer à leur tour. Ils sont un peu plus difficiles à tromper une fois qu'on leur a donné un travail dans le camp. A ce moment-là, ils comprennent. Mais ils finissent par y passer, de toute façon. La vie dans les baraquements n'a rien d'un paradis, alors, je suppose qu'ils voient venir la fin avec une sorte de soulagement. Comme une délivrance.

Hoess nous montra une ouverture dans le toit :

— C'est par là qu'on leur envoie les cristaux. Un système bien préférable aux moteurs diesel !

Puis il commença à se plaindre de ses difficultés de stockage du Cyclon B. C'est un produit qui se détériore, aussi avons-nous mis sur pied un système de distribution spécial, afin d'assurer un approvisionnement constant des camps. Il a entendu parler du cartel très complexe qui fabrique, vend et expédie le Cyclon B, et il est un peu jaloux. Il sait que d'énormes profits sont tirés de ce produit, et estime qu'il devrait avoir sa part de bénéfice. Les grands pontes du Parti et les financiers de l'industrie y gagnent gros, alors que lui, et d'autres comme lui, font tout le travail qui crée la demande.

— Enfin !... soupira-t-il. L'opération va bientôt commencer.

Il nous conduisit, le professeur et moi, sur une petite éminence d'où nous pûmes voir les Juifs quitter le couvert des arbres pour se diriger vers la grande chambre à gaz dont la porte d'acier était ouverte. Derrière nous, l'orchestre continuait à jouer des airs gais, entraînants, comme si nous passions cette matinée de printemps dans un parc.

— Ils sont d'une docilité merveilleuse ! dit Pfannenstiel. On dirait presque un rite religieux. Vous savez, je ne suis pas un théologien, mais j'ai discuté de cela avec des hommes d'Eglise, et ils estiment que, d'une certaine manière, les Juifs sont sacrifiés pour que l'Europe puisse être sauvée du bolchevisme. C'est-à-dire qu'ils devraient se sentir... heu... semblables au Christ, et sanctifiés pour nous rendre un tel service.

Hoess le foudroya du regard.

— C'est absurde ! Je suis un chrétien, et j'ai une femme et des enfants qui sont des chrétiens sérieux, eux aussi. Ce que vous dites ne tient pas debout. Les Juifs sont de la vermine. Ils corrompent tout. J'ai reçu des ordres, et j'obéis. La théologie n'a rien à voir là-dedans.

Il continua à expliquer comment les hommes des Sonderkommandos extrayaient alors des cadavres les dents en or, les yeux de verre, les membres artificiels, comment ils tondaient les crânes des femmes avant de placer les corps sur les courroies transporteuses. Ils faisaient vite, pour que la fournée suivante puisse être traitée le plus rapidement possible. Douze mille Juifs par jour, c'est un miracle, et tout le mérite en revient à Hoess.

Au-dessous de nous, un sergent poussait un groupe de vieux qui hésitaient :

— Allez, allez ! Dans cinq minutes, vous en sortirez tout propres. Et ensuite, un lit bien chaud et du café. Avancez !

A ma grande stupéfaction, lorsque la chambre à gaz sembla absolument bourrée de Juifs, les gardiens se mirent à passer des petits enfants qui hurlaient par-dessus les têtes et les bras des gens pressés à l'intérieur. On aurait dit qu'ils voulaient utiliser jusqu'au dernier mètre cube d'espace libre.

— Il est important qu'ils entrent tous à la fois, fit Hoess. Nous ne voulons pas qu'il en retourne quelques-uns dans les baraquements avec des histoires qui bouleverseront les autres.

La lourde porte d'acier se referma bruyamment. Les murs étaient très épais, et il était presque impossible d'entendre les bruits qui provenaient de la chambre à gaz. La musique était devenue plus forte.

Sur le toit de cette chambre, il y avait des protubérances bizarres, ressemblant à des champignons, et un sergent s'employa à ôter le couvercle d'un de ces champignons étranges. J'avais remarqué une ambulance de l'armée allemande arrêtée près de la chambre. Un soldat en descendit, une boîte à la main. Cette boîte avait pour moi l'aspect familier de celle que j'avais vue à Hambourg, quelque temps auparavant. Il monta sur le toit de la chambre, et lança la boîte à l'homme accroupi auprès du champignon.

Hoess lui fit un signe. C'était le fameux sergent Moll, comme je l'appris par la suite.

Moll ouvrit le couvercle d'un mouvement tournant, et tint la boîte à bonne distance de son visage. Il vida ensuite ces cristaux bleuâtres dans le « pied » du champignon, en disant :

— Allons-y. Donnons-leur quelque chose à bouffer !

Nous attendîmes un moment, Pfannenstiel, Hoess et moi-même. Ce fut alors qu'un murmure étouffé, semblable au bruit du vent qui se lève, un hurlement sourd parut venir de la chambre. Hoess nous laissa pour aller observer ce qui se passait par le judas vitré. Il nous invita à l'accompagner. Pfannenstiel avait déjà vu à quoi ressemblait l'intérieur de la chambre à gaz. Quant à moi, je déclinai cette invitation sous un prétexte quelconque.

— Cela va demander environ douze minutes, me dit le professeur. Ils se débattent, se griffent, et tentent d'atteindre la porte, mais ils n'ont aucun espoir d'en réchapper. Il y a souvent beaucoup de sang et d'excréments sur les corps. Je vous conseillerais, Commandant Dorf, de ne pas regarder quand ils ouvriront les portes. Il faut du temps pour s'habituer à ce spectacle.

Il s'agenouilla, colla son oreille contre le toit de la chambre à gaz, et un sourire se dessina sur son visage.

— Fantastique ! Absolument fantastique ! On entend les mêmes sons plaintifs que dans une synagogue.

Berlin
Mai 1943

Dans l'espoir de rentrer dans les bonnes grâces de Kaltenbrunner, j'ai préparé à son intention une projection de photographies sur quelques-unes des opérations qui sont menées à Auschwitz. Il parut satisfait des photos que je venais de projeter dans son bureau, ce vaste bureau où Heydrich siégeait naguère. Je lui parlai de l'excellente administration de Hoess qui envoie les Juifs aptes au travail chez I. G. Farben, Krupp et Siemens — firmes dans lesquelles on les tue à la tâche — et les non-productifs directement aux chambres à gaz.

A un moment, Kaltenbrunner cita Himmler, après avoir vu une photographie qui présentait des corps agglutinés les uns aux autres contre la porte de la chambre à gaz, comme dans une scène de l'*Enfer* de Dante :

— Le patron a dit que « ce que les gens appellent de l'antisémitisme est en réalité de l'épouillement. Se débarrasser des Juifs, ce n'est pas une question d'idéologie, c'est une affaire d'hygiène ».

Les raisons que nous avons de nous débarrasser des Juifs sont multiples. Pour Himmler, c'est de « l'épouillement ». Pour Heydrich, il s'agissait d'un instrument politique à usages multiples, sur divers plans. Et pour le Führer, c'est l'objectif ultime de sa conception du monde. Ainsi soit-il. Moi, j'obéis. La vision d'enfants nus qu'on introduit dans les chambres à gaz en les faisant passer au-dessus des têtes de leurs parents me hante l'esprit. Mais je n'en ai pas soufflé mot à Kaltenbrunner. Que reste-t-il à dire, une fois qu'on a admis la nécessité de notre programme ?

Lorsque la projection s'acheva, le hideux visage de Kaltenbrunner arbora un sourire en se tournant vers moi :

— Je vois, Dorf, que vous vous êtes consacré à votre nouvelle tâche avec votre assiduité coutumière.

— Merci, mon Général.

— Vous pouvez disposer maintenant.

Je pris le temps de préparer ma réponse.

— Je voulais justement vous parler de ce nouveau travail. Il m'oblige à des déplacements incessants. En Pologne et en Russie. J'avais espéré obtenir un poste fixe à Berlin. Afin de vous faciliter la tâche ici.

— Pas question, Dorf. Je veux que vous soyez en Pologne. Près des camps. Il nous arrive des rapports qui disent que les Juifs se rebellent et fomentent des troubles.

De nouveau, j'hésitai, car je redoute cet homme.

— C'est à cause de ma femme, mon Général. Je n'avais guère envie d'aborder cette question.

— Ah, ah ! Elle donne de petits coups de canif dans le contrat quand papa n'est pas là ?

— Pas du tout, mon Général. Madame Dorf est souffrante. Elle a le cœur faible depuis plusieurs années. Mes absences prolongées ont un effet néfaste sur sa santé. Avec les pénuries alimentaires, et les bombardements...

— Amenez-là donc à notre hôpital. Une vraie station de vacances! Rien n'est trop bien pour les épouses des officiers SS.

— Je vous remercie de votre bonté, mon Général. Mais, en fait, elle a besoin de moi... à ses côtés.

Kaltenbrunner opéra un mouvement tournant sur son siège, et se mit debout sur ses énormes jambes. Il me dominait de toute sa stature lorsqu'il me répondit :

— Vous m'étonnez beaucoup, Dorf. Nos armées sont saignées à blanc à Stalingrad. Tout le front russe est à feu et à sang. Les Alliés remontent l'Italie. Et vous trouvez le moyen de vous plaindre parce que votre femme est malade !

Une fois de plus, je revins à la charge. Et de nouveau Kaltenbrunner me rembarra vertement. Il fit allusion aux rumeurs qui circulaient sur mon compte — mes prétendues sympathies à gauche, les ennemis que je m'étais faits. Je tentai de me défendre, mais il n'avait plus besoin de moi. Bref, je me sentis comme Hamlet qui, comparant son père mort à Claudius, son successeur, le trouvait *plus différent de lui qu'Hypérion ne l'est d'un satyre.* Le même parallèle s'imposait à mon esprit entre mon chef tombé en pleine gloire, et cette brute épaisse au cerveau grossier.

Ce soir, la tension qui règne depuis quelque temps déjà entre Marta et moi était plus forte que d'habitude. Depuis la mort d'Heydrich (déjà un an de cela !) elle sent en moi une incertitude, une crainte, et la perte de cette belle assurance dont je jouissais de son vivant.

Je me suis mis à boire un peu. Oh, je ne suis pas un ivrogne, mais quelques verres de cognac après dîner m'apportent une bonne détente. Ce soir, Laura dormait. Peter était dans son camp d'entraînement. (Le bruit court que des jeunes garçons de quinze ans vont constituer des bataillons de défense pour le cas où les Russes viendraient à enfoncer notre ligne de front à l'Est.)

Soudain, Marta ouvrit la chemise dans laquelle je conservais certains doubles des lettres que j'avais envoyées aux divers commandants des camps. Elle se mit à lire à voix haute. Je ne fis aucun effort pour l'arrêter, et continuai à boire en l'écoutant.

Sa voix avait un accent railleur et légèrement méprisant, me sembla-t-il.

— « Tous les corps enfouis à Babi Yar doivent être déterrés et brûlés. Il ne doit en rester aucune trace. Blobel, vous avez fait preuve de négligence dans votre travail. Vous avez omis de nettoyer de vastes zones de votre territoire. Il s'agit d'y remédier de toute urgence. »

— Tu n'avais pas le droit de lire ces lettres.

— J'aime celle-ci, poursuivit-elle. Adressée à Hoess. « Je ne suis pas satisfait du système que vous utilisez pour transporter les restes calcinés des corps jusqu'à l'installation de broyage qui les réduit en cendres. Ne pourrions-nous pas mettre au point un four capable de tout détruire ? Et combien de temps encore les eaux de la Sola seront-elles capables d'absorber des tonnes et des tonnes de ces cendres ? »

— Arrête !

— Ou encore celle-ci, reprit Marta. « Un meilleur contrôle doit être exercé sur les programmes d'expériences médicales. Je comprends parfaitement la fascination du Reichsführer pour les jumeaux, mais j'ai appris que des paires de jumeaux non-juifs ont également servi de cobayes à des médecins. C'est une mauvaise politique. J'aimerais avoir un rapport complet sur les expériences de stérilisation par piqûres qui ont été pratiquées, ainsi que sur le programme de stérilisation des Juifs par les rayons X. Pourquoi monter en épingle un tel programme, alors que leur sort final est actuellement bien connu de tout le monde ? »

— Ces lettres n'étaient pas destinées à être lues par toi, ma chérie, fis-je d'un ton las.

— Oh ! je me doutais bien de quelque chose depuis long-temps ! Toutes ces conversations sur l'exécution d'espions et de saboteurs, et le contrôle de la contamination derrière les lignes ennemies.

J'étais trop épuisé, physiquement et moralement, pour soute-nir une discussion avec elle. Je me bornai à lui dire :

— Et à présent, je te dégoûte.

— Non, Erik, je veux t'aider.

Je n'avais aucune idée de ce qu'elle voulait dire par là. Je rassemblai tous ces doubles de lettres et les remis dans leur chemise en me disant que, désormais, je ne devrais plus conserver de tels documents dans notre appartement.

— Que t'a dit Kaltenbrunner, aujourd'hui ? demanda-t-elle.

— Je repars demain pour la Pologne.

— Et tu t'es laissé imposer ce voyage ? Après tout ce que tu as fait pour eux ?

Je me versai un nouveau verre de cognac.

— Peu importe où l'on m'envoie... Pologne... Russie... tout va bientôt s'écrouler.

Marta s'assit auprès de moi sur le sofa. Nous avons acquis, grâce à la générosité d'Eichmann, une merveilleuse collection de beaux meubles qui viennent de ses entrepôts de Prague. Ils s'harmonisent parfaitement avec le vieux Bechstein.

— Mais si, cela a de l'importance, dit Marta. Kaltenbrunner doit bien sentir ce... ce... flottement en toi, ton sentiment de défaite, lorsque tu lui parles. Rien d'étonnant à ce que ta carrière en soit au point mort. Tu as de la chance qu'Heydrich t'ait fait monter en grade avant qu'il ne meure. Ces lettres... elles ont un ton... On dirait que tu es révolté par ton travail.. que tu as honte de ce que tu fais.

— Peut-être cela m'arrive-t-il en effet.

Sa voix monta d'un ton. Elle saisit mon poignet.

— Tu ne peux pas te le permettre ! Tu dois continuer ! Si tu... si nous nous arrêtons maintenant, le monde estimera que nous sommes coupables. Mais si nous continuons, et expliquons ce que nous sommes en train de faire, nous réussirons !

Je me levai du sofa d'un bond qui éclaboussa de cognac notre tapis d'Orient.

— Bonté divine ! Marta ! Comme je me suis trompé sur ton compte ! La douce Marta !

Je me mis à rire.

— Dire que je te croyais furieuse contre moi parce que je baigne jusqu'au cou dans le sang des enfants juifs !

— Ne dis pas ça ! *Ne le dis pas !*

— Alors que ce qui t'irrite, c'est que je ne sois pas plus fier, plus dynamique dans mon travail !

Marta me cria :

— Tu dois l'être. Et faire ce qu'on te dira de faire, jusqu'au bout. Cela convaincra les gens du *bien-fondé* de ce que tu es en train d'accomplir. Obéis. Obéis, comme Hoess, comme Eichmann ! Dis-toi que chaque fois que tu laisses paraître tes doutes sur une question, sur les expériences médicales par exemple, tu contribues à creuser nos propres tombes.

Je me remis à rire, et me laissai tomber sur le sofa.

— Et ne te moque pas de moi ! lança-t-elle.

— Je ne me moque pas de toi. Je ris de ma propre stupidité. Evidemment, je dois travailler avec plus de conviction, plus d'élan.

Elle me contempla un long moment. Puis elle éteignit le lustre. Le seul éclairage qui resta dans la pièce venait d'une jolie lampe au pied d'émail cloisonné, cadeau d'Eichmann. Marta s'agenouilla devant moi, posa sa tête blonde sur mes genoux et passa ses bras autour de ma taille.

— Erik, fit-elle d'une voix rauque, parfois je redoute que nous ne soyons punis.

— Punis ?

— Oui. Tous punis.

— Mais tu n'as rien fait du tout. Et moi, j'ai été un soldat discipliné. *Un bon soldat,* comme dit Eichmann.

— Ces lettres. Les fours crématoires. Les bûchers. Les expériences. Un cours d'eau plein de cendres...

Elle leva la tête, et me regarda. Ses lèvres étaient exsangues, mais ses yeux étaient secs.

— C'est la raison pour laquelle ils doivent tous mourir, reprit-elle. Pour que personne ne sache rien ; que personne ne reste pour tout divulguer. Que personne ne puisse dire des mensonges sur ton compte. Comprends-tu ?

Je la contemplai, et l'attirai tout contre moi. Mais nos corps étaient froids, et nous fûmes incapables de nous réchauffer l'un l'autre.

Le récit de Rudi Weiss

Au fil des six derniers mois de 1942, le ghetto de Varsovie se vida inexorablement de sa population. Les Juifs étaient envoyés à Treblinka, à Auschwitz, ou dans d'autres camps d'extermination. Ils partaient toujours sans murmurer. Les tentatives de résistance étaient minimes.

Le Docteur Kohn, qui s'était montré le membre du conseil le plus coopérant avec les Allemands, s'était suicidé en absorbant une capsule de cyanure le lendemain du jour où Hoefle, le commandant SS, porta le chiffre quotidien de six mille à sept mille personnes.

Et cependant aucune résistance sérieuse ne pouvait encore être opposée aux Allemands. Il n'y avait toujours pas assez d'armes, et pratiquement pas de munitions.

Mais mon père continuait à tromper les nazis dans son petit dispensaire voisin de la gare. Il arrivait ainsi à sauver tantôt une dizaine de personnes, tantôt moitié moins, persuadant les autorités de ce que son « annexe de l'hôpital » avait reçu toutes les autorisations voulues.

Un jour, lui et ma mère, postés derrière la fenêtre aux rideaux blancs, observaient l'Umschlagplatz. Les nazis recouraient à une nouvelle ruse. Ils offraient à présent une miche de pain et un pot de confitures aux partants, afin de les inciter à monter dans les trains. Et les gens, las, perplexes et confus, serraient précieusement cette manne contre eux, et s'embarquaient le cœur plein d'espoir dans les wagons.

Ce jour-là, Zalman figurait sur la liste des partants. Mon oncle Moïse le fit hardiment sortir de la foule qui attendait les trains, en expliquant à un kapo qu'il s'agissait d'un grand malade, et il l'accompagna jusqu'au dispensaire.

— Vite, à l'évier, lui enjoignit mon père. Vomissez. Enfoncez-vous le doigt dans la gorge.

Zalman avait l'air inquiet.

— On nous a observés. Hoefle est ici, à faire une inspection.

— Je m'occuperai d'eux, dit mon père.

Moïse, qui montait la garde près de la fenêtre, vit alors Hoefle et un homme appelé Karp, le chef de la police du ghetto, qui marchaient droit sur le dispensaire.

— Les voici qui arrivent, dit-il.

— Berta, sors par-derrière, ordonna papa. Va à l'école. Mieux vaut se cacher parmi les gens. Zalman, partez avec elle.

Ils n'étaient pas plus tôt sortis l'un et l'autre que Hoefle et Karp firent leur entrée. Karp était un instrument docile entre les mains des nazis ; un Juif converti au catholicisme, qui s'était attiré la haine de tous les habitants du ghetto.

Karp aboya un ordre :

— Tout le monde debout !

Mon père protesta.

— Ces gens sont des malades.

— Fermez-la, Weiss ! Allons, tous debout devant le Commandant Hoefle.

La demi-douzaine de personnes qui se trouvaient dans la pièce se levèrent.

— Que faites-vous ici ? demanda Hoefle.

Lui-même et ses officiers mettaient rarement les pieds dans le ghetto. Ils régnaient par personnes interposées : sous-officiers, milice polonaise, police juive du ghetto.

— C'est une annexe de l'hôpital, Monsieur, dit mon père.

— Ils ne m'ont pas l'air malade, ceux-là ! fit remarquer Karp. Où est l'autorisation écrite pour tout ceci ?

— Elle existe, dit mon père qui s'efforçait de maîtriser son indignation. Ce n'est pas de ma faute si vos bureaux manquent d'efficacité dans leur travail.

Le chef de la police du ghetto et l'officier SS firent le tour du petit dispensaire, examinèrent les flacons de l'armoire à pharmacie d'oncle Moïse, et allèrent même jusqu'à jeter un coup d'œil sous les lits.

— Que pouvez-vous bien manigancer ici, Weiss ? demanda Karp.

— Je suis le *Docteur* Weiss, Karp.

Cela fit sourire Hoefle de voir deux Juifs dressés l'un contre l'autre.

Karp s'arrêta près d'un lit sur lequel reposait une jeune femme. Une cousine d'Eva Lubin, qui avait déclaré qu'elle saurait combattre dans les rangs de la résistance.

— Qu'est-ce qui ne va pas ? interrogea Hoefle.

— J'ai de la fièvre.

Hoefle, qui avait été officier dans un Einsatzgruppe, et était un tueur notoire, mit une main sur son front. Puis il lança un coup d'œil à Karp, ne dit rien, et se dirigea vers la porte. Karp lui emboîta le pas et le suivit dans la rue.

Mon père et mon oncle Moïse les regardèrent s'éloigner. Ils savaient que désormais ils pouvaient s'attendre au pire. Mais ils étaient résolus à user le plus longtemps possible de ce stratagème ; peut-être échapperaient-ils miraculeusement à une enquête plus poussée ? Mon père voulut encore tenter une dernière fois de convaincre Karp que ce serait une erreur de laisser des personnes contagieuses monter dans les trains. Mais le chef de la police refusa de le recevoir dans son bureau.

Hoefle ne perdit pas de temps pour frapper.

Un informateur qui travaillait dans la police de Karp apprit bientôt que le dispensaire allait être incendié, et que toutes les personnes associées de près ou de loin à son fonctionnement feraient partie du prochain convoi de Juifs.

Le premier coup s'abattit sur ma mère.

Elle était en train de faire répéter aux enfants des chants folkloriques juifs, des mélodies villageoises dont elle leur avait appris les airs (quand je pense qu'elle était si fière de sa connaissance approfondie de Mozart et de Beethoven, quel changement ce devait être pour elle !) lorsque Karp et un de ses hommes entrèrent dans la classe.

Son attitude était si calme, son maintien si digne, qu'il en fut subjugué et prit un ton d'excuses pour lui adresser la parole.

— Je suis désolé de vous déranger, madame Weiss, mais vous devez me suivre.

— Pouvons-nous répéter encore une fois cette mélodie ? C'est pour un spectacle que les enfants donneront bientôt.

— Non, je regrette.

— Puis-je voir le Docteur Weiss ?

— Votre mari sera à la gare.

Elle comprit sur-le-champ ce qui les attendait tous deux. Avec le plus grand calme (c'est ce que me raconta depuis un de ses élèves d'alors) elle prit son manteau, son carnet de notes, et dit au revoir aux enfants.

— Vous reviendrez, Madame? demanda Aaron Feldman.

— Naturellement. En mon absence, Sarah, aurez-vous la gentillesse de diriger la classe?

La fillette, qui était la plus âgée de la classe, fit un signe de tête affirmatif et s'avança vers l'estrade.

— Si je dois être absente un certain temps, dit maman, il ne faudra pas que vous négligiez vos leçons pour autant. On vit mieux quand on a de l'instruction et qu'on connaît les grands auteurs de la littérature et le théorème de Pythagore. Au revoir, les enfants.

Ils lui dirent au revoir. Ils étaient bien au courant des transferts de Juifs pour avoir mille fois vu des gens les quitter et se rendre sur l'Umschlagplatz.

A la gare, la foule habituelle des sept mille partants se rassemblait et se faisait enregistrer. Ma mère regarda dans la direction du petit dispensaire et vit qu'il avait été détruit. Elle lança à Karp un regard furieux.

— Je ne peux qu'obéir aux ordres, Madame Weiss, dit-il.

Lowy et son épouse faisaient également partie du convoi. Mon père les avait déjà sauvés par le passé. Mais cette fois, Lowy partirait pour de bon. Sa femme pleurait, inconsolable.

— Arrête donc de pleurer, voyons! dit Lowy. Estime-toi heureuse de sortir d'un trou pareil!

Mon père apparut bientôt, portant une valise à la main. On l'avait autorisé à prendre une petite provision de médicaments. Il avait sur la tête le vieux hombourg cabossé qu'il mettait à Berlin pour faire ses visites au chevet des malades, et le même pardessus foncé.

Lui et ma mère s'étreignirent.

Lowy et sa femme le saluèrent.

— Désolé, Doc! Vous aviez pourtant fait votre possible pour nous. J'ai l'impression que nous sommes destinés à toujours être expédiés ensemble.

— Oui, dit mon père. Nous voici redevenus compagnons de voyage.

Les gens de ce convoi représentaient un échantillonnage complet de la population du ghetto. Il y avait là des pauvres hères affamés, des Juifs de la petite bourgeoisie, et même des semi-aristocrates comme mes parents.

Mon père s'efforça de plaisanter.

— Tu sais, Berta, j'ai presque l'impression que Lowy est un vieux camarade de classe pour moi.

L'Umschlagplatz proprement dite était un endroit sinistre et déprimant — d'une superficie d'environ cinquante mètres sur trente — cerné tout autour par un haut mur de brique et à l'arrière d'un bâtiment abandonné. Ceux qui devaient partir y restaient parqués en attendant les trains. Là, ils s'asseyaient sur des bagages et des valises, échangeaient de la nourriture, s'efforçaient de faire un peu de cuisine, ou tentaient un ultime effort pour être relâchés.

Mes parents y restèrent douze heures durant, avec les Lowy et des centaines d'autres gens, avant que les trains n'arrivent. C'était un moment effroyablement dur à supporter. Deux jeunes gens firent une tentative de fuite. Ils se glissèrent furtivement dans le bâtiment abandonné, puis tentèrent de le quitter par le toit pour gagner la maison la plus proche. Les gardes SS les abattirent. Des personnes âgées se répandirent alors en gémissements. Des enfants se mirent à pleurer. Il n'y avait aucune espèce d'installation sanitaire. Les gens devaient se réfugier dans les coins afin de se soulager.

— J'espère que cela ira, dit Lowy. Le camp de familles ne peut être que préférable à ceci.

— Oui, dit ma mère. Je crois que nous étions prêts pour un changement, n'est-ce pas, Joseph ?

Et pourtant ils avaient été mis au courant de la véritable destination des convois par mon oncle Moïse : *ils allaient vers leur mort.* Mais ils essayaient encore de plaisanter, de prendre à la légère le sort qui leur était réservé. Les gardes se firent bientôt deux fois plus nombreux : agents de police du ghetto, Lettons, et SS. Cela signifiait que l'arrivée des trains était imminente.

Mon père s'adressa à Lowy.

— Ainsi, la résistance perd son maître-imprimeur. Comment vont-ils se débrouiller désormais ?

— J'ai formé Eva. Avec un peu d'application, elle devrait faire du bon travail.

Mon père hocha la tête. La résistance ! Il n'en ferait plus partie.

— Et mon frère ? interrogea-t-il.

— Il se cache en compagnie de Zalman. Ce ne sera pas facile pour eux. Les Allemands fouillent les immeubles par pâtés entiers. Et quiconque s'y trouve dissimulé est abattu sur place.

Vers cinq heures de l'après-midi le train fit son entrée dans la gare du ghetto. De nouveau, le haut-parleur lança ses directives : les gens devaient marcher en bon ordre jusqu'aux wagons, y monter jusqu'à ce qu'ils soient pleins, et respecter les règles d'hygiène. En fait d'installation sanitaire, il y avait un seul et unique seau hygiénique par wagon.

Ils se dirigèrent donc vers le train. Ma mère et mon père marchaient en se tenant par le bras. Une jeune femme qui portait un bébé demanda un médicament à mon père. Il lui répondit qu'il l'aiderait quand ils seraient à bord du train.

Karp, l'un des individus les plus haïs de tous les habitants du ghetto, s'avança vers mes parents.

— Je suis désolé, Docteur Weiss.

Mon père tenta un ultime appel :

— Karp faites sortir ma femme de ce convoi. Elle parle un meilleur allemand que vos maîtres. Elle est professeur et interprète. Intercédez en sa faveur.

— C'est sans espoir, Docteur.

Un jeune homme perdit la tête, sortit de la foule en marche, et tenta de fuir par la barrière d'entrée à l'Umschlagplatz. Des SS le rouèrent de coups, de façon méthodique, jusqu'à ce qu'il s'effondre par terre.

— Joseph, dit maman, tu ne te débarrasseras pas de moi aussi facilement que cela !

Mon père sourit.

— Oh ! Je disais simplement au revoir à notre ami Karp.

— Il ne faut pas m'en vouloir, dit Karp. Un de ces jours, ils s'en prendront à moi.

— A moins que nous ne nous en prenions à vous auparavant ! fit Lowy. Ils montèrent le long de planches pour se retrouver dans les wagons à bestiaux. Certaines personnes se bousculaient pour avoir des places près des interstices entre les lattes de bois, car il serait difficile d'avoir de l'air et de remuer pendant le trajet. La femme de Lowy eut une crise de nerfs.

— Tiens-toi tranquille, lui dit son mari. A quoi t'attendais-tu ? Au Paris Express ?

— Je ne peux pas m'en empêcher. J'ai peur.

— Nous avons tous peur, Madame Lowy, dit mon père. Mais nous devons envisager les choses avec courage.

Des coups de feu claquèrent. Les SS venaient de tuer le jeune homme qui était devenu fou.

A l'intérieur du wagon à bestiaux, mon père trouva une place, et posa la valise qu'il tenait à la main, afin d'en faire un siège pour eux deux.

— Voilà, dit-il. Réservations de première classe. Je devrai parler au contrôleur de l'état déplorable de ces wagons.

Ma mère prit son bras.

— Joseph, tant que nous resterons ensemble, ils ne pourront pas nous détruire.

— Bien sûr, ma chérie.

Ils n'en savaient rien, mais leur train fut dirigé sur Auschwitz, et non sur Treblinka. Ce dernier camp, plus primitif, avec des installations plus petites, était arrivé à saturation complète.

En janvier 1943, notre bande de partisans, sous la direction d'oncle Sasha, comptait à son actif trois attaques de collaborateurs ukrainiens. Nous disposions d'armes et de munitions, et avions tué plusieurs douzaines de miliciens. Le moment était venu de lancer une offensive contre les Allemands.

Par une nuit neigeuse, qui était celle du Nouvel An, nous nous regroupâmes dans un bois, à proximité de la petite ville de Bechak où une garnison de SS venait d'arriver. Samuel, le rabbin qui nous avait mariés, célébra un office religieux rapide, sous la neige dont les flocons tombaient silencieusement et couvraient nos bonnets de fourrure et nos grosses vestes. La plupart d'entre nous portions des bottes volées aux Ukrainiens. Nous étions tous maigres, et la faim nous tenaillait. La nourriture était difficile à trouver en hiver et, de plus, nous étions sans cesse obligés de déplacer notre camp.

— « Ecoute, ô Israël, le Seigneur notre Dieu, le Seigneur est un », entonna Samuel d'une voix douce.

Je ne savais plus prier. Ma formation religieuse s'était arrêtée à la bar-mitzva. Nous fréquentions — et encore bien rarement — une synagogue réformée dont l'essentiel des offices se déroulait en langue allemande. Je remarquai qu'oncle Sasha ne participait pas non plus aux prières.

Lui et moi restions un peu à l'écart, à attendre, nos fusils à l'abri sous nos vestes.

— Alors, Weiss ? Une prière ou deux ?

— Je ne sais pas prier.

— Moi, je sais, mais je ne prie plus. Depuis le meurtre de ma famille.

Il leva les yeux vers le ciel d'hiver. La neige tombait en flocons poudreux qui me paraissaient presque caressants.

— Fais-nous une citation, rabbin, quelque chose qui puisse aider les Juifs à se battre !

Samuel acheva sa prière, sourit à l'adresse de Sasha et lui donna la citation qu'il demandait :

— « Alors David dit à ses hommes : que chacun ceigne son épée. » Amen.

Nous formions un groupe de sept. Tous des hommes. Il arrivait que des femmes prissent part à nos attaques. Mais contre une garnison allemande, oncle Sasha avait décidé que seuls des hommes devraient combattre. Le rabbin nous laissa pour retourner au camp.

Nous aperçûmes bientôt les lumières de la bourgade de Bechak. Elle nous semblait lointaine, située sur une autre planète. Notre groupe fit halte. Et je devins tout à coup le centre d'intérêt. Mes compagnons m'enlevèrent mon bonnet de fourrure pour le remplacer par un casque allemand. Je retirai la longue tunique que je portais. J'avais dessous un pardessus de l'armée allemande, une ceinture de munitions ; et j'étais armé d'un fusil Mauser.

Sasha me contempla.

— C'est à s'y méprendre !

— Oui. Je m'en étonne moi-même.

— Prêt ? Alors, avance. Nous serons à cent mètres derrière toi, en deux groupes, l'un sur ta droite, et l'autre sur ta gauche.

— Je m'en souviendrai.

— Souviens-toi d'une autre chose aussi, dit Sasha. Tue vite !

Toujours dans la campagne, je me mis à avancer seul. J'avais froid, et j'avais peur, en progressant à pas lents dans la neige. Je songeais à mon frère, condamné à croupir en prison, à tout jamais, me semblait-il. A ma sœur Anna, morte dans des circonstances qui me remplissaient de suspicion. A mes parents, qui vivaient dans l'enfer du ghetto de Varsovie. (J'ignorais alors qu'on les avait envoyé à Auschwitz, et quel était leur sort). Et à mes grands-parents qui avaient choisi de se suicider, incapables qu'ils étaient de supporter plus d'horreurs.

Je me retrouvai bientôt dans la bourgade. Elle me parut belle, aussi belle qu'un tableau sous toute cette neige qui tombait sans discontinuer. Un chien aboya sur mon passage. Les rues étaient vides. Dans toutes les villes occupées le couvre-feu était observé très strictement.

Nous étions déjà venus à Bechak en reconnaissance. Youri, déguisé en rétameur ambulant, avait parcouru les rues une semaine plus tôt. Les Allemands avaient établi leur quartier général dans la mairie. C'était une unité de SS, sans doute envoyée là pour liquider les derniers Juifs qui avaient pu rester en vie. Leur soif de meurtre était inextinguible. Nous n'étions pas sûrs de leur nombre. Il pouvait s'agir d'une compagnie, ou d'un détachement plus petit. De toute façon, les baraquements des hommes de troupe étaient à la limite de la bourgade, dans un vieux moulin. Mais les officiers logeaient tous dans la mairie.

Je m'engageai dans une petite rue. La neige crissait sous mes bottes. Il y avait deux sentinelles en faction devant l'entrée de la mairie. Tout le bâtiment était brillamment éclairé. Je pouvais entendre chanter à l'intérieur. Bien sûr ! Ils étaient en train de célébrer la nouvelle année ! Les Allemands avaient auprès d'eux des prostituées et des amies russes et ukrainiennes.

Les sentinelles se croisèrent devant l'entrée, puis l'une des deux s'éloigna et disparut de mon champ de vision. Je sortis rapidement de ma petite rue et, d'un pas alerte, marchai droit jusqu'au soldat qui était resté en faction devant la façade.

— Quelle fichue manière de faire passer le réveillon à un homme ! dis-je.

— Hé toi... qui es-tu ? demanda-t-il.

— Un courrier du bataillon. Le foutu téléphone est encore en panne. J'ai un message pour le capitaine.

J'étais venu sur lui avec un tel culot qu'il ne lui vint pas à l'idée de me demander le mot de passe. Il était très jeune et de petite taille. Pour ma part, j'étais vêtu et parlais comme n'importe quel soldat allemand.

— Quel capitaine ? fit-il.

— Est-ce que je sais, moi ! Attendez, je vais vous le dire.

Je sortis un papier de la poche de mon uniforme, et le lui tendis. La sentinelle le prit et avança de quelques pas vers la lumière des fenêtres de la mairie, tout en jetant un coup d'œil sur le papier. Je le suivis.

— On dirait le capitaine Van Kalt, fis-je. N'est-ce pas ce qu'il y a d'écrit ?

— Il n'y a pas de capitaine de ce nom ici. Que diable...

Je venais de lui passer prestement une cordelette de cuir autour du cou, et m'employai à la serrer en prenant appui sur mon genou dressé contre son dos. Nous roulâmes tous deux au sol sans que j'aie relâché mon étreinte. J'eus l'impression que toute la colère qui avait bouillonné en moi ces dernières années était passée dans mes bras, dans mes mains. Il se débattit un moment, puis cessa de bouger. J'attendis encore quelques instants, en serrant toujours la cordelette, afin d'être bien certain qu'il ne bougerait plus. Puis je pris son fusil, traînai son corps à côté des marches de pierre du perron, et me collai contre le mur de brique de la façade.

Quelques secondes plus tard l'autre sentinelle tourna le coin du bâtiment. Je ne pris pas le temps de lui jouer une comédie quelconque. Je bondis du mur et la frappai à la nuque avec la crosse de mon fusil. Son casque roula dans la neige. Avant qu'elle ait pu crier, je lui avais assené un second coup qui lui fracassa le crâne.

Oncle Sasha et les autres sortirent de l'ombre en courant.

— Youri et tes hommes, la porte de derrière, dit Sasha. Nous autres par devant. Entrons en ouvrant le feu, mais, au nom du ciel, ne nous tirons pas les uns sur les autres!

Nous nous précipitâmes dans la salle principale de la mairie, sans avertir, sans crier gare.

Une douzaine d'Allemands se tenaient dans la pièce, et peut-être autant de femmes. Un jeune lieutenant jouait du piano.

Ils semblaient tous fatigués et repus. Ce n'était pas un réveillon très joyeux. Et nous ne contribuâmes pas à l'égayer.

Oncle Sasha ouvrit le feu et tua trois hommes près de la porte. Youri abattit d'une balle le pianiste, qui s'affala bruyamment sur le piano. Les femmes se mirent à pousser des cris aigus. Quelques personnes — des hommes comme des femmes — tombèrent à terre. Un capitaine se leva, les mains en l'air.

Oncle Sasha le saisit au collet.

— Nous voulons les armes et les munitions.

— Très bien. Ne nous tuez pas.

— Vite. Tous avec moi. Sauf Youri. Toi, tu garderas les autres. Le capitaine, qui avait été légèrement blessé au bras, déverrouilla le râtelier aux fusils. Nous nous chargeâmes de mitraillettes, de fusils et de revolvers. Chacun de nous prit autant de munitions qu'il pouvait en porter. Il y avait une armoire à pharmacie dont nous vidâmes également les rayons.

— Peux-tu prendre cela, Weiss? me demanda Sasha en désignant du doigt une mitrailleuse.

— Je vais essayer.

Je la soulevai, la fis basculer sur mes épaules, et suivis mes compagnons qui revenaient dans la salle principale de la mairie. Là, Youri avait commencé à lier les mains des Allemands restés valides. Mais Sasha voulait faire vite.

— Il y a un moyen plus expéditif, dit-il.

Nous traversâmes la pièce à sa suite. Il ordonna alors de lancer des grenades dans le quartier général allemand avant de quitter les lieux. Ce que nous fîmes tous. Les explosions éclairèrent la petite ville. Nous savions que les soldats de la troupe, qui étaient logés dans le moulin, se précipiteraient d'une minute à l'autre sur nos talons.

Nous nous éloignâmes en courant.

Je sentis la balle m'atteindre à l'épaule. Mon dos se mit à transpirer et à me brûler. Je me relevai, mais dus abandonner la mitrailleuse. Youri et un autre m'aidèrent. Lorsque nous arrivâmes au camp, j'étais à moitié inconscient.

Je me souviens qu'oncle Sasha découpa mon uniforme pour mettre mon dos à nu. J'étais couché sur le côté. L'odeur du désinfectant, qui me brûlait le dos, m'emplit les narines et me coupa presque la respiration.

Puis j'entendis un bruit de cisaillement et la douleur dans mon épaule devint insupportable. Je poussai un hurlement. Hélèna cria alors :

— Arrêtez ! Arrêtez ! Vous lui faites mal !

Elle se précipita de l'autre côté du lit, et se mit à m'embrasser, mais sans cesser de supplier les autres d'arrêter.

La voix d'oncle Sasha couvrit ses cris.

— Du calme. Laisse-le tranquille, sinon tu as beau être sa femme, je te ferai tout de même sortir de force.

— Vous le tuerez avec ces maudites attaques stupides ! lui lança Hélèna.

— Comment ça va, Weiss ? demanda-t-il.

— Cela me fait un mal de chien !

— J'ai presque fini d'extraire la balle. Nous ne pouvons pas nous permettre de recourir à la morphine pour ce genre de choses. Tiens bon, et cela se passera bien.

Le cliquetis des instruments chirurgicaux de Sasha me fut presque aussi pénible à supporter que la douleur elle-même. Jusqu'à ce qu'il commençât à venir très profond, et à me toucher des nerfs. Le désinfectant, qui était une préparation fortement dosée de l'armée rouge, me soulagea grandement. Mon esprit était si distrait par cette odeur puissante que je serrai les dents, sourdement résolu à ne plus crier.

Un jour que mon père avait examiné mes diverses contusions après un match très rude, disputé sur un terrain boueux, il avait conclu que j'avais un seuil de résistance à la douleur très élevé. J'étais capable de supporter beaucoup de choses. « C'est courant chez les grands sportifs », m'avait-il déclaré en souriant. « Et chez les sujets moins intelligents et moins sensibles », avait-il ajouté comme pour lui-même. Je suis sûr qu'il ne songeait pas à me vexer en disant cela. Il voyait tout simplement en moi le « dur » de la famille. Et je jouais le jeu. Alors que Sasha extrayait la balle de mon épaule, je me remis à assumer ce rôle, d'autant plus que ma femme assistait à cette intervention chirurgicale, et que j'avais mon orgueil de mâle. Non, je ne me laisserais plus aller à crier ni à gémir.

Hélèna pleurait, assise sur le bord du lit. Elle m'embrassait la nuque.

— J'ai connu pire... une fois, racontai-je. Pire... quand je me suis cassé la cheville... pas pu jouer pendant un an.

Sasha grommela à l'intention de ma femme :

— Va-t'en de là, bon sang !

— Non.

— Alors, cela va me prendre plus longtemps et il souffrira davantage.

Youri, debout à côté du lit, regarda les couvertures que mon sang était en train de maculer, et tenta de calmer tout le monde.

— Elle valait le coup, cette attaque ! Un seul blessé ! Et quelle fameuse prise ! Des fusils, des mitraillettes, des munitions... Nous avons dû tuer huit hommes.

Hélèna se leva d'un bond.

— Je m'en fiche complètement de votre fameuse prise !

— Passe-moi plutôt ce paquet de pansements, fit Sasha. Il continue à saigner.

Son intervention dura encore quinze minutes et Hélèna refusa d'abandonner sa place auprès de moi. Elle me caressait la tête et m'embrassait. Finalement, Sasha brandit la balle, qui était déformée. J'avais tout le dos emmailloté dans des bandages.

— Regarde un peu, Weiss ! dit-il. C'est une balle de Mauser. Une chose que tu pourras montrer à tes petits-enfants.

Youri se mit à rire.

— Tu pourras même la faire plaquer or !

Hélèna l'arracha de la main d'oncle Sasha, et la lança violemment contre le mur de la cabane.

— Arrêtez ! Arrêtez ! Ah, je vous déteste tous ! Je ne peux pas supporter que vous plaisantiez sur un sujet pareil, comme s'il s'agissait d'une espèce de jeu. Ah oui, c'est un jeu, mais un jeu auquel nous ne pourrons jamais gagner ! Vous l'avez presque saigné à mort, et vous trouvez encore le moyen de plaisanter sur la balle qui a failli le tuer ! J'en ai assez de ce camp, et de cette guerre inutile, et de la façon dont vous croyez remplir une mission. Vous tuez un Allemand par-ci, un Ukrainien par-là. Et après ? Un jour, nous serons tous morts... un hiver de plus dans ces conditions nous achèvera tous.

Sa voix mourut dans un sanglot étouffé. Hélèna tomba à genoux et se mit à taper sur les planches glacées de la cabane en criant que nous étions tous condamnés, que nous ferions aussi bien de nous rendre aux Allemands.

— J'en ai assez, sanglotait-elle. Assez... Je n'en peux plus...

Oncle Sasha qui rangeait ses instruments dans sa trousse fit un signe à Youri, comme pour lui dire : « C'est une affaire entre eux. Laissons-les. »

Ils marchèrent ensemble vers la porte. Je me retournai sur mon coude en un mouvement qui me fut douloureux.

— Vous avez presque aussi bien travaillé que mon père, dis-je. Personne ne sait bander comme il était capable de le faire.

Sasha me sourit.

— Je regrette de ne l'avoir jamais rencontré. Peut-être nous rencontrerons-nous un jour ? Je vais voir si j'ai quelque chose pour t'aider à dormir. Au besoin, tu auras droit à un reste de notre cognac.

Ils sortirent. Hélèna, blottie dans un coin de la cabane, pleurait toutes les larmes de son corps.

— Viens auprès de moi, dis-je.

Elle se leva, vint jusqu'au lit, et s'assit de nouveau à côté de moi. Elle était belle. Même dans ses gros vêtements d'hiver et ses bottes de feutre. Ses cheveux étaient coupés très courts. Son visage ne connaissait plus le maquillage depuis des années. Elle n'en restait pas moins rayonnante de charme. C'était une femme faite pour être admirée, désirée, et aimée.

— Oh, Rudi !... Tu aurais pu mourir... et pourquoi ?

Je lui pris la main.

— Pour leur montrer que nous ne sommes pas des lâches. Et qu'ils ne peuvent pas continuer à nous tuer en toute impunité.

— Mais ils tuent des millions de gens, nous le savons. Et ils sont si peu nombreux ceux qui luttent, ceux qui en réchappent !

— Raison de plus pour que nous les combattions.

Nous restâmes silencieux pendant un moment. Elle posa sa tête sur ma poitrine et je caressai ses cheveux courts, embrassai son oreille. Chaque mouvement me causait une douleur aiguë dans l'épaule et dans le bras, mais j'avais tout de même l'impression de ne plus continuer à saigner.

— Redis-moi combien tu m'aimes, murmurai-je.

— Plus que jamais !

Et elle se remit à pleurer, en ajoutant :

— Mais ils vont nous chercher, et nous retrouver. Ils savent où nous sommes. Quelqu'un les renseignera, quelqu'un qu'ils auront torturé. Alors nous serons tous...

— Tu as dit un jour que nous ne mourrions jamais !

— Je ne le crois plus, me répondit ma femme.

— Nous vivrons, tu verras. Tu connaîtras mes parents, Karl, Inga. Et ils t'aimeront tous autant que je t'aime. Ils plaisanteront sur le fait d'avoir une Tchèque dans la famille, mais ce ne sera qu'une plaisanterie.

Un sourire éclaira son visage. Elle me caressa le front. J'avais peur, alors, peur de mourir, et elle aussi. Nous étions trop amoureux l'un de l'autre. L'ennemi ferait tout pour tuer notre amour. Mais nous n'osions pas nous confier à quel point nous avions peur. J'avais tort de parler de mes parents et d'évoquer des réunions de famille à cette époque-là. Cela ne nous abusait ni l'un ni l'autre et rendait les choses encore plus difficiles.

Finalement, elle se redressa et me regarda droit dans les yeux.

— Rudi, j'ai quelque chose à te demander.

— Tout ce que tu voudras.

— La prochaine fois que tu iras te battre avec Sasha et les hommes, je veux y aller moi aussi.

— Oh non.

— Il y a des femmes qui se battent. Nadia le fait bien.

— Pas ma femme !

— Mais je le dois. Je dois être avec toi tout le temps, déclarat-elle en me regardant d'un air solennel.

Cela faisait quatre ans que nous vivions ensemble. Quatre années fertiles en émotions. Ensemble, nous avions beaucoup souffert ; nous avions vu des scènes d'épouvante auxquelles nous avions survécu. Nous avions lutté. Nous avions appris à nous témoigner notre passion, notre tendresse et notre compréhension. Et surtout, nous avions appris à lire dans le cœur et la pensée l'un de l'autre. Nous ne pouvions plus rien nous dissimuler, absolument rien. Je comprenais toujours ce qu'elle voulait dire. Il y avait un gros risque que les nazis nous capturent un jour. Eux et leurs alliés locaux étaient résolus à nous balayer de la surface du globe. On disait qu'un bataillon de Waffen-SS avait été amené dans la région afin de nous trouver et de nous anéantir.

Notre chance pouvait un jour tourner. Hélèna était en train de me signifier — je le compris, je le lus sur son visage — qu'elle désirait mourir avec moi.

— J'en parlerai à Sasha, répondis-je.

Sasha revint avec du cognac. Il caressa la tête d'Hélèna.

— Les heures de visite sont terminées. Il faut laisser dormir le malade à présent.

Pour des raisons que je ne comprends toujours pas, on laissa vivre mon frère Karl, durant plusieurs mois, dans l'isolement le plus complet de la Petite Forteresse.

Avec cette façon curieuse et incompréhensible dont la bureaucratie nazie fonctionnait, Karl et Frey furent régulièrement roués de coups pendant quelque temps. Frey mourut après plusieurs semaines de ce régime. Mais mon frère resta en vie — si l'on peut appeler cela une vie — dans sa cellule obscure. Il était presque réduit à l'état de squelette, ses yeux avaient perdu l'habitude de la lumière, et ses cordes vocales l'usage de la voix. Quant à ses mains, des mains d'artistes, elles n'étaient plus que deux tas de chair et d'os déformés.

Un jour, le gardien vint ouvrir la porte de sa cellule.

— Allons, Weiss, sors de là !

— Ne me battez plus, implora-t-il. Cette fois-ci, j'en mourrais.

— C'est fini, ça ! Tu as eu plus de chance que tes amis Frey et Felsher.

— Vous les avez tués.

— Ils ne voulaient pas parler.

— Moi non plus.

Le gardien haussa les épaules.

— Qui s'en soucie encore ? On t'envoie à Auschwitz. Un endroit charmant, mieux qu'ici. Un camp de familles. Les Juifs s'y trouvent mieux traités que ne le sont les Allemands à Berlin.

On m'a rapporté la suite d'événements, à proprement parler insensés, qui suivirent la libération de Karl de la Petite Forteresse. On le conduisit dans le bureau du commandant Rahm, où on lui fit signer une « confession » dans laquelle il reconnaissait avoir commis certains crimes contre le Reich. Rahm lui dit que lorsque la guerre serait terminée, lui, Karl Weiss, artiste-peintre de Berlin, Juif, aurait à comparaître devant un tribunal pour ses « crimes graves contre le peuple allemand ». Karl signa. Quelle importance cela pouvait-il bien avoir ? Il était déjà l'un de ces morts vivants que les détenus des camps de concentration appelaient des *musulmans*[1].

On lui dit alors qu'il disposait d'une demi-heure pour voir sa femme avant de partir dans le convoi à destination de « l'Est ».

Theresienstadt, à son tour, se vidait petit à petit de ses prisonniers. Chaque jour, des trains partaient du camp vers la Pologne. Ils allaient à Auschwitz, bien sûr, et tous les voyageurs recevaient l'assurance qu'il s'agissait d'un camp de familles, où ils se trouveraient réunis — parents, enfants, et vieillards — et où leur seraient donnés un travail utile, une bonne nourriture et un logement convenable.

Lorsque Karl entra pour la dernière fois dans l'atelier de peinture, d'une démarche trébuchante, Inga laissa échapper un cri. Sa maigre carcasse flottait dans son uniforme à rayures de prisonnier. Il avait une grande barbe, et se tenait courbé comme un vieillard infirme. Ses yeux étaient caves. De la salive perlait sans cesse aux coins de sa bouche.

Inga l'étreignit. Maria Kalova et quelques artistes qui n'avaient pas été mis en cause après la découverte des dessins vendus par Felsher, s'avancèrent à leur tour vers lui.

---

1. *N.d.T.* : Transformation phonétique d'un mot allemand qui signifie clochard.

— Oh, ils t'ont libéré, Karl, dit Inga.

Elle et Maria le conduisirent à une chaise et trouvèrent un peu de thé pour lui. Il essaya de dissimuler ses mains quand on lui tendit le gobelet de métal.

— Oh, mon Karl bien-aimé, s'exclama Inga. Qu'ont-ils fait à tes mains ?

Les autres avaient honte à les regarder. Ils s'écartèrent du couple. Maria retourna à sa table de dessin. Les SS leur faisaient toujours faire le même genre de travail : des affiches « morales », des exhortations à bien se conduire, des promesses de jours merveilleux à venir.

— Je suis toujours vivant, dit Karl d'une voix lointaine et sans timbre. Je n'ai jamais rien avoué. Les dessins sont-ils en lieu sûr ?

— Oui, murmura-t-elle. Maria et moi les avons cachés.

Il hocha la tête.

— Je ne pourrai plus jamais peindre ni dessiner. Ils ont fait ce qu'il fallait pour cela.

Inga prit ses mains déformées dans les siennes, et se mit à les couvrir de baisers.

— Tu ne peux pas remédier à cela. Ma mère aussi avait l'habitude de déposer des baisers sur mes contusions quand j'étais petit. Cela ne marchait pas non plus, alors.

Il regarda ses mains.

— On dit qu'on peut s'y habituer. Mais ce n'est pas vrai.

— Ne parle plus de cela, fit Inga, agenouillée, le visage contre les mains de Karl.

— Dans la Petite Forteresse, pour nous empêcher de devenir fous quand ils nous battaient, Frey, Felsher et moi n'arrêtions pas de crier que nous ferions un voyage en Italie. Florence. Venise. Frey insistait aussi pour aller à Arezzo.

— Nous irons là-bas, mon très cher Karl, je te le promets.

Il eut un frisson, s'inclina en avant, et reposa sa tête sur la chevelure blonde d'Inga.

— Nous ne verrons jamais l'Italie comme un couple peut la visiter. Mes brefs moments de courage sont passés.

Il se redressa, et poursuivit :

— Ils m'envoient à Auschwitz. Ils en ont fini avec moi. Je suppose que je ne vaux même pas la peine d'être mis à mort, comme ils ont assassiné Frey et Felsher.

— Tu ne partiras pas, dit-elle. Ou s'ils t'envoient là-bas, je pars moi aussi.

Il fit non de la tête.

Maria Kalova quitta sa table et revint auprès d'eux. Elle les regarda un moment, puis leur dit :

— Tu ne peux pas faire cela, Inga. Tu dois mettre Karl au courant.

— Me mettre au courant ?

— Au moins, ici, à Theresienstadt, tu as une chance, Inga, poursuivit Maria. Tu peux travailler. Ils t'épargneront, mais...

— De quoi parlez-vous, toutes les deux ? demanda Karl.

Inga leva les yeux vers lui.

— Karl. Je porte ton enfant.

— Un enfant ?

— Le nôtre.

Il frissonna de nouveau, posa le gobelet qu'il tenait sur le plancher et repoussa Inga de toute la longueur de ses bras. Des bras d'une maigreur effrayante.

— Non, tu ne dois pas le garder.

— Si, je le garderai. C'est la raison pour laquelle Maria dit que je dois rester. Des enfants sont nés ici. Au moins, il y a une clinique où l'on s'occupera de moi.

— J'ai vu les enfants qui sont nés ici, répondit Karl. Ils sont maudits pour toute leur existence. Leurs yeux le disent.

— Il n'en est pas toujours ainsi.

Maria fit un pas en avant.

— Les femmes protégeront Inga tant qu'elles le pourront. Nous ferons tout notre possible pour l'enfant.

— Non, dit mon frère. Si tu m'aimes, met fin à sa vie avant qu'il n'ouvre les yeux sur ce lieu maudit.

— Non, Karl, je ne ferai pas cela. Je veux ton consentement. Je veux que tu bénisses sa vie. Tu sais, j'ai parfois l'impression d'être plus juive que toi, ou Rudi...

— Je ne veux pas d'un enfant qui naisse ici.

— Les rabbins disent que chaque existence glorifie le nom de Dieu. Je t'en prie, Karl.

— Ils n'ont pas vu Theresienstadt !

Maria insista :

— Karl, elle a raison. Tu dois lui permettre de garder son bébé.

Il baissa les yeux, et prit sa tête entre ses mains.

— Très bien. Cela n'a pas d'importance. C'est un enfant que je ne verrai jamais.

Inga dit :

— Si, tu le verras, je t'en donne ma parole.

Un kapo entra et resta sur le seuil de la porte. Il était chargé de rassembler les gens en partance. Il regarda Karl sans rien dire. Mon frère jeta un coup d'œil dans sa direction, puis se leva lentement. Il glissa à l'oreille d'Inga :

— Quand l'enfant sera assez grand, montre-lui les dessins. Comme cela, il comprendra.

Ils s'étreignirent pour la dernière fois.

— Adieu, ma femme bien-aimée, dit-il. Peut-être tout se passera-t-il bien... Peut-être disent-ils la vérité ? J'ai été épargné à Buchenwald et à Theresienstadt parce que je pouvais peindre. Cela pourrait se reproduire.

Puis il regarda ses mains aux doigts recourbés comme des griffes, et eut un rire amer.

Inga ne pouvait pas se détacher de son mari. Elle le couvrait de baisers.

Pour finir, Maria dut les séparer l'un de l'autre tandis que le kapo, faisant claquer sa matraque le long de sa jambe, avançait au milieu de l'atelier.

— Tu dois le laisser partir, Inga, dit Maria.

— Adieu Karl. Adieu mon amour.

Les deux femmes virent Karl rejoindre une colonne de gens hésitants et apeurés qui avaient fait partie des privilégiés du « paradis des ghettos », et qui, maintenant, se trouvaient acheminés sur un camp d'extermination. Les gardiens leur intimèrent l'ordre d'avancer.

Mes parents étaient à Auschwitz. Mais oncle Moïse, qui était devenu un membre clé de l'Organisation juive de Combat, avait échappé aux rafles. Il ne devait pas rester plus de cinquante mille habitants dans le ghetto de Varsovie alors qu'il y en avait eu près d'un demi-million. Et ceux qui restaient étaient des gens malades, affamés et terrorisés.

Le 9 janvier, Himmler visita le ghetto afin de voir de ses propres yeux les pitoyables survivants de la Juiverie européenne. Il ordonna une liquidation finale complète. Les Juifs devaient partir, jusqu'au dernier, pour Treblinka ou pour Auschwitz.

L'Organisation juive de Combat, qui comptait environ six cents activistes, mais que soutenaient peut-être un millier d' « irréguliers », décida d'opposer une résistance lors de la prochaine rafle. Il devenait de plus en plus dur pour les Allemands d'abuser les Juifs. Ils savaient désormais que les promesses des camps de familles et la comédie du pain et du pot de confitures n'étaient que des tromperies.

Un jour, qui se situe à la mi-janvier, mon oncle Moïse et Aaron Feldman, faisant semblant d'être des marchands ambulants, poussèrent une charrette à bras vers un secteur du ghetto proche du mur qui avait été évacué.

Un agent de la police juive les avertit que le couvre-feu viendrait à effet d'ici à dix minutes.

Oncle Moïse porta poliment la main à son chapeau.

— Oui, monsieur l'agent, dit-il. Nous ramenons simplement notre marchandise à la maison. Des pots et des casseroles, vous voyez.

Et il murmura à Aaron :

— Ne t'en fais pas. Il a reçu un pot-de-vin.

Comme la nuit froide de l'hiver tombait sur la ville désertée, l'homme et l'enfant s'approchèrent de la haute muraille.

Aaron sauta sur la charrette et, à l'aide d'un crochet et d'une corde, escalada le mur du ghetto. Il s'agenouilla en haut, et siffla doucement.

Deux hommes de la résistance polonaise — dont l'un était cet Anton auquel Moïse avait un jour rendu visite — quittèrent le porche d'un immeuble sous lequel ils attendaient, et s'approchèrent en courant. Ils lancèrent à Aaron une petite caisse de bois que celui-ci laissa tomber dans la charrette, au-dessous de lui. Une seconde caisse suivit le même chemin.

Aaron redescendit le long de la corde. Oncle Moïse dissimula les petites caisses avec la toile grisâtre qui couvrait ses « marchandises », et ils revinrent tous deux au quartier général de la résistance.

— Vous êtes en retard, dit l'agent de police du ghetto.

— Excusez-nous, s'il vous plaît, dit oncle Moïse qui, tout en marchant, lui glissa des billets dans la main.

Au cours des derniers mois d'existence du ghetto de Varsovie, des quartiers entiers avaient été vidés de leur population, celle-ci ayant été évacuée dans d'autres quartiers, ou bien expédiée dans des camps d'extermination. C'était dans des appartements cachés de ces secteurs abandonnés que les « irréguliers » vivaient à présent. On appelait ainsi les résistants, les combattants, ceux qui étaient résolus à ne pas se laisser mener docilement à la mort dans les prières ou dans les larmes.

Ce fut donc dans un appartement situé à l'étage supérieur d'un immeuble qui semblait inhabité qu'oncle Moïse et Aaron portèrent les petites caisses que les Polonais leur avaient fournies. C'était là une bien maigre contribution. Aucune des branches de la résistance juive — qu'il s'agisse des divers groupes sionistes, des bundistes [1] ou des communistes — n'avait réussi à gagner l'alliance des Polonais chrétiens. On les considérait avec sympathie, oui. Mais cela rapporta peu de choses en matière d'armes.

Eva Lubin et quelques autres assistèrent à l'ouverture des

---

1. *N.d.T. :* Le Bund était le parti socialiste juif de l'Europe orientale.

caisses. L'une contenait cinq revolvers neufs ainsi que des munitions. Il y avait aussi des grenades.

— Comment organiser un soulèvement avec cela ? interrogea oncle Moïse.

— C'est un début, dit Eva. Commençons par les charger. Et ils entreprirent de les charger.

— Si nous arrivons à en tuer quelques-uns, dit Eva avec espoir, il faudra que nous leur prenions leurs fusils et leurs mitraillettes. Pour ajouter à notre petit arsenal. Cela nous permettrait de faire une forte impression sur eux.

— Je ne suis pas sûr qu'ils soient disposés à nous rendre service à ce point, fit remarquer Moïse. Il paraît qu'on va nous amener des Waffen-SS et des auxiliaires lituaniens. Pour ratisser le ghetto, bâtiment par bâtiment. Ces armes nous arrivent peut-être trop tard.

Moïse prit deux fusils avec lesquels il fit quelques moulinets.

— Je ne dois pas être un cow-boy très convaincant. Je n'étais pas destiné à ce genre de choses. Des Juifs et des fusils, cela n'a pas l'air d'aller ensemble.

On frappa quelques coups à la porte : deux coups rapides, suivis d'une petite pause, puis trois autres coups. C'était le signal convenu. D'un geste, Moïse demanda à Aaron d'ouvrir le verrou de la porte.

Zalman entra, à bout de souffle et couvert de poussière. Il avait dû ramper à travers des monceaux de gravats pour les rejoindre.

— Les SS viennent de bloquer la rue, annonça-t-il au groupe de résistants.

— Une rafle ? demanda Moïse.

— Oui. Les hommes de Von Sammern sont décidés à faire sortir d'ici jusqu'au dernier Juif.

— Mais pourquoi viennent-ils précisément dans notre rue ? reprit Moïse. C'est un quartier abandonné. Il est censé être inhabité.

— Ils ont pu vous suivre, toi et le petit.

Moïse prit la direction des opérations.

— Rangeons tout. Que chacun prenne une arme. Les grenades dans vos poches. Cachons les caisses vides. Nous sortirons par le toit.

Tandis que tout le monde suivait ces directives, ils entendirent des voix d'Allemands en bas et de violents coups de botte lancés dans les portes.

Les voix criaient :

— Les Juifs dehors !

— Sortez tous !

— Dehors, nous ne vous ferons pas de mal !

Aaron sortit sans bruit sur le palier et jeta un coup d'œil dans la cage de l'escalier. Tout en bas, au rez-de-chaussée, il vit trois soldats donner des coups de pied dans les portes. Jusqu'ici, ils n'avaient trouvé personne. A l'exception de l'appartement dans lequel se cachaient les résistants, l'immeuble était inhabité depuis longtemps.

Aaron et les autres parvinrent à distinguer des voix qui disaient :

— Pourquoi diable faisons-nous une perquisition dans ce sale coin désert ?

— Quelqu'un a prévenu que des youpins ont volé des armes et les ont cachées par ici.

Moïse ordonna alors à tout le monde de rester dans l'appartement. Il dit à Eva, Zalman et Aaron de se dissimuler dans les placards et dans la pièce voisine. Lui-même s'embusqua derrière la porte, prêt à tirer.

Ils entendirent les Allemands s'approcher sur le palier.

— Allez, dehors, tas de merde que vous êtes !

— Enfonce la porte, ce ne sont que des sales Juifs !

— Tu crois que j'ai peur ? Moi, avoir peur des youpins ?

Des bottes, des crosses de fusil et des corps puissants ébranlèrent la porte fermée au verrou. Des planches craquèrent et cédèrent. Les Allemands entrèrent dans la pièce.

Moïse fit un pas en avant et abattit le premier homme d'une balle en pleine figure tirée à moins d'un mètre. L'Allemand dont le visage se couvrit instantanément d'une large tache écarlate tomba sur le plancher.

Les deux autres, avant même d'avoir eu le temps de riposter, furent atteints par les balles d'Eva et de Zalman.

Celui des deux qui était le plus légèrement blessé tenta alors de traîner son camarade sur le palier pour lui faire redescendre l'escalier.

Zalman arracha la mitraillette des mains du soldat mort. Aaron se précipita sur le palier et lança une grenade. Les soldats vacillèrent et dévalèrent les marches en une masse gris-vert confuse, jusqu'au rez-de-chaussée.

Les Juifs s'entre-regardèrent, stupéfaits.

— Ils ont fui ! dit Moïse avec un profond étonnement. Mon Dieu, ils ont fui ! Enfin, j'ai vu de mes yeux des Allemands fuir devant nous. Ils perdent leur sang, ils meurent, et ils ont peur. Exactement comme nous autres.

Aaron descendit en trombe l'escalier et s'empara des armes et des ceintures de munitions des deux autres soldats puis remonta aussi vite qu'il put.

Dans la pièce, Zalman prit une décision.

— Filons par les toits. Ils vont revenir en force. Suivez-moi, je passe devant.

Lourdement armés à présent, ils sortirent dans le corridor et gravirent la petite échelle métallique qui donnait accès au toit. Des tirs sporadiques montaient maintenant de tous les coins du ghetto. Anelevitz lui-même avait lancé une attaque contre un peloton d'Allemands qui escortaient des Juifs vers l'Umschlagplatz. Armés de cinq grenades, de cinq revolvers, et de quelques cocktails Molotov, ils avaient remporté une victoire partielle et libéré un certain nombre de Juifs.

Pourtant, les Allemands parvinrent encore à déporter six mille cinq cents Juifs au cours de cette bataille de février. Mais ce chiffre était nettement inférieur à leurs prévisions.

Dans tout le ghetto qui tombait en ruine, de nouvelles proclamations, tirées sur la vieille presse de Lowy, commencèrent à apparaître, qui encourageaient les Juifs à lutter.

Les forces d'occupation allemandes procèdent maintenant à la seconde étape de notre extermination !

Ne partez plus vers la mort sans lutter !

— Défendez-vous !

— Prenez une hache, une barre de fer, un couteau — tout ce que vous pouvez utiliser — et verrouillez la porte de votre logement !

— Qu'ils essaient alors de vous prendre !

— Si vous refusez de lutter, vous mourrez !

— Combattez ! Luttez sans trêve !

Après le combat dans l'appartement où Moïse s'était réfugié et plusieurs autres batailles dans tout le ghetto, divers résistants se rassemblèrent dans un autre logement. Là, ils apprirent que beaucoup de leurs camarades avaient trouvé la mort. Les Allemands avaient été repoussés dans l'atelier Toebbens, au centre du ghetto, mais au prix de lourdes pertes du côté juif.

Dans ce second appartement, le groupe de Moïse se joignit à d'autres. On y procéda à une distribution de mitraillettes et des fusils qui avaient été pris aux Allemands au cours des premiers combats.

Aaron, posté à la fenêtre, vit un camion chargé de soldats allemands entrer dans la rue. Tous sautèrent à terre, mais cette fois-ci, ils prirent leurs précautions. Ils progressaient en rasant les murs des immeubles, conscients du risque qu'ils couraient de servir de cible aux résistants.

Zalman expliqua aux hommes le fonctionnement des mitraillettes.

— C'est simple. Pas besoin de viser comme avec un fusil. Il suffit de tirer dans le tas sans discontinuer.

— J'en veux une, déclara Aaron.

Moïse lui caressa la tête :

— Attends d'être un adulte.

Il s'approcha alors de la fenêtre et vit que les SS descendaient la rue, l'arme au poing.

— Mon Dieu ! fit-il, le moment est venu pour nous de leur résister sur notre sol.

Comme il disait ces mots, quatre Allemands pénétrèrent dans l'immeuble où ils se trouvaient.

— Sortons tous sur le palier, ordonna Moïse. Vous tirerez à mon signal.

Ils se précipitèrent dans le corridor, se cachant dans des recoins, ou des placards à balais. Il y avait là Moïse, Zalman, Aaron, et d'autres encore.

Cette fois-ci, les Allemands n'eurent même pas le temps de forcer la première porte.

Ils furent fauchés par les balles et les grenades envoyées de l'étage, sans pouvoir riposter. Ils reculèrent dans la rue, perdant leur sang et mourant, montèrent dans leur camion et s'éloignèrent.

— Je n'arrive pas à le croire ! dit Zalman. Ils s'en vont... Ils s'en vont...

— Ils meurent comme n'importe qui, dit Moïse.

Cela ne faisait aucun doute. Les Allemands, dans cette bataille de février 1943, durent battre en retraite — pour un temps. Ils n'avaient pas compté sur la riposte armée des Juifs.

Par la suite, lorsque les dirigeants de la résistance se rassemblèrent au quartier général de la rue Mila, des anecdotes leur furent rapportées sur le courage — souvent condamné — des Juifs qui s'opposaient à ce que les nazis entreprennent le ratissage du ghetto.

Ce fut apparemment une jeune femme du nom d'Emilia Landau qui déclencha la riposte des résistants. Quand les SS envahirent l'atelier de charpenterie où elle travaillait, elle lança la première grenade, tuant ainsi plusieurs soldats allemands. Mais elle périt dans l'incendie qui s'ensuivit.

Au quartier général du kibboutz Dror, un autre combat se déroula, et il s'acheva sur la retraite des SS.

Et tout autour de l'Umschlagplatz elle-même, sur les lieux où mon père avait naguère tenté si désespérément de sauver chaque jour quelques vies humaines, on compta une vingtaine d'accrochages avec l'ennemi.

Quelques secours furent alors prodigués aux gens du ghetto par un petit nombre de Polonais sympathisants, de l'autre côté du mur. Mais la majorité refusèrent leur aide. Il y eut même un groupe de Polonais fascistes qui conjurèrent leurs compatriotes de ne pas soutenir les Juifs car, disaient-ils, leur lutte était une ruse, et ils se joindraient finalement aux Allemands afin d'écraser la résistance polonaise. (Leur fascisme ne leur fut pas d'une grande protection ; les Allemands avaient formé le projet de les éliminer eux aussi en réduisant à l'esclavage ceux qui survivraient.)

Dans les secours envoyés aux prisonniers du ghetto se trouvaient des lance-grenades, des dispositifs de mines, un mortier, et une mitrailleuse.

— Enfin ! dit Zalman.

— Oui, fit oncle Moïse d'un ton plein d'amertume. Tout cela, nous l'avons payé à prix d'or.

Eva demanda :

— Y a-t-il quelque espoir qu'ils se joignent à nous ?

Anelevitz secoua la tête en signe de dénégation.

— Pratiquement aucun. Ils ne veulent pas répandre du sang polonais pour notre propre compte. Nous le savons à présent. Seulement nous voici désormais en mesure de nous sauver nous-mêmes.

— De nous sauver ? questionna Moïse.

— Oui, dit le jeune sioniste. Même si cela implique que nous mourrions. Nous sommes néanmoins sauvés.

Mon oncle redressa la tête, et regarda d'un air précautionneux le dispositif de mines qui était emballé dans de la graisse imperméable à l'eau.

— Je voudrais bien savoir ce que dit le Talmud sur l'installation de mines souterraines, dit-il.

Cela ne fit rire personne.

Alenevitz montra d'un geste le calendrier.

— Souvenez-vous de ce jour. Nous sommes le 21 janvier 1943. Dans le ghetto, c'est l'état de guerre.

A leur arrivée au camp d'Auschwitz, mes parents échappèrent à l'acheminement direct sur les chambres à gaz.

La sélection était faite le long du quai de débarquement, par un officier SS vêtu d'un uniforme immaculé. Ceux qui paraissaient inaptes au travail étaient directement expédiés à la mort. Mes parents, qui se trouvaient dans un état de santé à peu près convenable — toutes ces choses étant relatives dans les camps — furent envoyés dans des baraquements différents.

Papa travailla durant un certain temps à l'infirmerie du camp, un sinistre lieu de faux-semblants, autre manifestation de l'humour macabre des Allemands. Il fit de son mieux pour soigner les malades et les blessés. Cela importait peu. En effet, au premier signe de faiblesse, d'inutilité pour les maîtres, les gens étaient expédiés vers la section d'épouillage. Mon père n'avait pratiquement pas de médicaments à sa disposition. Cela convenait aux nazis de laisser les détenus mourir dans les baraquements, parce que cela déchargeait d'autant les quatre installations de gazage et les quarante-six fours crématoires.

Ma mère travailla dans une des cuisines du camp avec Chana Lowy. Bien que les hommes et les femmes fussent détenus dans des sections différentes du camp, mon père, en tant que médecin, avait la possibilité de lui rendre de temps à autre des visites furtives.

Il arriva un jour avec une nouvelle que tous les prisonniers considéraient comme une nouvelle absolument remarquable. L'un des infirmiers qui étaient allés travailler dans les baraquements SS avait entendu les Allemands parler avec tristesse et accablement. *Une armée allemande tout entière s'était, disait-on, rendue à Stalingrad.* Il ne s'agissait pas d'une division, ni d'un détachement quelconque, mais d'une véritable *armée.*

Papa tenta de remonter le moral de ma mère. Elle était assise sur le bord de la couchette qu'elle partageait avec la femme de Lowy, et faisait un peu de couture. La vie dans les camps était un cauchemar de crasse, de poux, de faim, d'eau sale, de soupe claire et de pain moisi. Elle qui avait présidé à d'élégants dîners, et joué Mozart sur le Bechstein...

Au-dessus de sa paillasse, elle avait disposé des photographies de Karl et Inga en costume de mariés, et une d'Anna et de moi. Je me souviens de cette photo. Je porte un maillot rayé de footballeur, et je tiens le ballon sous mon bras. Anna était en train de m'envoyer un coup de pied dans les tibias parce que je la taquinais. Mais cela, on ne pouvait pas le voir sur le cliché.

— S'ils te prennent ici, tu seras puni, Joseph, dit ma mère.

— Mais non, tout va bien. Lowy m'a fait un laissez-passer. De plus, je dirai que je suis en visite.

— Joseph, tu es devenu casse-cou !

Il déposa un baiser sur sa joue.

— Et toi, comment vas-tu ?

— Je vais bien. Le bruit court qu'un certain nombre de femmes de notre baraquement, toutes celles qui sont assez fortes, et cela semblerait inclure Madame Lowy et moi-même, seront envoyées dans l'usine d'I.G. Farben. C'est sûrement une bonne nouvelle.

— Peut-être ont-ils besoin d'une pianiste de concert ?

— Ou peut-être pourrais-tu m'embaucher comme infirmière ?

Tous deux connaissaient le règlement d'Auschwitz : les personnes qui n'avaient pas de travail ni de compétences particulières, c'est-à-dire celles qui n'étaient pas utiles au fonctionnement du camp ni à celui des usines environnantes — ces grandes compagnies qui continuaient à soutenir l'effort de guerre allemand — ne faisaient pas de vieux os.

— Toi, du moins, tu te trouves en sécurité avec ta fonction médicale, dit-elle.

Il ne lui apprit pas que des ordres venaient d'être transmis d'en haut afin de réduire de moitié le personnel de l'infirmerie. La sélection se ferait à l'ancienneté. Mon père, qui était un nouveau venu, perdrait probablement son poste.

Chana Lowy intervint.

— Max dit qu'il va y avoir du travail à faire sur les routes. Il y a un ingénieur allemand qui cherche des gens pour le terrassement de nouvelles voies.

Lowy travaillait à la blanchisserie du camp, mais ce n'était pas un poste sûr. Les plus faibles, ceux qui présentaient le moins de chances de survivre, étaient envoyés là, ce qui faisait que la blanchisserie n'était souvent qu'une première étape vers les chambres à gaz.

— Du terrassement de routes ? reprit mon père. Cela n'a pas l'air mal. C'est du travail au grand air.

— Oh, Joseph, tu t'y vois ?

Ma mère se mit à rire. Et ils s'étreignirent de nouveau.

La voix d'une femme kapo se fit entendre au-dehors. Elle amenait de nouvelles prisonnières dans le baraquement.

— Tu dois partir, Joseph.

Il la prit dans ses bras.

— Ils nous ont condamnés à l'enfer, Berta, mais nous devons leur résister. J'insiste pour que nous fassions tous les deux notre possible pour survivre, pour nous maintenir en vie. Je pense beaucoup aux garçons et à Inga.

— Moi aussi. Je ne peux pas les oublier.

— Quelque chose me dit que Karl et Rudi sont vivants. Si l'un de nous deux doit mourir, l'autre devra s'efforcer de les retrouver. Et de les aimer, de rester avec eux. La famille Weiss devra se reconstituer, Berta. Il nous faudra des petits enfants à la maison. Comprends-tu ?

— Naturellement, je comprends.

— Pas seulement parce que nous formions une famille unie, mais parce que nous sommes des Juifs. S'ils manifestent une telle frénésie à nous détruire, c'est à coup sûr du fait que nous sommes des êtres de valeur. Peut-être même avons-nous quelque chose à enseigner au monde.

Il battit des paupières, et secoua la tête.

— Mon Dieu ! Je parle comme un conférencier, comme un rabbin à présent !

Il y eut de l'agitation à la porte du baraquement. Une femme kapo entra en traînant quelqu'un à sa suite. C'était une jeune fille très mince, qui ne devait pas avoir plus de dix-sept ans. Elle tomba sur le sol et la femme kapo la tira par les cheveux pour l'obliger à se relever.

Ce fut alors qu'elle aperçut mon père.

— Vous ici ? C'est contraire au règlement. Sortez !

— Je m'en vais. J'étais venu en consultation. Je suis le Docteur Weiss.

— Que je ne vous revoie plus ici !

Mon père s'en alla.

La femme kapo contraignit la jeune fille à avancer dans la pièce malodorante et surpeuplée. Celle-ci s'effondra à quatre pattes en poussant des gémissements plaintifs.

— Trouvez-lui une place, n'importe où, dit la kapo. C'est une folle.

Ma mère se leva de sa couchette.

— Que lui avez-vous fait ? Non. Ne la frappez plus. Je vais m'occuper d'elle.

— Je ne lui ai rien fait. Elle est descendue normalement du train, hier. Elle était très bien jusqu'à ce qu'on emmène ses parents à l'épouillage.

— Et pourquoi n'a-t-elle pas pu les voir après ?

— Qui sait ? C'était peut-être une séance d'épouillage particulièrement longue. A moins qu'on n'ait conduit ses parents dans une autre partie du camp.

Les détenues étaient silencieuses et sombres. Elles savaient ce que signifiait l'épouillage.

— Veillez à ce qu'elle ne se fasse pas de mal à elle-même, dit la kapo.

Elle sortit.

La jeune fille était mince et très jolie, avec une peau mate et de longs cheveux d'un brun foncé.

— C'est bien, mon enfant, lui dit ma mère. Nous ne te ferons pas de mal ici. As-tu faim ?

La jeune fille ne répondit pas, mais elle se leva et vint se blottir dans les bras de ma mère. Sur le devant de son manteau dépenaillé, à côté de l'étoile jaune, quelqu'un avait épinglé une étiquette : *Sofia Alatri, Milan, Italie.*

Chana Lowy joignit ses efforts à ceux de ma mère, et toutes deux étendirent la jeune fille sur une des couchettes de bois.

— As-tu faim, mon enfant ? redemanda ma mère.

Madame Lowy suggéra alors d'aller chercher un peu de pain dans le baraquement voisin. Il y avait là une femme, une ancienne prostituée, qui avait un grand sens du commerce et qui disposait généralement de suppléments de nourriture.

Mais la jeune fille ne voulait rien dire. Elle enfouit son visage contre la poitrine de ma mère, et continua à geindre.

— Veux-tu un peu d'eau ? questionna ma mère.

N'obtenant pas de réponse, elle essaya alors de lui parler en italien. A travers sa formation musicale, maman avait acquis d'assez bonnes notions d'italien.

Mais Sofia Alatri semblait avoir dépassé le stade auquel on aurait encore pu lui porter secours. Voyant cela, ma mère comprit que son affection, sa simple chaleur humaine, étaient tout ce qu'il lui restait à offrir. C'est étonnant comme je peux me représenter clairement cette scène. Je l'ai reconstituée à partir des renseignements qui m'ont été communiqués par une femme qui se trouva à Auschwitz dans le même baraquement qu'elles. Ma mère avait en effet le don d'apporter partout où elle allait son charme et sa dignité. Elle se conduisait toujours avec politesse et élégance, et espérait ainsi changer le monde.

— Nous avons parfois du mal à nous rappeler que nous sommes plus que des noms et une étiquette, dit ma mère. Ou un chiffre bleu tatoué sur l'avant-bras. Nous sommes des créatures humaines, ma petite Sofia, et nous le resterons. Des personnes qui avons des noms, des familles, des êtres chers en ce monde. Cela, ils ne peuvent pas nous le prendre.

— Mais ils l'ont pris ! fit Chana Lowy. C'est ainsi qu'ils finiront par se débarrasser de nous. Plus de noms, rien. Nous ne sommes plus rien.

Ma mère entreprit de démêler les cheveux de la jeune fille, et Sofia cessa de geindre. C'était peut-être à cause de ce contact humain, de cette affection à laquelle elle n'était pas restée insensible.

— Pauvre enfant ! dit ma mère. Tu me rappelles ma fille Anna. Comment les gens peuvent-ils être aussi cruels ? Comment peuvent-ils agir ainsi envers des créatures innocentes ?

— C'est une histoire très ancienne, répondit Chana Lowy. De

tout temps, les gens s'en sont pris très facilement aux Juifs. Et nous avons eu le malheur de nous trouver sur leur route. C'est tout.

Ma mère entoura de son bras les épaules de Sofia.

— Tu peux me parler. Je suis ton amie.

La jeune fille couvrit son visage de ses mains. Elle n'avait toujours rien dit.

Maman décrocha les photos qui étaient au-dessus de sa couchette.

— Regarde. Mes enfants. Ce sont des jeunes gens très bien. Comme toi, ma chérie.

Sofia ne dit rien. Mais elle fixa d'un air hébété les vieilles photos un peu froissées.

— Mon Karl. Et sa femme Inga. Et Rudi dans son maillot à rayures. Il a vingt-quatre ans maintenant. Il te plairait. Il est si beau. Et à côté de lui, c'est Anna. Elle serait... elle serait... un peu plus âgée que toi à présent.

— Ils l'ont tellement effrayée qu'ils lui ont fait perdre la raison, dit Madame Lowy. Vous savez, j'ai aussi peur qu'elle, mais j'essaie de ne pas le montrer.

— Il n'y a pas de honte à avoir peur, fit maman.

— Enfin, peut-être travaillerons-nous demain. Je veux parler de vrai travail. Dans les usines, où ils ont besoin de nous.

Sofia se mit à trembler. Ma mère lui couvrit les épaules d'une couverture. Chaque baraquement possédait un unique petit poêle, qui restait généralement froid.

— Tu as froid, Sofia. Assieds-toi plus près de moi, pour te réchauffer. Parle-moi de ta famille. Ta mère et ton père. Oh, je connais les Juifs italiens. Les sefardim. Ce sont des gens très fins. Des érudits. Parle-moi de Milan.

Chana Lowy eut un hochement de tête découragé.

— Rien à faire. Ils l'ont rendue folle. Peut-être vaut-il mieux qu'elle ne se souvienne plus de ce qui lui est arrivé. Peut-être les Juifs ont-ils le tort de trop bien se souvenir de tout !

Maman mit un doigt sous le menton de la jeune fille et souleva son visage pour la regarder dans les yeux.

— Elle est si belle ! Comme mon Anna. Viens, je vais chanter pour toi.

D'une voix douce, très douce, ma mère chanta la *Lorelei,* en berçant la jeune fille dans ses bras.

Pendant quelques instants, il n'y eut aucun bruit dans le baraquement. Seulement le son de la voix de ma mère. Des femmes se mirent à fredonner discrètement avec elle. Certaines pleurèrent au souvenir des existences qu'elles menaient naguère : l'intimité de leurs foyers, les repas autour de la table familiale, les enfants qui allaient à l'école, les mariages, tous les moments heureux qui constituent une vie bien remplie.

Puis ce fut le silence.

Deux femmes kapos et un gardien SS qui portait une mitraillette se tenaient dans l'encadrement de la porte.

L'une des kapos annonça :

— Que tout le monde sorte de ce baraquement.

— Pourquoi ? demanda une détenue. Nous sommes toutes passées à la visite médicale.

— Vous avez du travail pour nous ? interrogea Chana Lowy.

— Ne posez pas de questions, dit le gardien SS. Sortez !

— Sortez, n'ayez pas peur ! dit l'autre femme kapo.

Mais toutes les prisonnières avaient compris ce que ce langage signifiait. On continuerait pourtant à les tromper jusqu'au bout, et la perte des illusions ne se ferait qu'au tout dernier moment.

— Allons, dépêchez-vous ! dit le SS.

C'était un homme courtaud, au visage marqué par la petite vérole, qui avait été réformé par l'armée régulière. La femme qui m'en parla se souvenait très bien.

— En rang par deux, et vite ! ajouta-t-il.

— Ce doit être pour le travail en usine, insista Chana Lowy.

Ma mère se donna un coup de peigne. Jusqu'au bout, elle serait aussi nette et soignée qu'elle le pouvait.

— Je crains que non, Madame Lowy. Nous allons devoir faire ce qu'ils nous ordonneront, et le faire avec dignité.

La jeune Italienne ne voulut pas se lever quand les femmes sortirent. Une kapo se précipita sur elle en levant sa matraque.

— Arrêtez ! cria ma mère. Ne la touchez pas.

— C'est une folle.

— Elle va venir avec moi. Ne la frappez pas.

Ma mère, Berta Weiss de Berlin, musicienne et maîtresse de maison accomplie, fille d'un héros de la Première Guerre mondiale, souleva alors Sofia de la paillasse, la serra contre elle, et déposa un baiser sur sa joue.

— Viens avec moi, Sofia, dit-elle.

Au-dehors, les femmes les plus âgées furent soutenues par les plus jeunes. Elles savaient ce qui les attendait. L'on m'a appris que cela arrivait fréquemment. Les jours où les transports n'étaient pas importants, les chambres à gaz et les fours crématoires, plutôt que de marcher au ralenti, étaient alimentés par la population de baraquements entiers, que l'on vidait à l'improviste, et sans épargner personne à titre exceptionnel. Il s'agissait tout bonnement que le travail se fasse, et que les chiffres quotidiens soient observés.

L'objectif fixé était de douze mille Juifs par jour. Le Führer et Himmler devaient avoir leurs douze mille Juifs.

Sous bonne escorte on leur fit traverser la zone des baraquements. Puis elles sortirent par une barrière et furent dirigées vers les fameuses rangées d'arbres. Les plantations de Hoess. Devant elles se dressait la chambre à gaz en béton avec son long toit plat. C'était l'hiver. Le célèbre orchestre de femmes ne jouait pas ce jour-là.

Dans le froid glacial, elles reçurent l'ordre de se déshabiller. Leurs vêtements furent empilés méthodiquement. Leurs bijoux furent pris pour être mis « en lieu sûr ». On leur dit que l'épouillage prendrait environ cinq minutes, et qu'à la sortie, on leur rendrait toutes leurs affaires.

— Vous serez en meilleure condition pour travailler, leur dirent les SS.

Et ils se mirent à contempler les femmes nues.

— Aidez-la, elle est folle, dit une femme kapo en désignant de sa matraque Sofia qui venait de s'effondrer à terre.

Ma mère et Chana l'aidèrent à se dévêtir. La jeune fille semblait totalement désemparée et était dans un état pitoyable. Le Reich se débarrassait de ses ennemis mortels.

— Vous vous sentirez mieux après, cria un gardien.

De toute évidence, le déshabillage des femmes était un véritable événement, la grande distraction de nombreux SS. Ils s'assemblaient en petits groupes et souriaient entre eux en se lançant des coups de coude. Leur bestialité n'avait pas de limites. Personne n'a encore réussi à m'expliquer cela.

Ma mère se tourna vers une des femmes kapos — une Juive comme elle, qui aidait ensuite les hommes des *Sonderkommandos* à sortir les cadavres et à les transporter jusqu'aux fours crématoires — et lui dit :

— Je suis Berta Weiss, de Berlin, et voici mon amie Chana Lowy. S'il vous plaît, prévenez nos maris de ce qui est arrivé.

La femme fit un hochement de tête pour montrer qu'elle acceptait. Les kapos et les *Sonderkommandos,* aussi, étaient condamnés à finir un jour dans les chambres à gaz.

Le temps était froid et humide, et il semblait presque que certaines des femmes avaient renoncé à la vie et accueillaient volontiers la mort. Ou bien préféraient-elles croire jusqu'au bout que les Allemands ne leur mentaient pas ?

— Ils disent que c'est bon pour les poumons, dit une vieille femme à ma mère.

— Vous inspirerez à fond, dit le gardien. Soulevez les enfants dans vos bras pour qu'ils puissent bien respirer eux aussi. Cela vous fera du bien. Plus de rhumes, plus de grippes.

Chana Lowy se mit à pleurer.

— Soyez courageuse, Chana ! dit ma mère.

Elle soutenait Sofia pour qu'elle reste debout et lui parlait doucement.

— Dans moins de cinq minutes, vous serez sorties, annonça le gardien.

Une jeune fille rousse sortit de la colonne de détenues qui avançait du petit bosquet d'arbres vers la porte d'acier grande ouverte. Les SS l'attrapèrent. Elle hurla, supplia, refusa de revenir dans les rangs. Un officier s'approcha. Il ordonna qu'on l'entraîne derrière les arbres. Deux coups de feu claquèrent ensuite dans l'air froid. Les cris cessèrent.

— Avancez ! Avancez ! criaient les gardiens. C'est seulement une salle de douches.

Ma mère s'arrêta sur le seuil, tourna la tête en direction du camp, et dit :

— Adieu, Joseph ! Je t'aime.

Les registres du camp révèlent que ce n'était pas un jour de pointe. Sept mille personnes seulement furent gazées. Leurs corps furent brûlés dans les fours crématoires, et leurs cendres dispersées dans les eaux de la Sola qui coulait près du camp.

Ce jour-là, mon père et Lowy eurent la chance d'échapper à la sélection pour la chambre à gaz.

Lowy avait signalé qu'on était en train de constituer un contingent de travailleurs pour le terrassement des routes, et qu'il s'agissait là d'une tâche de longue haleine. Par une coïncidence étrange, lui et mon père furent tous deux arrachés à leurs occupations habituelles — d'où l'on tira également au hasard des gens qu'on envoya à la mort — pour faire partie de ce contingent.

Le travail en plein air valait d'ordinaire aux prisonniers une ration supplémentaire. Il était assez rare que des Juifs fussent employés à des corvées de ce type durant de longues périodes. Leurs capacités physiques étaient tenues en mépris par les Allemands qui leur préféraient les détenus polonais ou russes.

Mais le lendemain du jour où ma mère fut assassinée — mon père n'en avait alors rien su — Max Lowy et le Docteur Joseph Weiss se retrouvèrent occupés à étaler du goudron chaud sur une route voisine de la zone des baraquements. C'était là un travail d'une importance capitale qui permettrait une nouvelle liaison entre une des usines produisant des armements et une tête de ligne sur la voie ferrée. Eichmann et ses transports de Juifs avaient tant et si bien paralysé le réseau ferroviaire d'Auschwitz que le matériel de guerre destiné au front était souvent relégué sur une voie secondaire, ou retardé dans son expédition.

Le travail était pénible sur le chantier de la future route. Mais il durerait longtemps. En outre, l'homme qui en assumait la direction, un ingénieur civil du nom de Kurt Dorf, s'était acquis une excellente réputation parmi les Juifs. On disait qu'il en avait sauvé des centaines en les sélectionnant pour son chantier, en prétendant qu'ils étaient de bons travailleurs, et en les tenant en quelque sorte hors de la portée des insatiables exécutants des ordres de Hoess.

Dorf était un homme grand et fort, au visage buriné, qui n'élevait jamais la voix. Ses gestes étaient lents. (Je l'ai rencontré depuis et, bien entendu, j'ai été informé de son témoignage devant le tribunal de Nuremberg. Nous avons tous les deux beaucoup correspondu par lettres, comme on pourra le constater à la fin de ce récit. Ce fut lui qui me permit de compulser les journaux intimes de son neveu Erik Dorf, et d'autres documents.)

Les vapeurs qui se dégageaient du goudron chaud, et le travail physique éreintant donnèrent, ce jour-là, des étourdissements à mon père, et Lowy le vit chanceler.

— Ça va, Doc? demanda-t-il.

— Oui, oui. Je vais bien.

— Vous devriez peut-être aller à l'hôpital...

— Vous plaisantez, Lowy! C'est là qu'ils me sélectionneraient pour leur traitement spécial. Grâce à Dieu, cet ingénieur m'a pris dans ses équipes. La morale de l'histoire c'est que nous survivons si nous pouvons faire le travail qu'ils exigent.

— Peut-être, fit Lowy, cynique.

Ils levèrent les yeux sur Kurt Dorf, haute silhouette vêtue d'un costume civil qui fumait sa pipe en étudiant une série de plans.

— Ce Dorf, dit Lowy, il n'est pas comme les autres.

— Parce qu'il nous a sauvé la vie?

— Pour sûr. Il a bien dû sauver cinq cents d'entre nous avec ses travaux. J'ai entendu dire que les SS voudraient se débarrasser de lui.

Mon père s'attela de nouveau à sa tâche sur le goudron chaud.

— C'est tout de même bizarre, fit-il. Où sont donc passés les autres gens de son espèce? Trente trois pour cent seulement des Allemands ont voté pour Hitler en 1933. Qu'est-il arrivé aux deux autres tiers?

— Ils ont appris à l'aimer, rétorqua Lowy. Les nazis ont semé l'effroi dans la population. Emprisonnements, meurtres, tortures...

350

Ils ont donné un sacré exemple au monde. Vous savez, je faisais partie d'un syndicat d'imprimeurs avec des tas de chrétiens, des amis, des socialistes. Où sont-ils à présent ? Ils sont entrés dans le jeu d'Hitler.

Mon père faillit tomber. Il fit quelques pas pour s'éloigner de la chaussée nouvelle et mit un genou à terre afin de se reposer. Il supportait mal les vapeurs du goudron.

Kurt Dorf le vit, et descendit de la cabane en planches où il avait son bureau.

— Etes-vous souffrant ? demanda-t-il à mon père.

— Non, non, seulement un peu fatigué. Je vais retourner à mon travail.

Kurt Dorf l'arrêta.

— Comment vous appelez-vous ?

— Weiss. Joseph Weiss.

De la route monta la voix de Lowy :

— Docteur Weiss !

— Etes-vous docteur en médecine ? fit l'ingénieur.

— Oui. J'étais généraliste à Berlin. J'avais mon propre cabinet.

Kurt Dorf accorda un long regard à mon père. Une camionnette qui apportait du matériel venait d'arriver. On la déchargeait.

— Pourquoi n'iriez-vous pas travailler au déchargement pour le reste de la journée ? dit-il. C'est moins pénible.

Mon père fit un hochement de tête et s'éloigna de quelques pas. Puis il se retourna.

— Nous vous sommes reconnaissants de ce que vous faites pour nous.

Dorf fut embarrassé par cette réflexion de mon père. Un groupe de SS, conduit par un officier, venait d'arriver et l'attendait devant la cabane qui lui servait de bureau. Son rouleau de plans sous le bras, il fit demi-tour, et marcha vers eux.

Le journal d'Erik Dorf

Auschwitz
Février 1943

Agréable surprise pour moi à Auschwitz, aujourd'hui, lors de ma visite hebdomadaire. Enfin, agréable... jusqu'à un certain point. J'ai trouvé mon oncle Kurt au travail sur un nouveau projet de route. Cet endroit est si vaste et si complexe, tant d'équipement s'y fabrique pour notre effort de guerre, qu'il est parfaitement possible d'ignorer qu'un parent ou un ami se trouve employé ici. Kurt a travaillé quelque temps pour l'I.G. Farben même, au réaménagement des bâtiments de son usine de buna, un caoutchouc synthétique, et à présent, il travaille à la route qui desservira cette grande firme.

Nous nous serrâmes la main, un peu froidement pour commencer, puis nous nous étreignîmes avec beaucoup plus de chaleur. Je renvoyai mes assistants afin d'avoir le plaisir d'un tête-à-tête intime.

— Alors? dit-il? Comment va mon neveu?

— Assez bien. Voyons... à quand remonte notre dernière rencontre?... Au Noël d'il y a deux ans, à Berlin, si je ne me trompe?

— Avec Marta et les enfants. La *Nuit étoilée* autour de ce magnifique piano.

Kurt sourit, et ajouta :

— Je suis heureux de te revoir, Erik.

— Moi aussi, je suis ravi de vous revoir. Cela me rappelle que j'ai une famille.

Kurt m'invita alors à entrer dans son minuscule bureau qui est installé dans une cabane en planches. Il dit qu'il avait du vrai café, pas de l'ersatz, et que nous en prendrions une tasse pour fêter notre rencontre.

Nous restâmes un moment silencieux, à déguster notre café bien chaud, en regardant par la fenêtre vitrée (la cabane se trouve sur une hauteur) la véritable ville qu'est devenu le camp d'Auschwitz. Au loin, on voyait les quatre hautes cheminées qui crachaient de la fumée.

— Vos routes nous ont été d'un grand secours, dis-je. Non seulement pour le transport du matériel de guerre, mais pour la prévention de la contamination, et la simplification des procédures de dégagement.

Il me lança un regard bizarre.

— A ce que je comprends, il y a beaucoup d'épidémies dans le camp!

— Oh oui! Les Juifs sont un peuple répugnant.

— Je suppose qu'il doit aussi y avoir de l'infection parmi ceux qui dirigent ce camp.

— Un peu.

— Pas tant du corps que de l'esprit. De l'âme, peut-être.

Je sentis où il avait l'intention d'en venir. Kurt a toujours eu en lui une fibre moralisatrice. N'ayant jamais été membre de notre

352

Parti, il est resté dans l'incapacité de comprendre nos objectifs, et notre politique à long terme.

— Vous manifestez une vertueuse indignation, à ce que je vois, mon oncle ! Sachez que ce que nous faisons, nous sommes obligés de le faire.

Il se leva.

— Tu n'as pas besoin de me mentir. Tu es du même sang que moi. Epargne-toi ces faux-semblants au sujet de ces centaines de milliers de Juifs innocents que vous assassinez en ce lieu. Et pas seulement des Juifs, mais aussi des Russes et des Polonais, et tous ceux que vous jugez être des ennemis.

Je ne dis rien, et croisai mes jambes devant moi.

Il s'éloigna un peu, et se mit soudain à déblatérer :

— Qu'est-ce qui vous oblige, au nom du Ciel, à les faire se mettre nus avant de mourir ? Au nom de la simple décence, ne pouvez-vous pas leur laisser quelque vestige de dignité au moment de les assassiner ? J'ai vu vos brutes de SS regarder avec des visages fendus de larges sourires les femmes juives, ces pauvres créatures, tentant de couvrir leur nudité de leurs mains. Je n'avais jamais vraiment cru à Satan ni à l'existence d'un esprit du mal dans l'univers avant de venir ici.

— Il vous a fallu du temps, mon oncle, dis-je tranquillement. Vous étiez à Babi Yar.

— Peut-être ai-je voulu croire alors à tes mensonges... Comme tant de nos compatriotes.

— Mon oncle, vous êtes en train de défendre des criminels, des espions et des saboteurs. Ces Juifs contaminent tout, à la fois sur le plan physique et sur le plan politique. Nous assainissons actuellement l'Europe, et assainirons finalement le monde entier. Il y a beaucoup plus de gens d'accord avec nous que vous ne l'imaginez.

Je m'exprimai calmement, rationnellement, tâchant de lui faire comprendre la portée de notre mission.

Kurt fixait sur moi le regard glacial de ses yeux bleus. Les mêmes yeux sévères que mon père avait pour moi lorsqu'il me surprenait à mentir.

— J'ai entendu quelque chose de tout à fait remarquable, l'autre jour, dit-il. Le mois dernier, les Juifs du ghetto de Varsovie se sont soulevés. Ils ont tués de leurs mains des soldats allemands et forcé les SS à reculer. Songes-y Erik ! Ces gens désarmés, méprisés, terrorisés, qui se redressent pour lutter avec les seigneurs du monde. Cela redonne presque confiance dans la Divine Providence.

— Presque, mais pas tout à fait.

J'avais entendu parler, en janvier, de la rébellion de Varsovie. Le bruit court que les Juifs continuent à s'armer et se préparent à résister à nos efforts pour déloger les cinquante derniers mille occupants de ce ghetto. C'est un acte insignifiant. Nous finirons par avoir raison d'eux. Mais j'estimai que je devais quelque chose au frère de mon père. Bien qu'ingénieur, et expert dans la construction des routes, il risquait de s'attirer des ennuis à faire étalage de tels sentiments.

Je regardai par la fenêtre les équipes qui travaillaient sur sa nouvelle route.

— On m'a dit que vous employez plusieurs centaines de Juifs comme ouvriers. Et qu'ils bénéficient de rations supplémentaires de nourriture et de privilèges. Vous pourriez disposer d'une main-d'œuvre polonaise.

— Et après ?

— Les Juifs sont destinés à un traitement spécial. Ils doivent travailler jusqu'au bout de leurs forces, après quoi, nous les envoyons à l'épouillage.

— Exprime-toi clairement, Erik. Il s'agit de les assassiner. Dis-le donc !

Sans relever ses paroles, je poursuivis :

— Je vous trouverai des prisonniers de l'armée rouge. Pleins de force dans les bras, et l'esprit obtus. Ils pourront remplacer vos Juifs. Voyez-vous, si nous laissons survivre les Juifs, ils détruiront un jour l'Allemagne.

— Je veux que tu laisses mes ouvriers tranquilles.

— Vous cherchez à vous attirer la faveur des ennemis du Reich, n'est-ce pas ? Les enfants de ces Juifs... les enfants que nous envoyons...

A ma stupéfaction, il s'élança sur moi et m'empoigna par le revers du col en déchirant presque les insignes qui y sont cousus. Je ne suis pas porté sur les exercices physiques. Je ne l'ai jamais été. J'ai horreur de la violence et de la lutte. Mon oncle Kurt est grand et musclé. Des années de travail en plein air l'ont rendu très fort. Je sentis la puissance de ses mains. Il me secoua comme si j'étais un pantin.

— Je devrais t'étrangler de mes propres mains, petit salopard d'assassin. Par respect pour la mémoire de mon frère défunt. Combien de morts faudra-t-il pour te satisfaire, Commandant Dorf ? Un million ? Deux millions ? Combien de cadavres devront-ils être brûlés avant que tu ne te sentes en sécurité ? Bon Dieu, Erik, donne-moi une preuve d'humanité avant que cela ne cesse, montre-moi qu'il reste en toi un fond de décence.

— Enlevez vos mains de ma personne ! fut toute ma réponse.

Il me poussa rudement contre la paroi de planches. Je ne lui résistai pas. J'étais armé, évidemment, mais il était impensable que je sorte mon revolver. En outre, sa colère avait cédé la place à une sorte de dégoût.

Je rajustai mon uniforme, tentai de voir si l'un de mes hommes avait pu être témoin de cette scène pénible, et entrepris de rapporter à mon oncle ce que Marta, avec son intuition féminine, m'avait dit quelque temps auparavant. De façon persuasive, je lui expliquai que si nous arrêtions, maintenant, de tuer les Juifs, cela équivaudrait à admettre notre culpabilité. Lorsqu'on est convaincu de la justesse de ce qu'on fait, de son bon droit, on ne peut s'interrompre en cours d'action pour la simple raison que cette action se révèle déplaisante, ou qu'elle se trouve mal interprétée par certains. C'est là que réside le véritable courage : faire ce qui est souvent écœurant, et apparemment brutal, mais absolument indispensable dans la perspective d'un grand objectif, d'un plan à long terme.

— Ce que nous faisons est un acte moral, dis-je en conclusion. Un impératif historique.

Il marcha de nouveau sur moi, et je crus que, cette fois-ci, il allait me tuer.

Mais il s'arrêta net, et murmura entre ses dents :

— Je comprends trop bien. Je vous comprends tous trop bien. Sors d'ici !

Sa colère, son attitude irrationnelle me préoccupent. Mais tant qu'il travaille pour Hoess, qu'il construit des routes, qu'il modernise des usines, il nous est utile. En outre, il garde apparemment pour lui ses opinions de traître. Il a fait une exception pour moi.

Le récit de Rudi Weiss

Le lendemain du jour où ma mère fut assassinée dans la chambre à gaz, mon père apprit sa mort. Dans la soirée, après que lui et Lowy eurent achevé leur journée de travail sur le chantier de la nouvelle route, ils s'étaient rendus dans la section des femmes, grâce à de faux laissez-passer.

Ils trouvèrent le baraquement complètement vide. Une femme kapo, l'une de celles qui avaient escorté ma mère jusqu'à la mort, leur dit que toutes les détenues du block étaient allées à la chambre à gaz.

Les deux hommes s'abandonnèrent à leur douleur. Les circonstances étaient telles qu'ils ne pouvaient guère échanger de paroles de réconfort.

Quelqu'un m'a raconté que mon père entra alors dans le baraquement et qu'il resta un long moment assis sur la paillasse qu'avait occupée ma mère. Il ouvrit sa valise, plongea les mains dans ses pauvres affaires, et en tira un petit porte-musique qui contenait ses partitions préférées, au papier jauni, qu'elle avait si souvent jouées dans notre maison de la Groningsstrasse : Mozart, Beethoven, Schubert, et Vivaldi.

— Qu'ils soient maudits ! déclara Lowy à travers ses larmes. Pourquoi jamais personne ne leur résiste-t-il ? Pourquoi les Alliés ne bombardent-ils pas la voie ferrée, les fours crématoires, et les chambres à gaz ?

Mon père n'avait pas de réponse à lui faire, ni de paroles de consolation à lui prodiguer.

Le dimanche 18 avril 1943, l'Organisation juive de Combat, dont mon oncle Moïse était devenu l'une des chevilles ouvrières, — lui qui avait mené, sa vie durant, une existence de pharmacien timide — apprit que les Allemands préparaient une attaque en force contre les derniers habitants du ghetto. Elle serait lancée à deux heures du matin, le jour suivant.

Anelevitz réunit ses lieutenants. Des armes furent distribuées, et les hommes prirent position dans les points clés du ghetto. Ils se battraient jusqu'à la mort. On comptait environ quatre cents combattants effectivement armés.

Ce qu'ils ignoraient encore, c'était que Von Stroop, le général SS chargé de mener cette opération de nettoyage, disposait de *sept mille* hommes prêts à les anéantir : Waffen-SS, armée régulière comprenant des unités d'artillerie, de tanks et d'avions, deux détachements de la police allemande, des membres de la police polonaise ainsi que des personnalités du S.D. et un bataillon d'auxiliaires ukrainiens, lettons et lituaniens.

Les Juifs pourvus d'armes furent donc envoyés par petits groupes dans les endroits stratégiques du ghetto : le centre, près des rues Nalewski et Zamenof, et le secteur des usines près de la rue Leszno.

Dans un appartement situé à un étage élevé, oncle Moïse et Zalman s'assirent devant une fenêtre pour attendre l'ennemi. La pièce était sombre, mais la famille qui habitait là se préparait, d'une façon assez incroyable, à célébrer la fête de Pâque. Une femme disposa sur la table de la salle à manger des candélabres, du pain azyme, et le livre de la Haggadah.

Dans le groupe de combattants d'oncle Moïse, en plus de Zalman, qui était embusqué auprès de lui, à la fenêtre, se trouvaient aussi Eva Lubin et Aaron. Le jeune garçon dormait dans le fond de la pièce, sur une caisse de munitions. Dans les autres points stratégiques du ghetto, d'autres petits détachements de Juifs armés étaient également sur le pied de guerre. Les rues avaient été désertées.

Zalman étouffa un bâillement.

— C'est la Pâque, Weiss. Nous sommes le 19 avril 1943.

— Je crains fort que nous n'ayons ni l'un ni l'autre l'occasion de voir le seder de cette année, dit oncle Moïse.

— Nous aurions pu faire notre veillée hier soir. Les SS nous y conviaient. N'as-tu pas entendu la voiture avec haut-parleur qu'ils nous ont envoyée ?

— Bien sûr que si, dit Moïse. Quelqu'un s'est-il rendu à leur invitation ?

— Personne, même pas le prophète Elie.

— Quel dommage ! J'aurais pu y aller, si je n'étais pas tenu de rester posté ici. Tu sais, Zalman, quand j'étais gosse, il ne m'a jamais été donné de poser les quatre questions. Peut-être, pour cette dernière nuit, le Général Von Stroop m'aurait-il fait cet honneur ?

— Peut-être. Avant de te loger une balle dans la peau.

Eva se rappelle que mon oncle se mit alors à parler de son frère et de sa belle-sœur. Lui-même n'avait pas fondé de foyer. Et mes parents lui manquaient. Il aurait voulu qu'ils fussent à ses côtés.

— Oui, dit Zalman. Un médecin nous serait bien utile, à présent.

— Pour soigner les blessés ?

Zalman fit oui de la tête.

— Je serais plutôt porté à les achever moi-même s'ils ne peuvent pas être sauvés. Nous savons à quel genre d'individus nous avons affaire.

Ils parlèrent ensuite des derniers bruits qui couraient : une compagnie de la police juive, qui était censée participer à l'attaque, avait été massacrée par un peloton d'exécution ; Himmler était arrivé à Varsovie afin de voir de ses propres yeux la fin du ghetto.

— Je voudrais que nous soyons plus de quatre cents, dit Moïse.

— Mais les gens d'ici, répondit Zalman d'une voix qui n'était pas dénuée de sympathie, notre peuple, on ne l'a jamais préparé à se servir de fusils.

— Et moi ? Est-ce que j'étais préparé ?

Les deux hommes scrutèrent du regard la rue sombre. Des drapeaux sionistes flottaient sur de nombreux édifices : l'étoile bleue et blanche, les bandes bleues. Il y avait aussi des drapeaux polonais, et des appels demandant aux Polonais de se joindre aux combattants du ghetto. Jusqu'à la fin l'espoir subsista qu'ils viendraient apporter leur soutien.

Moïse reprit la parole :

— Demain, ce sera l'anniversaire d'Hitler. Les SS lui ont promis nos vies comme cadeau. La liquidation des Juifs de Varsovie pour fêter l'anniversaire du Führer.

— Comme des bougies soufflées sur son gâteau, dit Eva.

Moïse poussa un soupir.

— Je n'avais jamais imaginé que je me trouverais un jour résigné à mourir. Mais je le suis. Cet Anelevitz m'a beaucoup appris. Le monde saura que nous n'avons pas tous marché docilement vers la mort, sans élever la moindre protestation.

Une lumière s'alluma dans la pièce du fond.

— Eteignez, ordonna Eva à la femme.

— Mais je nettoie pour la Pâque.

— Nettoyez dans le noir, dit Eva.

— La Pâque ! fit Zalman. Ils l'observent encore. Je ne les critique pas, Weiss, cela me laisse sans voix. Peut-être nous aurait-il fallu moins de traditions et de prières... et davantage d'armes !

Dans le fond de la pièce, un vieil homme priait. Il avait son châle, sa calotte, et son livre de prières ouvert. Il s'inclinait et se balançait doucement, perdu dans son extase religieuse.

— Sois tolérant, Zalman. Telle a toujours été leur vie. Ils n'ont rien connu d'autre, et c'est cela qui leur a permis de rester unis depuis bien longtemps. Qui sait... ce sera peut-être cela qui nous permettra de rester unis lorsque cet enfer sera fini.

De la rue montèrent des roulements de tambour, et de la musique militaire. La porte du ghetto avait été grande ouverte, et un détachement de la police juive, sans armes, se mit à défiler dans les rues vides. Derrière, venaient les auxiliaires étrangers. Ils portaient des fusils et des mitraillettes.

Une voiture équipée d'un haut-parleur apparut alors, et s'arrêta au milieu de la place.

— Heureuse fête de Pâque à nos amis Juifs, lança une voix amicale. Baissez vos armes. Sortez dans la paix. Nous vous préparons un seder. Renoncez à cette lutte insensée, car ce sont des traîtres qui vous mènent et qui ne cherchent que votre perte, tandis qu'eux-mêmes s'échapperont.

Oncle Moïse, qui s'était entraîné au tir dans les sous-sols, épaula son fusil, et d'un seul coup de feu mit le haut-parleur hors d'état de fonctionner.

La voiture fit marche arrière, avec son haut-parleur qui se balançait au bout de fils cassés. Sur des ordres donnés par les sous-officiers SS, la police du ghetto et les auxiliaires constituèrent alors un front de combat. Cette fois-ci, ils n'allaient pas reculer. Les roulements de tambour reprirent. Les hommes s'engagèrent plus avant dans la rue. Il avait été précédemment convenu par Anelevitz et les autres dirigeants de la résistance qu'ils garderaient leurs munitions pour les Allemands.

— En tête, notre misérable police ! fit Zalman.

— Laissons-les passer, dit Moïse.

Eva se glissa jusqu'à une autre fenêtre et leva son fusil. Aaron quitta sa caisse de munitions et avança vers les combattants, leur apportant d'autres fusils de réserve et des balles.

— La Lituanie, la Lettonie, l'Ukraine, annonça Moïse. Nous les connaissons bien !

— Attendez encore pour tirer, murmura Zalman à voix basse.

— Un jour, je regarderai un Letton droit dans les yeux, et je lui dirai : « Frère, je t'ai laissé la vie sauve dans le ghetto de Varsovie ! »

C'était incroyable. De nouveaux détachements d'hommes continuaient à pénétrer à l'intérieur du ghetto. A présent, il y avait un bataillon de Waffen-SS sur la place. Ils installèrent des tables, des téléphones, et même une popote. C'était une véritable campagne militaire. Une opération d'importance.

— Allez-y, lança Zalman.

Une salve nourrie partit d'une douzaine de fenêtres qui surplombaient la place. Les Allemands, qui chantaient très fort en défilant au coin des rues Nalewski et Gensia, se trouvèrent fauchés par le tir. Leur belle formation se rompit. Des morts et des blessés restèrent sur la chaussée.

Envoyée des greniers, des balcons, et des fenêtres des étages supérieurs, notamment de celles auxquelles Moïse, Zalman, Eva et Aaron se tenaient tapis, une grêle de balles mit en déroute la colonne nazie, semant la confusion dans ses rangs.

Ils purent entendre, en bas, les officiers allemands qui criaient :

— Où sont-ils, Bon Dieu ?

— En arrière !

— Mettez-vous à l'abri !

Oncle Moïse leva de nouveau son fusil et dit :

— Il y a un Dieu dans le ciel, après tout. J'avais eu quelques doutes.

— On peut mourir la joie au cœur quand on voit une chose pareille ! déclara Zalman. Regardez-les reculer.

— Pour la première fois de ma vie, dit Moïse en rechargeant son fusil, je sens en moi le sang du roi David. Croyez-moi, c'est autre chose que d'exécuter les ordonnances des médecins !

— Modère ton enthousiasme pour ne pas basculer par-dessus le balcon ! dit Zalman.

Les Allemands tentèrent à plusieurs reprises de regrouper leurs forces, de revenir chercher leurs morts et leurs blessés, mais à chaque fois, leur avance fut stoppée par un tir de barrage. En certains endroits du ghetto, des groupes de Juifs armés de revolvers descendirent dans les rues et en expulsèrent les Allemands, de maison en maison.

La première attaque dura en gros deux heures, de six heures à huit heures du matin, et, chose incroyable, il n'y eut pas de morts ni de blessés parmi les combattants juifs. Leur riposte avait totalement pris de court les SS.

Von Stroop, le général allemand, qui daigna franchir la porte du ghetto et s'abaisser à combattre des Juifs, reconnut plus tard dans son rapport : « La résistance juive fut inattendue, d'une puissance inhabituelle, et d'une surprise totale. Lorsque nous pénétrâmes pour la première fois dans le ghetto, les Juifs et les bandits polonais réussirent, l'arme au poing, à repousser nos forces d'attaque, y compris les tanks et les panzers. » Cela était entièrement exact, à l'exception de l'allusion faite aux « bandits polonais » car tous les combattants étaient des Juifs.

Mais, évidemment, les nazis revinrent, et en plus grand nombre. Comme précédemment, ils poussèrent devant eux leurs valets ukrainiens et baltes. Mais, cette fois-ci, ils s'abritèrent eux-mêmes derrière des tanks. Ils ne défilèrent plus fièrement au milieu de la rue, et ne chantèrent plus d'airs martiaux. C'est qu'ils n'espéraient plus que les Juifs se rendraient à la simple vue d'un uniforme allemand.

Dans l'appartement, lorsque le soir tomba, Moïse et son groupe entendirent la famille procéder à ses lectures de Pâque.

— « Quand Moïse fut grand, il rencontra un jour sur son chemin un Egyptien qui frappait un Hébreu, et il tua l'Egyptien. Moïse s'enfuit alors de la cour du pharaon, et se réfugia dans le pays de Madian... »

Lorsqu'un petit garçon, assis à la table familiale, posa comme question : « Pourquoi cette nuit est-elle différente de toutes les autres nuits ? », Zalman et Moïse ne purent s'empêcher de sourire. Oui. Elle était différente, en effet. Elle ne ressemblait à aucune autre Pâque dans l'histoire du peuple juif.

— « Et il est écrit », lut en hébreu le vieil homme dans la pièce du fond, « nous élevâmes nos supplications jusqu'au Seigneur, le Dieu de nos Pères, et le Seigneur entendit notre appel, et vit notre affliction, notre dur labeur, et notre oppression... »

Pendant un moment, ils écoutèrent tous. Et puis Moïse dit :

— Joignons-nous à eux.

Et tous ensemble, ils récitèrent alors :

— « Et le Seigneur nous fit sortir d'Egypte. Il étendit sa main puissante, et frappa l'Egypte par toutes sortes de merveilles qu'il fit au milieu d'elle. »

Bientôt leur position devint intenable. Les tanks et l'artillerie entrèrent dans le ghetto. Des mortiers se mirent à envoyer des obus sur les toits et les étages supérieurs d'où étaient partis les premiers coups de feu.

Moïse ordonna à la famille de mettre un terme à son seder. Dieu comprendrait qu'ils écourtent leur soirée pascale. Ils devaient partir. Un obus avait explosé sur le toit. La femme prit les livres sacrés, le pain azyme, les assiettes et les gobelets de vin. Sa famille la suivit.

Un second obus explosa contre la façade de l'immeuble. Zalman fut blessé au bras par un pan de maçonnerie qui s'écroula.

— Impossible de tenir ici, dit Moïse. Ils sont trop forts en bas. Prenons toutes les armes et les munitions, et descendons dans les tunnels.

Dix minutes plus tard, après avoir suivi Aaron qui connaissait les égouts et les passages souterrains aussi bien que les rats qui vivaient là, ils débouchèrent dans un autre appartement.

Celui-ci surplombait les rues Mila et Zamenof, ainsi que les bâtiments environnants, et offrait d'excellentes positions pour le tir. Il y avait au moins une mitrailleuse et un bon nombre de résistants cachés là, qui étaient armés de cocktails Molotov, de grenades et de fusils automatiques.

Moïse et son groupe eurent la joie de voir le premier tank allemand qui franchit bruyamment le carrefour se transformer en un enfer sous l'effet des cocktails Molotov. Son équipage fut brûlé vif. Deux autres tanks reculèrent alors. Les soldats allemands se réfugièrent derrière, et attendirent, surpris.

— Les voilà encore qui reculent ! dit Moïse.

— C'est le feu croisé, fit Zalman.

Il tirait encore, de sa main droite, pendant qu'Eva pansait sa blessure.

Quelqu'un déroula un autre drapeau sioniste et l'accrocha à la fenêtre.

— A la bonne heure ! dit Moïse. Que ces salauds le voient. Qu'ils sachent qui nous sommes.

Une nouvelle retraite des Allemands s'amorçait.

— Quel effet cela te fait-il, Zalman ? demanda Moïse.

— Oh, je n'ai pas trop mal au bras.

— Ce n'est pas ce que je veux dire. Je parle du spectacle de ces crapules en train de fuir.

— C'est merveilleux ! Weiss, nous avons battu les Philistins à plate couture.

Le combat se poursuivit pendant vingt jours. Von Stroop, las des revers subis par ses officiers, prit en personne la direction des opérations. Deux jours durant, la résistance parvint à garder sa position de la place Muranowski. Mon oncle et ses amis étaient au cœur de la bataille. Ce fut là que Von Stroop fit, pour la première fois, entrer en action son artillerie anti-aérienne, dans le but de réduire toutes les poches de résistance, immeuble après immeuble.

Je dois signaler que, dans cette bataille, un groupe de six chrétiens polonais, sous la conduite d'un homme appelé Iwanski, entra dans le ghetto et se joignit aux combattants juifs qui ripostaient aux Allemands. Ils apportèrent une nouvelle provision d'armes. Quatre de ces Polonais moururent en luttant aux côtés des Juifs. C'est à des gens tels que ceux-ci que nous devons rendre un hommage particulier. En mémoire de leur geste.

Le 23 avril, les Juifs se battaient toujours à partir de divers bunkers disséminés dans tout le ghetto. Himmler, furieux de voir que le monde était au courant de la résistance des Juifs, envoya à Von Stroop un télégramme irrité :

« Les rafles de Juifs dans le ghetto de Varsovie doivent être faites avec une détermination acharnée, et aussi rudement que possible. Plus l'attaque sera violente, et mieux cela vaudra. Les récents événements montrent à quel point ces Juifs sont dangereux. »

Je ne suis pas psychologue, mais ma femme a beaucoup étudié en ce domaine. Elle dit qu'Himmler était au fond un lâche qui avait peur des faibles, peur de l'humiliation, et qu'il redoutait de voir sa lâcheté exposée au grand jour. Après avoir ordonné le meurtre de millions de créatures innocentes et totalement désarmées, il tremblait à présent devant quatre cents Juifs armés.

Le jour même où Himmler envoya ce message à son général, Anelevitz lança de son côté un appel aux contacts qu'il avait du côté « aryen » avec l'ultime espoir qu'ils interviendraient dans la lutte.

« Les Juifs du ghetto ont enfin pris les armes pour se défendre, et leur vengeance a revêtu une forme positive. Je tiens à témoigner de la bataille magnifique et héroïque qui est menée par les insurgés juifs... »

Les bunkers, ces abris souterrains de la résistance juive, se trouvèrent anéantis les uns après les autres. Les combats de nuit devinrent la règle générale. Les Allemands hésitaient en effet à pénétrer de jour dans le ghetto. Ils recoururent à des bombardements aériens et à l'envoi d'obus de mortier qui allumaient d'énormes incendies. Un siège systématique commença. La résistance savait que ses jours étaient comptés désormais. Les Allemands étaient engagés dans une véritable campagne militaire.

L'un des aspects les plus ignobles de cette bataille fut que des civils polonais se massèrent de l'autre côté du mur du ghetto pour *applaudir* le spectacle d'hommes et de femmes juifs qui se jetaient par les fenêtres des maisons en flammes afin de ne pas mourir brûlés vifs, et qui s'écrasaient au sol.

— En voici un autre ! s'exclamaient-ils.

— Et encore un !

Mais le courageux Iwanski, l'officier de l'armée polonaise, revint *de nouveau,* combattre aux côtés des Juifs. Son frère fut tué, et son fils grièvement blessé. Et cela, peu de personnes le surent. Si beaucoup de Polonais nous abandonnèrent et rirent en nous voyant mourir, il y eut au moins un Iwanski pour sauver l'honneur de la Pologne.

Vers le 8 mai, la résistance se trouva réduite à une poignée de bunkers d'où l'on entendait sortir des coups de feu. De tous les tunnels qui avaient été explorés méthodiquement, dans le but d'y trouver des chemins secrets pour une retraite éventuelle, très peu restaient praticables. Les Allemands avaient également pensé aux passages souterrains par lesquels pourraient s'échapper les Juifs, et en avaient obstrué un grand nombre.

Dans l'abri souterrain du numéro 18 de la rue Mila, Anelevitz communiqua par téléphone avec ses lieutenants. Il les pria instamment de tenir bon, d'attendre une aide de l'extérieur. De nouveaux appels furent lancés aux Polonais. La reddition était hors de question.

Sur la vieille presse de Max Lowy, — lequel avait été déporté depuis longtemps à Auschwitz, avec mon père — les résistants tirèrent un dernier message à l'adresse du monde extérieur.

Leurs armes vides de toute munition, Moïse, Zalman, et d'autres, prenaient un peu de repos, le dos appuyé contre les murs humides du bunker.

— Combien de jours, Zalman ?

— C'est le 19 avril que nous avons ouvert le feu. Nous sommes le 9 mai. Vingt jours, et ils ne nous ont toujours pas vaincus.

Mon oncle dit :

— Nous n'avons pas donné à Hitler son cadeau d'anniversaire.

— Si, nous l'avons fait. Mais ce n'était pas le cadeau qu'il désirait !

Anelevitz prit la feuille fraîchement imprimée des mains tachées d'encre d'Eva Lubin, et se mit à lire :

« Nos femmes et nos enfants sont brûlés vifs par milliers dans les maisons. Des gens, transformés en torches vivantes, sautent par les fenêtres. Mais nous nous battons toujours. C'est une lutte pour notre liberté et pour la vôtre. Nous vengerons Auschwitz, Treblinka, Belzec et Maidanek. Vive la liberté ! Mort aux occupants criminels et assassins ! Vive notre lutte à mort contre la barbarie nazie ! »

Un jeune insurgé du ghetto, qui avait revêtu un uniforme allemand pris à l'ennemi, fit quelques pas en avant. Anelevitz lui donna les feuilles du tract.

— Essaie de les faire passer à l'extérieur. Bonne chance.

Eva regarda tristement la vieille presse à imprimer.

— Il ne nous reste plus de papier, dit-elle.

Mais les SS avaient exploré méthodiquement le secteur. Toutes les issues possibles du bunker, le moindre égout, la moindre porte de cave, la moindre ouverture sur l'extérieur étaient gardées par eux.

Le jeune homme qui portait les tracts sortit par une porte de cave en partie couverte de gravats et fut tué net par deux SS.

A l'intérieur du bunker les autres attendaient.

— Je n'ai jamais été un homme très courageux, dit mon oncle.

— Moi non plus, fit Zalman.

Eva leur sourit :

— Je vous trouve assez braves.

— Mais j'ai appris une chose, reprit Moïse. Nous devons tous mourir. Alors, dans ces conditions, pourquoi ne pas mourir pour quelque chose ?

Tandis qu'ils conversaient ainsi, à voix basse, tout en restant vigilants et en prêtant l'oreille aux coups de feu sporadiques qui étaient tirés dans la rue, au-dessus d'eux, Aaron arriva en courant. Il était à bout de souffle. C'était lui qui avait conduit le jeune homme vêtu de l'uniforme nazi jusqu'à la sortie.

— Ils l'ont tué, dit-il. Ils savent que nous sommes ici.

Au-dessus de leurs têtes, ils purent alors entendre des voix d'Allemands. Un camion arriva dans la rue. Des ordres furent lancés. Soudain, une odeur âcre commença à envahir leur abri. Elle les étouffait.

— Une espèce de gaz, dit Moïse. Couvrons tous nos visages avec des chiffons humides.

Eva revoit la scène. Des femmes serraient leurs enfants contre elles. Beaucoup de gens pleuraient à présent. Un vieil homme se mit à prier.

Anelevitz se leva.

— C'est la fin, dit-il de sa voix calme.

Zalman vint à son côté.

— Les pilules ?

— Il n'y en a pas assez pour tout le monde.

— Peut-être certains d'entre nous ont-ils envie de sortir, de tenter leur chance au-dehors ?

Anelevitz approuva d'un hochement de tête.

— Ils sont libres de le faire.

Les gens toussaient. En outre, des obus de mortier s'attaquaient maintenant aux murs épais, au-dessus du bunker. La longue salle étroite trembla. La fin était proche.

Oncle Moïse s'avança vers un groupe de gens.

— S'il y en a parmi vous qui veulent s'en aller... Je peux les conduire.

— Moi aussi, dit Eva.

Aaron et quelques personnes se rangèrent derrière Moïse. D'autres suivirent Eva pour s'engager sur un chemin différent : un vieil égout désaffecté qui devait déboucher de l'autre côté du mur du ghetto.

Moïse serra Zalman et Anelevitz dans ses bras.

— Au revoir, mes amis.

Zalman serra la main de mon oncle.

— Au revoir, Weiss. Nous n'avons pas vraiment appris à nous connaître.

— Ce sera pour une autre fois, Zalman.

— Bien sûr.

Quelqu'un se mit à entonner les chants du ghetto. Puis toutes les voix s'unirent pour chanter la *Hatikvah,* le chant d'espérance de l'hymne sioniste.

Une colonne se constitua derrière Moïse, une autre derrière Eva.

— Je porte le nom approprié, dit mon oncle, mais je crains de ne pas pouvoir vous mener en terre promise. Restons groupés. Aaron, tu fermeras la marche. Avançons avec dignité et courage.

Il quitta l'abri par une issue. Eva s'engagea dans une autre. Les SS les attendaient. Peut-être avez-vous vu cette photographie très connue qui montre les Juifs sans armes, aux visages décharnés, en train de sortir d'un trou dans les décombres, et les soldats qui les attendent, le sourire aux lèvres, et le fusil pointé sur eux ?

Dans l'abri souterrain, Anelevitz et beaucoup d'autres préférèrent se suicider, à l'image des héros de la citadelle de Masada.

— On ne vous fera pas de mal, dit un lieutenant allemand. Il ne s'agit que d'une fouille. On vous enregistrera après. Tournez-vous contre le mur, les mains en l'air.

Tous se retournèrent. Il y avait là Moïse, Aaron, et tous leurs amis de la résistance.

— Allons, les enfants, dit oncle Moïse. Levons nos mains, et prions. Quelqu'un veut-il commencer ? Je ne connais plus très bien les prières.

Il prit la main d'Aaron dans sa main droite, et celle d'une vieille femme dans sa main gauche. L'homme âgé et barbu, qui avait présidé le seder vingt jours plus tôt, commença à réciter la Shema.

— « Shema Isroel Adonai Elohenu, Adonai Ehod... »

Ils poursuivirent la prière, réaffirmant leur foi, jusqu'à ce que les Allemands se mettent à tirer. Tous moururent.

Le groupe d'Eva Lubin eut davantage de chance. Durant trente heures, il erra dans le réseau d'égouts de Varsovie. Au matin, ils entendirent une explosion au-dessus de leurs têtes, virent la lumière du jour, et se retrouvèrent dans les faubourgs de la ville.

Un contact avec un groupe de partisans avait abouti. Un camion les attendait. La poignée de gens qui avait suivi Eva fut emmenée dans les forêts où elle se réfugia. Dans la ville même, la résistance avait cessé.

Le journal d'Erik Dorf

Auschwitz
Août 1943

De plus en plus fréquemment, je me trouve absent de Berlin. Je n'ai jamais vu l'équipe de nos dirigeants — et en particulier Kaltenbrunner et Eichmann — plus résolus à accomplir rapidement notre mission. Pourquoi ? Je me le demande. Nous perdrons la guerre, tôt ou tard, ce n'est plus qu'une question de temps. Mussolini a été arrêté l'autre jour. La Sicile est occupée par les

Alliés. Notre dernière offensive en Russie a échoué. Un sinistre rapport est arrivé qui signale que sur le front des Carpates d'importants effectifs de guérilla de l'armée rouge ont enfoncé nos lignes et pénétré au-delà, sur plus de huit cents kilomètres.

Aujourd'hui, je me suis retrouvé à Auschwitz pour vérifier avec Hoess si sa réserve de Cyclon B est suffisante, et si les transports d'Eichmann respectent bien les horaires.

La tâche qui incombe à Auschwitz et aux autres camps d'extermination — c'est curieux comme je me suis bien habitué à l'usage de cette expression — va devenir plus lourde encore. Himmler, maintenant que le ghetto de Varsovie a été liquidé, a ordonné la destruction immédiate de tous les autres ghettos de Pologne. Pour nous, cela signifie davantage de travail.

Je dois consigner ici le fait que certains pays européens ne sont pas d'accord avec nos projets. Les Bulgares, par exemple, peuple slave pour lequel je n'ai aucune espèce de considération, nous ont résisté et ont dispersé et caché les Juifs. Et les Italiens continuent à nous créer des difficultés en refusant de coopérer, et en envoyant leurs Juifs dans des couvents, des monastères, ou des coins de campagne. Et ce que je n'aime pas, c'est que lorsque nos hommes rencontrent ainsi de la résistance, ils l'acceptent plus ou moins, et renoncent à leur entreprise.

Quoi qu'il en soit, par cette chaude journée d'aujourd'hui, j'ai dîné dans le mess des officiers d'Auschwitz, avec Eichmann et Hoess. Ils étaient, comme toujours, pleins de sang-froid et dévoués à leur tâche, avec de nouveaux projets en tête. Le cours de la Sola est maintenant entravé par la masse de cendres qui y a été déversée. On enterre désormais ce qui sort des fours dans un champ des environs du camp.

Du coin de l'œil, je vis mon oncle Kurt entrer dans la salle à manger. Il évita de regarder dans ma direction, prit un siège à l'écart et mangea en silence, tout en tirant des bouffées de sa pipe. Depuis la scène qu'il m'a faite dans son bureau, à côté de son chantier de la route, et au cours de laquelle il a osé lever la main sur moi, nous ne nous sommes plus adressé la parole.

Je lisais une lettre de Marta. J'en étais arrivé à la moitié, lorsque je sursautai.

— Un ennui ? demanda Eichmann.

— Bonté divine ! dis-je. Notre rue a été bombardée.

Eichmann expliqua alors que les Anglais et les Américains ne sont que des barbares, sans aucun respect pour la vie humaine, ni pour la valeur culturelle de nos villes. Hoess fit remarquer que Churchill est un vrai sauvage, à lâcher ses avions de guerre sur des civils innocents.

Marta, dans sa lettre, m'assurait qu'elle et les enfants sont restés en sécurité dans l'abri au cours de l'attaque aérienne. Notre appartement a subi quelques dommages. Notre magnifique piano a été éraflé par la chute de plâtras.

Il y avait une autre nouvelle dans la lettre de Marta. Le père Lichtenberg, ce gêneur de chanoine qui refusa de suivre mes conseils à propos de ses sermons sur les Juifs, est mort à Dachau. Les circonstances ne sont pas connues. Je me sens un peu triste pour lui. C'était un homme qui se trouva incapable de comprendre la nécessité de marcher avec son temps, et d'accepter l'inévitable. J'annonçai la mort de Lichtenberg à Eichmann et à Hoess. Cela ne les intéressa pas. Qu'est-ce que cela pouvait bien leur faire, à vrai dire ? Qu'est-ce qu'un mort de plus, prêtre ou laïc, Allemand ou Polonais ? Ce qui importe, c'est de débarrasser l'Europe des Juifs ; nous en sommes tous conscients. Nous comprenons tous l'urgence de notre mission. Cette campagne d'extermination est *centrale et vitale* dans la perspective de tout ce que le Führer nous a enseigné. C'est l'axe, le levier, le noyau de notre mouvement. Ce n'est pas simplement un moyen, ou une fin, mais à la fois *le moyen et la fin* dans l'optique d'une Europe racialement pure, et dirigée par des aristocrates germains.

Eichmann posa son couteau et sa fourchette. Il se refusa à manger sa côtelette.

— Vous savez, Hoess... la puanteur de ces cheminées est épouvantable. Et cela empire de jour en jour. Comment peut-on prendre plaisir à manger dans un endroit pareil ?

L'appétit de Hoess n'en semblait nullement affecté. Il buvait sa bière tchèque et mangeait sa viande.

— Il n'y a rien à faire sur ce point, Eichmann. Nous continuons toujours à en traiter douze mille par jour, plus que dans tous les autres camps. J'ai entendu dire que Theresienstadt est également destiné à être liquidé. La Roumanie, la Hongrie, vont aussi nous envoyer leurs Juifs très prochainement. Nous n'aurons pas assez de nos quarante-six fours crématoires.

— Nous avons chacun nos problèmes, Hoess. Moi, je dois me battre avec l'armée pour avoir des trains. Ces salauds insistent pour expédier des vivres et du matériel de guerre à leurs troupes de Russie. Qu'est-ce qui est prioritaire ? leur dis-je. Se battre en Russie, ou se débarrasser des Juifs ? Cela les a fait taire. Ils savent quels sont les ordres de leurs chefs.

Il me vint soudain à l'esprit que mon oncle Kurt était à même d'entendre tout ce que Hoess et Eichmann disaient à haute voix. Sans toucher à sa nourriture, il se contentait de fumer, en buvant son café à petites gorgées. Le visage sombre, il écoutait tout.

Brusquement, il se leva, jeta quelques marks sur la table, et longea notre petit groupe. Au passage, il me regarda avec un dégoût et une haine dont je ne l'aurais pas cru capable. Puis il sortit de la pièce.

Une fois de plus, j'ai lu dans les yeux de Kurt le même reproche, la même colère que je lisais dans le regard de mon père lorsque j'étais petit garçon. Les adultes ont-ils conscience de la souffrance qu'ils infligent aux enfants avec leur désapprobation ?

J'éprouvai le besoin de donner une leçon à mon oncle, de rabattre cette supériorité morale dont il se targue vis-à-vis de moi, de remettre à sa place sa conscience aux notions excessivement personnelles. Aussi demandai-je à Hoess comment on appliquait la politique qui consistait à utiliser des Juifs comme travailleurs. Il répondit qu'elle avait toujours cours, mais de façon plus expéditive. C'est-à-dire qu'ils ne travaillent que jusqu'au moment où ils deviennent bons pour le « traitement spécial », et que, de plus, chaque fois qu'il est possible de les remplacer par de la main-d'œuvre polonaise ou russe, même s'ils restent assez forts, on les expédie à la chambre à gaz.

— J'ai appris qu'il y a plusieurs centaines de Juifs qui se trouvent encore employés sur les chantiers de construction des routes, dis-je. Et j'ai vu beaucoup de chrétiens capables de les remplacer.

— Alors, il faudra les remplacer. Je ne peux pas tout faire moi-même, Dorf.

Il nous réaffirma que chacun des Juifs qui arrivaient à présent à Auschwitz était destiné au traitement spécial. Les capacités manuelles ou intellectuelles n'importaient plus. Je pris la résolution d'envoyer un mémorandum écrit à Hoess au sujet des Juifs d'oncle Kurt.

Le récit de Rudi Weiss

Le coup s'abattit sur mon père un jour du mois d'août 1943. Je n'ai pas réussi à déterminer la date avec une plus grande précision. En compagnie de son ami Max Lowy, qui avait vécu, comme lui, à Berlin puis à Varsovie, et de la main-d'œuvre juive du chantier de Kurt Dorf, mon père se trouva conduit de son lieu de travail à la chambre à gaz, sans aucune formalité.

Papa, Lowy, et un troisième homme — lequel survécut et me raconta cet épisode — étaient en train de travailler sur une machine à trier les pierres. Le troisième homme avait entendu dire de la bouche d'un nouvel arrivant que le ghetto de Varsovie s'était soulevé. Beaucoup d'Allemands avaient été tués. Ils avaient dû recourir aux tanks, aux avions et à l'artillerie afin de venir à bout des combattants juifs. Tous deux lui demandèrent alors des nouvelles plus précises sur leurs amis de la résistance, mais l'homme savait très peu de choses, sinon que les nazis avaient eu besoin de sept mille hommes pour liquider le ghetto.

Tandis qu'ils parlaient, ils virent un sergent SS s'approcher de Kurt Dorf, et lui tendre une feuille. Une discussion s'ensuivit, mais Dorf, en sa qualité de civil, n'avait qu'une autorité limitée. Ils entendirent distinctement le sergent lui dire :

— Vos ouvriers seront remplacés.

Une demi-douzaine de SS firent alors leur apparition.

Les Juifs qui travaillaient pour Kurt Dorf reçurent l'ordre de se ranger par deux. On leur dit qu'on les emmenait à l'épouillage. On redoutait, paraît-il, une nouvelle épidémie de typhus.

Il y eut une pause. Les hommes abandonnèrent leur travail, puis se rassemblèrent. Certains se mirent à pleurer. L'un d'eux alla jusqu'à s'agenouiller devant le sergent SS. Il s'agrippa à ses bottes.

— Il ne devrait pas faire cela, dit mon père. Conservons au moins notre fierté jusqu'au bout.

Lowy avala sa salive.

— J'ai bien l'impression que c'est la fin, Doc.

— Oui. Vous et moi en avons parcouru du chemin.

— Ça n'a pas été de tout repos, Doc.

La colonne quitta le chantier pour s'approcher des bâtiments de béton, avec les cheminées à l'horizon.

— Vous avez été un bon ami, Lowy, dit mon père. Et j'ajouterai un excellent client. Vous me régliez toujours vos notes d'honoraires sur-le-champ, et vous ne vous plaigniez que très peu.

Lowy ravala ses larmes. Il lança un coup d'œil sur les gardiens.

— Doc, pourquoi ne leur sautons-nous pas dessus ?... Qu'est-ce que nous avons qui ne va pas ?

— Toute notre vie, nous avons été habitués à ne pas faire usage de la violence.

Ils marchaient sur le goudron chaud et poussiéreux, sur la route qu'ils avaient contribué à construire. Puis ils tournèrent. L'ingénieur, debout, seul près de son bureau, les regarda partir les bras croisés.

— Donnez-moi votre main, Lowy, dit papa.

— Je me sens comme un petit enfant. Le jour de sa première rentrée scolaire.

Mon père tenta de plaisanter pour dissiper la peur qui les étreignait.

— Lowy, vous a-t-on jamais examiné la vésicule biliaire ? Je vous ai toujours conseillé de procéder à cet examen depuis votre première visite dans mon cabinet de la Groningstrasse.

— J'y songerai cet automne.

Ils continuèrent à avancer. Certains avaient une démarche trébuchante. Ils savaient.

— Quel sale chemin pour aller à la mort, dit Lowy.

Derrière eux, quelqu'un répliqua :

— C'est peut-être ce qu'ils nous disent : une simple opération d'épouillage.

Lowy hocha la tête.

— Ouais ! l'épouillage.

Il regarda ses mains. Des mains d'imprimeur, déformées par le travail.

— Bon sang, Doc ! J'ai encore de l'encre sous les ongles. Les feuilles que j'ai imprimées à Varsovie ont peut-être eu une utilité.

— J'en suis certain, dit papa.

Ils furent gazés quelques heures plus tard, avec deux mille autres.

En septembre, oncle Sasha eut vent du passage d'un train qui devait transporter des pilotes de l'aviation allemande sur une voie ferrée pas très éloignée de notre nouveau lieu de campement. Il décida de tenter de faire sauter les voies et de tendre une embuscade aux nazis.

A cette époque-là, nous avions déjà à notre actif une douzaine de raids, contre la milice ukrainienne et les Allemands, mais nous eûmes le sentiment qu'il allait s'agir de notre meilleur fait de guerre. Bien que nous ayons perdu des hommes, le camp de familles avait conservé sa cohésion sous la ferme autorité d'oncle Sasha. Nous n'avions jamais eu autant de fusils, de mitraillettes et de revolvers, ni autant de nourriture. Il était étonnant de voir combien les fermiers locaux nous respectaient, à présent que nous étions armés.

Hélèna insista pour venir. Elle avait déjà participé à plusieurs attaques — contre ma volonté — mais cette fois-ci, j'éprouvai encore plus d'inquiétudes à son sujet que lors de nos raids précédents. Le danger était beaucoup trop grand. Ces trains étaient toujours abondamment pourvus de mitrailleuses montées à l'avant et à l'arrière.

Sasha m'envoya placer les charges de dynamite sur les traverses de la voie ferrée. La chaleur était terrible, ce jour-là. Ma chemise kaki était trempée de sueur. Dans les arbres et les buissons, de chaque côté de la ligne de chemin de fer, une douzaine de partisans, au nombre desquels se trouvait Hélèna, Youri et Nadia, attendaient.

J'en avais appris très long sur les explosifs. Il n'y a rien en cela de difficile à retenir. Ce qui est difficile, c'est de trouver en soi le courage de mettre son savoir en pratique. (Tamar dit qu'en Israël, des Juifs sont devenus des soldats en l'espace d'une nuit. Formés et armés, ils ont fait oublier au monde qu'ils avaient peuplé des ghettos où régnait la peur.)

Dans le lointain, nous entendîmes une locomotive siffler.

— Vite, dit Sasha.

— On a le temps, lui criai-je.

Je m'assurai que les bâtons de dynamite se trouvaient bien fixés, et que les amorces étaient en bonne position. La pression des lourdes roues déclencherait l'explosion. Alors, nous nous précipiterions sur les wagons avec nos armes automatiques et nos grenades. Ce serait notre plus bel exploit à ce jour.

Je fis mes derniers nœuds et revins sous le couvert des arbres pour mettre ma mitraillette en batterie.

Hélèna se tenait à mon côté. Elle paraissait petite et vulnérable. Mais elle portait aussi une mitraillette et avait des grenades autour du cou.

— Quel collier! lui dis-je.

— J'en suis fière.

Je déposai un baiser sur sa joue. Elle avait peur, comme nous tous. Mais nous avions appris à ne pas le montrer. Nous ne demanderions jamais grâce. Nous mourrions plutôt que de nous rendre.

Oncle Sasha mit une main en cornet autour de son oreille dans la direction d'où devait venir le train. Il parut inquiet.

— Qu'est-ce qui ne va pas? demandai-je.

— J'ai l'impression qu'il s'arrête.

Nous tendîmes tous l'oreille. Au-delà d'une courbe de la voie nous parvint un bruit de moteur qui ralentissait. Ensuite, plus de bruit, et la locomotive sembla exhaler un soupir.

Nous attendîmes. J'avais rarement vu Sasha aussi préoccupé. Il me fit un signe.

— Rudi, essaie d'aller voir ce qui se passe.

Je rampai sur le ventre, serrant ma mitraillette dans mes bras repliés, et atteignis le talus de la voie ferrée. Quelques mètres de plus et j'aperçus la locomotive. Elle était arrêtée.

Sur le toit du premier wagon, je vis une mitrailleuse et des soldats debout tout autour qui observaient les environs. Le train était à une bonne cinquantaine de mètres de l'endroit où j'avais dissimulé les charges d'explosifs. Quelque chose avait dû éveiller leur méfiance. Peut-être s'agissait-il simplement d'une mesure de sécurité, de routine ? Tout le monde connaissait la présence de partisans dans cette région.

Je vis alors une demi-douzaine de soldats sortir du train, tous en tenue de combat. Ils se mirent à marcher lentement devant la locomotive, tandis que le train restait immobilisé.

Je revins en rampant auprès de Sasha et des autres.

— Ils font descendre des hommes, murmurai-je.

Sasha se rembrunit.

— Ils ont été alertés. Partons aussi vite que possible.

— Nous pouvons les prendre, dis-je. Les faire tomber dans une embuscade. Attendons-les.

— Non. Nous ne sommes pas assez nombreux. Ils nous tueront avec leurs grosses mitrailleuses. Partons.

Nous nous enfonçâmes dans les bois.

De toute évidence, les Allemands se doutaient de quelque chose, car nous pouvions entendre des ordres lancés à la cantonade, et des hommes courir le long du talus. Le train avança également, mais n'arriva pas à la hauteur des explosifs.

Alors, sans sommation, leur mitrailleuse ouvrit le feu.

Des brindilles et des branches cassèrent et se fendirent autour de nous.

— Dispersez-vous, cria oncle Sasha.

Je saisis la main d'Hélèna et nous courûmes à toutes jambes au milieu des arbres. Les branches nous cinglaient le visage, s'accrochaient à nos vêtements. J'avais envie de me retourner et de tirer pour tenter de stopper leur progression, car je les entendais derrière nous : des pas de bottes, des cris en allemand, des claquements de fusils, et le crépitement de la mitrailleuse.

Soudain, Hélèna fut touchée. Elle tomba sans un mot. Elle n'avait pas lâché ma main.

Je m'arrêtai et m'agenouillai à son côté. Son visage était calme. Aucune trace de souffrance ne s'y lisait. Les balles l'avaient frappée dans le dos et tuée sur le coup. Elle était étendue sur la terre, l'air plus frêle que jamais, plus belle aussi, et j'enfouis mon visage contre sa poitrine.

Pourquoi ils ne me tuèrent pas également, je l'ignore. Une

crosse de fusil m'assena un coup sur la tête, et je sombrai dans l'inconscience.

Quelques membres de notre bande étaient parvenus à s'échapper. Quatre, dont Youri et Hélèna, furent tués. Deux autres jeunes gens et moi fûmes envoyés, pour des raisons qui m'échappent, en un lieu de rassemblement pour les prisonniers de l'armée rouge.

La règle habituelle consistait à abattre immédiatement les partisans. Mais peut-être avaient-ils l'intention de nous torturer pour nous arracher des renseignements sur le mouvement des partisans dans son ensemble?

On ne nous donna rien à manger, seulement ce qu'il fallait pour nous empêcher de mourir de soif, puis, de façon inattendue, et dans un grand déploiement de manœuvres et d'ordres quelque peu précipité, on nous fit monter dans un wagon à bestiaux.

Je me blottis dans un coin, avec le sentiment très net qu'on me transportait vers ma mort. Peut-être avais-je joué à cache-cache avec elle trop longtemps? Je pensai à Hélèna, mourant sans mot dire sous la grêle de balles. Elle avait désiré participer à cette attaque afin que nous puissions mourir ensemble. Maintenant, elle n'était plus, et je vivais toujours. Je me sentais coupable, malheureux, indigne. J'aurais dû la convaincre de renoncer à son désir insensé de se battre. Je pleurai longtemps, accroupi dans le wagon bruyant. Le trajet était interminable. L'un des prisonniers dit que nous roulions vers la Pologne. Il avait vu des panneaux indicateurs.

Cela me donna la certitude que nous allions être tués. Ou peut-être employés à titre de main-d'œuvre esclave durant un certain temps.

Finalement, nous débarquâmes du train dans une ville appelée Sobibor. Nous parcourûmes à pied environ un kilomètre et demi avant d'arriver dans un camp de concentration. Avec des barbelés plantés sur des poteaux de béton, des projecteurs, une haute palissade, des chiens et des sentinelles armées. Un lieu sinistre, affreux. Des cheminées fumaient dans le lointain. C'était un camp d'extermination.

J'échouai dans un baraquement où je grimpai sur une couchette, et tombai dans un long sommeil peuplé de cauchemars. Je rêvai aussi de mon enfance à Berlin, des jeux auxquels j'avais joué, alors que la terreur et la défaite m'habitaient tout entier. A mon réveil, je m'attendais à trouver Hélèna auprès de moi, comme elle l'avait été tout au long de ces dernières années. Peut-être même l'appelai-je alors par son nom. Mais je ne pleurais plus. Un grand vide s'était creusé en moi dans lequel mes émotions et mes sentiments avaient sombré. Elle était morte. Notre cause était une cause perdue. Je ne reverrais plus jamais Sasha ni mes amis partisans.

Le baraquement était bourré de détenus. Il faisait chaud et cela sentait mauvais. Chose étonnante, le calme y régnait. Quelques hommes parlaient en russe, à voix basse, et je surprenais un mot de temps en temps. Je fis semblant de dormir, me retournai, vis cinq ou six hommes à l'air rude, vêtus d'uniformes déchirés, qui étaient assis sur une couchette. Ils regardaient un dessin étalé sur une boîte.

Un homme se tenait debout entre eux et moi. Il avait apparemment pour mission de me surveiller.

— ... champ de mines, l'entendis-je murmurer. Ici... et ici...

J'avais appris beaucoup de russe grâce à Hélèna, et aussi plus tard, dans le camp de familles. Aussi me mis-je à les écouter.

— Barbelés, deux rangées, disait une autre voix. Nous pourrions avoir besoin de cisailles.

Quelqu'un d'autre demanda :

— Et les baraquements des SS ? Les mitrailleuses du château d'eau ?

— Il nous faudra les mettre hors d'état de nuire, reprit son interlocuteur.

Je compris bientôt que celui qui me surveillait était un capitaine de l'armée rouge, du nom de Barski. L'homme qui lui parlait, son lieutenant, s'appelait Vanya.

Ce Vanya dit soudain :

— Capitaine Barski, nous n'avons pas une seule arme.

— Nous en prendrons.

Je me dressai sur un coude. Ma couchette craqua. L'homme qui me tenait à l'œil dit quelque chose aux autres.

Vanya déclara :

— Le salaud ! Il est éveillé et il nous écoute.

Il marcha sur ma couchette et me fit descendre de ma paillasse. Je me débattis. Nous en vînmes à échanger des coups. Les autres nous séparèrent.

— Otez vos mains de moi, dis-je en mauvais russe.

Vanya voulut m'envoyer un coup de poing dans l'estomac. Je l'esquivai et m'apprêtai à lui rendre la pareille, mais les autres me poussèrent sur une couchette inférieure.

— Qu'avez-vous entendu, au juste ? demanda le capitaine Barski.

— Je n'ai pas compris. Je suis un Juif allemand. Mon russe n'est pas très bon.

Barski poursuivit en yiddish, assez proche de l'allemand pour que je puisse comprendre.

— Continuez, de quoi parlions-nous, à votre avis ?

— On dirait que vous allez vous sauver.

Vanya hocha la tête.

— C'est un espion, Barski ! Les SS l'ont mis ici exprès. Au diable ces Juifs allemands !

Barski mit sa main sur mon épaule.

— Comment vous appelez-vous, jeune homme ?

— Weiss. Rudi Weiss.

— Que faites-vous dans ce maudit camp de Sobibor ?

— Sobibor ? Je l'ignore. Je suis arrivé dans un train avec d'autres prisonniers. J'étais un partisan en Ukraine.

Ils échangèrent un regard entre eux. Barski s'assit en face de moi.

— Ecoutez-moi, Weiss, si tel est bien votre nom. Si vous êtes un espion, nous devrons vous tuer. Nous sommes dans un camp d'extermination. Il y a des chambres à gaz ici. Des crématoires. Nous allons nous échapper. Si ce sont les Allemands qui vous ont collé ici pour nous espionner, je vous étranglerai de mes propres mains.

Je lui racontai donc mon histoire. Ma fuite de Berlin, des années auparavant. Ma vie errante à travers la Tchécoslovaquie, jusqu'en Ukraine. Lorsque j'en vins au récit de mon séjour dans le camp de familles d'oncle Sasha, le visage de Barski s'éclaira.

— Que faisait-il avant de devenir un partisan ? me demanda le capitaine de l'armée rouge.

— Il était médecin. Dans un village appelé Koretz.

Il me posa d'autres questions. Le nom de quelques autres membres de notre bande. Et s'il y avait un rabbin avec eux. Mes réponses parurent le satisfaire. Je lui parlai de certaines attaques auxquelles j'avais participé, notamment celle du quartier général SS. Lorsque j'eus fini, il se tourna vers les autres :

— Je le crois, dit Barski. Cela semble tout à fait incroyable, un type de Berlin, un Juif allemand, qui soit allé se battre avec les partisans ukrainiens, mais des choses plus singulières encore se sont produites.

— J'ai dit « tue-le », insista Vanya.

Mais Barski était convaincu de ma bonne foi. Il secoua la tête en signe de refus.

— Ecoutez, Weiss. Vous savez ce qui se passe dans ce camp ? Ils gazent deux mille personnes par jour. Les SS dorment sur des oreillers remplis de cheveux de femmes juives assassinées par leurs soins. Ils se divertissent en faisant sauter la cervelle des enfants juifs. Il y a un champ, à l'extérieur, qui contient des cendres des Juifs jusqu'à un mètre de profondeur.

Je hochai la tête.

— Je le crois. Je crois tout ce qu'on me dit sur eux. Donnez-moi une arme et je me battrai avec vous.

Le journal d'Erik Dorf

Posen, Pologne
Octobre 1943

Le Reichsführer a réuni une centaine d'officiers concernés par la solution finale.

Nous nous rencontrâmes dans le grand salon d'un hôtel, ici à Posen. Beaucoup de mes anciens collègues étaient présents — amis et ennemis. Parmi eux, Blobel, Ohlendorf, Eichmann, Hoess.

Naguère, je me serais assis à côté d'Heydrich, mon bloc-notes à la main. Hélas, Kaltenbrunner ne tient pas à m'avoir aussi près de lui. Cet ogre s'assit à côté d'Himmler, l'air attentif. Je pris place vers le fond de la salle. De plus en plus fréquemment, j'éprouve le besoin de boire de grandes doses de cognac pour tenir jusqu'au soir. J'ai aussi davantage de mal à me concentrer sur les problèmes importants. Moi qui avais la réputation de travailler avec un soin minutieux, j'ai conscience à présent de me laisser aller à des négligences.

Blobel se vanta de son travail à Babi Yar. Tous les corps (prétendit-il) ont été déterrés et brûlés. D'immenses bûchers constitués par des traverses de chemin de fer arrosées d'essence ont été utilisés à cet effet, pour « réduire les preuves en cendres », comme a déclaré quelqu'un.

Mais pourquoi ? je me le demande. Pourquoi s'inquiéter de cela ?

Blobel fit état de la suppression de plus de 100 000 cadavres. Ensuite, Eichmann se vanta de ses trains. Hoess parla, avec modestie et discrétion, du fonctionnement d'Auschwitz.

Himmler demandait continuellement si ces choses se faisaient « secrètement ». Il sembla plus que jamais désireux que le monde extérieur ne connaisse pas notre travail de ces dernières années. Et cependant, lorsqu'un officier suggéra que nous mettions un terme à l'extermination des Juifs afin de pouvoir les employer comme main-d'œuvre, l'imprudent se trouva réduit au silence sur-le-champ... et par le Reichsführer Himmler lui-même.

Le salon de l'hôtel était mal ventilé. Il y faisait chaud. La plupart d'entre nous étions fatigués. Nous nous demandions pourquoi Himmler nous avait réunis.

Quelqu'un — peut-être Globocnik — demanda une douzaine de Croix de fer à l'intention de ses hommes, pour leur travail héroïque dans la libération de l'Europe orientale de l'emprise juive. La formule plut à Himmler. Il a déjà distribué de nombreuses décorations aux officiers qui participèrent à l'écrasement de la rébellion de Varsovie.

Alors que les débats se poursuivaient sur des questions mineures, Blobel, qui était assis avec Ohlendorf à peu de distance de moi, donna un coup de coude dans les côtes de son voisin et lui dit assez haut pour que j'entende :

— Quel silence de la part du grand Dorf !

— Peut-être n'a-t-il rien à dire, répondit Ohlendorf. Mais il me salua de la tête. C'est un homme qui a de l'éducation et qui est très poli. Il parle tranquillement des quatre-vingt-dix mille Juifs qu'il a tués dans la région d'Odessa.

Soudain — tout à fait à l'improviste — Himmler demanda :

— Puis-je vous prier, les uns et les autres, de me faire des suggestions sur le démantèlement éventuel des camps ?

— Le démantèlement ? interrogea Blobel.

— Oui, dit le Reichsführer. Notre mission est presque accomplie. Je... je ne songe évidemment pas à une défaite pour l'Allemagne. Mais les preuves, les vestiges, risquent de donner lieu à des malentendus.

— Je ne le pense pas, mon Reichsführer, fis-je.

La demi-bouteille de cognac que j'avais absorbée m'avait délié la langue.

— Dorf ? Ah oui, notre linguiste !

Himmler me gratifia d'un sourire.

— Peut-être devrions-nous conserver les camps et les fours crématoires afin de perpétuer le souvenir de notre grande mission, expliquai-je d'une voix enhardie par l'alcool. Peut-être devrions-nous exposer au monde de quelle façon nous avons réussi à...

Blobel me saisit le bras.

— Fermez-la, Dorf !

Tous les participants détournèrent de moi leurs regards. C'était singulier. Je remarquai qu'un petit appareil à enregistrer se trouvait sur la table, et marchait.

Himmler fit semblant de ne pas m'avoir entendu et reprit :

— Je dois vous parler franchement d'une question très grave. Il conviendrait que nous en discutions très ouvertement entre nous, sans jamais rien en dire publiquement. Je veux parler de l'évacuation des Juifs, de l'extermination de la race juive.

C'était manifestement là un problème qui le préoccupait depuis longtemps.

— C'est une des choses sur lesquelles il nous est facile de nous entretenir, poursuivit Himmler, dont les petits yeux donnèrent l'impression de disparaître derrière son pince-nez. La race juive est en cours d'extermination, et il est très clair que cela figure dans notre programme, l'extermination des Juifs. Et c'est ce que nous sommes en train de faire : nous les exterminons.

D'une certaine manière, c'était là un discours d'une franchise tonique. Après toutes nos astuces verbales, nos euphémismes et nos mots de code (que j'avais forgés en grand nombre), il était presque réjouissant, et très rafraîchissant, d'entendre notre dirigeant s'exprimer de la sorte. Et l'appareil à enregistrer marchait toujours.

Himmler critiqua ensuite ces Allemands qui connaissaient « un bon Juif » dans leur entourage, ou qui demandaient à ce qu'un Juif fût épargné.

— Aucun de ceux qui tiennent ce langage n'est au courant de ce que nous savons, dit-il. Aucun d'eux n'est passé par où nous sommes passés. La plupart d'entre nous savent ce que c'est de voir une centaine de cadavres étendus les uns à côté des autres ; ou bien cinq cents ; ou bien un millier. L'avoir découvert tout en restant des hommes dignes, c'est ce qui a affermi notre courage. C'est une page de gloire dans notre histoire, qui n'a jamais été écrite sur le papier, et qui ne le sera jamais.

Ce que son discours signifiait pour lui personnellement, ou pour nous, je ne suis pas sûr de l'avoir saisi. Je suis certain d'une chose, c'est que le processus d'extermination va être accéléré. Mais son insistance sur la nécessité du secret et sur l'éventualité d'un plan de démantèlement pour les camps de la mort me tracasse.

Je réussis à me mettre debout et demandai la parole. Un tel silence planait sur l'assistance — sur ces officiers qui avaient massacré quatre, que dis-je, cinq millions de Juifs — que je pus attirer leur attention.

— Permettez-moi de dire, mon Reichsführer, déclarai-je, que si notre tâche est véritablement noble à ce point, nous devrions nous en prévaloir devant le monde entier.

— Assez, maudit imbécile ! grommela Blobel.

— J'ai l'impression que le Commandant ne m'a pas bien compris, dit Himmler.

— Si je puis me le permettre, poursuivis-je, je veux insister sur le fait que le Führer a souligné à de nombreuses reprises que nous sommes en train de rendre service à la civilisation occidentale, à la chrétienté. Nous défendons l'Ouest contre le bolchevisme. Et pour ce qui est des Juifs, même Luther, notre grand homme d'Eglise, voyait en eux un danger.

— Oh, je suis tout à fait d'accord avec vous, Commandant, dit le Reichsführer. Mais certaines personnes ne discerneront pas aussi nettement nos objectifs. Et les Juifs répandront des calomnies sur nous.

— Qu'ils le fassent, repris-je. Qu'ils le fassent, ceux qui restent encore. Mais je dis que nous devrions inonder le monde de films, de photographies, d'attestations, de listes de morts, de témoignages... Diffusons des plans du camp d'Auschwitz de Hoess, et expliquons nos faits héroïques jusque dans leurs moindres détails. Insistons bien pour dire que ce que nous avons fait aux Juifs était une nécessité morale et raciale. Les Alliés occidentaux sauront certainement l'apprécier.

Mes paroles semblaient les avoir pétrifiés. Leurs visages rouges, et couverts de sueur me regardaient fixement dans ce lugubre salon d'hôtel.

— Oui, continuai-je, affirmons bien haut que nous n'avons commis aucun crime, que nous avons simplement suivi les impératifs de l'histoire européenne. Des philosophes et des hommes d'Eglise éminents peuvent être cités à l'appui de nos dires. Je suis un juriste, vous savez. Ce sont des choses que je comprends.

Après une petite pause, je repris :

— Pas de honte, messieurs, ni de dissimulation. Ne cherchons pas d'excuses pour les Juifs morts, en avançant des prétextes d'espionnage, de maladie ou de sabotage. Nous devons expliquer clairement au monde que nous nous sommes dressés entre la civilisation et le complot juif qui était destiné à détruire notre univers, à polluer notre race et à nous dominer. Nous, et nous seuls, avons été assez virils pour relever leur défi. Pourquoi le dissimuler ? Pourquoi en faire un mystère ? Pourquoi nous forger des excuses ?

Je remarquai alors leur froideur envers moi. Himmler me fixait d'un air glacial.

— Nous devons convaincre le monde — amis et ennemis tout à la fois — du fait que les Juifs nous ont acculés à les combattre... que nous... et nous seuls... avons résisté... résistons... pour la survie de... de...

Ma voix faiblit et se tut. Tous les membres de l'assistance me regardaient comme si j'étais un chien galeux.

Himmler finit par rompre le silence.

— Le Commandant Dorf soulève une question intéressante, me semble-t-il. Les détails de nos attitudes futures vis-à-vis de notre tâche pourront faire l'objet d'une réunion ultérieure. Ce qui importe, c'est que nous sentions dans nos cœurs que nous avons accompli notre mission par amour pour notre patrie et pour notre race, et que l'intégrité de nos âmes n'a pas eu à en souffrir.

Je me levai de nouveau pour parler, mais, cette fois-ci, Blobel et Ohlendorf me saisirent chacun par un bras. Ils me firent sortir dans le couloir, monter l'escalier de cet hôtel minable et me conduisirent dans ma chambre. Il y avait là des prostituées polonaises, dont certaines étaient des femmes magnifiques, toutes à notre disposition. Mais je n'avais envie que d'une chose : ma bouteille de cognac.

— Quel sale crétin vous êtes ! me dit Blobel.

Tandis qu'ils me faisaient quitter le salon, je pus entendre la voix d'Himmler qui continuait à s'adresser à l'assistance :

— Nous sommes restés des hommes dignes et aimants, et pour cette raison, nous pouvons être fiers...

Le récit de Rudi Weiss

Vanya, le prisonnier qui avait commencé par ne pas me faire confiance, devint rapidement mon ami. Il s'arrangea pour m'obtenir un poste dans son atelier de cordonnerie d'où — était-il convenu entre nous — partirait la révolte. Mais nous n'avions toujours pas une seule arme.

Ce matin-là, avant de partir au travail, en colonne par deux, je me souviens que Barski nous dit, dans le baraquement obscur :

— Débrouillez-vous pour qu'ils ne fassent pas de bruit.

Nous étions six à porter de petites hachettes glissées dans nos ceintures.

Nous ouvrîmes l'atelier de cordonnerie. Vanya entreprit de remplacer une paire de talons.

Je me mis à genoux dans un coin et commençai à cirer les bottes noires des officiers SS.

Une demi-heure s'écoula ainsi. Puis un jeune lieutenant SS entra. Il portait un Lüger dans l'étui qui était fixé à sa ceinture.

— Mes bottes neuves sont-elles prêtes ? demanda-t-il à Vanya.

— Oui, Monsieur. Vous pouvez les essayer, si vous voulez.

L'officier s'assit sur l'un de ces tabourets bas qu'on trouve dans les magasins de chaussures et attendit. Il me vit à genoux, en train de cirer des bottes.

— Qui est-ce ?

— Un nouveau prisonnier, Monsieur.

Une expression soupçonneuse passa fugitivement sur son visage. Puis il dut se dire qu'il n'avait rien à craindre. J'étais très maigre, avec une meurtrissure à la tête, et ma tenue de prisonnier était en piteux état.

Avec des gestes secs, Vanya retira les bottes que l'officier portait aux pieds et lui passa les nouvelles. Je me levai avec la paire que je venais de cirer pour aller la déposer sur l'étagère qui se trouvait derrière le tabouret.

Je la plaçai normalement sur l'étagère, au-dessus du nom de son propriétaire. Mais quelque chose dut alerter le lieutenant.

Il fit demi-tour sur son tabouret à l'instant précis où je lui fendis le crâne avec ma hachette. Curieusement, il n'eut pas même le temps de pousser un cri ni de mettre la main à son revolver. Je le frappai si violemment que sa cervelle éclaboussa Vanya qui se tenait au moins à un mètre de lui.

Vanya s'empara de son Lüger. Nous traînâmes le corps dans un réduit et nettoyâmes le sang et les fragments de cervelle. Environ dix minutes plus tard, un capitaine SS entra dans notre atelier. Il venait, lui aussi, chercher une paire de bottes neuves. Je ne lui laissai même pas le temps de nous dire « bonjour ». Je bondis sur lui, de derrière la porte, et le tuai net d'un coup de ma hachette. Il chancela, mais ne sembla pas vouloir tomber. Je lui portai un second coup.

Cette fois-ci, ce fut moi qui pris son revolver. Nous traînâmes également son corps dans le réduit.

Pendant que nous supprimions ces deux SS, d'autres hommes de la bande de Barski tuèrent des Allemands dans l'atelier du tailleur, celui d'ébénisterie, ainsi que dans la boutique du coiffeur. La chance était de notre côté : les soldats étaient venus seuls, ou par deux, et purent être abattus sans donner l'alerte.

Pour finir, Barski et un petit groupe, alors armés de fusils et de revolvers, firent irruption dans la salle de garde des soldats où ils tuèrent une demi-douzaine d'hommes, et ouvrirent les râteliers. Nous les rejoignîmes et nous équipâmes de fusils et de munitions.

Une centaine de détenus s'était d'ores et déjà rassemblée dans le secteur des baraquements.

Barski distribua des fusils aux hommes. Pour les femmes, il y avait des hachettes, des manches à balai et des pelles. Tous les moyens nous seraient bons pour tuer.

L'alarme retentit quelque part dans le camp.

Ce signal tira les gardiens de leurs quartiers — nous pûmes voir les Allemands et leurs auxiliaires ukrainiens sortir en courant, surpris, les armes à la main, en lançant des ordres.

Nous nous mîmes à l'abri derrière les baraquements.

Barski me donna le commandement d'un groupe d'environ douze hommes, dont quelques-uns avaient des armes à feu et les autres des pelles et des râteaux entre les mains, avec lesquels ils se battraient jusqu'à la mort.

Un peloton de SS descendit l'allée principale du secteur des baraquements et je lançai l'ordre de tirer. Nous les tuâmes tous. Ils étaient sept ou huit. Les autres pelotons reculèrent, moins empressés à nous donner l'assaut.

Barski avait formé le projet de s'emparer de l'arsenal du camp avant de fuir, et d'armer tous les hommes afin de nous transformer en ce qui équivaudrait à une petite armée.

Plusieurs groupes comme le mien coururent le long des baraquements pour tenter de s'approcher de l'arsenal. Mais lorsque nous arrivâmes tout près, une mitrailleuse qui était installée sur le château d'eau du camp ouvrit le feu et faucha des douzaines d'entre nous.

Barski arrêta les chefs de groupe derrière le mess des militaires.

— Inutile d'insister, dit-il. Oublions l'arsenal, et allons vers l'entrée du camp.

A ce moment-là, nous fûmes rejoints par une foule de près de six cents Juifs, avides de retrouver la liberté, qui préféraient devoir affronter les mitrailleuses des Allemands en courant, désarmés, vers l'entrée du camp, plutôt que de se laisser mener aux chambres à gaz de Sobibor.

Je suivis Barski. Vanya conduisit un second groupe. De derrière des tonnelets d'eau et des cabanes, nous ouvrîmes le feu sur les gardiens de l'entrée principale et les tuâmes tous.

Il s'ensuivit une folle ruée sur cette issue du camp. Les six cents Juifs couraient vers la liberté. Certains lançaient des pierres sur les gardiens ou tentaient de les aveugler avec des poignées de sable.

Je pus entendre Barski leur crier de ne pas courir vers la gauche. Le terrain était truffé de mines, et il y avait une double rangée de barbelés à cisailler. Ce fut un spectacle affreux. Les mines souterraines se mirent à exploser. Des douzaines de personnes furent déchiquetées.

Barski nous mena à un passage derrière le baraquement des officiers où nous savions que le sol n'avait pas été miné. Des coups de feu partirent alors de ce baraquement. Mais Barski avait vu juste. Non seulement le terrain était sûr, mais encore les barbelés étaient faciles à franchir.

Les balles continuaient à crépiter autour de nous. Des hommes et des femmes tombèrent ou trébuchèrent. Je pensai à Hélèna, mourant dans la forêt. Et je poursuivis ma course. Cent mètres... deux cents mètres...

En fin de journée, nous nous arrêtâmes près d'un cours d'eau. Dans notre groupe, nous n'étions qu'une poignée de combattants. Mais nous espérions qu'un bon nombre des autres avaient pu, comme nous, sortir sains et saufs du camp d'extermination.

Une jeune fille nommée Luba, une auxiliaire de l'armée rouge, nous rejoignit le soir tombé. Elle était couverte de sang pour avoir été blessée à un bras et à une main. Elle s'assit et pleura un long moment avant de pouvoir nous confier son histoire.

Oui, six cents Juifs avaient fui vers les portes. Quatre cents, la plupart sans armes, s'étaient dirigés vers les bois et les prairies à l'extérieur du camp. Mais plus de la moitié d'entre eux furent tués par des mines, par les SS, et les policiers qui se lancèrent à leur poursuite, ainsi que par l'aviation. Plusieurs milliers de fascistes furent envoyés sur les traces des fugitifs de Sobibor. Et, nous l'apprîmes par la suite, des groupes de fascistes polonais achevèrent dans la forêt ceux qui avaient réussi à échapper aux SS. Pour moi, cette histoire n'avait rien de nouveau.

Notre groupe comprenait une soixantaine de personnes. Nous étions assez robustes et assez bien armés. Nous tenterions de nous joindre à une brigade de partisans soviétiques.

Des années plus tard, j'appris que nous avions tué dix SS et trente-huit Ukrainiens. Une quarantaine d'autres gardiens ukrainiens préférèrent prendre la fuite plutôt que de devoir rendre des comptes aux Allemands sur l'évasion des détenus. Et deux jours après notre fuite, Himmler donna l'ordre de détruire Sobibor. Nous avions mis ce salaud mal à l'aise. Nous avions effrayé ce grand assassin.

Barski annonça que lui et ses camarades se dirigeraient vers l'Est pour essayer de trouver un détachement de l'armée rouge. Il avait appris dans le camp que les Russes étaient sur le point de reconquérir la ville de Kiev, et il voulait prendre part à cette action.

Kiev. Je songeai à Hélèna, à la manière dont nous avions volé du pain et dont nous nous étions cachés des Allemands. Et je revis comment Hans Helms nous avait trahis et avait été tué tout de suite après. Comment nous avions fui la longue colonne des Juifs condamnés. Et comment nous avions assisté, de loin, à la tuerie de Babi Yar.

La douleur me consumait comme un incendie sournois. Elle

me rongeait comme un acide. J'avais désespérément envie de l'avoir de nouveau avec moi, à partager des repas de racines et des nuits dans des meules de foin et dans des granges. Mais plus jamais je ne la reverrais. A ce moment-là, je croyais fermement que je ne pourrais plus être de nouveau amoureux, ni partager mon existence avec une autre femme.

Barski m'invita à me joindre à son groupe, mais je répondis que je voulais voyager seul. Il me mit en garde : je risquais de me faire capturer, et, si je me dirigeais vers l'Ouest, je me rapprocherais des lignes allemandes. Je dis que peu m'importait. Si je devais mourir, hé bien, je mourrais... mais ils ne me tenaient pas encore.

— Bonne chance, petit ! me dit-il.

Et il me donna l'accolade.

— Puis-je garder un fusil ? demandai-je.

— Naturellement. Tu l'as bien mérité.

Je m'éloignai en suivant le cours d'eau. Dans tous les arbres, sur tous les buissons, je voyais le visage d'Hélèna.

Mon frère Karl ne survécut pas un hiver de plus. Il avait été transporté à Auschwitz dans un convoi de prisonniers de Theresienstadt, qui étaient destinés à être gazés.

D'une manière ou d'une autre — peut-être le bruit s'était-il répandu qu'il était un artiste de talent, et pourrait être utile — il échappa à la mort immédiate.

S'il parvint à survivre aussi longtemps qu'il le fit, j'attribue cela à la bonté de Hirsch Weinberg, le tailleur, qui me raconta les derniers jours de Karl. C'était à Buchenwald, cinq ans auparavant, que les deux hommes s'étaient connus, après la vague d'arrestations qui avait suivi la Nuit de Cristal.

Un jour, Weinberg remarqua cet homme grand et décharné, qui cachait ses mains sous sa tunique. Il regarda attentivement son visage et reconnut mon frère.

— Je te connais, lui dit-il. Tu es Weiss, l'artiste-peintre. Ils se trouvaient dans le même baraquement, et Weinberg veilla sur lui, et tenta de lui faire obtenir du travail. Il dérobait des morceaux de pain qu'il lui donnait.

— Weiss, demanda Weinberg. Te rappelles-tu le jour où nous nous sommes battus à cause du pain de seigle ? Et comment ils nous ont alors pendus aux arbres ?

Karl hocha la tête. Il esquissa même un sourire.

— Certainement, tu te rappelles, poursuivit le tailleur. Tu avais une épouse chrétienne. Elle te faisait parvenir des lettres en cachette.

De nouveau, Karl hocha la tête.

Weinberg le mit au courant de l'actualité. Beaucoup de nouvelles filtraient dans le camp. L'armée rouge forçait les Allemands à reculer. Bien que les Juifs de l'Europe entière fussent toujours acheminés sur Auschwitz, le vent commençait à tourner. On notait une certaine accalmie dans les exterminations, un ralentissement dans le processus de sélection. Hoess avait, disait-on, des ennuis avec ses supérieurs.

Oui, les nouvelles se multipliaient : l'Italie avait déclaré la guerre à l'Allemagne ; Solensk était entre les mains des Russes. L'invasion des Alliés était imminente...

La voix de Karl avait perdu son timbre. Elle était faible.

— Mon père... ici... ma mère...

Ce fut à Weinberg qu'il incomba de révéler à Karl que nos parents avaient tous deux péri gazés, un an auparavant. Ils firent partie des deux millions de victimes qui alimentèrent les fours crématoires. Weinberg avait rencontré mon père une fois. Il l'avait aimé, comme tout le monde l'aimait.

Karl fut incapable de pleurer. Il écouta, hocha la tête, et demanda de l'eau.

(Comme cela est curieux ! Moi aussi, longtemps après la mort d'Héléna, j'éprouvais encore de la difficulté à pleurer. Que nous était-il arrivé ? Le mal qui caractérisait nos persécuteurs, leur absence d'humanité, nous avait-il contaminés ?)

Ce fut alors que Weinberg aperçut les mains de Karl.

— Mon Dieu ! Que t'ont-ils fait ?

Il prit dans les siennes les mains brisées, dont les doigts étaient maintenant repliés comme des griffes, et se mit à les caresser.

— Un châtiment, dit Karl... pour des dessins...

— Ecoute, Weiss. Nous avons tenu le coup jusqu'à présent. Continuons. Nous retrouverons un jour la liberté.

— Du papier, dit Karl. Un crayon... du fusain...

Weinberg fit le tour du baraquement. Il trouva un grand morceau de carton gris dans un coin et un bâtonnet de bois noirci près du poêle. Il aida Karl à s'asseoir sur sa paillasse, et lui tendit ses trouvailles.

La main brisée de Karl eut du mal à saisir le morceau de bois. Quand il y parvint, il eut un sourire et demanda à Weinberg de tenir bien ferme le carton.

Il se mit alors à dessiner, à larges traits.

J'ai vu le dessin. C'est Inga qui l'a en sa possession. Je ne suis pas sûr de ce qu'il veut dire. Il représente un marécage, un ciel obscurci par des nuages, et une main qui émerge des eaux noires et qui se tend vers le ciel.

Il continua à tracer des traits, remercia Weinberg, et lui demanda de garder à l'abri ce dernier dessin.

Karl mourut quelques semaines plus tard — du typhus ou du choléra, nul ne le sait. Peut-être se laissa-t-il tout simplement mourir de faim ? Ou perdit-il le désir de vivre ?

Son corps fut évacué, et brûlé. Ses cendres se mêlèrent à celles de nos parents et de millions d'autres personnes.

Le journal d'Erik Dorf

Auschwitz
Novembre 1944

Je suis devenu un émissaire itinérant du Troisième Reich, et passe mon temps à faire des rapports sur la solution finale, à mettre à jour des statistiques et à tenir des réunions avec Eichmann, Hoess, et tous ceux qui se trouvent impliqués dans ce travail déconcertant.

En juillet dernier, les Russes ont envahi le camp de concentration de Lublin. Le secret a été découvert — comme si nous avions pu le garder ! Les images d'horreur — d'après leurs dires — ont été montrées dans le monde entier. Evidemment, nous niâmes tout en bloc, et proclamâmes bien haut qu'il s'agissait là d'atrocités commises par les *Russes* contre des Polonais.

Mais le fait que le monde entier soit petit à petit mis au courant de nos vastes programmes de « réinstallation » n'a pas découragé Eichmann. Actuellement — c'est-à-dire au moment même où les détails sur les camps d'extermination sont révélés au grand jour — il est en train de prendre ses dispositions pour la déportation massive des Juifs de Roumanie. Tout au long de cet automne 1944, Eichmann a assuré par voie ferrée, avec mon soutien, un acheminement continu vers tous nos camps des Juifs de Hollande, de Belgique et de France. Les survivants du ghetto de Cracovie ont été expédiés à Auschwitz. Le mois dernier, Eichmann a trouvé le moyen d'envoyer 35 000 Juifs de Budapest dans divers camps, tous condamnés à la « réinstallation ».

A Lublin, les Russes sont en train de pendre nos hommes du camp de Maidanek. Et cependant, Eichmann, Hoess, et beaucoup d'autres, y compris moi-même, persévérons dans notre tâche.

Himmler a envoyé des ordres pour que les fours crématoires

soient *détruits*. Les opérations de gazage sont pratiquement interrompues à Auschwitz. Nous avons entrepris un déplacement massif vers l'Ouest des détenus, que nous faisons passer d'un camp à un autre, pour fuir les Russes qui nous talonnent.

Toutes sortes de choses insensées, irrationnelles arrivent en ce moment. Comme si personne n'avait plus de responsabilités, ou ne savait plus exactement comment agir étant donné l'éventualité de notre défaite imminente. Aujourd'hui, des ordres sont arrivés de n'expédier que les « Juifs hongrois » de Bergen-Belsen vers la Suisse. Des ordres de qui, et motivés par quoi ? Et demain, je peux recevoir un câble stipulant que toute la population d'Auschwitz doit être acheminée vers l'Ouest, vers des endroits tels que Gross-Rosen et Sachsenhausen.

Himmler pense-t-il vraiment qu'il peut dissimuler ce qu'a été notre tâche ?

Pense-t-il franchement (ainsi que Kaltenbrunner et mes autres supérieurs) qu'il est possible de modifier la nature de nos efforts en déplaçant plusieurs milliers de cadavres ambulants au long des routes ?

Et pourtant, sur toute l'étendue des territoires polonais, allemand et tchèque, nous faisons errer des dizaines de milliers de ces Juifs en haillons, qui tombent sur le bord des chemins, mourant de faim, de maladie et de privations. Ne serait-il pas plus sensé de les arracher à leur misérable condition grâce au simple expédient du Cyclon B ? Cela nous permettrait de dire que nos mesures avaient un caractère humanitaire. Que la capacité d'endurance et la volonté de vivre s'étant éteintes chez ces Juifs — et autres détenus — la décence exigeait que nous leur permettions de mourir d'une façon qui fût aussi rapide et indolore que possible. Mais non. Mes chefs préfèrent continuer à prétendre que les camps n'ont jamais existé, qu'aucune mort n'y fut enregistrée, qu'il n'y avait rien de semblable à des chambres à gaz, ni à des fours crématoires. Quelquefois, je vais presque jusqu'à le croire moi-même.

Evidemment, ma vie personnelle a souffert de tout cela. Je vois Marta de loin en loin, et nous ne communiquons plus beaucoup entre nous à présent ; nous nous contentons de partager le même lit. Peter porte un uniforme désormais. Il s'entraîne dans son bataillon des Jeunesses hitlériennes qui devra, dit-il, lutter jusqu'à la mort afin de défendre Berlin. C'est un grand et beau jeune homme. Et cependant, la dernière fois que je l'ai vu, j'ai trouvé peu de choses à lui dire. Laura pleurait beaucoup. Elle a faim la majeure partie du temps et, à la manière égoïste des enfants, en rejette la faute sur Marta et sur moi. Le Bechstein est toujours dans notre appartement — quoique endommagé, on peut encore jouer. Marta avait songé à donner des leçons de piano à Laura, mais ce projet est tombé à l'eau.

Et aujourd'hui, je me retrouve une fois de plus à Auschwitz, à essayer d'exécuter les ordres d'Himmler — démanteler, détruire, brûler, effacer les preuves. Quelle farce ! Mais je fais mon possible pour jouer le jeu.

Et pourtant, je me demande par moments si de tels efforts sont aussi dérisoires qu'ils semblent l'être. Pendant si longtemps, en dépit des rumeurs et parfois même des rapports directs, le monde entier refusa de croire à nos faits et gestes véritables. Nous donnions bien le change. Et nous trouvions devant nous des gens tout disposés à nous croire. Notre langage ésotérique faisait merveille. Naturellement, avec les Juifs, nous avons des problèmes. Comprenez-nous, il nous faut les réinstaller.

C'est étonnant comme le monde se désintéressa d'eux, nous crut sur parole, et nous fit confiance !

Dès 1942, le gouvernement de la Suède eut vent de l'existence de nos centres d'extermination, par un rapport d'un de leurs diplomates qui avait reçu les confidences d'un officier SS bavard. Mais Stockholm *ne divulgua pas cette information*. Et même la B.B.C., et d'autres voix ennemies, eurent la prudence de ne pas souffler mot du sort des Juifs. Aussi peut-être suis-je aujourd'hui d'une sévérité trop grande dans ma façon de juger nos dirigeants SS ; en nous y prenant avec habileté, nous pourrions encore parvenir à convaincre une partie considérable de l'opinion publique de ce que nous n'avons jamais levé la main sur les Juifs, que nous n'avons exécuté que des criminels, et que nous avons permis à ce peuple de vivre paisiblement dans des petites communautés bien à eux. C'est possible.

Tout dernièrement, tandis que les canons russes attaquaient les fabriques de produits chimiques de l'I.G. Farben, à peu de distance du camp, et que des avions soviétiques nous bombardaient, j'eus un entretien téléphonique avec un rond-de-cuir de Berlin qui n'arrêtait pas de me crier au bout du fil que le camp doit être détruit, toutes les archives brûlées, et les détenus évacués jusqu'au dernier, ou bien exécutés, ou que sais-je encore. Tout cela est d'une absurdité qui dépasse l'entendement.

Mais j'ai depuis longtemps appris à obéir. Et j'ai donné l'ordre à Joseph Kramer, qui a remplacé Hoess à la direction du camp, de faire sauter les fours crématoires, et de démanteler les chambres à gaz.

Aujourd'hui, j'ai trouvé Kramer en train de rire. Il était occupé à bourrer de documents une serviette en cuir : on aurait dit un voyageur de commerce un peu bousculé dans sa tournée.

— Ils sont tous devenus cinglés ! me dit-il. Cacher ce camp ? Alors que tout est consigné par écrit, que tout a été minutieusement enregistré ? Quel merdier ! Eichmann a déjà rapporté à Himmler que nous en avons tué six millions — quatre millions dans les camps, et le reste avec les Einsatzgruppen. Des rapports et des mémorandums existent sur toutes nos activités. Bon Dieu, à quoi nous servirait-il maintenant de faire sauter quelques bâtiments ?

— Plus de gazages, criai-je.

Il y avait un plan pour nous débarrasser des derniers Sonderkommandos.

Je voulus poursuivre :

— Et plus de...

Kramer me coupa la parole.

— Pour que Berlin puisse dire que c'est nous qui avons fait cela, qu'ils n'étaient pas au courant de ce qui se passait ici ! Comme ce salopard de Hans Frank. Lorsque les Russes l'ont capturé, il a déclaré qu'il n'avait jamais tué de Juifs, qu'il n'avait rien à voir dans cette affaire. Que c'était nous, les SS et le R.S.H.A.

Je me mis alors — mais je serais bien incapable d'expliquer pourquoi — à ouvrir les classeurs d'Auschwitz et à jeter les dossiers dans la cheminée où brûlait un feu de bois. Je déchirai les papiers et les lançai en tas dans les flammes, sous les railleries de Kramer.

— Vous feriez mieux de brûler davantage de Juifs, Dorf !

— Non. Non. Berlin dit de tous les envoyer vers l'Ouest. Himmler est persuadé que les Alliés nous comprendront. La Grande-Bretagne et les Etats-Unis nous témoigneront de la sympathie. Ce sont les Russes que nous devons éviter. Himmler veut négocier avec les Américains. Il...

Kurt Dorf entra soudain dans la pièce. Mon oncle me vit courir de-ci de-là, ouvrir des tiroirs, et en vider le contenu dans la cheminée.

Il m'observa quelques instants.

— C'est inutile, Erik. Katowice a été évacué. Les troupes de la Volksturm ont été mises en déroute, et l'armée rouge sera ici dans un jour ou deux.

— Vous applaudirez son arrivée, n'est-ce pas ?

Il ne répondit pas immédiatement, mais commença par secouer lentement la tête.

— Erik, j'ai appris qu'il y a sept tonnes de chair humaine en réserve, toute prête à être brûlée. Qu'attends-tu pour donner l'ordre de le faire ?

Je ne lui accordai aucune attention, et continuai à brûler des papiers. Himmler est peut-être plus malin que nous tous. Nous pourrons nous appuyer sur les Alliés contre les Russes, leur expliquer nos raisons. Le Führer avait raison. Nous sommes en train de sauver l'Occident, de sauver la civilisation. Nous ne voulions pas de cette guerre. Ce sont les Juifs qui nous l'ont imposée, et nous avons dû le leur faire payer.

Kramer téléphonait. Je dois dire que tout en prenant les mesures qui s'imposent pour un départ imminent, il exécute certains de mes ordres. Il était en train de demander à ses subordonnés d'évacuer les 58 000 détenus qui restaient dans la direction de l'Ouest — par un froid glacial.

Kurt m'arrêta en pleine action en me saisissant les bras. Il est beaucoup plus âgé que moi, mais plus fort.

— Cher neveu, dit-il, ne m'as-tu pas dit un jour que nous devrions faire connaître nos glorieuses activités au monde entier ? Que nous devrions nous vanter publiquement de la manière dont nous avons résolu le problème juif ? Pourquoi ce changement d'attitude ? C'est stupéfiant de voir comme un tir de barrage de l'artillerie peut modifier l'état d'esprit d'un homme !

Je tentai d'échapper à son emprise, mais il me poussa brutalement contre l'une des armoires pleines d'archives que j'avais entrepris de vider de son contenu.

— Misérable menteur ! Lâche assassin ! Crois-tu franchement pouvoir, à présent, cacher le massacre de six millions d'êtres humains ?

Sans lâcher son récepteur téléphonique, Kramer lui cria :

— Je n'ai peur de personne. Ni des Russes, ni des Américains. J'ai fait mon devoir. J'obéissais aux ordres. Je suis un soldat.

— Moi aussi, dis-je.

Kurt me repoussa sans ménagement.

— Tu sais, avec ce genre de logique, tu pourras tout juste tromper le bourreau qui t'exécutera. Mais j'espère que devant Dieu tu n'y parviendras pas.

Kramer vint prendre ma défense.

— Qui diable êtes-vous donc pour nous donner des leçons de morale ? Vous avez construit des routes et des usines avec de la main-d'œuvre esclave, et notamment des Juifs.

— C'est juste, dit Kurt. J'étais au courant de ce qui se passait, et je n'ai rien dit ni rien fait. Et quand j'ai commencé à agir, il était beaucoup trop tard. J'ai prolongé la vie d'un petit nombre d'entre eux, alors que j'aurais dû parler, ou fuir, ou avertir l'opinion publique.

Je me laissai tomber sur une chaise. Où aller à présent ? Qu'est-ce qui m'attendait ? Tout mon désespoir, mon dégoût et ma haine se concentrèrent sur mon oncle.

— J'aurais dû vous faire exécuter depuis longtemps ! dis-je.

Maintenant, le tir de barrage de l'artillerie est plus fort. Les explosions sont plus fréquentes. Dans le lointain, je peux entendre les bombardiers soviétiques.

Alt-Aussee, Autriche
Mai 1945

C'est ici, dans une vallée retirée du Salzklammergut d'Autriche que beaucoup de nos hommes se sont réfugiés, en costumes civils.

Nous faisons notre possible pour éviter de nous rencontrer les uns les autres. Blobel est dans les parages et embarrasse tout le monde avec ses discours d'ivrogne. Eichmann a été aperçu en divers endroits, mais a mystérieusement disparu ces jours derniers. Kaltenbrunner s'est installé dans un vieux château où il donne des réceptions au vu et au su de tous. Il est convaincu qu'il ne nous arrivera rien. Mais alors, pourquoi vivons-nous terrés de la sorte ?

Un mot sur Kaltenbrunner. Le bruit court qu'il a tenté des efforts désespérés pour prendre contact avec la Croix-Rouge internationale et affirmer à ses représentants qu'il agissait avec humanité et décence envers les Juifs. Que sa principale préoccupation, vers la fin, était de libérer les Juifs de Theresienstadt.

Mais deux histoires encore plus stupéfiantes circulent parmi nous.

Le 19 avril, dans une ferme des environs de Berlin, on prétend qu'Himmler a rencontré un certain Dr Norbert Masur, un Juif suédois, membre du Congrès juif Mondial. Himmler lui-même aurait demandé cette entrevue, qui se déroula dans le plus grand secret. De fait, le Reichsführer dut quitter la fête donnée en l'honneur de l'anniversaire d'Hitler afin d'aller à ce rendez-vous. (Cela se situe onze jours avant le suicide du Führer.)

Je suppose qu'Himmler fut poli, cordial et rationnel avec ce Dr Masur. Il expliqua que les camps étaient tous semblables à celui de Theresienstadt : de bonnes petites communautés dirigées par les Juifs eux-mêmes. Lui et son cher ami Heydrich avaient souhaité que ces camps fonctionnent en tant que territoires autonomes spécifiquement juifs, mais leur entreprise se trouva sabotée par les Juifs eux-mêmes.

Lorsque Masur l'interrogea sur les camps d'extermination, les gazages, les fours crématoires, etc., le chef expliqua tranquillement qu'il s'agissait là d'une « propagande d'horreur » colportée par des Juifs dépourvus de reconnaissance, et par les Russes. Un tank américain avait pris feu à Buchenwald, quelques prisonniers avaient péri dans l'incendie, et la presse mondiale diffusa des photographies en prétendant que les détenus étaient brûlés par les gardiens. Des mensonges. Rien que des mensonges.

Il raconta également à Masur que les Juifs étaient des saboteurs et des espions notoires, et qu'ils répandaient des germes de maladies infectieuses, notamment en Europe orientale, ce qui avait obligé nos dirigeants à les enfermer dans des camps. Comment, demanda alors Masur, pouvaient-ils se rendre coupables d'actes d'espionnage et de sabotage s'ils étaient tous détenus dans des camps ou dans des ghettos coupés du monde extérieur ? Himmler ne manqua pas de répondre que les Juifs étaient des gens intelligents et pleins de ressources, et qu'ils avaient trouvé des moyens pour cela.

Nous eûmes, entre nous, plusieurs discussions sur cette entrevue, et la trouvâmes difficile à croire. Naturellement, Himmler a disparu. Comme nous, il a pris la fuite, et se cache en vêtements civils. De toute évidence, cet entretien avec le Dr Masur ne donna aucun résultat.

Autre histoire extraordinaire : Eichmann, avant de venir se réfugier à Alt-Aussee, pour en repartir ensuite, aurait invité un certain Monsieur Dunand, de la Croix-Rouge, à un dîner officiel dans la ville de Prague, et l'aurait pris à part dans un coin pour lui expliquer que les Juifs de Theresienstadt vivaient mieux que les pauvres Allemands de Berlin et d'ailleurs.

Une chose dont je suis certain, c'est qu'il ne faudra attendre de ma part ni repentir, ni demande de clémence, ni tentative de justification de nos actes.

Je ne serai pas comme Heydrich, qui demanda pardon sur son lit de mort ; ni comme Himmler, qui tenta de s'attirer la faveur d'un Juif important ; ni comme Eichmann, qui présenta des excuses à la Croix-Rouge.

Si je viens à être fait prisonnier, je serai aussi courageux que le Führer, et dirai à mes vainqueurs que je suis un honorable officier allemand, que j'obéissais aux ordres, agissais en accord avec ma conscience, et croyais profondément aux actions que je devais exécuter — parce que je n'avais rien d'autre en quoi j'aurais pu croire.

Il reste encore quelque espoir pour nous. Nous aurons la possibilité de justifier logiquement le cas d'Auschwitz. En tant que juriste, je sais pertinemment que n'importe quelle cause est toujours défendable.

J'admirais beaucoup plus Himmler lorsqu'il nous parla à Posen, et déclara que la véritable bravoure consiste à voir des centaines de milliers de morts sans flancher, en restant fidèles à nous-mêmes. Dire qu'à présent il essaie de répandre des mensonges sur les « Citées Juives Autonomes ». C'est lamentable !

Mes pensées me ramènent souvent à Marta. Elle fut, en un sens, le moteur de ma carrière. Lorsque j'avais des défaillances, elle me remontait le moral. Lorsque j'avais des doutes, elle les dissipait. Nous aurions dû nous aimer davantage tous les deux. Nous ne faisions plus l'amour ces dernières années.

Je bois beaucoup plus que je ne le devrais pour ma santé. Je voudrais pouvoir — ne serait-ce qu'une seule journée — me trouver avec Marta et les enfants. Peut-être dans un parc, ou pour une visite au zoo. Les Alliés vont dire beaucoup de choses affreuses sur notre compte. Mais ils ne parviendront jamais à couvrir de boue notre honnêteté foncière, notre amour pour la famille, la patrie, et le Führer.

(C'est ici que s'achève le journal intime d'Erik Dorf.)

Le récit de Rudi Weiss

J'ai sélectionné deux lettres, parmi les centaines de témoignages que j'ai reçus au cours de mes recherches sur ce que fut le destin de ma famille, afin de les inclure dans ce récit.

La première émane d'un homme appelé Arthur Cassidy, ancien capitaine dans les Services secrets de l'armée américaine, qui enseigne actuellement les langues germaniques à l'université Fordham de New York.

Le 15 mars 1950
Département des Langues Vivantes
Université Fordham
Bronx, N.Y.

M. Rudi Weiss
Kibboutz Agam
Israël

Cher Monsieur Weiss,

Tout d'abord, permettez-moi de vous faire part de mon admiration pour votre ingéniosité à me retrouver. Bien que mon interrogatoire du défunt commandant Erik Dorf ne date que de cinq ans, l'armée a le chic pour perdre trace de ces choses, surtout après notre retour à la vie civile.

Oui, c'est bien moi l'officier des Services secrets américains qui enregistra le témoignage de cet homme. Dorf fut arrêté pour un interrogatoire de routine dans la ville d'Alt-Aussee, qui servit de refuge aux officiers SS, de la même manière, pourrait-on dire, que, dans notre pays, Hot Springs, dans l'Arkansas, sert de « planque » discrète pour les criminels de la Mafia.

Je ne pris aucunement part à son arrestation, mais enregistrai qu'il ne portait aucun papier d'identité sur lui, qu'il était vêtu d'un costume civil, et qu'il commença par nier toute complicité avec les SS, et toute participation à l'activité des camps de la mort. Ce qui le perdit, ce furent les pages d'un journal intime qu'il portait dissimulé dans la doublure de sa veste. Il reconnut par la suite que l'essentiel de ce journal, qu'il tenait depuis longtemps, se trouvait enfermé dans une boîte métallique, à son domicile de Berlin.

Ce n'est pas là une chose rare chez de tels individus. Frank, le gouverneur de la Pologne, remplit trente-huit volumes de notes détaillées sur ses activités, tenta de les cacher, et pleura comme un enfant lorsqu'il apprit que ses écrits avaient été découverts.

Dorf était un homme d'une trentaine d'années, mince et bien bâti, qui avait l'air agréable. Il sembla très nerveux, et un peu hagard, pour commencer, mais dès qu'il découvrit que je parlais couramment l'allemand, il se détendit, sourit, et se montra charmant et disert. On aurait difficilement cru avoir affaire à une personne impliquée dans un massacre collectif.

Il fut l'un des nombreux criminels de guerre que j'eus à interroger, et, naturellement, je fis des rapports de toutes ces conversations. Ils doivent se trouver quelque part dans les archives, et si Dorf était passé en jugement, vous auriez sans doute pu mettre la main sur mon interrogatoire. Mais je vais faire de mon mieux pour reconstituer la trame de notre entretien.

Nous possédions un dossier sur le commandant Erik Dorf, et son nom figurait dans un grand nombre de lettres et de mémorandums concernant les Juifs, surtout du temps où il fut l'adjoint de Reinhart Heydrich. Nous savions donc parfaitement qu'il ne s'était pas contenté d'être un témoin passif des événements.

Dorf me répéta avec insistance qu'il n'était qu'un émissaire itinérant, un employé nanti d'un certain prestige. Il prétendit qu'il ne savait rien sur les prétendues atrocités et les exécutions massives du Troisième Reich, mais que, bien sûr, en tant que collègue officier, je comprendrais que les espions, les saboteurs et les criminels étaient généralement mis à mort.

Je lui présentai alors plusieurs douzaines de photographies sur les camps d'extermination, et lui demandai de m'en parler. Vous avez vu ces photos, j'en suis sûr : des cadavres empilés comme du bois à brûler, des montagnes de cendres, des gens nus, alignés devant les chambres à gaz, des pendaisons en série. Il affirma n'avoir eu aucune connaissance « directe » de ces choses, et répéta avec insistance que les victimes devaient être des résistants, des bandits, des gens condamnés à mort en raison de leurs activités et non de leur origine raciale.

Dorf dit — à plusieurs reprises, je m'en souviens — qu'il n'avait personnellement rien contre les Juifs, et qu'il s'était même fait soigner autrefois par un médecin juif pour lequel il éprouvait une certaine admiration.

Je lui demandai alors s'il savait que lorsque les derniers Sonderkommandos entreprirent de nettoyer Auschwitz, ils découvrirent que les parois d'un foyer construit en plein air étaient recouvertes de près de *cinquante centimètres de graisse humaine.* Il hocha la tête, en signe de dénégation. On a inventé toutes sortes d'histoires fantastiques, sembla-t-il vouloir dire.

Son attitude resta affable et cordiale. C'était celle d'un homme cultivé — il me signala qu'il avait fait des études de droit. Sans cesse, il revint sur le fait qu'il s'était contenté de transmettre des ordres, et que « d'autres personnes » avaient défini la politique concernant les Juifs et les diverses minorités ethniques.

Finalement, tout en lui présentant des photographies d'un groupe de cadavres d'enfants juifs, exécutés par les Einsatzgruppen, et enfouis dans une fosse collective, je l'informai du dossier que nous avions constitué sur lui. Vingt-quatre personnes — Allemandes et non-Allemandes — l'avaient vu, de leurs propres yeux, agir en tant qu'officier investi d'une autorité évidente, sur les lieux des chambres à gaz et des fours crématoires, ainsi que sur ceux des mitraillages massifs. Un témoin rapportait même avoir vu Dorf tuer de ses mains une femme juive en Ukraine, après avoir été mis en demeure de le faire par le colonel Paul Blobel. (Je devrais dire le défunt Blobel, puisqu'il fut exécuté il y a quelques années de cela.)

A ce moment-là, Dorf donna l'impression de perdre son sang-froid. Il se lança dans une longue explication verbeuse des raisons pour lesquelles les Juifs devaient être exterminés : ils étaient les vieux adversaires de la chrétienté, les agents du bolchevisme, les ennemis les plus mortels de l'Europe, un virus, etc.

— Mais les enfants, Commandant Dorf ? dis-je. Pourquoi avez-vous massacré des enfants ?

Il répondit qu'aussi regrettable que cela ait pu être, il avait fallu les supprimer car, s'ils étaient restés en vie, ils auraient constitué le noyau d'une nouvelle attaque contre l'Allemagne. Le Führer avait parfaitement expliqué tout cela. (Si vous avez pris connaissance des témoignages qui ont été faits devant le tribunal de Nuremberg, vous devez vous rappeler qu'Otto Ohlendorf, un homme également cultivé, intelligent, et d'allure agréable, reconnut franchement avoir ordonné l'extermination de quatre-vingt dix mille Juifs en Crimée, et recourut, pour sa défense, aux mêmes arguments que Dorf.)

Je déclarai alors au commandant Dorf que si j'étais libre d'agir selon ma conscience, je lui logerais avec plaisir une balle dans la tête sur-le-champ, lui donnant ainsi autant de chances qu'il en avait accordé aux Juifs. Il devint blanc comme un linge. Mais je m'empressai d'ajouter que nous étions dans un régime démocratique, et n'agissions pas de cette manière. Cependant, sa confession et toute information qu'il serait en mesure de nous fournir sur son activité pour les SS et le R.S.H.A. seraient les bienvenues, et pourraient lui être utiles lorsqu'il passerait en jugement, ce que je considérais comme inéluctable.

Je lui donnai une autre série de photographies à contempler, ainsi que quelques doubles de sa correspondance avec des personnes telles que Rudolf Hoess, Arthur Nebe, Joseph Kramer et autres fonctionnaires chargés de l'application de la solution finale. Ce fut alors que je commis l'erreur de m'éloigner de lui. J'allai jusqu'à la porte pour appeler une sténographe. (J'avais bien pris quelques notes rapides jusqu'à présent, mais je voulais un compte-rendu complet de cet interrogatoire.)

Quoique Dorf ait déjà fait l'objet d'une fouille, il s'était débrouillé pour dissimuler une capsule de cyanure — à moins que celle-ci ne lui ait été apportée en cachette. Il la déchira de ses dents tandis que je marchais vers la porte. Au moment où son corps s'effondra sur le plancher, il avait succombé au poison. Comme tant d'individus de son espèce, il préféra cette issue à la perspective d'assumer la responsabilité des crimes monstrueux qu'il avait commis. Et pourtant... quel charmant jeune homme il était !

Je suis désolé du sort qui fut réservé aux membres de votre famille. Si je puis vous être utile de quelque autre façon dans vos recherches, veuillez me le faire savoir.

> Cordialement,
> Arthur Cassidy.

Une seconde lettre a trait à l'histoire de ma famille, et je la présente ci-après. Elle me vint de Kurt Dorf, l'oncle du commandant Erik Dorf. J'eus moins de difficultés à le retrouver. Il fut un témoin de l'accusation à Nuremberg. Son nom figure dans le Yad Vashem, car il fut l'un des « Chrétiens Justes » d'Europe.

> *Brême, Allemagne*
> *Le 10 juillet 1950.*

Mon cher Monsieur Weiss,

Vous avez été bien informé. Je suis l'oncle du défunt commandant Erik Dorf, de Berlin. J'ignore ce que je peux apporter comme contribution à votre quête d'informations sur le sort de votre famille décédée. Dire que je suis désolé, que je vous présente mes condoléances, serait bien dérisoire. Comment peut-on s'excuser d'un crime sans précédent dans l'histoire de l'humanité ?

Vous êtes au courant du témoignage que j'ai apporté devant le tribunal de Nuremberg. J'ai été vilipendé pour cela ; et mon travail d'ingénieur en a beaucoup souffert. J'ai l'espoir d'émigrer aux Etats-Unis dans les six mois qui viennent, grâce au concours de quelques amis juifs, des ingénieurs comme moi.

Erik Dorf s'est suicidé le 16 mai 1945, au cours d'un interrogatoire des Services secrets de l'armée américaine. Exactement une semaine avant que son chef, Himmler, ne se suicidât également, de la même manière, après avoir été arrêté par des autorités Britanniques, à Lüneburg.

Ayant appris la mort de mon neveu, je rendis visite à sa veuve et à ses enfants dès que je revins à Berlin. Madame Dorf me montra une lettre non signée, qui lui avait été envoyée par un « camarade » de son mari, et qui disait qu'Erik Dorf était mort en héros, pour la défense du Reich. Ne pouvant laisser affirmer une chose pareille, je leur révélai alors la vérité, à savoir qu'Erik Dorf avait été un criminel, coupable de massacres, qu'il avait participé au crime le plus abominable de l'histoire de l'humanité. J'ai le regret de dire que ni Marta Dorf, ni ses enfants, ne voulurent l'admettre. Je fus prié de partir — et à vrai dire qualifié de « traître » par Peter Dorf, le fils du commandant, alors âgé de quinze ans.

Quant à votre père, je l'ai effectivement connu à Auschwitz. Lui et un homme du nom de Lowy, firent partie des équipes que j'employai au terrassement des routes. Vous avez lu mon témoignage, et vous savez que je me suis efforcé, à plusieurs reprises, de sauver des Juifs des gazages en les soustrayant plus ou moins à l'emprise des SS. Je regrette de n'avoir pas réussi à prolonger plus longtemps l'existence de votre père. Je soupçonne mon neveu, avec lequel j'étais en désaccord depuis quelque temps, d'être intervenu personnellement dans les mesures qui l'assignèrent à la chambre à gaz.

Votre père me sembla être un homme d'une bonté et d'une dignité remarquables, et je me sens paralysé par la honte et la culpabilité d'avoir fait partie de la nation qui extermina de tels êtres. C'est la raison pour laquelle j'ai choisi de porter témoignage devant le tribunal, afin d'être entendu. Ce ne saurait être qu'une bien mince consolation, mais je puis dire que votre père marcha à la mort avec courage, et même, je m'en souviens, avec une note d'humour. Il me semble qu'il plaisanta avec un détenu du nom de Lowy tandis qu'on les emmenait.

Non, je n'ai pas connu votre mère, ni votre frère. J'ai l'impression qu'ils furent tous les deux des êtres extraordinaires, et je me retrouve toujours plongé dans le même accablement, et saisi du même sentiment d'horreur, lorsque je me retourne sur le passé et que je songe à la destruction que nous avons infligée à tant de peuples, au long de ces années de cauchemar.

A mon actif — aussi maigre qu'il soit — je peux néanmoins signaler les quatre cents Juifs qui travaillaient pour moi au moment où Auschwitz fut libéré, et qui échappèrent ainsi à la chambre à gaz.

J'aimerais que vous n'hésitiez pas à m'écrire de nouveau si je puis vous être utile. Le fait que je sois cité au nombre des « Chrétiens Justes » d'Europe est pour moi un honneur que je ne suis pas certain de mériter. Mais je l'accepte humblement. Peut-être nous rencontrerons-nous un jour en Israël.

Je vous prie d'agréer l'expression de toute ma sympathie.

Kurt Dorf.

Le 11 mai 1945, j'arrivai à Theresienstadt en compagnie d'une brigade tchèque. Un grand nombre des soldats qui la composaient étaient des Juifs. Il y avait parmi eux un homme qui venait de la même rue de Prague qu'Héléna, et qui l'avait bien connue, ainsi que ses parents. Il m'apprit qu'ils étaient morts depuis longtemps ; il ignorait les détails. A mon tour, je lui parlai d'Héléna ; mais très peu. Oui, nous nous étions mariés. Mon silence lui donna l'impression que le Berlinois que j'étais, l'ex-partisan, était plutôt un drôle de type.

Je me trouvais toujours dans l'incapacité totale de verser des larmes. Je tâchais de ne pas penser à elle. Je l'avais aimée trop profondément, trop intensément. Sous le danger qui planait constamment au-dessus de nos têtes, nous nous étions accrochés l'un à l'autre. Nous avions vécu plusieurs existences en une seule. A présent, elle n'était plus. J'étais seul et mon cœur était froid. J'avais de la peine à suivre les conversations des gens qui m'entouraient. Ils m'ennuyaient avec leurs histoires. C'était toujours la même chose : trop de souffrances, trop de malheurs. Je découvris que j'avais un grand besoin de solitude et de silence, et ne cherchai à me lier avec personne.

Sur mon chemin de retour vers la Tchécoslovaquie, le hasard me fit passer par Auschwitz, et j'appris là, de la bouche de quelques survivants, que mes parents ainsi que mon frère y avaient trouvé la mort. Evidemment, il ne restait aucune trace d'eux.

Plus tard, dans un camp appelé Gross-Rosen, je tombai sur Hirsch Weinberg, le tailleur qui avait connu Karl à Buchenwald, et qui l'avait retrouvé, alors qu'il était mourant, à Auschwitz. Weinberg me parla du dernier dessin que Karl avait fait. Cette œuvre si frappante : la main qui sortait du marécage. Il me dit également qu'il avait tout lieu de croire que ma belle-sœur Inga était toujours à Theresienstadt.

J'arrivai donc à Theresienstadt par une belle matinée de

printemps. La bourgade offrait un spectacle extraordinaire. Elle venait d'être libérée. Les Juifs y mouraient encore de faim et de maladie, mais déjà la population tchèque d'origine, qui avait été expulsée par les nazis lors de la création du camp de concentration, réintégrait les lieux, comme si rien ne s'était passé.

La Croix-Rouge était présente, soignant les malades et donnant à manger aux détenus libérés.

Il y avait également là une organisation appelée l'Agence juive pour la Palestine, qui avait installé un bureau et semblait enregistrer les noms des anciens prisonniers du camp. En parcourant les rues de cette bourgade, qui était vraiment très jolie, malgré les sévices qu'on y avait infligés aux gens, je me demandai si j'arriverais à trouver Inga.

Mentalement, je me remis à dresser la liste de mes morts. Je tentai de la chasser de mon esprit, mais les noms et les circonstances y revenaient sans cesse, et j'éprouvai bientôt un véritable sentiment de culpabilité parce que j'avais eu assez de chance, de résistance, et de ressources pour rester vivant, alors que tous les membres de ma famille avaient péri.

Mes grands-parents, les Palitz, s'étaient suicidés à Berlin...

Mes parents avaient été gazés à Auschwitz...

Ma sœur Anna avait été tuée Dieu sait où, et pour des raisons inconnues...

Mon frère Karl était mort à Auschwitz, à force de privations...

Mon oncle Moïse avait été exécuté dans le ghetto de Varsovie...

Il était difficile de croire que j'avais à présent vingt-sept ans, et que je venais de passer les six dernières années de ma vie à mener l'existence errante d'un vagabond. Je me demandai pourquoi j'étais venu ici. Et où j'irais ensuite.

Dans un champ boueux, à côté du bâtiment où l'Agence juive s'était installée, une bande de gamins jouait au football. Je les suivis du regard, songeant aux centaines de matches auxquels j'avais participé, à la carrière de professionnel qu'on m'avait promise, et au jour où j'avais été chassé de mon équipe de semi-professionnels. Il me sembla que j'avais vécu tout cela au cours d'une autre vie, sur une autre planète, et des siècles auparavant.

Un homme à la carrure massive, vêtu d'un uniforme kaki, sortit de l'Agence juive, et me contempla un moment. Il conversait avec un interlocuteur plus petit et plus âgé que lui. Mais me regardaient-ils vraiment ?

Je poursuivis ma route. Je vis les fausses boutiques, la fausse banque, tous les simulacres d'une ville qui avaient permis aux nazis d'imposer au monde l'idée que les Juifs vivaient ici dans une communauté bien à eux. Et cela au moment même où douze mille d'entre eux étaient gazés, chaque jour, dans le seul camp d'Auschwitz, pour ne rien dire des autres camps de Treblinka, Chelmno, et Sobibor.

Je sentis qu'il était temps pour moi de ne plus m'attarder là-dessus, et de diriger mon esprit sur un autre horizon. Mais comment? Je n'avais plus de racines. Qui voudrait de moi?

Je vis Inga.

Elle portait un bébé dans les bras, qui pouvait avoir dans les dix mois. Il était vêtu d'un manteau beaucoup trop grand pour lui. C'était un petit garçon aux joues roses. Il avait les yeux noirs de Karl.

— Rudi, dit-elle, j'espérais que tu viendrais.

Nous nous embrassâmes.

— Embrasse aussi ton neveu, ajouta-t-elle. C'est le fils de Karl. Je l'ai appelé Joseph, en souvenir de ton père. Les gens trouvent qu'il ressemble à Karl.

Je déposai un baiser sur la joue du bébé. Il sentait le lait aigre, comme la plupart des bébés.

— Il ressemble plutôt à Churchill, dis-je.

— Oh, tu es toujours le même, Rudi! fit-elle en souriant. Viens, allons nous asseoir sur un banc, et tu pourras me parler.

Mais que pouvions-nous dire? Elle avait appris la mort de Karl, de mes parents et d'oncle Moïse dans le ghetto de Varsovie. Et elle me dévoila la vérité sur Anna. Elle avait fini par être mise au courant des procédures d'euthanasie qui étaient appliquées à Hadamar, et elle s'en voulait encore d'avoir suivi les conseils du neurologue, d'avoir laissé Anna aller là-bas.

— Je me souviens du jour où tu as quitté Berlin, dit-elle. Tu partais seul, contre tous.

— J'ai eu de la chance.

Le bébé poussa quelques vagissements. Je lui chatouillai la joue.

— Souris, Churchill. Je suis ton oncle.

Inga me parla de Karl. De l'atelier de peinture. Et de la façon dont les Allemands avaient torturé les trois artistes qui refusaient de dire où étaient cachés leurs autres dessins. Karl avait été courageux jusqu'au bout. Il n'avait rien révélé.

— Quand je pense que les nazis vont arriver à s'en sortir! fis-je. Parce que personne ne voudra croire à un crime aussi monstrueux. Les gens diront : « C'est impossible ! Ils n'ont pas pu tuer tant de Juifs, en torturer autant, ni être cruels à ce point ! » Les gens diront qu'il y a des limites à la barbarie humaine, alors que les nazis les franchirent et allèrent bien au-delà.

Inga dit :

— Tu peux me haïr, si tu veux. Je suis de leur race.

— Non, je n'ai pas de haine. Je me sens vide de tout sentiment. Ni haine, ni amour, ni espoir. Je survis tout bonnement. Comme l'un de ces « musulmans », les morts vivants des camps de concentration.

— Non, Rudi, pas toi. Jamais.

Je lui parlai d'Hélèna, et lui dis combien nous nous étions aimés. Dieu sait ce qu'ils firent de son corps. Mais je ne retournerais pas là-bas pour le savoir. Probablement avait-elle été enterrée dans une fosse quelconque, et brûlée par les Allemands.

— Mais vous avez eu le bonheur de vivre ensemble pendant un certain temps, et de vous aimer, me fit-elle remarquer.

— Oui, je sais.

Je soupirai, et me mis à la contempler.

— Où vas-tu aller, Inga ?

— Je vais rentrer en Allemagne. Mais je n'y resterai pas. Je n'élèverai pas le fils de Karl dans ce pays. L'Amérique, peut-être. Et toi ?

— Je ne sais pas. Je vais probablement continuer à errer.

— Seul ? Sans argent ?

— Je l'ai fait si longtemps !

Elle me demanda d'aller avec elle dans l'atelier où Karl avait travaillé, où il avait composé les dessins clandestins qui avaient déclenché une telle fureur chez les Allemands, et qui devaient le conduire à la mort.

Nous nous levâmes. Une grande activité se déployait dans le camp : des cuisines en plein air, des équipes de secouristes, des civils qui revenaient chez eux avec tous leurs biens dans des charrettes, les quelques Juifs qui étaient restés vivants, et des soldats de l'armée tchèque.

Nous suivîmes des rues pavées. Je pinçai doucement la joue de mon neveu.

Dans l'atelier, je rencontrai Maria Kalova qui avait travaillé auprès de mon frère.

Elle et Inga étalèrent des douzaines de dessins et de croquis sur les tables. C'était l'œuvre de Karl et de quelques-uns de ses compagnons. Un témoignage véridique des horreurs des camps : les pendaisons, les bastonnades, la mort entraînée par la faim et les privations, la déchéance.

Telle avait été la réponse des artistes-peintres aux nazis.

— Votre frère était un homme talentueux et plein de bonté, dit Maria Kalova. La totalité de ces œuvres ira dans un musée de Prague, de façon à ce que tout le monde puisse les voir.

— C'est pour cela qu'ils l'ont tué ? demandai-je.

Inga se mit à pleurer.

— Rudi, si tu l'avais vu, avec ses mains aux doigts brisés... ces belles mains qu'il avait...

Et, bien sûr, il y avait là son dernier dessin. La main sortant du marécage, tendue vers le ciel.

Je contemplai les dessins. Et je revis Karl petit garçon, en train de jouer avec moi dans le jardin public devant notre maison de la Groningstrasse. Nous jouions aux cow-boys et aux Indiens. Karl détestait toujours faire semblant de tirer avec un pistolet.

Mais je me trouvais encore dans l'incapacité totale de verser des larmes, et je ne pus que dire stupidement :

— Pauvre Karl ! Maigre et peureux. Mais il n'a pas eu peur d'eux. Il a été plus courageux que moi qui avais un fusil entre les mains la plupart du temps.

Ce fut alors que la vision fugitive de mon père, dans sa veste blanche, le stéthoscope dans la poche, qui nous regardait par la fenêtre de son cabinet d'un air bienveillant et fatigué me traversa l'esprit. Oui, il nous fait signe pour nous dire que nos invités sont arrivés pour le dîner. Les feuilles tombent : c'est le début de l'automne à Berlin. Karl et moi, pour nous amuser décidons de voir qui arrivera le premier au bas des marches de notre maison. Je gagne, comme toujours.

Mon regard se posa sur le bébé, et je me demandai quel genre de vie l'attendait. En moi, de vieux souvenirs du passé se ranimèrent. Une mère aimante. Un père bienveillant. Un frère. Une sœur. Une famille heureuse, qui savait tout partager ; qui savait se mettre en colère, trouver de la beauté dans la musique et de la joie dans le sport. Une famille dans laquelle nous admirions tous notre père, qui se surmenait avec son cabinet, qui avait toujours l'esprit préoccupé par un de ses malades, et redoutions un peu notre mère si pleine de dignité, de charme, et d'intelligence.

Tous disparus. Brûlés, et leurs cendres dispersées au vent. Combien de millions d'autres familles ont-ils détruits, sans pitié, sans raison, dans ce monstrueux élan de haine et de sauvagerie que je ne parviens toujours pas à comprendre. Et pourtant, je le vis venir. Très tôt, je lus dans leurs yeux leur haine irrépressible, irrationnelle, et je pris la fuite. Mais je ne comprends toujours pas ce qui les a motivés.

— Il a l'air d'un petit garçon bien sage, dis-je, avant de refouler en mon cœur la première émotion que je ressentais depuis de longs mois.

— Il l'est, Rudi.

Inga pleurait, sa main dans la mienne.

— Que Dieu soit béni de m'avoir permis de faire partie de votre famille. Je me sens pleine de honte et de culpabilité à être encore en vie. Je n'en ai pas le droit.

Je hochai la tête.

— Peut-être étions-nous une famille trop aimante. C'est peut-être cela qui a causé notre perte.

— Non, Rudi. Tu ne dois pas croire cela. Tu ne dois pas dire une chose pareille.

Je pris congé de Maria Kalova. Inga, le bébé dans les bras, m'accompagna jusque sur la place.

— Où iras-tu ? me demanda-t-elle.

— Je n'en ai aucune idée. Je ne suis personne. Sans famille, sans patrie, sans papiers.

— Viens à Berlin avec moi et le petit Joseph. Jusqu'à ce que tu aies pris une décision.

— Non, je ne retournerai jamais là-bas.

Elle m'embrassa.

— Au revoir, petit frère !

Je sentis à peine son baiser. Je n'avais toujours pas réussi à me départir de ma froideur intérieure.

— Au revoir, Inga, dis-je.

Et, désignant mon neveu, j'ajoutai :

— Apprends-lui à ne pas avoir peur.

Je m'éloignai. Je m'étais fait quelques amis dans la brigade tchèque, et j'avais envie de leur parler. Il y avait là des hommes qui avaient connu la famille d'Hélèna. Peut-être me seraient-ils de bon conseil.

Une fois de plus, je longeai le champ où les gamins jouaient au football. Ils avaient un air bizarre, avec leur silhouette maigre, leur crâne rasé, leurs yeux noirs et leur teint mat. Leurs vêtements étaient en lambeaux. Et cependant, certains d'entre eux jouaient bien. Ils faisaient des têtes et des feintes adroites.

Je m'arrêtai pour les regarder. L'homme à la carrure massive, que j'avais aperçu auparavant, sortit sur le seuil de la porte. Il fumait un cigare.

— Certains gamins ne se débrouillent pas mal, lui dis-je. Qui sont-ils ?

— Des Juifs grecs, répondit-il. Leurs familles ont été massacrées à Salonique. C'est un cadeau que nous ont laissé les Allemands.

Un regard lourd de colère, le vieux désir de *tuer* quelqu'un pour me venger, qui se ralluma soudain en moi, dut alors modifier les traits de mon visage. La seule pensée que j'avais en tête était : Où sont donc les salauds qui ont massacré leurs parents ? Pourquoi ne les liquidons-nous pas ? Pourquoi le monde entier leur accorde-t-il ainsi l'impunité ?

— Vous êtes Rudi Weiss, fit l'homme.

— Comment le savez-vous ?

— Il n'y a pas de secrets dans un camp libéré. Tout au moins, pas chez les Juifs.

Il me tendit une main carrée.

— Je m'appelle Levin. Je travaille dans l'Agence juive pour la Palestine. Je suis Américain.

— Vraiment ?

— Je vous connais un peu.

— Comment cela ?

— Oh, vous êtes un partisan de longue date. On dit que vous vous êtes échappé du camp de Sobibor.

— Que savez-vous d'autre ?

— Pardonnez-moi de vous le dire, Weiss : vos parents et votre frère sont morts à Auschwitz. Votre femme a été tuée en Ukraine.

— Vous êtes bien renseigné !

Levin m'ennuyait vaguement. J'avais envie qu'on me laissât seul, pour que j'essaie d'enterrer mon passé, et m'apprêtai à m'éloigner de lui.

— Attendez, Weiss, dit-il.

— Pourquoi ?

— Voulez-vous un poste ?

Je souris.

— Si vous êtes si bien renseigné sur mon compte, vous devez savoir que je n'ai pas achevé mes études au lycée.

— Je pense que vous êtes qualifié pour ce que je vous propose.

Il me prit par le bras, et nous nous approchâmes des enfants grecs qui jouaient dans le champ boueux.

— Vous voyez ces gamins ? dit Levin. Ils ont besoin d'un berger.

— D'un berger ?

— De quelqu'un qui les fera passer clandestinement en Palestine. Ils sont une quarantaine d'orphelins. Sans personne pour s'occuper d'eux. Cela vous intéresse-t-il ?

— Je ne parle pas grec. Ni hébreu. Je ne suis pas sûr d'être très Juif.

Levin sourit.

— Vous ferez l'affaire.

Je me souvins d'Héléna, et de ses rêves sionistes : les fermes dans les collines, la mer tiède, et le désert.

— Ce ne sera pas aussi dangereux que la vie de partisan,

Weiss, mais ce ne sera pas non plus de tout repos comme le Pourim. Pas d'armes, mais beaucoup d'action. Qu'en dites-vous ?

Sans prendre le temps de réfléchir davantage, je répondis :

— Pourquoi pas ?

Puis je déposai à terre mon havresac, et courus rejoindre les enfants.

— Nous vous ferons obtenir un passeport, me cria Levin.

Deux gosses venaient de se heurter, et l'un tomba pour se relever tout étourdi par le choc. Je les séparai.

— Si vous voulez jouer au football, ne vous bagarrez plus, dis-je. Donnez-moi le ballon.

Et je descendis le terrain en leur montrant des mouvements que je n'avais pas pratiqués depuis longtemps. Je me faufilai entre les joueurs, fis des passes, des têtes, et menai l'attaque.

Ils couraient autour de moi, en riant et criant dans une langue que je ne comprenais pas.

Quelqu'un avait disposé deux bidons d'huile vides sur le bord du champ pour représenter les limites du but. Je poussai le ballon d'un côté, feintai, et d'un coup de pied rapide, l'envoyai droit entre les deux bidons.

Lorsque je récupérai le ballon et revins vers les gosses au crâne rasé, ils connaissaient déjà mon nom. Ils s'accrochèrent à mes jambes, me saisirent les mains, et l'un deux m'embrassa.

FIN

Dépôt légal : 4ᵉ trimestre 1978.
Nº d'Édition : G. 696 Nº d'Impression : 1604/644.